W. Neuwirth - Wiener Silber – Namens- und Firmenpunzen 1781 – 1866

W. Neuwirth - Viennese Silver – Makers' and Company Marks 1781 – 1866

Diese Publikation wurde vom Bundesministerium für Bildung, Wissenschaft und Kultur mit einem Druckkostenzuschuß gefördert

This publication has been printed with a grant from the Federal Ministry of Education, Science and Culture

Herausgeber / Editor: Hauptpunzierungs- und Probieramt, Wien – Main Assay Office, Vienna

Waltraud Neuwirth

# WIENER SILBER
# VIENNESE SILVER

## NAMENS- UND FIRMENPUNZEN
## 1781 – 1866
## MAKERS' AND COMPANY MARKS

Selbstverlag Dr. Waltraud Neuwirth, Wien / Vienna

2002

# NEUWIRTH DOKUMENTATION – NEUWIRTH DOCUMENTATION

Schutzumschlag: Franz Würth, Detail von einem Tafelaufsatz, 1801, siehe Seite 39 – Kunstgewerbemuseum Budapest, Inv. 75.175

Jacket: Franz Würth, Detail of a Centerpiece, 1801, see page 39 – Museum of Applied Arts Budapest, Inv. 75.175

ISBN 3-900282-53-6 Selbstverlag Dr. Waltraud Neuwirth, Wien

Fotonachweis / Photographic acknowledgements: Dr. Waltraud Neuwirth, Wien / Vienna

Übersetzung ins Englische / English translation: Ann Dubsky, Wien / Vienna

Druck / Printed by: Grasl Druck & Neue Medien, Bad Vöslau / Printed in Austria

# INHALT

# CONTENTS

## PREFACE

Whether master or authorized craftsman, workshop, manufactory or factory, all of them put their marks on silver and gold: lovely monograms composed of artistically entwined initials; double eagles with scepter, crown and orb; names in clear writing, upright or slanted; single letters or the initials of first and last names.

Suddenly, behind the mark, there is a name, a life, an achievement. We trace these clues and find something concrete: birth and christening, apprenticeship and journeyman's travels, master's titles and burgher's rights, acceptance into the guild, marriage, birth and death of children, travels to foreign lands, disputes with the authorities, partnerships, the founding and dissolution of companies, bankruptcies; prosperity and poverty, and finally a will, an estate, a death notice, a widow who carries on with a life's work. This becomes apparent through an almost inexhaustible variety of sources that flow so abundantly one feels as if caught in the whirl of a maelstrom whose suction becomes irresistible. This is the time to pause and give the maelstrom direction.

There is a lot to be retrieved: guild lists and files, burghers' and tax books, passport records, address books, parish registries, records of the mercantile and commercial courts, commercial court files, records of coroners' examinations. At the top of the list, however, are the tablets of marks from the Main Assay Office in Vienna. They hold thousands of struck marks as abbreviations that can lead us to names.

This treasure was discovered almost a hundred years ago and we have the imperial chief assayer, Karl Knies, to thank for the first evaluation. He published the results himself in a small booklet under the title "Viennese Goldsmith's Marks." He went back to the tablets covering the period from 1781 to 1850. The time that followed did not interest him. The few copies of this little publication still in existence were an insider's tip even for silver connoisseurs. When no original was available, copies were passed from hand to hand, but of course, only among good friends.

It is hard to believe that almost a century had to pass before these images of marks could be shown in a systematic form. After many years of work, I put together more than 1800 marks in three marks lexicons covering the periods 1781-1822, 1822-1850 and 1850-1866. They were preceded by a lengthy process of careful considerations about how best to present the subject of "Viennese Silver" for the people who are interested in it. I was able to draw upon a certain amount of experience since I had published the two-volume "Lexicon of Viennese Gold and Silversmiths, 1867-1922" more than a quarter of a century ago (it has since been used for more than two decades for identifying marks from that period). Seen from my present state of knowledge, the advantages and disadvantages of the work are obvious. On the one hand it is still the standard work on the subject; on the other hand there are a lot of sources it does not take into consideration, but which I can draw upon today. As strange as it may seem, it was this shortcoming that favored the appearance of this publication. Let's call it the beginner's lack of inhibition that dares to take on such a project. Though it sounds paradoxical, putting all of the research results into one publication can seriously endanger its realization. Many projects literally suffocate under the enormous volume of their data (previously as cards, today in data banks). And what good does the best research do if it merely collects dust in a drawer or remains buried in the data cemetery?

Developing a structure for organizing and publishing the collected data on the subject of "Viennese Silver" was more difficult than for any other of my projects. If I wanted to pursue a path that made sense, the form of lexical-alphabetical presentation of the material used in the aforementioned two-volume work from 1976-77 was not possible anymore. If I had retained the traditional structure of A - Z, I would surely not have gotten beyond the first letter of the alphabet (there would have to have been constant additions to the biographies alone). Therefore I decided to place the marks for names and companies in the foreground and combine them with the most important data (master's title, bestowal of trade, etc.). Very soon, the need became apparent to show the (undated) symbols on the marks tablets in conjunction with the (dated) marks on objects. In order to understand the connections better, it also seemed absolutely necessary to supply a corresponding commentary, which would also include the company histories, companies carried on by widows and other relevant information.

Basic principles are presented in the introduction, which also includes a short history of Viennese marks, along with a brief section on fakes and examples of the history of marks for specific companies. To make things even clearer there are a survey of the typology of jug shapes and a cross-section from the collection of Viennese silver from the period between 1785 and 1824 now in the Museum of Applied Arts in Budapest. Research is almost complete for my next project: the history of Viennese marks from 1524 to 1866. Here, too, problems will arise in putting the work into book form. I hope to solve them by the year 2002. As with earlier projects, the participation and attention of many interested people was assured. Surely none of them will hold it against me if I express my thanks first of all to that silver enthusiast whose unwavering enthusiasm guided me back in the direction of Viennese silver again and again, when he thought my "affairs" with other subjects lasted much too long: Joschko A. Buxbaum tried years ago to convince me that it was my responsbility to publish books on Viennese silver with the latest research results because no one else was doing it. So far he has been right.

Messrs. Fritz Kaltenbrunner and Alfons Pessl were indispensable in my photographic activities; Fritz Kaltenbrunner also took on the tedious task of proof reading again, and Ann Dubsky once again assumed the responsibility of the translation into English. I would like once more to point to her untiring, knowledgeable and meticulous work, which will contribute a great deal towards spreading this publication internationally.

I would also like to thank the Vienna art trade, especially Dr. Georg Ludwigstorff (Vienna Dorotheum), Sonja Reisch of Vienna, Annette Ahrens (Vienna Art Auctions) and private collectors for supplying numerous objects with interesting marks. Many people and institutions supported my work in every conceivable way. Therefore I thank

– the Main Assay Office in Vienna: its director Hofrat Dr. Friedrich Kahr and Messrs. Dr. Peter Krtina, Günter Lemmerhofer and Rupert Reisinger

– the Budapest Museum of Applied Arts: General Director Dr. Zsuzsa Lovag, Dr. Eva Békési and Ildiko Pandur along with all the participating staff members, especially those from the restoration department

– the Budapest National Museum: General Director Tibor Kovacs and Dr. Erika Kiss

– the Prague National Museum: Dr. Dana Stehlíková

– the Historical Museum of Prague: Director Dr. Zuzana Strnadová and Mag. Michaela Holznerová

– the Historical Museum of the City of Vienna: Director Hofrat Dr. Günter Düriegl and his staff members Dr. Regina Karner and Mag. Eva-Maria Orosz

– the Vienna Cathedral and Diocesan Museum: Director Gerhard Ederndorfer

– the Moravian Gallery in Brno: Dr. Alena Křižová

– the South Moravian Museum in Znoimo: Libor Šturc

– the Vienna Municipal and Provincial Archives: Director Univ. Prof. Dr. Ferdinand Opll, Dr. Heinrich Berg and all the staff

– the Vienna Municipal and Provincial Library: Director Dr. Walter Obermaier and his staff

– the Library of the Vienna Economic Chamber: Dr. Herbert Pribyl

Vienna, August 2001                                            Waltraud Neuwirth

# VORWORT

Ob Meister oder Befugter, Werkstatt, Manufaktur oder Fabrik: Sie alle setzten Zeichen auf Silber und Gold: Monogramme, aus kunstvoll verschlungenen Initialen schön gestaltet; Doppeladler mit Szepter, Krone und Reichsapfel; Namen in klarer Schrift, gerade oder schräg geneigt; einzelne Buchstaben oder die Initialen von Vor- und Zunamen.

Auf einmal steht hinter dem Zeichen ein Name, ein Leben, ein Werk. Wir gehen den Spuren nach und finden Faßbares: Geburt und Taufe, Lehrzeit und Gesellenreisen, Meister- und Bürgerrecht, Aufnahme ins Gremium, Heirat, Geburt und Tod von Kindern, Reisen in ferne Länder, Streit mit der Obrigkeit, Partnerschaften, Firmengründungen und -auflösungen, Konkurse; Wohlhabenheit und Armut, und schließlich ein Testament, eine Verlassenschaft, ein Vermerk im Totenprotokoll, eine Witwe, die das Lebenswerk fortführt. Dies erschließt sich aus einer nahezu unerschöpflichen Vielfalt an Quellen, die so reich strömen, daß man sich wie im Strudel des Malstroms fühlt, dessen Sog unwiderstehlich wird. Dies ist die Zeit innezuhalten und der Strömung eine Richtung zu geben.

Viel gilt es auszuschöpfen: Innungslisten und -akten, Bürger- und Steuerbücher, Paßprotokolle, Adreßbücher, Pfarrmatriken, Protokollierungen des Merkantil- und Wechselgerichts, Akten des Handelsgerichts, Totenbeschauprotokolle. An erster Stelle aber stehen die Punzentafeln des Hauptpunzierungs- und Probieramtes in Wien; sie enthalten Tausende eingeschlagener Zeichen als Kürzel, die uns zu einem Namen führen können. Vor nahezu hundert Jahren wurde dieser Schatz gehoben: eine erste Auswertung verdanken wir dem k. k. Oberwardein des Wiener Punzierungsamtes Carl Knies, der im Selbstverlag eine schmale Broschüre mit dem Titel „Wiener Goldschmiedezeichen" veröffentlichte. Er griff auf die Tafeln zurück, die von 1781 bis 1850 reichen; die Folgezeit war für ihn ohne Interesse. Die wenigen erhaltenen Exemplare des schmalen Bändchens waren selbst für Silberkenner ein Geheimtip; war kein Original verfügbar, wurden Kopien – doch nur unter guten Freunden – von Hand zu Hand gereicht.

Kaum zu glauben, daß nahezu ein Jahrhundert vergehen sollte, bevor diese Punzenbilder in systematischer Form vorgelegt werden konnten. Nach vieljähriger Arbeit faßte ich über 1800 Punzen in drei Markenlexika zusammen, die die Abschnitte 1781-1822, 1822-1850, 1850-1866 umfaßten. Vorangegangen war ein langwieriger Prozeß sorgfältiger Überlegungen, wie das Thema „Wiener Silber" für den Interessenten aufzubereiten sei. Auf gewisse Erfahrungen konnte ich zurückgreifen, da ich bereits vor mehr als einem Vierteljahrhundert das zweibändige „Lexikon Wiener Gold- und Silberschmiede 1867-1922" veröffentlicht hatte, das nun schon länger als zwei Jahrzehnte zur Identifizierung der Punzen jener Periode dient. Von meinem heutigen Wissensstand aus betrachtet, sind Vor- und Nachteile des Werkes offensichtlich. Einerseits ist es noch immer das Standardwerk zum Thema, andererseits sind viele Quellen nicht berücksichtigt, auf die ich heute zurückgreifen kann. So seltsam es auch klingen mag, war es jedoch gerade dieses Manko, das das Erscheinen der Publikation begünstigte. Nennen wir es die Unbefangenheit des Anfängertums, das sich solch lexikalische Unternehmen zutraut. Die Aufnahme aller Forschungsergebnisse in eine Publikation kann deren Verwirklichung, so paradox dies klingen mag, ernsthaft gefährden. Viele Projekte sind an ihrer eigenen Datenfülle (vormals als Karteien, heute in Datenbanken) buchstäblich erstickt. Wem aber nützt die beste Forschung, wenn sie in der Schublade verstaubt oder im Datenfriedhof begraben bleibt?

Bei keinem anderen Projekt war für mich die Entwicklung einer Struktur zur Gliederung und Veröffentlichung der erarbeiteten Daten so schwierig wie beim Thema „Wiener Silber". Um einen sinnvollen Weg zu gehen, war mir die lexikalisch-alphabetische Aufbereitung des Materials wie im genannten zweibändigen Werk von 1976/77 nicht mehr möglich – es sei denn, man hätte den traditionellen Aufbau von A - Z beibehalten und wäre mit Sicherheit über die ersten Buchstaben des Alphabets nicht hinausgekommen (allein die Biographien wären ständig zu ergänzen gewesen).

So entschloß ich mich, Namens- und Firmenpunzen in den Vordergrund zu stellen und mit den wichtigsten Daten (Meisterrecht, Befugnisverleihung u. a.) zu verbinden. Rasch ergab sich auch die Notwendigkeit, den (undatierten) Kennzeichen der Punzentafeln die (datierten) Punzen auf Objekten gegenüberzustellen. Zum besseren Verständnis der Zusammenhänge wiederum schien ein entsprechender Kommentar unumgänglich, der nun auch die Geschichte der Firmen bzw. der Witwenfortbetriebe und andere relevante Daten enthält.

Allgemeine Grundlagen werden in der Einleitung vermittelt, die die Geschichte der Wiener Punzierung in Kurzfassung enthält, ebenso einen knappen Abriß über Fälschungen und Beispiele der Punzierungsgeschichte von Firmen. Der Anschaulichkeit dient ein Überblick über die Typologie der Kannenformen sowie ein Querschnitt durch die Sammlung des Kunstgewerbemuseums in Budapest mit Wiener Silber aus der Zeit von 1785 bis 1824. Nahezu abgeschlossen ist die Forschung für mein nächstes Projekt: die Geschichte der Wiener Punzierung von 1524 bis 1866. Und auch hier wird die Umsetzung ins Buch Probleme aufwerfen, die ich im Jahre 2002 zu lösen hoffe.

Wie schon bei früheren Projekten war mir auch bei diesem die Anteilnahme und Aufmerksamkeit vieler Interessenten gewiß. Sie alle werden es mir sicher nicht verdenken, wenn ich vor allen anderen jenem Silber-Enthusiasten meinen Dank ausspreche, dessen unbeirrbare Begeisterung mich immer wieder in Richtung Wiener Silber zurücklenkte, wenn meine „Seitensprünge" zu anderen Themen seiner Meinung nach zu lange dauerten: Joschko A. Buxbaum suchte mich schon vor Jahren davon zu überzeugen, daß es meine Aufgabe war, Bücher über Wiener Silber mit neuen Forschungsergebnissen zu veröffentlichen, weil es sonst niemand tat – bisher hat er damit recht behalten.

Die Herren Fritz Kaltenbrunner und Alfons Pessl waren mir bei meinen fotografischen Unternehmungen unentbehrlich; Fritz Kaltenbrunner bewährte sich darüber hinaus auch diesmal bei der mühevollen Arbeit des Korrekturlesens, und Frau Ann Dubsky oblag einmal mehr die verantwortungsvolle Aufgabe der Übersetzung ins Englische. Aufs Neue darf ich auf ihre unermüdliche, fachkundige und akribische Tätigkeit verweisen, die wesentlich dazu beitragen wird, die Publikation international zu verbreiten. Dem Wiener Kunsthandel, besonders Herrn Dr. Georg Ludwigstorff (Dorotheum Wien), Sonja Reisch, Wien und Annette Ahrens (Wiener Kunst Auktionen) verdanke ich ebenso wie Privatsammlern zahlreiche Objekte mit interessanter Kennzeichnung. Viele Personen und Institutionen unterstützten meine Arbeit in jeder erdenklichen Weise. Ich danke daher

- dem Hauptpunzierungs- und Probieramt Wien: dessen Leiter, Herrn Hofrat Dr. Friedrich Kahr, sowie den Herren Dr. Peter Krtina, Günter Lemmerhofer und Rupert Reisinger
- dem Kunstgewerbemuseum Budapest: Frau Generaldirektor Dr. Zsuzsa Lovag, Frau Dr. Eva Békési und Frau Ildiko Pandur sowie allen beteiligten Mitarbeitern, vor allem den Kollegen der Restaurierabteilung
- dem Nationalmuseum Budapest: Herrn Generaldirektor Tibor Kovacs und Frau Dr. Erika Kiss
- dem Nationalmuseum Prag: Frau Dr. Dana Stehlíková
- dem Historischen Museum Prag: Frau Direktor Dr. Zuzana Strnadová sowie Frau Mag. Michaela Holznerová
- dem Historischen Museum der Stadt Wien: Herrn Direktor Hofrat Dr. Günter Düriegl und seinen Mitarbeiterinnen Dr. Regina Karner und Mag. Eva-Maria Orosz
- dem Wiener Dom- und Diözesanmuseum: Herrn Direktor Gerhard Ederndorfer
- der Mährischen Galerie Brünn: Frau Dr. Alena Křižová
- dem Südmährischen Museum Znaim: Herrn Libor Šturc
- dem Wiener Sadt- und Landesarchiv: Herrn Direktor Univ. Prof. Dr. Ferdinand Opll, Herrn Dr. Heinrich Berg sowie allen Mitarbeitern
- der Wiener Stadt- und Landesbibliothek: dessen Leiter, Herrn Direktor Dr. Walter Obermaier, und seinen Mitarbeitern
- der Bibliothek der Wirtschaftskammer, Wien: Herrn Dr. Herbert Pribyl

Wien, August 2001                                    Waltraud Neuwirth

# WIENER PUNZIERUNG 1781 – 1866

## Beschauzeichen / Amtspunze / Feingehaltspunze

Die älteste datierbare Wiener Punze stammt aus dem Jahre 1524. Sie ist auf der sogenannten „Schattauer Monstranz" (der Monstranz von Gnadlersdorf) des Erhard Efferdinger eingeschlagen und besteht aus dem Wiener Kreuzschild mit dem W für Wien (Abb. 1). Ein ähnlicher Punzentypus, allerdings in hochovaler Rahmung, wird von Knies in das Ende des 16. Jahrhunderts datiert, dieselbe Punze im Hochoval mit Punkten neben dem W (Abb. 2) setzt er in das 17. Jahrhundert (Knies 1896, S. 70, Taf. II).

Gegen Ende des 17. Jahrhunderts wird im Punzenbild der Wiener Kreuzschild durch eine ovale Form ersetzt, deren linke Seite auf den Bindenschild, deren rechte auf das burgundische Wappen zurückgeht (Abb. 3). Knies führt als früheste dieser Punzen ein Beispiel von 1699 an (Knies 1896, Taf. II, Fig. 8), Reitzner eine Punze von 1692 (Reitzner 1952, S. 152). Die älteste mir bekannte Punze auf einem Silberobjekt stammt aus dem Jahr 1692. Auf diese frühen Wiener Punzen werde ich in meiner in Vorbereitung befindlichen Publikation „WIENER PUNZIERUNG 1524 – 1866" näher eingehen.

Ein abermaliger grundlegender Wechsel des Punzenbildes fand offensichtlich um 1736/1737 statt: bei Knies sind die Punzen eben dieser Jahre vertreten (Knies 1896, Taf. II, Fig. 13, 14). Ab 1737 bestimmen folgende Elemente die Punze für dreizehnlötiges Silber: ein Oval mit Kreuz im Zentrum, umgeben von der Jahreszahl, bekrönt von der Zahl 13 für den Feingehalt (Abb. 4). Das 15lötige Silber trägt die Feingehaltsziffer 15 im Schild, wird von einem W bekrönt und enthält ebenfalls die Jahreszahl (Abb. 5). Von 1737 bis 1783 fand die „Beschau" in der Zunft statt, vom Jahre 1784 bis 1790 übernahm das Punzierungsamt diese Aufgabe (Abb. 6). Als die Punzierung 1791 (bis 1806) an das Hauptmünzamt überging, wurde laut Knies (Knies 1896, S. 21, 71, Taf. III) der Punze für 13lötiges Silber – von 1791 bis 1798 – der Feingehaltsziffer 13 ein Punkt hinzugefügt (Abb. 7; ich kenne allerdings auch einige ältere Beispiele mit Punkt), ab 1799 fiel der Punkt wieder weg (Abb. 8-11). Für die 15lötige Punze dieses Zeitraums wurde die alte Form – Schild mit W und Jahreszahl – beibehalten.

Ab 1807 war wieder das Punzierungsamt für die Prüfung des Feingehalts und die Punzierung zuständig. Die charakteristischen Formen für 13- und 15lötiges Silber unterschieden sich von jenen vor 1807 durch den Buchstaben A für das Wiener Hauptpunzierungsamt; die Jahreszahlen sprangen von 1807 (Abb. 14, 15) auf 1810 (Abb. 17, S. 9) und 1813 (Abb. 18, 19, S. 9). Dazwischen gab es keine eigenen Jahresangaben, sodaß die Punze von 1807 für die Jahre 1807-1809, jene von 1810 von 1810 bis 1812 gültig war; entsprechend müssen die so gekennzeichneten Objekte datiert werden. Der dreibogige untere Abschluß der Punze von 1813 wird von einem einfachen Bogen abgelöst (Abb. 20, 23-25, S. 9), der in der Folgezeit immer gerader wird (Abb. 27-29, 31-42, S. 10). Die Punze von 1840 war von 1840-1842 gültig (Abb. 34, 35, S. 10). Eine Sonderform war die sogenannte „Schwertfegerpunze", die im Patent von Maria Theresia vorkommt (Abb. 829, s. Seite 112).

1 Wiener Punze 1524
Viennese mark 1524
Südmährisches Museum
Znaim

2 Wiener Punze,
17. Jhdt. / Viennese
mark, 17th century
Wien, HM, Inv. 56.309

3 Wiener Punze 1731
Viennese mark 1731
Budapest, IM 52.1522

4 Wiener Punze 1779
Viennese mark 1779
Wiener Kunst Auktionen
21/345

5 Wiener Punze 17?4,
15 Lot / Viennese mark
17?4, 15 lot
Wien, HM, Deposita 18

6 Wiener Punze 1786
Viennese mark 1786
Wien, HM, 71.480

7 Wiener Punze 1796
Viennese mark 1796
Budapest, IM 52.1303

8 Wiener Punze 1801
Viennese mark 1801
Budapest, IM 75.175

9 Wiener Punze 1804
Viennese mark 1804
Dorotheum Wien,
1926/27

10 Wiener Punze 1805
Viennese mark 1805
Wiener Kunst Auktionen
21/323

11 Wiener Punze 1806
Viennese mark 1806
Budapest, IM 68.281

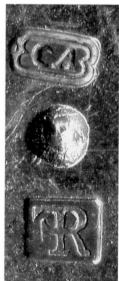

16 Repunzierungs- und
Befreiungspunze
(Objekt Abb. 14, 15)
16 Recharge mark and
release mark
(object ills. 14,15)

12 Wiener Punze 1807 (= gültig 1807-1809),
Vorratsstempel, großer Befreiungsstempel.
Wien, HM, 96.416
12 Viennese mark 1807 (= valid 1807-1809), stock
mark, large release mark
Vienna, HM, 96.416

13 Großer Befreiungs-
stempel, Wiener Punze
(180?) / Large release
mark, Viennese mark
(180?) / Dorotheum Wien
1926/46

14, 15 Wiener Punze 1807 (gültig 1807-1809)
mit unterschiedlicher Beleuchtung fotografiert
14, 15 Viennese mark 1807 (valid 1807-1809)
photographed under different lighting

17 Wiener Punze 1810
Viennese mark 1810
Budapest IM 61.545

18 Wiener Punze 1813
Viennese mark 1813
Budapest IM 52.1311

19 Wiener Punze 1813
Viennese mark 1813
Dorotheum Wien
1944/59

20 Wiener Punze 1817
Viennese mark 1817
Budapest IM 59.1578.2

21 Wiener Punze
1818 / Viennese
mark 1818
Priv. (SR)

22, 23 Wiener Punze 1820 sowie
Taxstempel (A TF) / Viennese mark
1820 and tax mark (A TF)
S. Reisch, Wien

24 Wiener Punze (1821), Vorratspunze (Monogramm VR), Namenspunze JGA
(= J. G. Andorfer). – Dorotheum Wien 1926/95
24 Viennese mark (1821), stock mark (monogram VR), maker's mark JGA
(= J. G. Andorfer). – Dorotheum Vienna 1926/95

25 Wiener Punze (1821), Taxstempel (A TF = 1810–1824), Namenspunze WB
(= W. Berghaus). – Dorotheum Wien 1926/47
25 Viennese mark (1821), tax mark (A TF = 1810-1824), maker's mark WB
(= W. Berghaus). – Dorotheum Vienna 1926/47

26 Repunzierungs-, Befreiungs-, Tax- und Vorratspunzen für Gold und Silber
(Textkommentar W. Neuwirth)
26 Recharge, release, tax and stock marks for gold and silver (comments by
W. Neuwirth)
(HKA, Kommerz r. Nr. 259, 1812, fol. 976-979, Addendum)

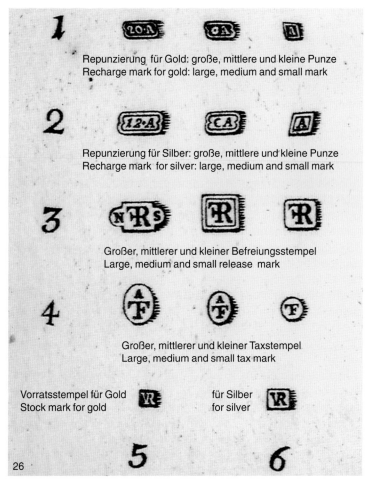

Repunzierung für Gold: große, mittlere und kleine Punze
Recharge mark for gold: large, medium and small mark

Repunzierung für Silber: große, mittlere und kleine Punze
Recharge mark for silver: large, medium and small mark

Großer, mittlerer und kleiner Befreiungsstempel
Large, medium and small release mark

Großer, mittlerer und kleiner Taxstempel
Large, medium and small tax mark

Vorratsstempel für Gold
Stock mark for gold

für Silber
for silver

## Repunzierungs-, Befreiungs-, Tax- und Vorratspunze (1806-1824)

Durch die Franzosenkriege zu Beginn des 19. Jahrhunderts kam es zu großen finanziellen Problemen und der Einführung verschiedener Steuern („Tax") und Abgaben, die ihren Niederschlag auch in der Punzierung fanden. Diese Zeichen gab es – den Vorratsstempel ausgenommen – in drei verschiedenen Größen:

Der „**Repunzierungspunzen**" für Gold und Silber, in drei verschiedenen Größen mit dem Zeichen des jeweiligen Punzierungsamtes (A für Wien), wurde 1806 eingeführt (Abb. 26, Nr. 1 und 2, Abb. 16).

Der „**Befreiungspunzen**" für Silber löste 1808 den „Repunzierungspunzen" ab (Knies 1896, S. 72: gültig 1809-1810) und bestand aus dem Monogramm FR allein bzw. dem Monogramm FR und den Buchstaben N S („Notstempel") (Abb. 26, Nr. 3; Abb. 12, 13, 16).

Der „**Taxpunzen**" für Silber (1810-1824) bestand aus dem Monogramm TF bzw. dem Buchstaben des jeweiligen Punzierungsamtes (s. Abb. 26, Nr. 4; Abb. 22, 25).

Der „**Vorratspunzen**" bestand aus dem Monogramm VR (s. Abb. 26, Nr. 5, 6; Abb. 12, 24), laut Knies ab 1807 gültig (Knies 1896, S. 26, 72).

## Recharge, release, tax and stock marks (1806 - 1824)

Great financial problems arose at the beginning of the 19th century due to the costly wars with France, and the introduction of various taxes and fees that were imposed also affected the marking system. These marks – with the exception of the stock mark – existed in three different sizes:

The "**recharge mark**" for gold and silver, in three different sizes with the symbol of the corresponding assay office (A for Vienna), was introduced in 1806 (ill. 26, nos. 1 and 2, ill. 16).

The "**release mark**" for silver replaced the "recharge mark" in 1808 (Knies 1896, p. 72: valid from 1809-1810); it consisted of the monogram FR alone or the monogram FR combined with the letters N S (ill. 26, no. 3; ills. 12, 13, 16).

The "**tax mark**" for silver (1810-1824) consisted of the monogram TF and the initials of the corresponding marking office (see ill. 26, no. 4; ills. 22, 25).

The "**stock mark**" consisted of the monogram VR (see ill. 26, nos. 5, 6; ills. 12, 24) (Knies 1896, pp. 26, 72: used from 1807).

# VIENNESE MARKS 1781 - 1866

## Inspection mark / hallmark / assay mark

The oldest Viennese mark that can be dated comes from the year 1524. It was struck on the so-called "Schattau Monstrance" (the monstrance from Gnadlersdorf) made by Erhard Efferdinger. It consists of the Viennese shield with a cross, with the W for Wien (Vienna; ill. 1). A similar type of mark, albeit in an upright oval frame, is dated by Knies at the end of the 16th century. He places this same mark in an upright oval with dots next to the W (ill. 2) in the 17th century (Knies 1896, p. 70, pl. II ).

Towards the end of the 17th century the Viennese cross-shield is replaced by an oval shape, the left side of which goes back to the Austrian banded shield, the right side to the coat of arms of Burgundy (ill. 3). Knies cites an example from 1699 (Knies 1896, tab. II, fig. 8) as being the earliest of these marks; while Reitzner points to a mark from 1692 (Reitzner 1952, p. 152). The oldest mark on a silver object known to me comes from the year 1692. I will go into more detail in regards to this early Viennese mark in another publication, "Viennese Marks 1524 – 1866" which is currently in preparation.

Another basic change in the appearance of the mark apparently took place around 1736/1737: marks of these years are shown by Knies (Knies 1896, tab. II, figs. 13,14). Starting in 1737 the following elements made up the mark for silver containing 13 "Lots" of pure silver: an oval with a cross in the center, surrounded by the numbers of the year, and crowned by the number 13 for the fineness (ill. 4). 15-Lot silver bears the number 15 in the shield, is crowned with a W and also contains the year-date (ill. 5). From 1737 onwards, the "inspection" took place in the guild; from 1784 to 1790 the assay office took over this job (ill. 6). When marking was turned over to the mint in 1791 (to 1806), Knies states (Knies 1896, pp. 21, 71) that a dot was added to the mark for 13-Lot silver (from 1791 to 1798) after the number 13 for fineness (ill. 7). However I also know of older examples with a dot. From 1799 the dot was left off again (ills. 8-11). For the 15-Lot silver during this period, the old form, the shield with W and year date, was retained.

From 1807 the assay office was once again responsible for assaying the silver and striking the marks. The characteristic forms of the marks for 13 and 15-Lot silver differed from those prior to 1807 through the letter A for the Viennese Main Assay Office; the year dates jumped from 1807 (ills. 14, 15) to 1810 (ill. 17, p. 9) and 1813 (ills. 18, 19, p. 9). There were no dates for the years in between, so that the mark from 1807 was also used for the years 1807-1809, that from 1810 for 1810 to 1812; the objects marked in this way must be dated accordingly. The three arches at the bottom of the mark from 1813 are replaced by a single arch (ills. 20, 23-25, p. 9), becoming straighter during the following period (ills. 27-29, 31-42, p. 10). The mark of 1840 was used from 1840 to 1842 (ills. 34, 35, p. 10).

The so-called hiltmaker's mark, which appears in the patent awarded by Maria Theresia (ill. 829, p. 112) had a special form.

27 Wiener Punze 1824 / Viennese mark 1824
Budapest NM 1954.182
28 Wiener Punze 1826 / Viennese mark 1826
Budapest, IM 51.1182
29 Wiener Punze 1828 / Viennese mark 1828
Priv. (EJ)
30 Wiener Goldpunze 1837 / Viennese gold mark
1837. – Wiener Dom- und Diözesanmuseum /
Cathedral and Diocesan Museum, Vienna, Inv. L-98

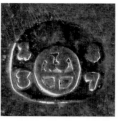

31 Wiener Punze 1831
Viennese mark 1831
Priv. (KF)

32 Wiener Punze 1837
Viennese mark 1837
Dorotheum Wien
Vienna, 1926/93

33 Wiener Punze 1839
Viennese mark 1839
Priv. (BJ)

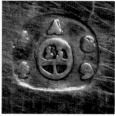

34 Wiener Punze 1840
(= 1840-1842)
Viennese mark 1840
Budapest, IM 59.2000.1

35 Wiener Punze 1840
(= 1840-1842)
Viennese mark 1840
Budapest, IM 75.168

36 Wiener Punze 1849
Viennese mark 1849
Dorotheum Wien
Vienna, 1926/73

37 Wiener Punze 1852
Viennese mark 1852
Prag, NM H2-159.196

38 Wiener Punze 1857
Viennese mark 1857
Budapest, IM 64.193.1

39 Wiener Punze 1858
Viennese mark 1858
Budapest, IM 53.4157.1

40 Wiener Punze 1861
Viennese mark 1861
Prag, NM H2-2146b

41 Wiener Punze 1864
Viennese mark 1864
Priv. (SA)

42 Wiener Punze 1865
Viennese mark 1865
Priv. (SA)

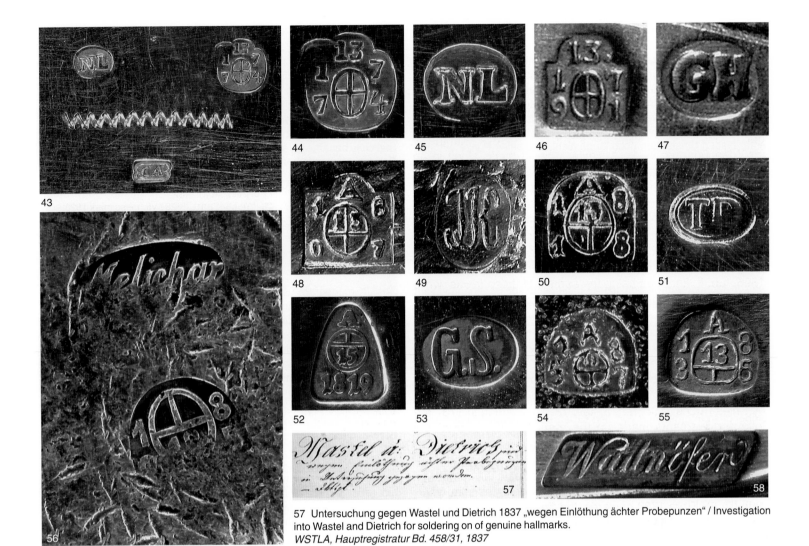

57 Untersuchung gegen Wastel und Dietrich 1837 „wegen Einlöthung ächter Probepunzen" / Investigation into Wastel and Dietrich for soldering on of genuine hallmarks.
*WSTLA, Hauptregistratur Bd. 458/31, 1837*

## FÄLSCHUNGEN

Die Wiener Punze wurde seit jeher gefälscht; schon zeitgenössische Manipulationen sind überliefert: sie gehen von primitiven Nachahmungen über raffinierte Imitationen, Einlötungen echter „Probpunzen" (Abb. 57) bis zur unbefugten Verwendung (s. Lüdicke, S. 171). Wie bei allen Fälschungen, sind auch beim Wiener Silber sämtliche Objekt-Eigenschaften zu analysieren, insbesondere bei Punzenfälschungen, die sich fortgeschrittener Techniken bedienen (Abgüsse etc.). Beliebt war zu allen Zeiten die Kombination („Pasticcio") verschiedenster Teile, die ursprünglich nicht zusammengehörten (Neuwirth 1980, Jugendstilsilber). Meine Materialsammlung zum Thema Wiener-Silber-Fälschungen ist bereits jetzt so umfangreich, daß eine eigene Publikation möglich wäre.

Die Abbildungen 43-56 zeigen eher primitive Fälschungen. Sogar Ziselierstich und Repunzierungszeichen wurden manchmal kopiert (Abb. 43). In den Vergrößerungen (Abb. 44, 45) zeigt sich die Fälschung deutlich. Der Duktus der Buchstaben und die Rahmung des Punzenbildes entlarven auch die übrigen Punzen als Fälschungen (Abb. 46-56). Der Schriftzug „Wallnöfer" (Abb. 58) erscheint auf den ersten Blick als authentisch, wüßte man nicht, daß diese Punze vor 1810 auf ein Objekt eingeschlagen wurde (von der Jahreszahl sind nur die ersten drei Ziffern 180 gut lesbar). Da Franz Walnefer senior erst 1820 die Änderung seines Namens auf Wallnöfer protokollieren ließ (s. Seite 236), ist die Fälschung offensichtlich.

Besonders „fälschungsanfällig" waren die Repunzierungs-, Befreiungs-, Vorrats- und Taxstempel, da man sich die Gebühren sparen wollte; die Konsequenz waren oft die Beschlagnahmung der Gegenstände und eine empfindlich hohe Geldstrafe.

## FAKES

The Viennese mark has always been faked. There were already examples of manipulation reported by contemporary sources. These fakes range from primitive copies all the way to sophisticated imitations, soldering in genuine "test" marks (hallmarks, ill. 57) or even unauthorized use of an official punch (see Lüdicke, p. 171). As is true of any kind of fake, all the characteristics of the marks for Viennese silver should be scrutinized, especially in fake marks that used advanced techniques (molds, etc.). One of the favorite kinds of forgeries in all periods has been the combination ("pasticcio") of different object parts that did not originally belong together (Neuwirth 1980, Jugendstilsilber). My collection of material on fake Viennese silver is already so extensive that a publication on the subject would be possible.

The illustrations 43-56 show rather primitive fakes. Even the test strike and recharge marks were sometimes copied (ill. 43). The forging is quite clear in the enlargements (ills. 44, 45). The characteristic style of the letters and the frame around the mark also expose the other marks as counterfeits (ills. 46-56).

At first glance the lettering of "Wallnöfer" (ill. 58) would appear to be authentic if one did not already know that this mark was struck on the object before 1810 (only the first three digits of the year date, 180, are clearly legible). Since the elder Franz Walnefer did not register the change of his name to Wallnöfer until 1820 (see p. 236), the forgery is evident.

The recharge, release, stock and tax marks were especially prone to forgery since faking them saved having to pay the fees. The consequences were often the confiscation of the objects and a painfully high fine.

Punzen- und Firmengeschichten sind eng miteinander verbunden. Manchmal wird das Punzenbild über Generationen hinweg nahezu unverändert beibehalten, in anderen Fällen spiegelt es die sich verändernden Besitzverhältnisse und Partnerschaften wider. Darüber hinaus darf auch der Witwenfortbetrieb und die Übernahme durch Erben nicht übersehen werden; der Tod eines Werkstattinhabers bedeutete unter diesen Umständen noch lange nicht, daß seine Punze automatisch ungültig wurde.

Einige prägnante Beispiele sollen einerseits die Übernahmen, andererseits die Veränderungen von Punzenbildern veranschaulichen. Dazu eignen sich besonders die Werkstätten bzw. Firmen von Krautauer / Mayerhofer & Klinkosch / Sander / Schiffer, Dub und Theuer / Triesch / Wallnöfer.

## KRAUTAUER

Das JK-Monogramm verschiedener Silberschmiede ist sehr häufig auf Wiener Silber anzutreffen und bereitet daher entsprechende Schwierigkeiten in der Zuordnung. Wird dieselbe Namenspunze von mehreren Generationen einer Familie verwendet, dann scheint eine genaue Identifizierung nahezu unmöglich. Dennoch soll sie am Beispiel der Familie Krautauer versucht werden, da die verfügbaren Quellen (Innungslisten, Steuerbücher etc.) sehr aufschlußreich sind.

**Ignaz Krautauer** (ab 1771 im Gremium, 1787 verstorben) führte das uns bekannte JK-Monogramm (Abb. 59, 60). Er hatte ein offensichtlich blühendes Unternehmen von den Erben des **Joseph Stadler** übernehmen können, der „ledigen standt" gestorben war. Es kann wohl angenommen werden, daß „**Joseph Stadler seel. Erben**" die Punze J. Stadlers ebenso weiter verwendet hatten wie die Witwe von Ignaz Krautauer dessen Punzen-Monogramm. Dies beweist erneut, daß das Sterbedatum eines Meisters oder Befugten nicht automatisch mit jenem Jahr gleichzusetzen ist, in dem die Punze letztmals verwendet wurde.

Die jährlichen Steuerleistungen von **Ignaz Krautauer** erreichten 24 fl. (Gulden) und sind bis 1787 nachgewiesen; ab 1788 hat offensichtlich seine Witwe **Anna Krautauer** den Betrieb fortgeführt. Auf einer Punzentafel (Abb. 61) ist neben der Punze **I. Krautauerin** angegeben. Als „**Ignatz Krauttauer seel: Wittib**" beliefen sich ihre Steuerleistungen von 1788 bis 1792 auf 24 fl. (Gulden) und nehmen dann ab.

Der Sohn von Ignaz Krautauer, **Jakob Krautauer**, wurde 1795 ins Gremium aufgenommen und ist in den Innungslisten zwar bis 1845 nachweisbar, jedoch mit dem Vermerk „Nichtbetrieb" von 1836-1844. Er starb 1845. Seine Steuerleistungen sind ab 1796 in beträchtlicher Höhe nachweisbar, auch die Häufigkeit der Punzen auf erhaltenen Silberobjekten läßt auf einen bedeutenden Betrieb schließen, dessen hervorragende Stellung in der Wiener Gewerbsprodukten-Ausstellung von 1839 gerühmt wird (Bericht 1839, Wien 1840, S. 127):

„Jacob Krautauer, gewesener bürgerl. Silberarbeiter zu Wien, . . . übergab zur Ausstellung einen Tafelaufsatz und ein Desert=Teller, beide von 15löthigen Silber . . . welche als eine vollendete, kunstgemäße Arbeit besondere Aufmerksamkeit erregten . . ."

Von Jakob Krautauer sind mehrere Punzen überliefert, die wir aufgrund von Objekten chronologisch zuordnen können: das JK-Monogramm wurde sicher ab 1795 geführt (Abb. 62) und ist zumindest bis 1804 nachweisbar (Abb. 63, 64). Ein JK-Monogramm in geänderter Umrahmung, nämlich im Queroval, ist auf derselben Punzentafel zu finden (Abb. 65) wie die bekannte hochformatige JK-Punze (Abb. 62). Bisher ist mir nur ein einziges Objekt bekannt, dessen Punzen-Datierung 1813 eine chronologische Einordnung ermöglicht (Abb. 66, 67). Auf den Punzentafeln scheint der volle Namenszug „Krautauer" (Abb. 69) nicht auf. Ich konnte ihn bisher auf 15lötigen Silberobjekten von 1818 und 1819 nachweisen (Abb. 68-72) und nehme an, daß er noch bis in die zwanziger Jahre verwendet wurde (s. Seite 207).

Marks and company histories are closely connected. Sometimes the mark is kept unchanged for generations, in other cases it reflects changes in ownership and partnership.

In addition, one must not overlook cases in which a widow carried on the business or an heir took over; in situations like these, the death of the owner of a workshop did not necessarily mean that his mark automatically became invalid.

Several clear examples are given here to illustrate cases of marks either being taken over or being changed. The companies or workshops best suited for this purpose are those of Krautauer / Mayerhofer & Klinkosch / Sander / Schiffer, Dub and Theuer / Triesch / Wallnöfer.

## KRAUTAUER

The JK monogram used by a number of different silversmiths is frequently seen on Viennese silver and for that reason is difficult to attribute to the proper source. If the same maker's mark is used for several generations within one family, an exact identification is practically impossible. All the same, an attempt is made here in the case of the Krautauer family, since the available sources (guild lists, tax books, etc.) are very informative.

**Ignaz Krautauer** (in the guild from 1771, died 1787) used the JK monogram known to us (ills. 59, 60). He was able to take over what was apparently a flourishing business from the heirs of **Joseph Stadler** who died "in an unmarried state." It can probably be assumed that "**Joseph Stadler seel. Erben**" (Joseph Stadler, deceased, heirs) continued to use the mark in the same way that the widow of Ignaz Krautauer used her husband's monogram mark. This proves once more that the date of death of a master or authorized craftsman is not automatically the same as the date when his mark was last used.

The annual taxes paid by **Ignaz Krautauer** reached the amount of 24 florins (Guilders) and there is proof of payment up to 1787. Starting in 1788 his widow, **Anna Krautauer**, apparently carried on the business. The name "**I. Krautauerin**" stands next to the mark on one of the marks tablets (ill. 61). Under the company name, "**Ignatz Krautauer seel: Wittib**" (Ignatz Krautauer, deceased, widow), her tax payments from 1788 to 1792 ran to 24 florins and then decreased.

Ignaz Krautauer's son, **Jakob Krautauer,** was accepted into the guild in 1795 and can be found in the guild lists until 1845, however with the remark "not in business" from 1836-1844. He died in 1845. His tax payments, documented from the year 1796, were rather high. This, along with the high frequency of his mark seen on surviving objects, indicates that this was an important company. Its excellent position at the Vienna exhibition of crafts in 1839 was also cited in glowing terms (Report 1839, Vienna 1840, p. 127):

"Jacob Krautauer, former silver worker in Vienna, . . . handed over a center piece and a dessert plate for the exhibition, both of 15-Lot silver . . . which attracted special attention as a perfect piece of art work . . ."

Jakob Krautauer had a number of marks that have been handed down. We can order them chronologically because of the surviving objects: the JK monogram was surely used starting in 1795 (ill. 62) and is seen at least until 1804 (ills. 63, 64). A JK monogram in an altered frame, namely a horizontal oval, is found on the same marks tablet (ill. 65) as the well known upright JK mark (ill. 62). So far, I know of only one single object whose mark of 1813 makes a chronological classification possible (ills. 66, 67). The full name of "Krautauer" (ill. 69) is not shown on the marks tablets. Up to this point I have been able to find the mark on 15-Lot silver objects from 1818 and 1819 (ills. 68-72) and assume that it was used up into the 1820s (see page 207).

   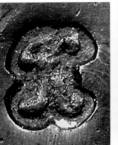  

59 Ignaz Krautauer
Aufnahme ins Gremium
guild entry 1771, gest. /
died 1787
Taf. I-2-32

60 Ignaz Krautauer,
1785
Budapest, IM 73.67

61 I. Krautauerin,
Witwe nach Ignaz
Krautauer / widow of
Ignaz Krautauer
Taf. II-4-34

62 Jakob Krautauer
Aufnahme ins Gremium /
guild entry 1795
Taf. III-1-9a

63 Jakob Krautauer,
1796; Dorotheum Wien
1859/35

64 Jakob Krautauer,
1804, Dorotheum Wien
1859/61

65 Jakob Krautauer
Taf. III-1-9b

66 Jakob Krautauer,
1813
Detail von Abb. 67
Detail of ill. 67

67 Wiener Punze (1813), Vorratspunze (Monogramm VR), Namenspunze: Monogramm JK (= Jakob Krautauer). – Budapest, IM 61.546
67 Viennese mark (1813), stock mark (monogram VR), maker's mark: monogram JK (= Jakob Krautauer). – Budapest, IM 61.546

68 Wiener Punze (1821?), Namenspunze „Krautauer", bez. „15 LÖTHIG". –
Dorotheum Wien, 1892/98
68 Viennese mark (1821?), maker's mark "Krautauer," marked "15 LÖTHIG"
(fineness 15 lot). – Dorotheum Vienna, 1892/98

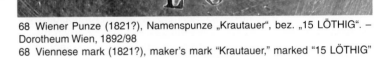

69 Namenspunze
„Krautauer", Detail von
Abb. 70
69 Maker's mark
"Krautauer," detail of
ill. 70

70 Wiener Punze (1818), Vorratspunze (Monogramm VR), Namenspunze:
„Krautauer". – Privatbesitz (SR)
70 Viennese mark (1818), stock mark (monogram VR), maker's mark
"Krautauer". – Privately owned (SR)

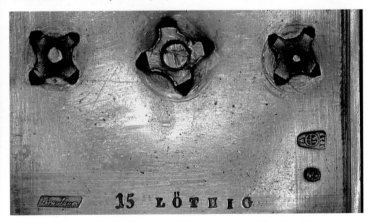

71 Wiener Punze (1819), Taxstempel, Namenspunze: „Krautauer",
bez. 15 LÖTHIG (Feingehalt). – Dorotheum Wien, 1926/38a
71 Viennese mark (1819), tax mark, maker's mark "Krautauer," marked
„15 LÖTHIG" (= fineness 15 lot). – Dorotheum Vienna, 1926/38a

72 Wiener Punze (1819), Taxstempel, Namenspunze: „Krautauer",
bez. "15 LÖTHIG" (Feingehalt). – Privatbesitz (FL)
72 Viennese mark (1819), tax mark, maker's mark "Krautauer," marked
"15 LÖTHIG" (= fineness 15 lot). – Privately owned (FL)

## STEPHAN MAYERHOFER (1772 – 1852)
## UND CARL KLINKOSCH (1797 – 1860)

Zu den bedeutendsten Wiener Silberschmiede-Dynastien des 19. Jahrhunderts zählt zweifellos jene von Mayerhofer und Klinkosch. Die gute Quellenlage gibt uns einen ausgezeichneten Einblick in die Firmengeschichte, der ich einmal eine umfassende Publikation widmen möchte. Im folgenden seien nur einige wesentliche Daten hervorgehoben, die zum Verständnis der Punzierungen beitragen.

Im Jahre 1797 wurde das Ansuchen von **Stephan Mayerhofer** „um Befugniß zur Verfertigung Silberplattirter Waaren auf Eisen und Stahl mit Gehilfen" bewilligt. Der Vermerk in den Steuerbüchern, daß Stephan Mayerhofer am 8. Dezember 1792 „mit der Landesbefugniß betheilt" wurde, konnte durch andere Unterlagen noch nicht bestätigt werden; vielleicht bezieht er sich auf eine Vorgängerfirma. Eine solche ist wohl im Umfeld von Joseph Mayerhofer zu suchen. Diesem wurde im Jahre 1793 „die fabriksmässige Befugniß zur Erzeugung der schwäbisch Gmündner falschen Geschmuckarbeit erteilt".

Stephan Mayerhofer legte am 30. 4. 1802 als „engl. Platierwaarenfabrikant" den Bürgereid ab. Die Steuerleistungen ab dem Jahre 1802 (bis 1810) betrugen zwischen 4 und 20 Gulden jährlich.

Im Jahre 1805 wurde dem „Eisenwaren-Plattirer Stephan Mayerhofer" das „förmliche Landesfabriks-Befugniß mit allen damit verbundenen Vorzügen" verliehen. 1808 deponiert er die „Anzeige" seines Firmennamens als „Stephan Mayerhofer, Inhaber einer kayserl: königl: privilegirten Eisen, und Metall Englisch-Plattierwarenfabrike". Das Siegel neben seiner Unterschrift zeigt den Doppeladler, im Brustschild das ligierte ST für den Vornamen und das M seines Zunamens (Abb. 73).

Aufgrund eines Dekrets von 1818 erfolgte die Zurücklegung des 1805 verliehenen einfachen Landesfabriksbefugnisses bei gleichzeitiger Verleihung „eines ähnlichen Befugnisses". 1820 meldete Mayerhofer „die Zurücklegung seines Landesfabriksbefugnisses zur Erzeugung der englischen plattirten Waren"; 1821 suchte er „um Eröffnung eines Verschleißgewölbes" an.

Zu den frühesten der angemeldeten Privilegien zählte jenes von 1822: auf „Verbesserung alle Gattungen Silber=Geschirre mit Maschinen zu verfertigen" sowie das von 1823 auf „gegossene, geschlagene und getriebene Metallwaren mittelst Maschinen zu erzeugen". Im Jahre 1828 ersuchte er „um Beschlagnahme der von dem bgl. Silberarbeiter Alois v. Würth nachgemachten Gegenstände seines Privilegiums".

Am 30. 6. 1825 wurde Stephan Mayerhofer schließlich das Gold- und Silberarbeiterbefugnis verliehen.

73 Siegel der Firma von Stephan Mayerhofer
WSTLA, Merkantil- und Wechselgericht, Lit. M, Nr. 91, fs 3, Nr. 4306/1808

73 Seal of Stephan Mayerhofer's company
WSTLA, Merkantil- und Wechselgericht, Lit. M, Nr. 91, fs 3, Nr. 4306/1808

*Verwendete Quellen:*

*Wiener Stadt- und Landesarchiv: Merkantil- und Wechselgerichtsakten, Bürgerbücher, Hauptregistratur, Steuerbücher*
*Wiener Stadtbibliothek: Adreßbücher von Wien (Redl, Fray)*

74 Monogramm CK (Carl Klinkosch), Taf. III-4-42
74 Monogram CK (Carl Klinkosch), plate III-4-42

**Carl Klinkosch** hatte am 7. 9. 1821 den Bürgereid abgelegt und im selben Jahr das Meisterrecht erworben. Er wird von 1822 bis 1860 in den Innungslisten genannt. Während das STM Mayerhofers häufig vorkommt, ist die Punze CK nur selten auf Objekten überliefert.

## MAYERHOFER & KLINKOSCH (1831 – 1869)

Laut Gesellschaftsvertrag von 1837 hatte Stephan Mayerhofer als Teil des „Fondskapitals" „die ihm eigenthümlichen Fabriksmaschinen, Werkzeuge und Utensilien" (über die bereits am 15. Mai 1831 ein Verzeichnis von Mayerhofer und Klinkosch angelegt wurde) eingebracht. Damit kann wohl davon ausgegangen werden, daß die Zusammenarbeit der beiden Partner um 1831 ihren Anfang nahm.

Der am 30. Mai 1836 auf drei Jahre abgeschlossene Gesellschaftsvertrag zwischen Stephan Mayerhofer und Carl Klinkosch wurde bereits ein Jahr später, am 28. 3. 1837, von einem Gesellschaftsvertrag abgelöst, der eine „lebenslängliche gesellschaftliche Verbindung" sein sollte. Darin wird „die diesfalls bestandene Firma: „**Stephan Mayerhofer & Comp.**" außer Kraft gesetzt. Ab nun sollte die Firma mit „**Mayerhofer & Klinkosch**" gezeichnet werden.

Dazu stehen die Angaben in den Wiener Adreßbüchern in einem gewissen Widerspruch, da für die Periode bis 1837 „**Stephan Mayerhofer**" genannt wird, von 1837-1844 hingegen der Firmenname „**Stephan Mayerhofer und Comp.**" aufscheint. 1845 wird dort erstmals **Mayerhofer et Klinkosch**" erwähnt. Zu bedenken ist immer, daß durch die Drucklegung solcher Adreßbücher der aktuelle Stand (von Firmennamen, Adressen etc.) um wenigstens ein Jahr verzögert sein kann. In einem Nachtragsartikel vom 23. 4. 1844 (zum Gesellschaftsvertrag von 1837) trat Stephan Mayerhofer seinem Sohn Stephan Mayerhofer seine Rechte ab, allerdings mit gewissen Einschränkungen. Im Jahre 1847 übergab Carl Klinkosch seinem Sohn Josef Carl Klinkosch seine Agenden. Am 18. 1. 1851 wird die Firma „**Mayerhofer & Klinkosch**" gelöscht und die Firma „**Mayerhofer et Klinkosch k k Hof und landesprivileg. Gold Silber und Plattirwaarenfabrikanten**" protokolliert. 1869 erfolgt die Löschung dieser Firma und die Anmeldung der neuen Firmenbezeichnung „**J. C. Klinkosch**".

75 Wiener Punze, 15lötig (1821), mittlerer Taxstempel, Namenspunze ST.M (= Stephan Mayerhofer), Doppeladler mit M. – Privatbesitz (EJ)
75 Viennese mark, 15 lots (1821), medium tax mark, maker's mark ST.M (= Stephan Mayerhofer), double eagle with M. – Privately owned (EJ)

76 Wiener Punze (1832), Namenspunze STM (= Stephan Mayerhofer), Doppeladler mit M. – Dorotheum Wien, 1892/87
76 Viennese mark (1832), maker's mark STM (= Stephan Mayerhofer), double eagle with M. – Dorotheum Vienna, 1892/87

## STEPHAN MAYERHOFER (1772 – 1852)
## AND CARL KLINKOSCH (1797 – 1860)

Without doubt, one of the most important silversmith dynasties of the 19th century was that of Mayerhofer and Klinkosch. The good sources available give us an excellent insight into the history of the company, a subject I would like to devote an extensive publication to some day. In the following, only a few important data that serve a better understanding of marking are stressed.

In 1797, **Stephan Mayerhofer's** application for "authorization to make silver plated wares on iron and steel with helpers" was approved. The remark in the tax books that Stephan Mayerhofer was "provided with the national authorization" on December 8, 1792, has so far not been confirmed by other sources. Perhaps this refers to a preceding company. Such a company could very likely have been possible in connection with Joseph Mayerhofer. He was awarded the "authorization for producing factory-made imitation jewelry wares in Swabian Gmunden." On April 30, 1802, Stephan Mayerhofer swore the freeman's oath as a "maker of English plated wares." The taxes he paid starting in 1802 (to 1810) amounted to between 4 and 20 guilders a year. In 1805 the "iron wares plater Stephan Mayerhofer" was awarded the "formal national factory authorization with all the advantages associated therein." In 1808 he registered the announcement of the name of his company as "Stephan Mayerhofer, proprieter of an imperial: royal: privileged iron and metal English-plated wares factory." The seal next to his signature shows the double eagle, the conjoined ST for the given name and the M for the family name (p. 14, ill. 73). Due to an instruction of 1818 the single national factory authorization awarded in 1805 was relinquished. At the same time "a similar authorization" was awarded. In 1820 Mayerhofer "gave up his national factory authorization for the production of English plated wares". In 1821 he applied for permission to open a "sales arcade." One of the earliest privileges registered was the one awarded in 1822 "to make improvements on all sorts of silver table wares with machinery" and one from 1823 for "producing cast, hammered and chased metal wares using machines." In 1828 he

requested "the seizure of copied objects from his privilege by the silver worker Alois v. Würth." On June 6, 1825, Stephan Mayerhofer was finally awarded the authorization for gold and silver working.

**Carl Klinkosch** swore the freeman's oath on September 7, 1821, and was awarded the master's title the same year. He is found in the guild lists from 1822 to 1860. Whereas Mayerhofer's STM is frequently seen on objects, the CK mark is only rarely found (ill. 74, p. 14).

### MAYERHOFER & KLINKOSCH (1831 – 1869)

According to the company contract from 1837 Stephan Mayerhofer contributed the "factory machines, tools and utensils belonging to him" (which were already listed in an inventory of Mayerhofer and Klinkosch compiled on 15 May 1831) as part of the basic capital. Thus it can be presumed that the two partners started working together around 1831. The three-year company contract between Stephan Mayerhofer and Carl Klinkosch concluded on 30 May 1836 was replaced only a year later, on March 28, 1837, by a contract that was supposed to be a "life-long company tie." According to the agreement the already existing company of **Stephan Mayerhofer & Comp.** was dissolved. From then on, the company would be named **Mayerhofer & Klinkosch**.

The information listed in the Viennese address books contradicts this to a certain extent, since for the period up to 1837 **Stephan Mayerhofer** is named, from 1837-1844, however, the company name **Stephan Mayerhofer and Comp.** appears. In 1845 the company of **Mayerhofer et Klinkosch** is seen for the first time. One must always keep in mind that due to the process involved in printing such address books, the latest information (about company names, addresses, etc.) can be delayed by at least a year.

In a supplementary article dated April 23, 1844, (added to the company contract of 1837) Stephan Mayerhofer turned over his rights to his son, Stephan Mayerhofer, albeit with certain limitations. In 1847 Carl Klinkosch turned over his functions to his son, Josef Carl Klinkosch. On January 18, 1851, the company of **Mayerhofer & Klinkosch** is dissolved and the company, **Mayerhofer et Klinkosch kk Hof und landesprivileg. Gold Silber und Plattirwaarenfabrikanten (Mayerhofer and Klinkosch, imperial / royal court and national plated wares factory)** is registered. In 1869 this company is also dissolved and the new company **J. C. Klinkosch** is registered.

77

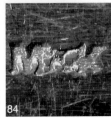 

77 Wiener Punze (18?8), Namenspunze ST MAYERHOFER, Doppeladler mit M. – Dorotheum Wien, 1959/31
77 Viennese mark (18?8), maker's mark ST MAYERHOFER, double eagle with M. – Dorotheum Vienna, 1959/31

79, 80 Monogramm STMCK und Wiener Punze 183?. – Privatbesitz (KG)
79, 80 Monogram STMCK and Viennese mark 183?. – Privately owned (KG)

78 Wiener Punze (1832), Namenspunze STM (= Stephan Mayerhofer), Doppeladler mit M. – Prag, MhMP, Inv. 51.591/1-3
78 Viennese mark (1832), maker's mark STM (= Stephan Mayerhofer), double eagle with M. – Prague, MhMP, inv. 51.591/1-3

81, 82 Monogramm STMCK und Wiener Punze 1838. – Privatbesitz (EJ)
81, 82 Monogram STMCK and Viennese mark 1838. – Privately owned (EJ)

83 Firmenpunze M & K (= Mayerhofer & Klinkosch), Wiener Punze (1844) Wien, HM, 78.762/1
83 Company mark M & K (= Mayerhofer & Klinkosch, Viennese mark (1844) Vienna, HM, 78.762/1

84, 85 Firmenpunze M & K (= Mayerhofer & Klinkosch), Wiener Punze (1858). – S. Reisch, Wien
84, 85 Company mark M & K (= Mayerhofer & Klinkosch, Viennese mark (1858). – S. Reisch, Vienna

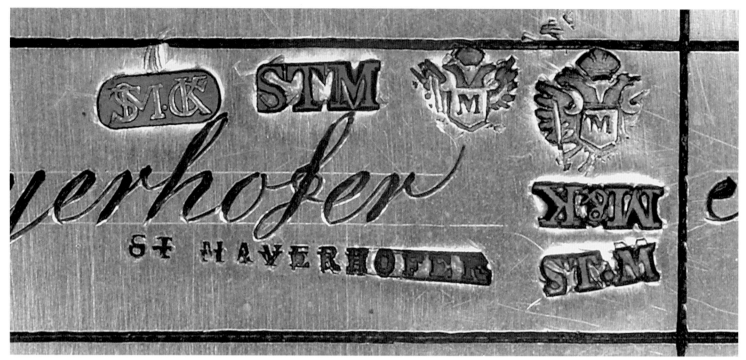

86  Namens- und Firmenpunzen von Stephan Mayerhofer bzw. Mayerhofer & Klinkosch, Punzentafel VI-1-12. – Hauptpunzierungs und -probieramt, Wien
86  Maker's and company marks of Stephan Mayerhofer and Mayerhofer & Klinkosch, Marks Tablet VI-1-12. – Main Assay Office, Vienna

## PUNZIERUNG

Neben dem Namen *St. Mayerhofer* sind auf Tafel VI des Punzierungsamtes („Befugte 1830-1850", S. 107) sieben Punzen eingeschlagen, die mit Stephan Mayerhofer bzw. Mayerhofer & Klinkosch in Verbindung zu bringen sind ( Abb. 86). Auf Tafel VII (S. 109) folgt eine weitere Punze (S. 17, Abb. 103). Wie bereits in meinem Markenlexikon Nr. 6 vermerkt, sind viele Punzen von Tafel VI wohl auch schon wesentlich früher gültig gewesen; für die Befugten vor 1830 hat sich leider keine Tafel erhalten. Diese sieben Punzen (VI-1-12a-g) sind nicht in der Chronologie ihrer Verwendung eingeschlagen, wie wir der Kennzeichnung von Objekten entnehmen.

### STEPHAN MAYERHOFER

Von 1821-1825 ist die Punze **ST.M** (mit Punkt) nachweisbar (S. 14, Abb. 75, S. 17, Abb. 93-96), von 1832 bis 1838 das **STM** ohne Punkt (S. 14, Abb. 76, S. 15, Abb. 78, S. 17, Abb. 97-100). Bemerkenswert ist, daß die Punze **ST.M** bereits auf Silbergegenständen vor 1825 (Meisterrecht von Stephan Mayerhofer) bzw. vor 1822 (Privilegium, s. Seite 14) zu finden ist. Dies rät zur Vorsicht, wenn wir den Tätigkeitszeitraum von Silberarbeitern oder Firmen festlegen wollen, soferne wir nicht alle Daten kennen (frühere Befugnisse, Privilegien etc.).
Den **Doppeladler mit dem M** im Brustschild konnte ich bisher auf Objekten von 1821 bis 1832 finden (S. 14, Abb. 75, 76; S. 15, Abb. 77, 78; S. 17, Abb. 87-92). Er bildet bereits das Siegel von Stephan Mayerhofer von 1808 (S. 14, Abb. 73). Auf der Punze wurde das STM durch ein einfaches M ersetzt.
Nur ein einziges Mal konnte ich bisher die Punze **ST. MAYERHOFER** auf einem Silbergegenstand entdecken (18?8 = 1828?, S. 15, Abb. 77). Dieselbe Punze aus dem Jahre 1829 ist aus dem Kunsthandel bekannt (Kat. Klinkosch 1997, S. 138, 150).

## MARKING

Next to the name St. Mayerhofer, there are seven marks struck on Tablet VI of the marks office ("Authorized Persons 1830-1850", p. 107) that can be brought into connection with Stephan Mayerhofer or Mayerhofer & Klinkosch (ill. 86). On Tablet VII (p. 109) there is one other mark (p. 17, ill. 103). As already noted in my Marks Lexicon No. 6, many of the marks on Tablet VI were probably also valid at a much earlier time. Unfortunately there is no tablet in existence for the authorized persons before 1830. These seven marks (VI-1-12a-g) are not struck in the chronological order of their use, as we know them from their appearance on objects.

### STEPHAN MAYERHOFER

From 1821-1825 the mark **ST.M** (with the dot) is proved to have existed (p. 14, ill. 75; p. 17, ills. 93-96); from 1832 to 1838 the **STM** without the dot (p. 14, ill. 76; p. 15, ill. 87; p. 17, ills. 97-100). It is noteworthy that the mark **ST.M** already exists on silver objects before 1825 (Stephan Mayerhofer's master's title) and before 1822 (issue of the privilege, see p. 14). Thus caution is advised when we try to put exact dates to the activities of silver workers or companies, since we do not have all of the information necessary (earlier authorization, privileges, etc.).
So far I have been able to find the **double eagle with the M** in the shield on objects from 1821 to 1832 (p. 14, ills. 75, 76; p. 15, ills. 77, 78; p. 17, ills. 87-92). It makes up Stephan Mayerhofer's seal from 1808 (p. 14, ill. 73). On the mark, the STM is replaced by a plain M.
I have found the mark **ST. MAYERHOFER** only one single time on a silver object (18?8 = 1828?, p. 15, ill. 77). This same mark from the year 1829 is known from the art trade (catalogue Klinkosch 1997, pp. 138, 150).

87 Stephan Mayerhofer, Doppeladler mit M, Double eagle with M Taf. VI-1-12c

88 Stephan Mayerhofer, Doppeladler mit M, Double eagle with M Taf. VI-1-12d

89 Stephan Mayerhofer, Doppeladler mit M, 1821 / Double eagle with M, 1821. – Priv. (EJ)

90 Stephan Mayerhofer, Doppeladler mit M, 1824 / Double eagle with M, 1824. – Priv. (EJ)

91 Stephan Mayerhofer, Doppeladler mit M, 1830 / Double eagle with M, 1830 Budapest, IM 64.187

92 Stephan Mayerhofer, Doppeladler mit M, 1832 / double eagle with M, 1832; Dorotheum Wien, 1892/87

93 Stephan Mayer-hofer, ST.M Taf. VI-1-12f

94 Stephan Mayer-hofer, ST.M, 1821 Priv. (EJ)

95 Stephan Mayer-hofer, ST.M, 1824 Priv. (EJ)

96 Stephan Mayer-hofer, ST.M, 1825 Priv. (EJ)

103 Mayerhofer & Klinkosch, Taf. VII-5-26

97 Stephan Mayer-hofer, STM Taf. VI-1-12b

98 Stephan Mayer-hofer, STM, 1832 Dorotheum Wien 1892/87

99 Stephan Mayer-hofer, STM, 1834 Priv. (EJ)

100 Stephan Mayerhofer, STM, 1838. – S. Reisch, Wien

104 Mayerhofer & Klinkosch, 18?8; S. Reisch, Wien

101 Stephan Mayerhofer. – Taf. VI-1-12g

105 Firmen-punze /company mark STM CK Taf. VI-1-12a

106 Firmen-punze /company mark STM CK, 183? – Priv. (KG)

107 Firmen-punze /company mark STM CK, 183? – Priv. (KG)

108 Firmen-punze /company mark STM CK, 1838 – Priv (EJ)

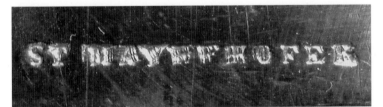

102 Stephan Mayerhofer, 1830. – Budapest, IM 64.187.1

109 Mayerhofer & Klinkosch Taf. VI-1-12e

110 Mayerhofer & Klinkosch 1844. – Priv. (SA)

111 Mayerhofer & Klinkosch, 1845. – Budapest, IM 53.3549.1

112 Mayerhofer & Klinkosch 1858. – Priv. (BJ)

## MAYERHOFER & KLINKOSCH

Die aus den beiden Namens-Initialen **STM** sowie **CK** zusammengesetzte Monogrammpunze ist für das Jahr 1838 sowie auf undeutlich datierten Objekten der dreißiger Jahr nachweisbar (S. 15, Abb. 79, 81; S. 17, Abb. 105-108). Auch die Punze **MAYERHOFER & KLINKOSCH** (S. 17, Abb. 103) ist auf einem Objekt ebenfalls undeutlich datiert (Abb. 104). Aus den Initialen der Nachnamen setzt sich die von 1844 – 1869 nachweisbare Punze **M & K** zusammen, die sehr häufig vorkommt. Wegen der Einfachheit des Schriftbilds und ihrem Bekanntheitsgrad ist diese Punze sehr „fälschungsanfällig". Außerdem ist darauf zu achten, daß ab dem Jahre 1867 der sogenannte „Dianakopf" als Wiener Punze für Silbergegenstände verwendet wurde.

## MAYERHOFER & KLINKOSCH

There is proof of the monogram mark made up of the initials of the two names **STM** and **CK,** for the year 1838 and objects dated unclearly from the 1830s (p. 15, ills. 79, 81; p. 17, ills. 105-108). The mark **MAYERHOFER & KLINKOSCH** (p. 17, ill. 103) is also dated unclearly on an object (ill. 104). The mark **M & K,** made up of the initials of the two family names, and proven for the years from 1844-1869, appears quite frequently. Because of the simplicity of the lettering and because it is very well known, this mark is very susceptible to forgery. Also one should bear in mind that starting with the year 1867, the so-called "Diana's head" or "woman's head" was used as the Viennese mark for silver objects.

| 113 Chr. Sander (sen.?) Taf. VI-1-42a | 114 Chr. Sander (sen.?) Taf. VI-1-42b | 115 Chr. Sander (sen.?) Taf. VI-1-41b | 116 Christian Sander's Söhne Taf. IV-4-42a | 117 Chr. Sander (jun.) Taf. IV-4-42b | 118 Chr. Sander (jun.?) Taf. IV-5-27 | 119 Firma Chr. Sander jun. Taf. VIII-4-19 |

## SANDER

Mit dem Namen Sander verbindet sich ein Familienunternehmen, dessen Gründer **Christian Sander sen.** war (Befugnis 1819). Ihm können mit ziemlicher Sicherheit die Punzen CS (Abb. 113, 114) sowie SANDER (Abb. 115) zugeordnet werden. **Christian Sander jun.** ( Abb. 117, 118) erhielt 1843 das Meisterrecht. Gemeinsam mit seinem Bruder **Eduard Sander** (Meisterrecht 1846) führte er die 1853 protokollierte Firma **Christian Sander's Söhne**, für die vermutlich die Punze CSS (Abb. 116) steht. Nach dem Tode seines Bruders Eduard Sander (1862) leitete Chistian Sander jun. ab 1863 das Unternehmen unter dem Namen „**Chr. Sander jun.**" und verwendete eine Monogramm-Punze (Abb. 119). (Zur Firmengeschichte und weiteren Punzen siehe Seite 140/141).

## SANDER

The name Sander is connected with a family business, whose founder was **Christian Sander Sr.** (authorization in 1819). The marks CS (ills. 113, 114) and SANDER (ill. 115) can fairly certainly be attributed to him. Christian Sander Jr. (ills. 117, 118) acquired the master's title in 1843. Together with his brother **Eduard Sander** (master's title in 1846), he ran the company, **Christian Sander's Sons,** which was registered in 1853. Its mark is presumably the CSS (ill. 116). After the death of his brother, Eduard Sander (1862), Christian Sander Jr. ran the company starting in 1863 under the name "**Chr. Sander jun.**" and used a monogram mark (ill. 119). (For company history and additional marks, see pages 140-141).

  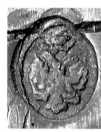    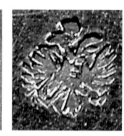

| 120 Franz Schiffer Taf. IV-2-43d | 121 Franz Schiffer Taf. IV-2-43e | 122 Franz Schiffer Taf. IV-2-43a | 123 Franz Schiffer Taf. IV-2-43b | 124 Franz Schiffer Taf. IV-2-43c | 125 Eduard Schiffer Taf. VII-4-32b | 126 Firma Schiffer & Theuer Taf. VIII-2-03c |

| 127 Franz Schiffer?, 1857, Budapest, IM 64.193.1 | 128 Eduard Schiffer Taf. VII-4-32a | 129 Eduard Schiffer Taf. VII-4-32c | 130 Firma Schiffer & Dub Taf. VII-5-33c | 131 Firma Schiffer & Theuer Taf. VIII-2-3b | 132 Firma Ig. Theuer & Sohn Taf. VIII-2-12b | 133 Firma Ig. Theuer & Sohn Taf. VIII-2-12a |

## SCHIFFER – DUB – THEUER

Eine sehr komplexe Firmengeschichte, die hier nur in groben Zügen skizziert werden kann, verbindet die Namen Schiffer, Dub und Theuer.
**Franz Schiffer** (Befugnis 1827, Meisterrecht 1832, 1846 Titel k. k. Hof-Gold- und Silberarbeiter) verwendete sowohl die Namenspunze FS (Abb. 120, 121) als auch den Doppeladler (Abb. 122-124) und vermutlich auch den Namenszug „Schiffer" (Abb. 127). 1851 wurde die Firma **Franz Schiffer & Sohn k. k. Hof- und bürgl. Gold und Silberarbeiter** protokolliert. Nach dem Tod von Franz Schiffer (18. 9. 1854) wurde der Betrieb von seiner Witwe Franziska Schiffer und seinem Sohn Eduard Schiffer weitergeführt.
**Eduard Schiffer** (1856 Meisterrecht) zeichnete mit der Punze ES (Abb. 129) und dem Namenszug „Schiffer" (Abb. 128).
Im Jahre 1858 wurde die Firma **Schiffer & Dub** protokolliert (Thomas Dub: Befugnis 1839, Meisterrecht 1851)und bereits 1859 wieder gelöscht; die zugehörige Punze S & D (Abb. 130) war daher nur kurz in Gebrauch.
In der Folge (1860) wurde eine Firma **Eduard Schiffer** protokolliert und 1862 wieder gelöscht.
Für die Firma **Schiffer & Theuer** wurde am 31.3.1862 ein Gesellschaftsvertrag zwischen Eduard Schiffer und Johann Theuer abgeschlossen (Abb. 131).
**Ignaz Theuer** (Gewerbsverleihung 1863, gest. 1865) ist von 1864-1866 in den Innungslisten verzeichnet. 1863 wurde die Firma **Jg. Theuer & Sohn** (Abb. 132, 133) protokolliert; auch sie bestand nur wenige Jahre und wurde 1866 von der Firma **Ig. Theuer & Sohn Nachfolger A. Richter** abgelöst, die 1875 gelöscht wurde.
(Zur Firmengeschichte und weiteren Punzen siehe Seite 147, 158, 180, 227, 230, 244).

## SCHIFFER – DUB – THEUER

A very complicated company history, which can only be roughly sketched out here, is connected with the names of Schiffer, Dub and Theuer.
**Franz Schiffer** (authorization 1827, master's title 1832, title: Imperial court gold and silver workers in 1846) used both the maker's mark FS (ills. 120, 121) and the double eagle (ills. 122-124) and presumably the full name of "Schiffer" (ill. 127) as well. In 1851, the company **Franz Schiffer & Sohn k. k. Hof- und bürgl. Gold und Silberarbeiter** was registered. After the death of Franz Schiffer (18 September 1854) the business was carried on by his widow, Franziska Schiffer, and his son, Eduard Schiffer.
**Eduard Schiffer** (1856: master's title) marked with the monogram ES (ill. 129) and the name "Schiffer" (ill. 128).
In 1858, the company **Schiffer & Dub** was registered (Thomas Dub: authorization in 1839, master's title 1851) and was dissolved again already in 1859. The mark S & D (ill. 130) that belonged to it was therefore used for only a short period of time.
Afterwards (1860) a company named **Eduard Schiffer** was founded and in 1862 it, too, was dissolved.
For the company **Schiffer & Theuer,** a company contract was concluded on March 31, 1862, between Eduard Schiffer and Johann Theuer (ill. 131).
**Ignaz Theuer** (bestowal of trade in 1863, died in 1865) is included in the guild lists from 1864-1866. In 1863 the company **Ig. Theuer & Sohn** (ills. 132, 133) was registered. It only lasted a few years and was replaced in 1866 by the company **Ig. Theuer & Son's Successor A. Richter** which was dissolved in 1875.
(For the company history and additional marks, see pages 147, 158, 180, 227, 230, 244).

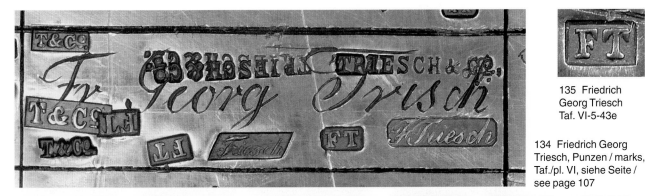

135 Friedrich
Georg Triesch
Taf. VI-5-43e

136 Friedrich
Georg Triesch
Taf. IV-3-20b

134 Friedrich Georg
Triesch, Punzen / marks,
Taf./pl. VI, siehe Seite /
see page 107

137 Friedrich
Georg Triesch
Taf. VI-5-43f

138 Friedrich Georg
Triesch
Taf. VI-5-43l

139 Firma Fr. Triesch
& Co.
Taf. VI-5-43h

140 Firma Fr. Triesch
& Co.
Taf. VI-5-43i

141 Firma
Fr. Triesch & Co.
Taf. VI-5-43a

142 Firma
Fr. Triesch & Co.
Taf. VI-5-43b

143 Firma
Fr. Triesch & Co.
Taf. VI-5-43c

144 Firma Fr.
Triesch & Ziegler
Taf. VIII-1-23

## FRIEDRICH GEORG TRIESCH, TRIESCH & CO, TRIESCH & ZIEGLER

Zahlreiche Punzen, die die Firmengeschichte wiederspiegeln, sind mit dem Namen Triesch verbunden: FT, F Triesch, Triesch, T & Co, T & Z (Abb. 134).

**Friedrich Georg Triesch** erhielt sein Befugnis im Jahre 1835; in den Innungslisten ist er 1837-1868 vermerkt, er starb 1868 (58jährig). Als seine Namenspunze sind sowohl die Initialen FT (Abb. 134, 135) als auch der Schriftzug „TRIESCH", „Triesch" bzw. „F Triesch" zu sehen (Abb. 134, 136-138).

1854 erfolgte die Protokollierung der Gesellschaft **„Fr. Triesch & Comp."**: Gesellschafter waren Georg Friedrich Triesch und Theodor Brezina (eine von Brezina allein zu führende Sozietätsfirma). Ab diesem Jahr waren offenbar die Punzen TRIESCH & Co sowie T & Co gültig (Abb. 139-143). 1859 wurde die Löschung des Gold- und Silberarbeiterbefugnisses protokolliert (Steuerabmeldung im selben Jahr); die Protokollierung des Landesfabriksbefugnisses und der Gesellschaftsfirma **„Fr. Triesch & Cie."** erfolgte ebenfalls 1859.

1860 wurde die Firma „Fr. Triesch & Comp." gelöscht und die Firma **„Fr. Triesch & Ziegler"** (Gesellschafter: Friedrich Triesch und Mathias Ziegler) protokolliert (Abb. 144), 1861 wieder gelöscht. Im selben Jahr erfolgte die Protokollierung der Firma **„Fr. Triesch, Ziegler & Comp."** (mit Maria Brezina).

(Firmengeschichte und Punzen siehe S. 159, 160, 234)

## FRIEDRICH GEORG TRIESCH, TRIESCH & CO, TRIESCH & ZIEGLER

Numerous marks reflecting the company history are connected with the name of Triesch: FT, F Triesch, Triesch, T & Co, T & Z (ill. 134)

**Friedrich Georg Triesch** received his authorization in 1835. He is entered in the guild lists from 1837-1868. He died in 1868 (at the age of 58). As his maker's marks, we see both the initials FT (ills. 134, 135) and the name "TRIESCH", "Triesch" and also "F. Triesch" (ills. 134, 136-138).

In 1854, the business firm **"Fr. Triesch & Comp."** was registered. The business partners were Georg Friedrich Triesch and Theodor Brezina (a jointly owned company run by Brezina alone). Starting with this year, the marks TRIESCH & Co and T & Co were apparently valid (ills. 139-143). Records show that the authorization for working in gold and silver was withdrawn in 1859 (tax registration also canceled in this same year). Registration of the national factory authorization and the business firm **"Fr. Triesch & Cie."** was also undertaken in 1859.

In 1860 the company "Fr. Triesch & Comp." was dissolved and the company **"Fr. Triesch & Ziegler** (partners: Friedrich Triesch and Mathias Ziegler) was registered (ill. 144), and dissolved again in 1861. In the same year the company **"Fr. Triesch, Ziegler & Comp."** was registered (with Maria Brezina).

(For company history and marks, see pp. 159, 160, 234.)

145 Franz
Walnefer sen.
Taf. III-1-37b

146 Franz
Walnefer sen.
Taf. III-1-37a

147 Karl
Wallnöfer
Taf. III-4-39b

148 Karl
Wallnöfer
Taf. III-4-39a

149 Karl Wallnöfer
Taf. III-4-39c

150 Franz
Walnöfer jun.
Taf. IV-I-6

151 Wallnöfer &
Söhne
Taf. III-4-39d

## WALNEFER / WALLNÖFER

**Franz Walnefer sen.** (1767-1858; 1800 Meister; Landesfabriksbefugnis) ist in den Innungslisten von 1801-1858 verzeichnet (1852-1858: „kein Geschäft"). Im Jahre 1820 gab er dem Merkantilgericht seine Namensänderung von „Walnefer" auf „Wallnöfer" bekannt. Seine Namenspunze FW (Abb. 145, 146) ist von anderen Punzen mit denselben Initialen oft nur schwer zu unterscheiden.

Sein Sohn **Karl Wallnöfer** (Meisterrecht: 1820, in den Innungslisten 1821-1857 genannt, Anheimsagung 1838) ließ sowohl seine Namenspunze CW (Abb. 147) als auch den Doppeladler (Abb. 148) und den vollen Schriftzug **Wallnöfer** (Abb. 149) auf der Punzentafel einschlagen.

Ab 1828 führte Franz Wallnöfer sen. mit seinen Söhnen Franz jun.und Karl die Firma unter **„Franz Wallnöfer & Söhne"** (Abb. 151) fort (Franz Wallnöfer jun. erhielt das Meisterrecht 1822 und wird in den Innungslisten 1823-1857 genannt). Die Punze W & S kann wohl der Zeit von 1828 bis 1838 zugewiesen werden. 1838 wurde die Firma in **„Gebr. Carl und Franz Wallnöfer jun."** umgewandelt (Löschung 1857).

(Firmengeschichte und Punzen s. Seite 161, 236, 237)

## WALNEFER / WALLNÖFER

**Franz Walnefer Sr.** (1767-1858; 1800 master; national factory authorization) is entered in the guild lists from 1801-1858 (1852-1858: "no business"). In the year 1820 he notified the Mercantile Court of his change of name from "Walnefer" to "Wallnöfer." His maker's mark FW (ills. 145, 146) is often difficult to differentiate from other marks with the same initials.

His son, **Karl Wallnöfer** (master's title: 1820, in the guild lists from 1821-1857, end of trade 1838) also had the double eagle (ill. 148) and the full name **Wallnöfer** (ill. 149) struck on the marks tablet.

From 1828 Franz Wallnöfer Sr. ran the business, now together with his sons Franz Jr. and Karl under the name **"Franz Wallnöfer & Söhne"** (ill. 151). Franz Wallnöfer Jr. got the master's title in 1822 and is found in the guild lists from 1823-1857). The mark W & S can probably be placed in the time from 1828 to 1838. In 1838 the company was changed into **"Gebr. Carl und Franz Wallnöfer jun."** (dissolution 1857).

(For company history and marks, see pages 160, 161, 236, 237.)

## TYPOLOGIE DER KANNENFORMEN 1785 – 1824

Kaum eine andere Form des Wiener Silbers scheint sich für den Versuch einer Morphologie besser zu eignen als die Kanne. Wir können ihre Entwicklung über nahezu vier Jahrzehnte in allen erdenklichen Varianten abwechslungsreicher Gestaltung betrachten (S. 21-30).

Die Funktionen der Kannen waren vielfältig: Kaffee- und Teekannen, Milch- und Oberskännchen sowie Nachgußkannen sind uns aus Servicen bekannt (siehe Seite 28-30). Weinkannen dienten eher der profanen Geselligkeit, Meßkännchen dem sakralen Gebrauch.

Henkel aus Elfenbein, Ebenholz oder nur geschwärztem hellerem Holz sind nach oben hin gerundet, gewinkelt, zugespitzt ausgebildet. Sie schmiegen sich seitlich eng und lang an die Wölbung der Wandung (S. 21, Abb. 153) oder ruhen auf der Schulter. Holz oder Elfenbein sind oft in breiten Silbermanschetten gefaßt (S. 21, 22, Abb. 154, 156-158, 160). Die elegante, hochschulterige Kanne auf hohem Fuß und niedrigem Stand zeichnet sich in ihrer reinsten Ausbildung durch ornamentlose Oberflächen aus (S. 21, Abb. 153). Die Schulter wird durch eine schmalkantige Einschnürung akzentuiert, die sich in die Linie der Silhouette fügt. An den geschwungenen Ausguß schmiegt sich der Deckel. Diesem Typus entspricht eine Reihe von Beispielen, deren Corpus eine grundsätzlich geschlossene Silhouette zeigt; er kann durch schmälere oder breitere Bordüren und Friese gegliedert sowie Monogramme verziert sein (S. 21, 22, Abb. 154-157). Durch schöne vertikale Kanneluren wird der Schwung der Wandung bis über die Schulter hinaus unterstrichen (S. 21, Abb. 152).

Bei einem anderen Formtypus ist der Hals über der Schulter stark eingezogen. Perlstab oder Ornamentbordüre markieren die Kante; manchmal ist die Wandung darunter zur Gänze kanneliert (S. 23, Abb. 166), ornamental oder szenisch (S. 22, Abb. 160, 161) gestaltet, manchmal auch mit Monogrammen oder Medaillons geschmückt (S. 23, Abb. 164).

Eine weitere Grundform läßt den Corpus direkt auf dem Fuß oder nur knapp darüber ansetzen (S. 25, Abb. 173-178); Friese mit geometrischen und floralen Elementen bedecken breit den Schulterbereich. Die frühe Birnenform (S. 26, Abb. 179, 180) ist auch später noch zu finden, mit besonderer Betonung der godronnierten Wölbung (S. 26, Abb. 181). Auch der gedrungene Typus kennt Früh- und Spätformen, letztere mit Tierkopfausguß und Schmetterlingsknauf (S. 26, Abb. 183). Deckellose Gießgefäße mit Henkel konnten zur Aufnahme verschiedener Flüssigkeiten dienen (S. 27, Abb. 185, 186), eindeutig ist der Gebrauch einer Waschgarnitur (S. 27, Abb. 188); die weite Öffnung der Kanne mit geschwungenem Ausguß findet ihre ideale Entsprechung in der Rundung des Spiral-Henkels (S. 27, Abb. 189). Aber auch ein Deckelhumpen mit reicher Ornamentierung und figuralem Henkel soll nicht fehlen (S. 29, Abb. 197).

Heute sind Service meist nur mehr unvollständig erhalten. Zur Grundausstattung zählten bekanntlich neben den verschiedenen Kannen auch Zuckerdose oder -vase (manchmal auch Zuckerlöffelständer), Zuckerzange, Heißwassergefäß bzw. Tee- oder Kaffeemaschine sowie ein Tablett zur Komplettierung des Ensembles. Es konnte – nach Beschädigungen oder Verlust – schon sehr rasch zu Ergänzungen von Servicen kommen. Gute Beispiele dafür bietet die Sammlung des Budapester Kunstgewerbemuseums. Dort sind zwei Kannenpaare erhalten, die einerseits von Turinsky und Gutmann, andererseits von Krautauer und Würth stammen (S. 29, Abb. 194, 195). Die jeweils spätere Kanne wurde zwar in Form und Ornament dem älteren Vorbild möglichst genau angepaßt, bei näherer Betrachtung sind die Abweichungen in der Detailausführung jedoch nicht zu übersehen. Auch einzelne Gefäßbestandteile müssen nicht immer dem ursprünglichen Zustand entsprechen: besonders gefährdet waren seit jeher Deckelknäufe und Henkel, aber auch Ausgüsse oder Füße. Sogar im Originalzustand einer Kanne waren manchmal einzelne plastische Teile, wie etwa Deckelknäufe, Ausgüsse, Teile von Henkeln und andere Details, zugekaufte Halbfabrikate, auf die sich manche Firmen spezialisiert hatten.

## TYPOLOGY OF JUG SHAPES 1785 – 1824

Hardly any other shape used in Viennese silver seems to be better suited for attempting a morphology than the jug. We can observe its development over a period of almost four centuries in every thinkable sort of variation of form (pp. 21-30).

Jugs had many functions: coffee and tea pots, milk and cream pitchers, or pots for adding hot water for tea are all known to us in services (see pages 28-30). Wine jugs were used for more profane enjoyment, church cruets for sacred purposes.

Handles of ivory, ebony or merely blackened lighter wood are shaped upwardly, rounded, bent, sharpened. Stretched long, they closely embrace the curved sides of the vessel, (p. 21, ill. 153) or rest upon the shoulder. Wood or ebony are often mounted in wide silver cuffs (pp. 21, 22, ills. 154, 156-158, 160).

The elegant, high-shouldered pitcher on a high foot and low stand is most exceptional in its purest form, devoid of surface ornamentation (p. 21, ill. 153). The shoulders are accented by a sharp, narrow indentation, which fits into the line of the silhouette. The lid hugs the curved spout. This type corresponds to a whole group of examples in which the body shows a basically unified silhouette. It can be divided by narrower or wider borders and friezes or decorated with monograms (pp. 21, 22, ills. 154-157). The curve of the sides can be emphasized by lovely vertical fluting extending even beyond the shoulder (p. 21, ill. 152).

In another type of shape, the neck is sharply narrowed above the shoulder. Beading or ornamental borders define the edges. Sometimes the sides below are entirely fluted (p. 23, ill. 166), ornamented or scenically decorated (p. 22, ills. 160, 161), sometimes also adorned with monograms or medallions (p. 23, ill. 164).

Another basic shape lets the body rest directly on the foot or just barely above it p. 25, ill. 173-178). Friezes with geometric and floral elements cover the shoulder areas. The early pear shape (p. 26, ills. 179, 180) is also found later, with special emphasis on their gadrooned curvatures (p. 26, ill. 181). The thick-set type also knows early and late forms, the latter with animal head spouts and butterfly finials (p. 26, ill.183). Uncovered pouring vessels with handles could be used to hold a variety of liquids (p. 27, ills. 185, 186). The purpose is quite clear for the washing set (p. 27, ill. 188); the wide opening of the ewer with a curved spout finds its ideal parallel in the curve of the spiral handle (p. 27, ill. 189). But even a lidded tankard with rich ornamentation and figural handle should be included (p. 29, ill. 197) as well.

Today most of the services that have survived are incomplete. In addition to the various pitchers, pots and jugs, basic items also originally included sugar bowls or vases (sometimes even sugar spoon stands), sugar tongs, hot water vessels or tea or coffee makers, and also a tray to complete the ensemble. Services were sometimes added to very soon – following damage or loss.

Good examples of this are seen in the collection of the Budapest Museum of Applied Arts in two pairs of jugs kept there, one made by Turinsky and Gutmann (p. 28, ill. 191), the other by Krautauer and Würth (p. 29, ills. 194, 195). In each case the later jug was made to match the older one exactly in shape and ornamentation, but upon closer observation, certain deviations in the details of the execution cannot be overlooked.

Also individual vessel parts do not necessarily have to belong to the original condition of a piece. Lid or cover finials and handles have always lived dangerously, and so have spouts and feet. Even in a jug's original state, some of the individually shaped parts, such as finials, spouts, parts of handles and other details were bought as semi-finished products from companies which specialized in such items.

152 Deckelkanne mit Henkel, 1797
152 Lidded jug with handle, 1797

153 Deckelkanne mit Henkel, 1805
153 Lidded jug with handle, 1805

154 Deckelkanne mit Henkel, 1807 (= 1807-1809)
154 Lidded jug with handle, 1807 (= 1807-1809)

152 Deckelkanne mit Henkel / Lidded jug with handle, Jakob Krautauer, 1797; Höhe / height 28.7 cm. – Budapest, IM 73.60.1

153 Deckelkanne mit Henkel / Lidded jug with handle, Johann Georg Laubenbacher, 1805, Höhe / height 30 cm. Budapest, NM 1955.111

154 Deckelkanne mit Henkel / Lidded jug with handle, Carl Scheiger, 1807 (= 1807-1809), Höhe 31.5 cm. – S. Reisch, Wien

155 Deckelkanne mit Henkel / Lidded jug with handle, Matthias Schön, 1802, Höhe / height 32 cm. – Budapest, NM 1954.183

156 Deckelkanne mit Henkel / Lidded jug with handle, Karl Sedelmayer, 1807 (= 1807-1809), Höhe / height 32.1 cm. – Budapest, NM 52.137

155 Deckelkanne mit Henkel, 1802
155 Lidded jug with handle, 1802

156 Deckelkanne mit Henkel, 1807 (= 1807-1809)
156 Lidded jug with handle, 1807 (= 1807-1809)

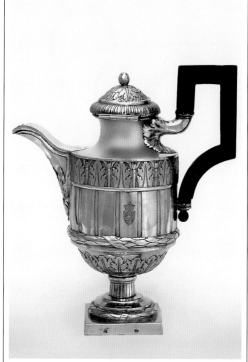

159 Deckelkanne mit Henkel, 1794
159 Lidded jug with handle, 1794

157 Deckelkanne mit Henkel, 1794
157 Lidded jug with handle, 1794

158 Deckelkanne mit Henkel, 1794
158 Lidded jug with handle, 1794

157 Deckelkanne mit Henkel / Lidded jug with handle, Johann Matthias Kiermayer, 1794, Höhe / height 29.9 cm. – Budapest, IM 69.1053

158 Deckelkanne mit Henkel / Lidded jug with handle, Johann Matthias Kiermayer, 1794, Höhe / height 27.8 cm. – Budapest, IM 69.1052

159 Deckelkanne mit Henkel / Lidded jug with handle, Nikolaus Wiener, 1794, Höhe / height 22.5 cm. – Dorotheum Wien, 1844/24

160 Deckelkanne mit Henkel / Lidded jug with handle, Wilhelm Schwegerl, 1797, Höhe / height 16.8 cm. – Budapest, IM 69.1046

161 Deckelkanne mit Henkel / Lidded jug with handle, Josef Huber, 1795, Höhe / height 25.3 cm. – S. Reisch, Wien

162 Deckelkanne mit Henkel / Lidded jug with handle, Ignaz Sebastian Wirth, 1801, Höhe / height 25 cm. – Budapest, NM 1954.185

163 Deckelkanne mit Henkel / Lidded jug with handle, Meister IL, 1807 (= 1807-1809), Höhe / height 30.5 cm. – Budapest, NM 1954.178

164 Deckelkanne mit Henkel / Lidded jug with handle, Johann Georg Hann, 1796, Höhe / height 32 cm (Fuß wohl ergänzt / stand probably augmented). – Budapest, IM 59.82

165 Deckelkanne mit Henkel / Lidded jug with handle, Leopold Meixner, 1802, Höhe / height 23 cm. – Budapest, NM Ö/1.93.5.1

166 Deckelkanne mit Henkel / Lidded jug with handle, Johann Gutmann, 1797, Höhe / height 33.7 cm. – Budapest, IM 56.1391

167 Deckelkanne mit Henkel / Lidded jug with handle, Josef Stelzer, 1802, Höhe / height 34.1 cm. – Budapest, IM 68.283

160 Deckelkanne mit Henkel, 1797
160 Lidded jug with handle, 1797

161 Deckelkanne mit Henkel, 1795
161 Lidded jug with handle, 1795

162 Deckelkanne mit Henkel, 1801
162 Lidded jug with handle, 1801

163 Deckelkanne mit Henkel, 1807
163 Lidded jug with handle, 1807

164 Deckelkanne mit Henkel, 1796
164 Lidded jug with handle, 1796

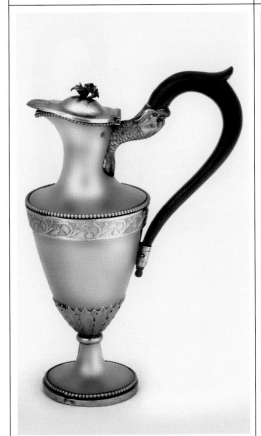

165 Deckelkanne mit Henkel, 1802
165 Lidded jug with handle, 1802

166 Deckelkanne mit Henkel, 1797
166 Lidded jug with handle, 1797

167 Deckelkanne mit Henkel, 1802
167 Lidded jug with handle, 1802

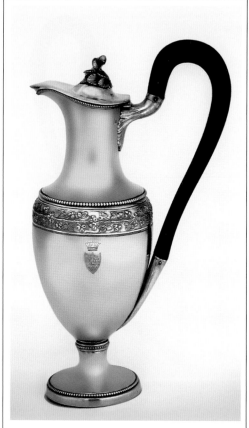

168 Deckelkanne mit Henkel, 1794
168 Lidded jug with handle, 1794

169 Deckelkanne mit Henkel, 1801
169 Lidded jug with handle, 1801

170 Deckelkanne mit Henkel, 182?
170 Lidded jug with handle, 182?

168 Deckelkanne mit Henkel / Lidded jug with handle, Johann Gutmann, 1794, Höhe / height 35.6 cm. – Budapest, IM 66.290

169 Deckelkanne mit Henkel / Lidded jug with handle, Franz Lorenz Turinsky, 1801, Höhe / height 32.5 cm. – Budapest, IM 66.289

170 Deckelkanne mit Henkel / Lidded jug with handle (Fuß wohl ergänzt / stand probably augmented), Namenspunze undeutlich / Maker's mark unclear, 182?, Höhe / height 29.4 cm. – Budapest, IM 53.2678

171 Deckelkanne mit Henkel / Lidded jug with handle, Namenspunze / Maker's mark AK, 1801, Höhe / height 20 cm. – Budapest, IM 71.110.1

172 Deckelkanne mit Henkel / Lidded jug with handle, Martin Kern, 1790, Höhe / height 20.3 cm. – S. Reisch, Wien

173 Deckelkanne mit Henkel / Lidded jug with handle, Anton Köll, 1816, Höhe / height 29 cm. – Budapest, NM 1955.110

174 Deckelkanne mit Henkel / Lidded jug with handle, Michael Wiener (?), 1821, Höhe 18.5 cm. – Budapest, NM 1954.181

175 Deckelkanne mit Henkel / Lidded jug with handle, Thomas Albrecht, 1821, Höhe / height 29.4 cm. – Budapest, IM 53.943

176 Deckelkanne mit Henkel / Lidded jug with handle, Jakob Krautauer, 1806, Höhe / height 20.8 cm. – Budapest, IM 61.537

177 Deckelkanne mit Henkel / Lidded jug with handle, Carl Blasius, 1813 (?), Höhe / height 28.4 cm. – Budapest, NM 1954.177

178 Deckelkanne mit Henkel / Lidded jug with handle, Carl Blasius, 1821, Höhe / height 31.2 cm. – Budapest, IM 67.813

171 Deckelkanne mit Henkel, 1801
171 Lidded jug with handle, 1801

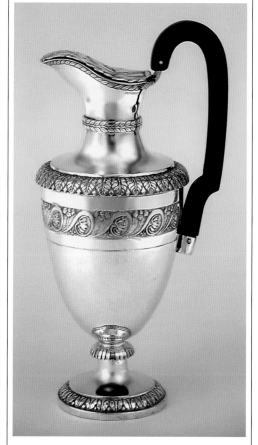

172 Deckelkanne mit Henkel, 1790
172 Lidded jug with handle, 1790

173 Deckelkanne mit Henkel, 1816
173 Lidded jug with handle, 1816

174 Deckelkanne mit Henkel, 1821
174 Lidded jug with handle, 1821

175 Deckelkanne mit Henkel, 1821
175 Lidded jug with handle, 1821

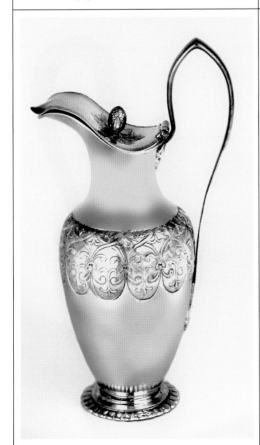

176 Deckelkanne mit Henkel, 1806
176 Lidded jug with handle, 1806

177 Deckelkanne mit Henkel, 1813
177 Lidded jug with handle, 1813

178 Deckelkanne mit Henkel, 1821
178 Lidded jug with handle, 1821

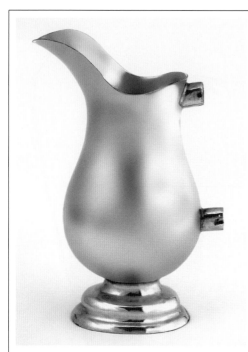

179 Kanne mit Henkel (fehlt), 1782
179 Jug with handle (missing), 1782

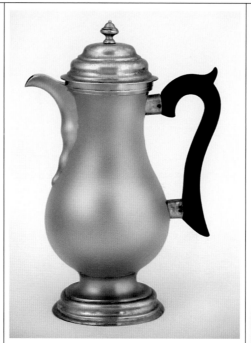

180 Deckelkanne mit Henkel, 1785
180 Lidded jug with handle, 1785

181 Deckelkanne mit Henkel, 1820
181 Lidded jug with handle, 1820

179 Kanne mit Henkel (fehlt) / Lidded jug with handle (missing), Johann Georg Hann, 1782., Höhe / height 15.5 cm. Budapest, NM 1954.174
180 Deckelkanne mit Henkel / Lidded jug with handle, Lorenz Reinhard, 1785, Höhe / height 22.4 cm. – Budapest, NM Ö/1.93.3
181 Deckelkanne mit Henkel / Lidded jug with handle, J. Mayerhofer (?), 1820, Höhe / height 23 cm. – S. Reisch, Wien

182 Deckelkanne mit Henkel (fehlt) / Lidded jug with handle (missing), Ignaz Krautauer, 1785, Höhe / height 22.5 cm. – Budapest, IM 73.67
183 Deckelkanne mit Henkel / Lidded jug with handle, Doppeladler / double eagle, 1824, Höhe/height 33.9 cm. Budapest, NM 1954.182
184 Deckelkanne mit Henkel / Lidded jug with handle, Dominikus Storr, 1818, Höhe / height 26.3 cm. – Budapest, IM 66.284.1-2

182 Deckelkanne mit Henkel (fehlt), 1785
182 Lidded jug with handle (missing), 1785

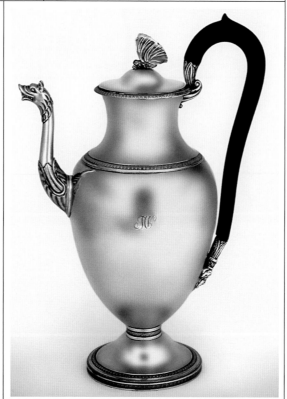

183 Deckelkanne mit Henkel, 1824
183 Lidded jug with handle, 1824

184 Deckelkanne mit Henkel, 1818
184 Lidded jug with handle, 1818

185 Henkelkanne / Jug with handle, Johann Georg Hann (?), 1792, Höhe / height 13.8 cm. Budapest, NM 54.198

186 Henkelkanne / Jug with handle, Namenspunze / Maker's mark KG, 1805, Höhe / height 15.4 cm. – Budapest, IM 76.252

187 Deckelkanne mit Henkel / Lidded jug with handle,wohl / probably Carl Blasius, 1807 (= 1807-1809), Höhe / height 16.7 cm. Budapest, IM 24.385

185 Henkelkanne, 1792
185 Jug with handle, 1792

186 Henkelkanne, 1805
186 Jug with handle,1805

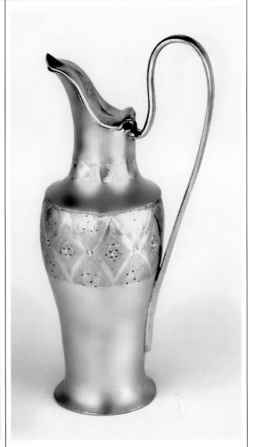

187 Deckelkanne mit Henkel, 1807 (= 1807-1809)
187 Lidded jug with handle, 1807 (= 1807-1809)

188 Waschgarnitur (Krug und Becken), Josef Kern, 1820, Höhe 22.5 cm. – Dorotheum Wien, 1859/50
188 Washing set (jug and basin), Josef Kern, 1820, height 22.5 cm. – Dorotheum Vienna, 1859/50

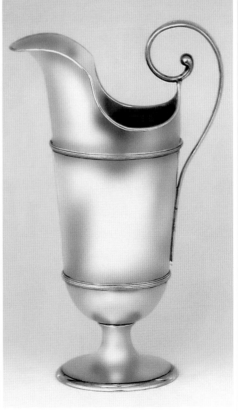

189 Henkelkrug, 1820, s. Abb. 188
189 Jug with handle, 1820, see ill. 188

190 Teile eines Services / Parts of a set, Johann Matthias Kiermayer, 1794, Höhe / height 29.9 cm (Kanne rechts / right jug). – Budapest IM 69.1052.1-2, 69.1053.1-2, 69.1054.1-2

191 Teile eines Services / Parts of a set, Franz Lorenz Turinsky (links / left 1801), Höhe / height 32.5 cm; Johann Gutmann (rechts / right 1794), Höhe / height 35.6 cm. – Budapest, IM 66.289, 66.290

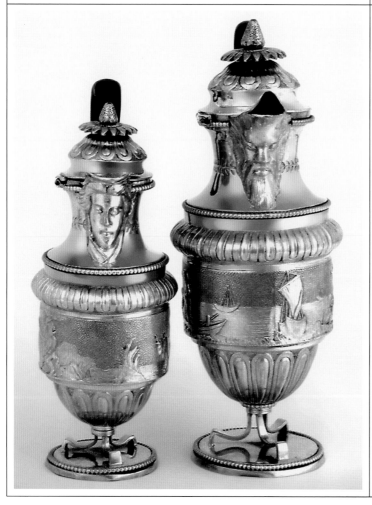

192, 193 Zwei Kannen aus einem Service / Two jugs of a set, Wilhelm Schwegerl, 1797, Höhe / height 16.8 cm, 19.8 cm. – Budapest, IM 69.1046, 69.1047

194, 195 Zwei Kannen, Jakob Krautauer (links, 1806), Alois Würth (rechts, 1807 = 1807-1809), Höhe 20.8 bzw. 22.8 cm. – Budapest, IM 61.537, 61.560

194, 195 Two jugs, Jakob Krautauer (left, 1806), Alois Würth (right, 1807 = 1807-1809), height 20.8 and 22.8 cm. – Budapest, IM 61.537, 61.560

196 Teile einer Services / Parts of a service, Carl Blasius, 1821, Höhe / height 31.2 cm. – Budapest IM 67.813, 67.817.1-2, 67.818

197 Henkelkrug (Humpen) / jug (tankard), Anton Köll, 1821, Höhe / height 22.8 cm. – Budapest IM 71.202

198

198-200 Zwei Deckelkannen mit Elfenbeinhenkel / two lidded jugs with ivory handles, Carl Scheiger, 1807 (= 1807-1809), Höhe 31.5 bzw. 33 cm. – S. Reisch, Wien

201 Zwei Deckelkannen mit Henkel / two lidded jugs with handle, Jakob Krautauer, 1797 Höhe / height 25 bzw. / and 28.7 cm. – Budapest, IM 73.60.1-2

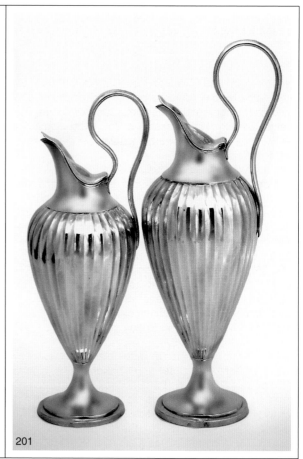

201

199

200

# WIENER SILBER
## IM KUNSTGEWERBEMUSEUM BUDAPEST
### 1782 – 1821

Tischglocken und Tafelservice, Girandolen und Gewürzständer, Zuckervasen und Heißwassergefäße, Tabaksdosen und Kerzenleuchter, Zuckerzangen und Eßbestecke, Schreibzeuge, Bürsten, Spiegel, Stielgefäße und Henkelvasen – in der reichhaltigen Metallsammlung des Budapester Kunstgewerbemuseums ist das Wiener Silber auf einzigartige Weise vertreten.

Mehr noch dem Klassizismus als dem Biedermeier zugeneigt, geben die hier ausgewählten Silberobjekte aus nahezu vier Jahrzehnten (1782 - 1821) eine Ahnung von der Kunst der Wiener Gold- und Silberschmiede, Schwertfeger und Goldgalanteriearbeiter jener Zeit. Klangvolle Namen sind vertreten: die Meister der bekannten Familien Würth (Alois Johann Nepomuk Würth, Franz Würth, Johann Würth, S. 39, 53, 68, 78, 80, 83, 94-96), Dermer (Franz Ignaz und Ignaz C. Dermer, S. 44, 55), Krautauer (Ignaz und Jakob Krautauer, S. 33, 34, 36, 53, 54, 70, 71), Stelzer (Josef und Leopold Stelzer, S. 34, 45); Wiener (Nikolaus und Michael Wiener, S. 59, 65, 69). Besondere Schwerpunkte in der Sammlung bilden die Arbeiten von Georg Hann (S. 37, 38, 40, 41, 44, 58), Johann Gutmann (S. 35, 50, 51, 54) und Carl Blasius (S. 48, 49, 57, 86, 87).

Weitere Namen (mit Einzelobjekten bzw. Serviceteilen vertreten) sind hervorzuheben: Anton Aser (S. 64), Wenzel Challupetzky (S. 88, 89), Michael Carl Dörffer (S. 90, 91), Georg Forgatsch (S. 83), Lorenz Frank (S. 72), Josef Freudenschuß (S. 59), Anton Fuchs (S 83), Berthold Gelder (S. 67, 81), Caspar Haas (S. 80), Franz Hartmann (S. 34), Dominikus Hauptmann (S. 50), Franz Hellmayer (S. 52, 62, 63), Josef Hosp (S. 73), Johann Mathias Kiermayer (S. 42, 43, 82), Johann Klima (S. 80), Anton Köll (S. 84, 85), Wenzel Massabost (S. 79), Johann Mayerhofer (S. 52), Anton Oberhauser (?) (S. 76, 77), Johann Pretsch (S. 82), Anton Rossi (S. 60, 61), Josef Schneider (S. 35), Mathias Schön (S. 81, 89), Wilhelm Schwegerl (S. 46-48), Karl Sedelmayer (S. 56-58), Dominikus Storr (S. 65), Franz Lorenz Turinsky (S. 51), Lorenz Wieninger (S. 64).

Firmen mit beachtlicher, wohl fabriksmäßiger Produktion (Franz und Karl Wallnöfer, S. 68, 83, 92-96, Benedikt Nikolaus Ranninger, S. 74, 75) scheinen ebenso auf wie Spezialisten, die noch nicht identifiziert werden konnten, wie der Silberschmied mit den Initialen IAH, der wohl ein Schwertfeger war (s. S. 61, Abb. 457-459). Wenige Punzen (wie jene auf Tabaksdosen) waren zu fragmentarisch erhalten, um eine Zuordnung zu erlauben.

Der Budapester Bestand gibt ein anschauliches Bild von der Geschichte von Servicen und der Notwendigkeit von Ergänzungen: so finden wir gleichartige Kannen, durch mehrere Jahre zeitlich getrennt, mit der Namenspunze von verschiedenen Silberschmieden: Gutmann und Turinsky (s. S. 51), Krautauer und Würth (s. S. 53).

Der klassizistische Stil scheint allgegenwärtig zu sein: Mäander und „laufender Hund", Perlstab und Rosette, Akanthus und Lorbeer, Blattranken mit spielenden Putti und bocksfüßigen Satyrknaben, Widderköpfe, Löwen-, Fauns- und Menschenmasken, Menschen- und Tierprotome prägen Gestalt und Oberfläche der Gefäße: vollplastisch, reliefiert oder graviert.

Glattwandig, mit sparsamen Ornamentbordüren akzentuiert oder reich dekoriert, entzöge sich manches Objekt der zeitlichen Einordnung, enthielte die Wiener Feingehaltspunze nicht die jeweilige Jahreszahl. Auch die Veränderung ihrer Form ist nachvollziehbar: bis 1806 mit der Feingehaltszahl 13 oben, ab 1807 mit dem A für Wien und der Zahl 13 im Wiener Kreuzschild, erhält die Punze 1813 einen dreibogigen unteren Abschluß, der sich in der Folge zu einer ausgeschwungenen Linie vereinheitlicht. So sind wir in der Lage, bei guter Lesbarkeit der Feingehaltspunze eine genauere zeitliche Einordnung vornehmen zu können (zu beachten ist allerdings, daß die Punze mit der Jahreszahl 1807

noch bis 1809 gültig war, jene mit der Jahreszahl 1810 bis 1812 und jene von 1840 bis 1842).

Immer wieder aufs Neue verblüfft uns die Gleichzeitigkeit scheinbar widersprüchlicher Gestaltungsphänomene: prunkvolle Tafelservice mit dunklen Schwefelsilber-Reliefs (S. 40, 41) und glatte, spiegelnde, ornamentlose Oberflächen von Schreibzeugen, Dosen und Henkeltassen (S. 34, 35); Girandolen-Arme als Blattspiralvoluten mit Rosetten und elegant-zarten Tierkopfenden (S. 38); türklopfer-artige vollplastische Löwenköpfe mit beweglichen Ringen (S. 37), etwa gleichzeitig ein Stielkännchen mit eindrucksvollem Hell-Dunkel-Kontrast der silberschimmernden, ornamentlosen Wandung zum schwarzen Griff (S. 44), dann wieder fast lückenlos ornamentierte Oberflächen von Kannen und Deckelgefäßen (S. 46-49), schließlich vertikal gestreifte Henkelvasen (S. 50) oder kannelierte Kannen (S. 50). Die Vielfalt unterschiedlich gestalteter Kannen erlaubt die Zusammenstellung einer Formtypologie (S. 21-30), die auch bei Leuchtern eine gewisse Entwicklung zeigt (S. 82, 83), wiewohl beliebte Formtypen über einen längeren Zeitraum in vielen Goldschmiedezentren hergestellt wurden.

Subtile Filigranarbeit (S. 60) wird kombiniert mit vollplastischen Löwenköpfen und Löwenpranken (S. 61), mit Medaillons, deren flache Reliefs vor zart gepunztem Grund stehen. Gedrehte Griffe und Henkel sind mit Blattansätzen direkt am Deckel angebracht oder beweglich mit Scharnieren am Deckelrand befestigt (S. 94, 95). Bei manchen Gefäßbestandteilen – vor allem den vollplastischen Deckelknäufen mit Blatt- und Früchtemotiven – kann man sich der ursprünglichen Zugehörigkeit zum Gefäß nie sicher sein. Die Verwendung vorgefertigter Halbfabrikate von spezialisierten Herstellern ist zwar anzunehmen, aber schwer nachweisbar.

Erwähnenswert ist die Durchbruchs-, Gravier- und Ziselierarbeit der Laffe eines Fischvorlegers, dessen naheliegendes Fischmotiv die Möglichkeiten der Silbertechniken im Helldunkel der Zeichnung schön vor Augen führt (S. 62, 63). Alltägliches Silbergeschirr mit einfachen Bordüren (Gewürzschälchen, S. 64, 72, 75) wechseln mit raffinierten Blattkelchen am Vasencorpus (S. 66, 67). Außergewöhnliche Großobjekte mit schön geformten Henkeln, französischen Vorbildern angenähert (S. 68), sind ebenso aufwendig gestaltet wie der Blütenstrauß, der eine Girandole bekrönt (S. 69).

Repräsentativ für eine ganze Gruppe 15lötiger Silberobjekte von Krautauer steht der Henkelkorb (S. 70, 71), ein Paradebeispiel von Durchbruchsmustern. Und endlich sollte auch auf die ornamentale Flächenkunst von Tabaksdosen (S. 76-79) hingewiesen werden, die einfach oder als Doppeldosen verwendet wurden. Bei Gewürzständern wurden die Behälter aus Glas teilweise erneuert (S. 72, 73).

Seltener finden wir allegorische Bezüge wie den Aufsatz mit Liebes- und Ewigkeitsallegorien: eine Schlange, die sich in den Schwanz beißt, sowie ein Medaillon mit einem Liebespaar (S. 74, 75). Als figurale Gefäßbestandteile dienen Engelsprotome (Henkel, S. 84, 85), Tänzerinnen (S. 95), Kerzentüllen tragende Frauenköpfe (S. 96), die an antike Karyatiden erinnern. Friese mit Landschaften umlaufen manchmal die Wandung; dazu gehören die bei Michael Schwegerl beliebten Meereslandschaften (S. 46, 47) auf seinen Kannen mit den charakteristischen, ungewöhnlichen Gestaltungen der Füße.

Anhand der Sammlung des Budapester Kunstgewerbemuseums lassen sich viele Aspekte des Wiener Silbers studieren. Dieser Bestand ist ebenso ein Mikrokosmos der Wiener Punzierung wie der angewandten Techniken, der Formen ebenso wie der Ornamentik und der Punzierungsgeschichte: die Auswirkungen der napoleonischen Kriege auf die Punzen-Gesetzgebung sind an einem Löffel mit Vorrats- und Taxstempel (S. 80) und an einem Kerzenleuchter (S. 96) ablesbar.

Bis auf wenige Ausnahmen zeigen die Folgeseiten (S. 33-96) sowie die Typologie der Kannenformen (S. 21-30) erstmals in einem Buch die großartigen Bestände von Wiener Silber aus der Zeit von 1782 bis 1821 im Budapester Kunstgewerbemuseum. Sie konnten im Jahre 2000 in einer Ausstellung der Österreichischen Postsparkasse bereits der Öffentlichkeit zugänglich gemacht werden.

# VIENNESE SILVER
## IN THE BUDAPEST MUSEUM OF APPLIED ARTS
### 1782 – 1821

Table bells and table services, girandoles and spice stands, sugar vases and hot water vessels, tobacco boxes and candelabra, sugar tongs and flatware, desk sets, brushes and mirrors, stemware and vases with handles – Viennese silver is represented in the Budapest Museum of Applied Arts in an extraordinary way.

Tending more to neo-classicism than the Biedermeier, the silver objects from almost four decades (1782-1821) selected to be shown here, give an idea of the art of the Viennese gold and silversmiths, hilt makers and fancy goods workers of the time. Illustrious names are found here: the masters of the well known families of Würth (Alois Johann Nepomuk Würth, Franz Würth, Johann Würth, pp. 39, 53, 68, 78, 83, 94-96); Dermer (Franz Ignaz and Ignaz C. Dermer, pp. 44, 55); Krautauer (Ignaz and Jakob Krautauer, pp. 33, 34, 36, 53, 54, 70, 71); Stelzer (Josef and Leopold Stelzer, pp. 34, 45); Wiener (Nikolaus and Michael Wiener, pp. 59, 65, 69). Particular highlights in the collection are works of Georg Hann (pp. 37, 38, 40, 41, 44, 58), Johann Gutmann (pp. 35, 50, 51, 54) and Carl Blasius (pp. 48, 49, 57, 86, 87).

Other names (represented with single objects or parts of services) are also noteworthy: Anton Aser (p. 64), Wenzel Challupetzky (pp. 88, 89), Michael Carl Dörffer (pp. 90, 91), Georg Forgatsch (p. 83), Lorenz Frank (p. 72), Josef Freudenschuß (p. 59), Anton Fuchs (p. 83), Berthold Gelder (pp. 67, 81), Caspar Haas (p. 80), Franz Hartmann (p. 34), Dominikus Hauptmann (p. 50), Franz Hellmayer (pp. 52, 62, 63), Josef Hosp (p. 73), Johann Mathias Kiermayer (pp. 42, 43, 82), Johann Klima (p. 80), Anton Köll (pp. 84, 85), Wenzel Massabost (p. 79), Johann Mayerhofer (p. 52), Anton Oberhauser (?) (pp. 76, 77), Johann Pretsch (p. 82), Anton Rossi (pp. 60, 61), Josef Schneider (p. 35), Mathias Schön (pp. 81, 89, Wilhelm Schwegerl (pp. 46-48), Karl Sedelmayer (pp. 56-58), Dominikus Storr (p. 65), Franz Lorenz Turinsky (p. 51), Lorenz Wieninger (p. 64).

Companies with larger, probably factory-made products (Franz and Karl Wallnöfer, pp. 68, 83, 92-96, Benedikt Nikolaus Ranninger, pp. 74, 75) also appear, along with specialists who are not yet identified, such as the silversmith with the initials IAH, who was probably a hilt maker (p. 61, ills. 457-459). A few of the marks (such as those on tobacco boxes) survived in fragments too insufficient to be able to categorize them.

The Budapest collection gives a vivid picture of the history of services and the necessity for additions. We find pitchers made the same way, but separated by a number of years and with the maker's marks of different silversmiths: Gutmann and Turinsky (p. 51), Krautauer and Würth (p. 53).

The neo-classical style appears to be all-pervading: meanders and "running dogs," beading and rosettes, acanthus and laurel, leafy tendrils with playing cupids and goat-hoofed young satyrs, ram's heads, mascarons of lions, fauns and people, human and animal protome characterize the style and the surface of the vessels: figures and objects that are free-standing, worked in relief or engraved.

Smooth-sided, accentuated with sparse ornamental borders or richly decorated, some of the objects would appear to have escaped being assigned to a specific time if it were not for the year date in the Vienna assay mark. The change in the shape of the mark is also traceable. Up to 1806 it has the assay number 13 on top, from 1807 the A for Vienna and the number 13 in the Viennese cross shield; the mark gets a figure with three arches at the bottom in 1813 and later becomes a single arch. This puts us in the position of being able to determine a more exact date for the assay mark, that is, when it is legible enough (it must be noted, however, that the mark with the year date of 1807 was still valid until 1809, the mark with the date 1810 up to 1812 and that of 1840 up to 1842).

Although stylistically these are types of marks that were made in many goldsmith centers over a long period of time, one is still astonished at the indifference with which apparently contradictory creative phenomena are treated here: magnificent table services with sulfur-darkened reliefs (pp. 40, 41) and smooth, mirror-like surfaces devoid of any ornamentation at all on writing sets, boxes and cups (pp. 34, 35); arms of girandoles winding in leafy spiral scrolls with rosettes and elegantly delicate animal-head finials (p. 38); free-standing lion's heads like those of door knockers with movable rings (p. 37), and from about the same time, a jug with impressive light-dark contrasts between the shining, silvery, undecorated sides and the black handle (p. 44), once again the surfaces of jugs and lidded vessels (pp. 46-49) almost covered with ornamentation; and finally vertically striped vases with handles (p. 50) or fluted jugs (p. 50) The great variety seen in jugs makes it possible to put together a typology of shape (pp. 21-30) which also shows a certain development in candle sticks and candelabra (pp. 82, 83).

Subtle filigree work (p. 60) is combined with free standing lion's heads and lion's paws (p. 61), with medallions whose bas reliefs rest against a delicately embossed ground. Turned grips and handles are attached directly to covers with leaves or are fastened to the edge of the cover with hinges (pp. 94, 95). One can never be certain that some of the parts of a vessel – especially free standing lid finials with leaf and fruit motifs – are not original vessel parts. The use of semi-finished parts pre-fabricated by specialized suppliers can be assumed but is difficult to prove.

Mention should be given to the open work, engraving and pouncework on the blade of a fish server; the appropriate fish motif shows the possibilities for creating light and dark effects in silver techniques (pp. 62, 63). Everyday silver articles with simple borders (spice bowls, pp. 64, 72, 75) alternate with sophisticated leaf calyxes on the body of a vase (pp. 66, 67). Exceptionally large objects with beautifully shaped handles, approaching French models (p. 68) are just as extravagant as the flower bouquet that crowns a girandole (p. 69).

A basket with handles (pp. 70, 71), a fine example of openwork, is representative of a whole group of 15-lot silver objects made by Krautauer. And finally the ornamental surface decoration on tobacco boxes (pp. 76-79) should be mentioned; they can be used either singly or as double boxes. Some of the glass containers in the condiment or spice stands have been renewed (pp. 72, 73).

Less often, we find allegorical references, such as those on the centerpiece with the allegories of love and eternity; a snake which bites its own tail, a medallion with a pair of lovers (pp. 74, 75). Figural parts of a vessel include an angel's protome (handle, pp. 84, 85), female dancers (p. 95), female heads bearing candle holders (p. 96), reminiscent of antique caryatids. Friezes with landscapes sometimes run around the sides; these include Michael Schwegerl's popular sea landscapes (pp. 46, 47) on jugs showing his characteristic, unusual shapes of the feet.

Many aspects of Viennese silver can be studied in the collection of the Arts and Crafts Museum in Budapest. It is a microcosm of Viennese marks and of applied techniques, of form as well as ornamentation and the history of marking. The consequences of the Napoleonic wars on the laws governing marks can be seen on a candlestick (p. 96) and on a spoon with a stock mark and a release mark (p. 80).

With few exceptions, the following pages (pp. 33-96) and the typology of the shapes of jugs (pp. 21-30) show the magnificent objects of Viennese silver from 1782 to 1821 at the Budapest Arts and Crafts Museum in a book for the first time. In the year 2000 they were made available for public viewing in an exhibition at the Austrian Postal Savings Bank.

202-206 Jakob Krautauer, zwei Henkelkannen; Wiener Punze (1797), Namenspunze: Monogramm JK, Höhe 25 cm bzw. 28.7 cm. Kunstgewerbemuseum Budapest (IM 73.60.1-2)

202-206 Jakob Krautauer, two jugs with handles; Viennese mark (1797), maker's mark: monogram JK, height 25 cm and 28.7 cm. Museum of Applied Arts, Budapest (IM 73.60.1-2)

202

203

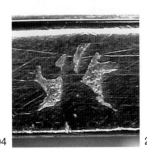

204

205

206

207

208

209

210

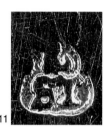

211

207-211 Leopold Stelzer, Schreibzeug mit Kassette; Punzierung: Wiener Punze (1782), Namenspunze LST; Maße: Kassette (12 x 8.1 x 8.3 cm), Tablett: 10.6 x 6.1 cm, Tintenfaß: Höhe 5.4 cm. – Kunstgewerbemuseum Budapest (IM 59.2005.1-4)

207-211 Leopold Stelzer, ink stand with case; marking: Viennese mark (1782), maker's mark LST; dimensions: case (12 x 8.1 x 8.3 cm), stand: 10.6 x 6.1 cm, ink well: height 5.4 cm. – Museum of Applied Arts, Budapest (IM 59.2005.1-4)

212

213

214

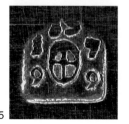

215

216

217

216, 217 Franz Hartmann, Tasse mit Untertasse; Punzierung: Wiener Punze (1815), Taxstempel (A TF), Namenspunze: FH, Höhe (Tasse): 9.8 cm, Durchmesser (Untertasse): 14.1 cm. – Kunstgewerbemuseum Budapest (IM 67.826.1-2)

216, 217 Franz Hartmann, cup with saucer; marking: Viennese mark (1815), tax mark (A TF), maker's mark: FH, height (cup): 9.8 cm, diameter (saucer): 14.1 cm. – Museum of Applied Arts, Budapest (IM 67.826.1-2)

212-215 Jakob Krautauer, Bürste; Punzierung: Wiener Punze (1799), Namenspunze: Monogramm JK; Maße (Silber): 13.8 x 6.6 cm. – Kunstgewerbemuseum Budapest (IM 59.1587)

212-215 Jakob Krautauer, brush; marking: Viennese mark (1799), maker's mark: monogram JK; dimensions (silver): 13.8 x 6.6 cm. – Museum of Applied Arts, Budapest (IM 59.1587)

218

218-227 Josef Schneider, Schreibzeug; Punzierung: Wiener Punze (1787), Namenspunze: Monogramm JS; gravierte Inschrift: „C.I.T. nat 24. May 1787.", Gesamthöhe: 6.9 cm, Höhe 5.8 cm (Sandstreugefäß), Untersatz: 23.9 x 16 cm. – Kunstgewerbemuseum Budapest (IM 52.1314.1-3)

218-227 Josef Schneider ink stand; marking: Viennese mark (1787), maker's mark: monogram JS; engraved inscription: "C.I.T. nat 24. May 1787", whole height 6.9 cm, height 5.8 cm (pounce box), tablet: 23.9 x 16 cm. – Museum of Applied Arts, Budapest (IM 52.1314.1-3)

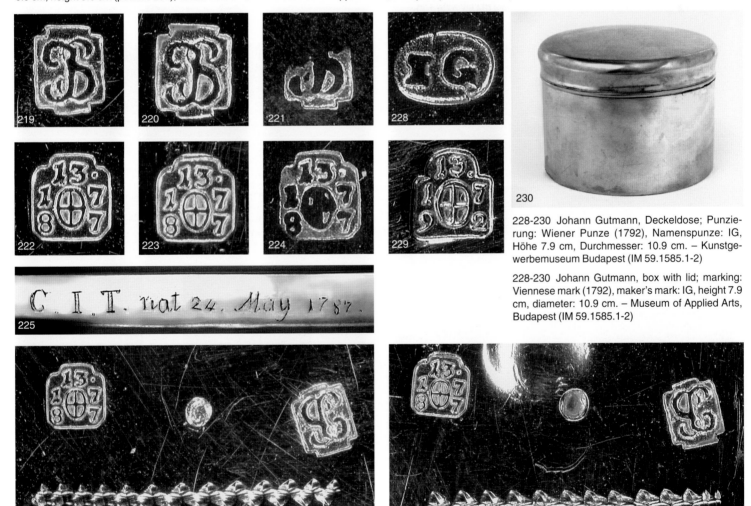

230

228-230 Johann Gutmann, Deckeldose; Punzierung: Wiener Punze (1792), Namenspunze: IG, Höhe 7.9 cm, Durchmesser: 10.9 cm. – Kunstgewerbemuseum Budapest (IM 59.1585.1-2)

228-230 Johann Gutmann, box with lid; marking: Viennese mark (1792), maker's mark: IG, height 7.9 cm, diameter: 10.9 cm. – Museum of Applied Arts, Budapest (IM 59.1585.1-2)

231

232

233

234

235

236

231-239 Ignaz Krautauer, Kanne (Henkel fehlt); Punzierung: Wiener Punze (1785), Repunzierungszeichen (Mondsichel und F = Brünn), Ziselierstich; Namenspunze: Monogramm JK; Höhe 22.5 cm. – Kunstgewerbemuseum Budapest (IM 73.67)

231-239 Ignaz Krautauer, jug (handle missing); marking: Viennese mark (1785), recharge mark (crescent moon and F = Brno), test strike; maker's mark: monogram JK; height 22.5 cm. – Museum of Applied Arts, Budapest (IM 73.67)

237

238

239

240

241

240-247 Johann Georg Hann, Deckelgefäß (Deckel ergänzt); Punzierung: Wiener Punze 1788, Namenspunze GH; Höhe (mit Deckel): 16.5 cm, Höhe (ohne Deckel): 10.5 cm. – Kunstgewerbemuseum Budapest (IM 18.308.1-2)

240-247 Johann Georg Hann, vessel with cover (cover augmented); marking: Viennese mark 1788, maker's mark GH; height (with lid): 16.5 cm, height (without cover): 10.5 cm. – Museum of Applied Arts, Budapest (IM 18.308.1-2)

242

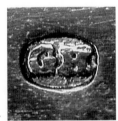

244          245

246

243

247

248

248-253 Johann Georg Hann, Girandole aus dem sog. „Palatin-Service" (insgesamt 3 Stück, IM 18.203 a, b, c); Punzierung: Wiener Punze (1791), Namenspunze GH; Höhe 45.7 cm. – Kunstgewerbemuseum Budapest (IM 18.203 a, b)

248-253 Johann Georg Hann, girandole from the so called "Palatin Service" (3 items, IM 18.203 a, b, c); marking: Viennese mark (1791), maker's mark GH; height 45.7 cm. – Museum of Applied Arts, Budapest (IM 18.203 a, b)

250

251

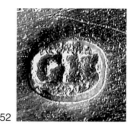

252

249

253

254

254-259 Franz Würth, Tafelaufsatz (Henkelgefäß mit Deckel und Einsatz sowie Untersatz); Punzierung: Wiener Punze (1801), Namenspunze FW; Höhe 47 cm, Durchmesser (Untersatz): 40 cm. – Kunstgewerbemuseum Budapest (IM 75.175.1-4)

254-259 Franz Würth, centerpiece (vessel with handles, lid and inset, stand); marking: Viennese mark (1801), maker's mark FW; height 47 cm, diameter (stand): 40 cm. – Museum of Applied Arts, Budapest (IM 75.175.1-4)

255                256

257

258

259

260

261

262

263

264

265

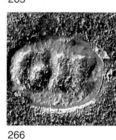

266

267

265, 266
Wiener Punze (1791) sowie GH (= Johann Georg Hann); Kennzeichnung der Terrine Abb. 271

265, 266
Viennese mark (1791) and GH (= Johann Georg Hann); marking of the tureen ill. 271

260-264, 267 Details der Deckelterrine mit Untersatz Abb. 269 / Details of the tureen with cover and stand ill. 269

268

268-273 Johann Georg Hann, Teile eines Services (sog. „Palatin-Service");
Punzierung: Wiener Punze (1791), Namenspunze GH. – Kunstgewerbemuseum Budapest
Wärmeglocke (Untersatz ergänzt, Abb. 268): Höhe 28.6 cm, Länge 43.2 cm
(IM 56.461.1-2)
Deckelterrine mit Untersatz (Abb. 269, 272, 273): Höhe (mit Untersatz) 45 cm
(IM 88.418)
Deckelterrine (sechsseitig, Abb.270): Höhe 22.2 cm (IM 64.11.1-2)
Deckelterrine (Abb. 271): Höhe 20.5 cm (IM 15.953)

269

268-273 Johann Georg Hann, parts of a service (so called „Palatin Service");
marking: Viennese mark (1791), maker's mark GH. – Museum of Applied Arts,
Budapest
Warming dish (stand augmented, ill. 268): height 28.6 cm, length 43.2 cm
(IM 56.461.1-2)
Tureen with cover and stand (ills. 269, 272, 273): height (with stand) 45 cm
(IM 88.418)
Tureen with cover (six-sided, ill. 270): height 22.2 cm (IM 64.11.1-2)
Tureen with cover (ill. 271): height 20.5 cm (IM 15.953)

270

271

272

273

274

275

275 Detail der Kanne Abb. 284 (rechts) / Detail of the jug ill. 284 (right)

276

274, 276, 279-282 Zuckerdose aus einem Service (s. Abb. 284); Wiener Punze (1794), Namenspunze IMK, Höhe 14 cm. – Kunstgewerbemuseum Budapest (IM 69.1054.1-2)

274, 276, 279-282 Sugar bowl from a service (see ill. 284); Viennese mark (1794), maker's mark IMK, height 14 cm. – Museum of Applied Arts, Budapest (IM 69.1054.1-2)

279      280      281      282

277

277, 278, 283 Details der Kanne Abb. 284 (links) / Details of the jug ill. 284 /(left)

278

283

284

285

284 Johann Mathias Kiermayer, Teile eines Services; Punzierung: Wiener Punze (1794), Namenspunze: IMK; Höhe (Zuckerdose, Abb. 274, 276): 14 cm, Höhe (Kannen, Abb. 275, 284, 285): 27.8 bzw. 29.9 cm. – Kunstgewerbemuseum Budapest (IM 69.1052.1-2, 69.1053.1-2, 69.1054.1-2)

284 Johann Mathias Kiermayer, parts of a service; marking: Viennese mark (1794), maker's mark: IMK; height (sugar bowl, ills. 274, 276): 14 cm, height (jugs, ills. 275, 284, 285): 27.8 and 29.9 cm. – Museum of Applied Arts, Budapest (IM 69.1052.1-2, 69.1053.1-2, 69.1054.1-2)

286

286, 287, 291, 292 Details des Services Abb. 284 (Kannen: Abb. 286-290, Zuckerdose: Abb. 291, 292) / Details of the service ill. 284 (jugs: ills. 286-290, sugar bowl: ills. 291, 292)

288

289

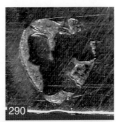

290

291

287

292

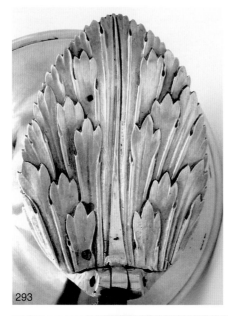

293

293-297 Johann Georg Hann, Henkelkanne (Fuß wohl ergänzt); Punzierung: Wiener Punze (1796), Namenspunze GH; Höhe 32 cm. Kunstgewerbemuseum Budapest (IM 59.82)

293-297 Johann Georg Hann, jug with handle (stand probably augmented); marking: Viennese mark (1796), maker's mark GH; height 32 cm. Museum of Applied Arts, Budapest (IM 59.82)

294

295

296

297

298-300 Ignaz C. Dermer, Stielgefäß; Punzierung: Wiener Punze (1785), Namenspunze ICD, Ziselierstich, Höhe 9.3 cm, Länge 12.1 cm. – Kunstgewerbemuseum Budapest (IM 54.273.1-2)

298-300 Ignaz C. Dermer, jug with handle, marking: Viennese mark (1785), maker's mark ICD, test strike, height 9.3 cm, length 12.1 cm. – Museum of Applied Arts, Budapest (IM 54.273.1-2)

299

298

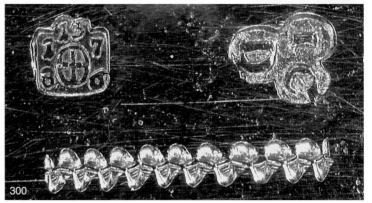

300

301

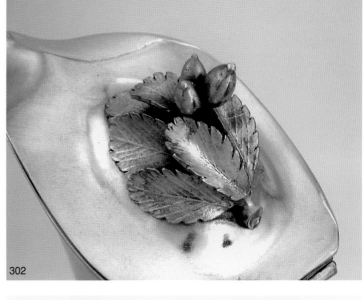

302

303

301-306 Josef Stelzer, Henkelkanne; Punzierung: Wiener Punze (1802), Namenspunze IST; Höhe 34.1 cm. – Kunstgewerbemuseum Budapest (IM 68.283)

301-306 Josef Stelzer, jug with handle; marking: Viennese mark (1802), maker's mark IST; height 34.1 cm. – Museum of Applied Arts, Budapest (IM 68.283)

304

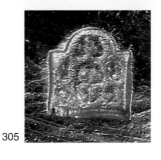

305

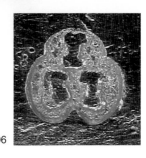

306

307

308

309

310

310-312 Detail und Punzierung der Kannen Abb. 317, 318
310-312 Detail and marking of the jugs ills. 317, 318

307-309, 313-316
Wilhelm Schwegerl, Zuckerdose aus einem Service (s. Abb. 317, 318); Punzierung: Wiener Punze (1797), Namenspunze WS; Höhe 12 cm, Länge 10.6 cm.
Kunstgewerbemuseum Budapest (IM 69.1045.1-2)

311

312

307-309, 313-316
Wilhelm Schwegerl, sugar bowl of a service (see ills. 317, 318); marking: Viennese mark (1797), maker's mark WS; height 12 cm, length 10.6 cm.
Museum of Applied Arts, Budapest (IM 69.1045.1-2)

313

314

315

316

317

318

319

320

307-319 Wilhelm Schwegerl, Kannen und Zuckerdose aus einem Service; Punzierung: Wiener Punze (1797), Namenspunze WS; Höhe (Kannen): 19.8 bzw. 16.8 cm, Höhe (Zuckerdose): 12 cm. – Kunstgewerbemuseum Budapest (Zuckerdose: IM 69.1045.1-2, Kannen: IM 69.1046 und 69.1047)

307-319 Wilhelm Schwegerl, jugs and sugar bowl of a service; marking: Viennese mark (1797), maker's mark WS; height (jugs): 19.8 and. 16.8 cm, height (sugar bowl): 12 cm. – Museum of Applied Arts, Budapest (sugar bowl: IM 69.1045.1-2, jugs: IM 69.1046 and 69.1047)

321, 322 Details der hohen Kanne von Wilhelm Schwegerl, Abb. 317, 318, Seite 47. – Details of the large jug of Wilhelm Schwegerl, ills. 317, 318, page 47

324

323, 324 Details des Deckelgefäßes von Carl Blasius, Abb. 329, 330, Seite 49

323, 324 Details of the vessel with cover of Carl Blasius, ills. 329, 330, page 49

323

325

326

325-332 Carl Blasius, Deckelgefäß; Punzierung: Wiener Punze (1803), Namenspunze CB; Höhe 19 cm, Länge 23.8 cm. – Kunstgewerbemuseum Budapest (IM 64.219.1-2)

325-332 Carl Blasius, vessel with cover; marking: Viennese mark (1803), maker's mark CB; height 19 cm, length 23.8 cm. – Museum of Applied Arts, Budapest (IM 64.219.1-2)

327

329

328

330          331

332

333

333-337 Dominikus Hauptmann, Deckelvase; Punzierung: Wiener Punze (1800), Namenspunze IDH, Höhe 19.7 cm. Kunstgewerbemuseum Budapest (IM 61.571.1-2)

333-337 Dominikus Hauptmann, vase with cover; marking: Viennese mark (1800), maker's mark IDH, height 19.7 cm. Museum of Applied Arts, Budapest (IM 61.571.1-2)

334

335

336

338-346 Johann Gutmann, Kanne (Deckel vermutlich ergänzt); Punzierung: Wiener Punze (1797), Namenspunze IG, Höhe 33.7 cm. Kunstgewerbemuseum Budapest (IM 56.1391)

338-346 Johann Gutmann, jug (cover probably augmented); marking: Viennese mark (1797), maker's mark IG, height 33.7 cm. Museum of Applied Arts, Budapest (IM 56.1391)

338

337

339

340

341

342

343

344

345

346

347

348

347-355 Johann Gutmann und Franz Lorenz Turinsky, Teile eines Services; zwei Kannen mit dem Wappen der Familie Károlyi

Johann Gutmann, Kanne (Abb. 347, rechts; 348, 350, 351, 354, 355); Punzierung: Wiener Punze (1794), Namenspunze: IG; Höhe 35.6 cm. – Kunstgewerbemuseum Budapest (IM 66.290)

Franz Lorenz Turinsky, Kanne (Abb. 347, links; 349, 352, 353); Punzierung: Wiener Punze (1801), Namenspunze: FLT; Höhe 32.5 cm. – Kunstgewerbemuseum Budapest (IM 66.289)

347-355 Johann Gutmann and Franz Lorenz Turinsky, parts of a service; two jugs with the arms of the Károlyi family

Johann Gutmann, jug (ill. 347, right; 348, 350, 351, 354, 355); marking: Viennese mark (1794), maker's mark: IG; height 35.6 cm. – Museum of Applied Arts, Budapest (IM 66.290)

Franz Lorenz Turinsky, jug (ill. 347, left), marking: Viennese mark (1801); maker's mark: FLT; height 32.5 cm. – Museum of Applied Arts, Budapest (IM 66.289)

349

350

351

352

353

354

355

356

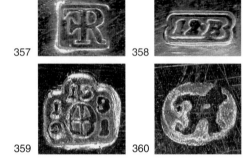

357     358

359     360

356-360 Franz Hellmayer, Henkelkanne; Punzierung: Wiener Punze (1801), Befreiungsstempel (FR), Repunzierungszeichen (12 B = Prag), Namenspunze: Monogramm FH; Höhe 22.7 cm. – Kunstgewerbemuseum Budapest (IM 53.3490)

356-360 Franz Hellmayer, jug with handle; marking: Viennese mark (1801), release mark (FR), recharge mark (12 B = Prague), maker's mark: monogram FH; height 22.7 cm. – Museum of Applied Arts, Budapest (IM 53.3490)

364-366 Unbekannter Meister, Henkelkanne; Punzierung: Wiener Punze (1805), Namenspunze KG; Höhe 15.4 cm. – Kunstgewerbemuseum Budapest (IM 76.252)

364-366 Unknown master, jug with handle; marking: Viennese mark (1805), maker's mark KG; height 15.4 cm. – Museum of Applied Arts, Budapest (IM 76.252)

361-363 Bartholomäus Huber (?), Deckelkanne; Punzierung: Wiener Punze (181?, vor 1824); Taxstempel (A TF), Namenspunze: BH, Höhe 18.4 cm. – Kunstgewerbemuseum Budapest (IM 56.1393.1-2)

361-363 Bartholomäus Huber (?), jug with lid; marking: Viennese mark (181?, before 1824); tax mark (A TF), maker's mark: BH, height 18.4 cm. – Museum of Applied Arts, Budapest (IM 56.1393.1-2)

361

362

363

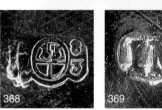

368     369

367-369 Johann Mayerhofer, Kännchen; Punzierung: Wiener Punze (1813); Vorratsstempel (VR), Namenspunze: IM, Höhe 9.2 cm. – Kunstgewerbemuseum Budapest (IM 52.1311)

367

364

365     366

370

367-369 Johann Mayerhofer, jug; marking: Viennese mark (1813); stock mark (VR), maker's mark: IM, height 9.2 cm. – Museum of Applied Arts, Budapest (IM 52.1311)

371

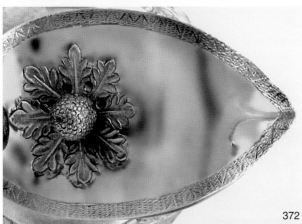

372

374

373

371-379 Jakob Krautauer und Alois Würth, zwei Kannen aus einem Service. Kunstgewerbemuseum Budapest (Kanne links von Jakob Krautauer: IM 61.537; Kanne rechts von Alois Würth: IM 61.560)
Jakob Krautauer, Kanne (links): Punzierung: Wiener Punze (1806), Namenspunze: Monogramm JK, Höhe 20.8 cm. – Alois Würth, Kanne (rechts): Punzierung: Wiener Punze (1807 = gültig 1807-1809), Namenspunze AW, Höhe 22.8 cm

371-379 Jakob Krautauer and Alois Würth, two jugs of a service. – Museum of Applied Arts, Budapest (left jug by Jakob Krautauer: IM 61.537; right jug by Alois Würth: IM 61.560)
Jakob Krautauer, jug (left): marking: Viennese mark (1806), maker's mark: monogram JK, height 20.8 cm. – Alois Würth, jug (right): mark: Viennese mark (1807 = valid 1807-1809), maker's mark AW, height 22.8 cm

378, 379 Punzierung der Kanne Abb. 373 rechts
378, 379 Marking of the jug ill. 373 right

375 376 377

375-377 Punzierung der Kanne Abb. 373 links. J. Krautauer
375-377 Marking of the jug ill. 373 left, J. Krautauer

378 379

Seite 52 / page 52:

370 Alois Würth, Krug (Silber, vergoldet); Punzierung: Wiener Punze (1807 = gültig 1807-1809), mittleres Repunzierungszeichen (Mondsichel = Silber, A = Wien), Namenspunze AW; Höhe 10.3 cm. – Kunstgewerbemuseum Budapest (IM 19.574)

370 Alois Würth, jug (silver gilt); marking: Viennese mark (1807 = valid 1807-1809), medium recharge mark (crescent moon = silver, A = Vienna), maker's mark: AW; height 10.3 cm. Museum of Applied Arts, Budapest (IM 19.574)

380 381

382

380-382 Punzierung der Kanne Abb. 370, Seite 52, Alois Würth / Marking of the jug ill. 370, page 370, Alois Würth

383

389

383-388 Johann Gutmann, Aufsatz; Punzierung: Wiener Punze (1806), Repunzierung (Mondsichel, E = Krakau), Namenspunze IG; Höhe 15.2 cm, Länge (Henkel): 22.3 cm. – Kunstgewerbemuseum Budapest (IM 68.281)

383-388 Johann Gutmann, centerpiece; marking: Viennese mark (1806), recharge mark (crescent moon, E = Krakau), maker's mark IG; height 15.2 cm, length (handles): 22.3 cm. – Museum of Applied Arts, Budapest (IM 68.281)

389-392 Jakob Krautauer, Aufsatz; Punzierung: Wiener Punze (1813), Vorratsstempel (VR), Namenspunze: Monogramm JK, Höhe 10 cm, Länge (Henkel): 17.6 cm. – Kunstgewerbemuseum Budapest (IM 61.546)

389-392 Jakob Krautauer, centerpiece; marking: Viennese mark (1813), stock mark (VR), maker's mark: monogram JK, height 10 cm, length (handles): 17.6 cm. – Museum of Applied Arts, Budapest (IM 61.546)

384

385

390

386

391

387

388

392

393

394

395

393-402 Franz Ignaz Dermer, Aufsatz; Punzierung: Wiener Punze (1807 = gültig 1807-1809),
Namenspunze DERMER, Vorratsstempel (VR),
Höhe 26.2 cm. – Kunstgewerbemuseum Budapest (IM 61.536.1-2)

393-402 Franz Ignaz Dermer, centerpiece; marking: Viennese mark (1807 = valid 1807-1809),
maker's mark DERMER, stock mark (VR), height
26.2 cm. – Museum of Applied Arts, Budapest
(IM 61.536.1-2)

396

397

399

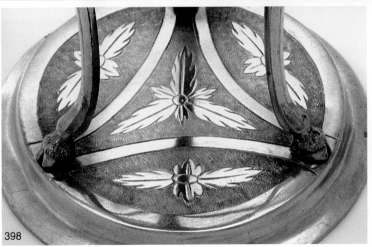

398

400

401

402

55

403

405

406

407

408

404

403-408 Karl Sedelmayer, Tafelaufsatz; Punzierung: Wiener Punze (1807 = gültig 1807-1809), Namenspunze KS; Höhe 37.4 cm. – Kunstgewerbemuseum Budapest (IM 64.194.1-3)

403-408 Karl Sedelmayer, centerpiece; marking: Viennese mark (1807 = valid 1807-1809), maker's mark KS; height 37.4 cm. – Museum of Applied Arts, Budapest (IM 64.194.1-3)

409

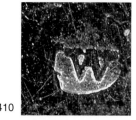

410

411

409-411 Unbekannter Meister, Untersatz; Punzierung: Wiener Punze (1807 = gültig 1807-1809), Wappen der Familie Károlyi; Stempel A (Steg innen), Namenspunze: I. W (?); Durchmesser: 12.9 cm, Höhe 2.8 cm. – Kunstgewerbemuseum Budapest (IM 69.1063)

409-411 Unknown master, stand; marking: Viennese mark (1807 = valid 1807-1809), arms of the Károlyi family; stamp A (rim inside), maker's mark: I. W (?); diameter: 12.9 cm, height 2.8 cm. – Museum of Applied Arts, Budapest (IM 69.1063)

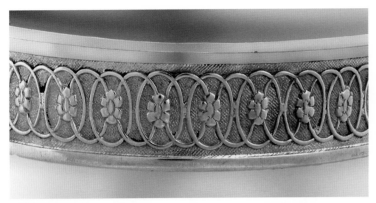

412

413

414

412-415 Carl Blasius, Deckelvase; Punzierung: Wiener Punze (1804), Namenspunze CB; Höhe 15.4 cm, Breite (Henkel) 11.3 cm. – Kunstgewerbemuseum Budapest (IM 53.2489.1-2)

412-415 Carl Blasius, vase with cover; marking: Viennese mark (1804), maker's mark CB; height 15.4 cm, width (handles) 11.3 cm. – Museum of Applied Arts, Budapest (IM 53.2489.1-2)

415

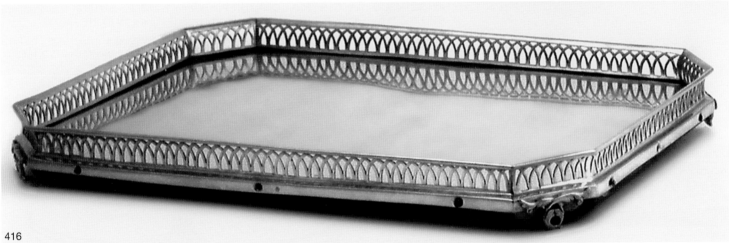

416

416-419 Karl Sedelmayer, Tablett; Punzierung: Wiener Punze (181? = vor 1820), Vorratsstempel (VR), Namenspunze KS; Maße: 31.7 x 22.7 cm, Höhe 3.5 cm. – Kunstgewerbemuseum Budapest (IM 69.1072)

416-419 Karl Sedelmayer, tray; marking: Viennese mark (181? = vor 1820), stock mark (VR), maker's mark KS; dimensions: 31.7 x 22.7 cm, height 3.5 cm. – Museum of Applied Arts, Budapest (IM 69.1072)

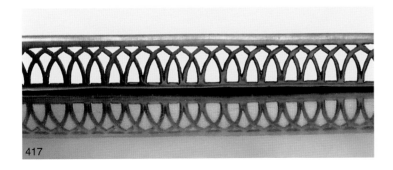

417

418

419

420

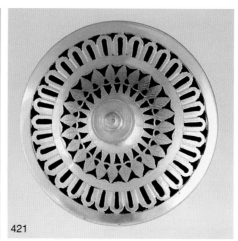

421

420-423 Karl Sedelmayer, Gewürzstreuer, Punzierung: Wiener Punze (180? = 1807?), Vorratsstempel (VR), Namenspunze KS; Höhe 15 cm. – Kunstgewerbemuseum Budapest (IM 53.4138.1-2)

420-423 Karl Sedelmayer, spice caster, marking: Viennese mark (180? = 1807?), stock mark (VR), maker's mark KS; height 15 cm. Museum of Applied Arts, Budapest (IM 53.4138.1-2)

422

423

424

424, 431-434 Johann Georg Hann, Stielgefäß; Punzierung: Wiener Punze (1806), Namenspunze GH; Höhe 11 cm, Länge 27.7 cm. – Kunstgewerbemuseum Budapest (IM 64.216.2.1-2.2)

424, 431-434 Johann Georg Hann, pan with handle, marking: Viennese mark (1806), maker's mark GH; height 11 cm, length 27.7 cm. – Museum of Applied Arts, Budapest (IM 64.216.2.1-2.2)

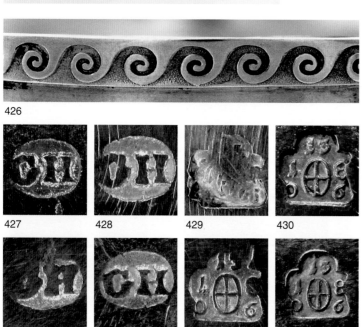

426

427    428    429    430

431    432    433    434

425

425-430 Johann Georg Hann, Stielgefäß (Stiel fehlt); Punzierung: Wiener Punze (1806), Namenspunze GH, Höhe 9.4 cm, Durchmesser: 14.8 cm. – Kunstgewerbemuseum Budapest (IM 64.216.1.1-1.2)

425-430 Johann Georg Hann, pan with handle (handle missing); marking: Viennese mark (1806), maker's mark GH, height 9.4 cm, diameter: 14.8 cm. – Museum of Applied Arts, Budapest (IM 64.216.1.1-1.2)

435

436

437

438

439

440

435-440 Josef Freudenschuß, Stielpfanne; Punzierung: Wiener Punze (1792), Namenspunze IF, Höhe 13.7 cm, Länge 26.4 cm. – Kunstgewerbemuseum Budapest (IM 52.46.1-2)

435-440 Josef Freudenschuß, pan with handle; marking: Viennese mark (1792), maker's mark IF, height 13.7 cm, length 26.4 cm. – Museum of Applied Arts, Budapest (IM 52.46.1-2)

441

444

441-444, 447, 448 Nikolaus Wiener, Stielgefäß; Punzierung: Wiener Punze (17?8), Namenspunze NW; Höhe 14 cm, Länge 23.7 cm. – Kunstgewerbemuseum Budapest (IM 61.547.1-2)

441-444, 447, 448 Nikolaus Wiener, pan with handle; marking: Viennese mark (17?8), maker's mark NW; height 14 cm, length 23.7 cm. – Museum of Applied Arts, Budapest (IM 61.547.1-2)

442

443

445

446

445, 446 Rosetten / rosettes, s. S. 58 / see p. 58
Abb. 445 (s. Abb. 424, see ill. 424)
Abb. 446 (s. Abb. 425, see ill. 425)

447

448

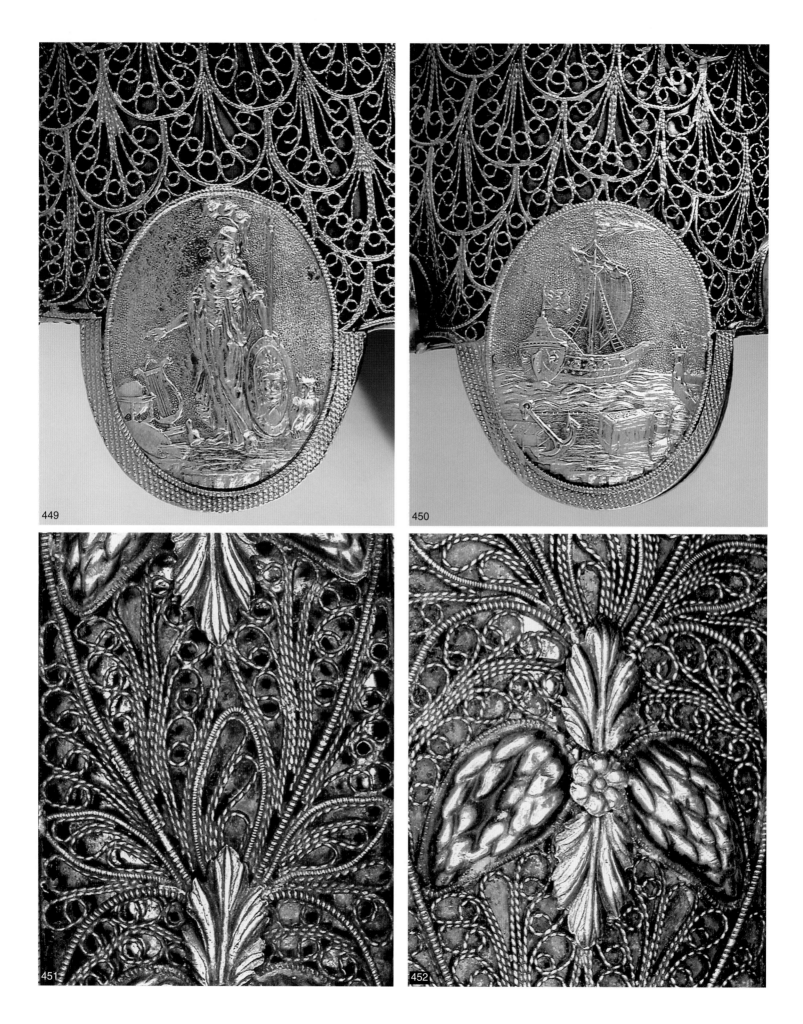

449

450

451

452

453

454

455

449-461 Unbekannter Silberschmied (I A H.) und Anton Rossi, Degen aus der Sammlung Esterházy; Punzierung: Wiener Punze (1807), Namenspunze IAH, gravierte Signatur: „Anton Rossi in Wien"; Länge 94 cm. – Kunstgewerbemuseum Budapest (IM E.60.23)

449-461 Unknown silversmith (I A H.) and Anton Rossi, sword; from the Esterházy collection; marking: Viennese mark (1807), maker's mark IAH, engraved signature: "Anton Rossi in Wien" (= "Anton Rossi in Vienna"); length 94 cm. – Museum of Applied Arts, Budapest (IM E.60.23)

456

460

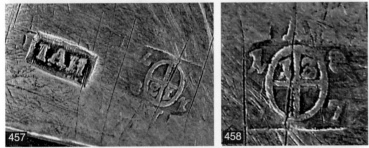

457    458

459

461

462-471 Franz Hellmayr (?), Fischvorleger; Punzierung: Wiener Punze (1810 = gültig 1810-12), Taxstempel (A TF), Vorratsstempel (VR), Namenspunze: Monogramm FH, Länge 31.9 cm. – Kunstgewerbemuseum Budapest (IM 61.545)

462-471 Franz Hellmayr (?), fish server; marking: Viennese mark (1810 = valid 1810-12), tax mark (A TF), stock mark (VR), maker's mark: monogram FH, length 31.9 cm. – Museum of Applied Arts, Budapest (IM 61.545)

466

465

467

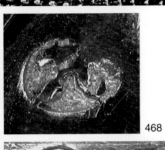

468

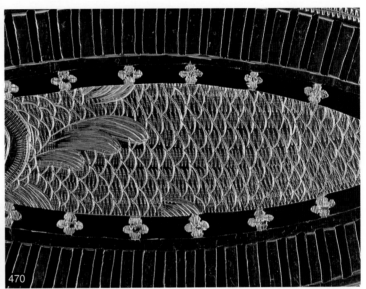

469

470

471

472

472-476 Lorenz Wieninger, Gewürzschälchen; Punzierung: Wiener Punze (18?0 = 1810, gültig 1810-1812), Vorratspunze (VR), Namenspunze LW, Höhe 4.8 cm, Maße oben: 7.6 x 5.1 cm. – Kunstgewerbemuseum Budapest (IM 50.35)

472-476 Lorenz Wieninger, spice dish; marking: Viennese mark (18?0 = 1810, valid 1810-1812), stock mark (VR), maker's mark LW, height 4.8 cm, dimensions top: 7.6 x 5.1 cm. – Museum of Applied Arts, Budapest (IM 50.35)

473

474          475

476

480          481

477

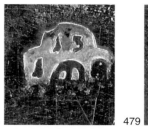          

478          479

477-479 Anton Aser, Gewürzgefäß; Punzierung: Wiener Punze (18?? = vor 1807), Namenspunze AAS; Höhe 4.1 cm, Länge 8 cm. Kunstgewerbemuseum Budapest (IM 73.58)

477-479 Anton Aser, spice dish; marking: Viennese mark (18?? = before 1807), maker's mark AAS; height 4.1 cm, length 8 cm. Museum of Applied Arts, Budapest (IM 73.58)

483

480-483 Lorenz Wieninger (?), Henkelkännchen mit Deckel; Punzierung: Wiener Punze (1821), Namenspunze LW, Höhe 10.8 cm. – Kunstgewerbemuseum Budapest (IM 53.4146.1-2)

480-483 Lorenz Wieninger (?), small lidded jug with handles; marking: Viennese mark (1821), maker's mark LW, height 10.8 cm. – Museum of Applied Arts, Budapest (IM 53.4146.1-2)

484

484-487 Michael Wiener, Glocke; Punzierung: Wiener Punze (1794), Namenspunze: MW, Höhe: 8.5 cm. – Kunstgewerbemuseum Budapest (IM 69.421)

484-487 Michael Wiener, bell; marking: Viennese mark (1794), maker's mark: MW, height: 8.5 cm. – Museum of Applied Arts, Budapest (IM 69.421)

488-496 Dominikus Storr, Kanne; Punzierung: Wiener Punze (1818), Namenspunze DS, Höhe: 26.3 cm. Kunstgewerbemuseum Budapest (IM 66.284.1-2)

488-496 Dominikus Storr, jug; marking: Viennese mark (1818), maker's mark DS, height: 26.3 cm. – Museum of Applied Arts, Budapest (IM 66.284.1-2)

485

486

487

488

489

490

491

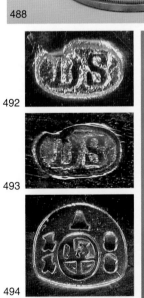

492

493

494

495

496

497

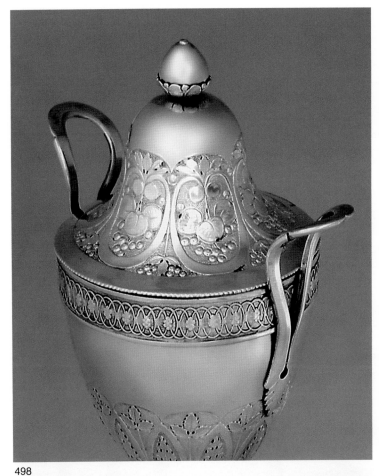

498

499

500

501

497-502 Berthold Gelder, Deckelvase; Punzierung: Wiener Punze (1814), Tax-stempel (ATF), Namenspunze BG, Höhe: 17 cm, Breite (von Henkel zu Henkel): 10.4 cm. – Kunstgewerbemuseum Budapest (IM 62.2062.1-2)

497-502 Berthold Gelder, vase with cover; marking: Viennese mark (1814), tax mark (ATF), maker's mark BG, height: 17 cm, with (from handle to handle): 10.4 cm. – Museum of Applied Arts, Budapest (IM 62.2062.1-2)

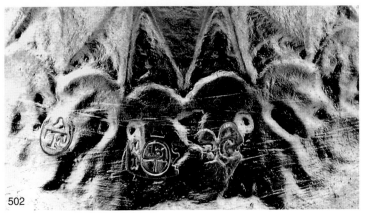

502

503-509 Franz Wallnöfer oder Franz Würth, Heißwassergefäß; Punzierung: Wiener Punze (18??), Namenspunze FW, Monogramm VF mit Grafenkrone (Vigyázó Ferenc), Höhe: 46.8 cm.
Kunstgewerbemuseum Budapest (IM 53.2209.1.1-3-4)

503-509 Franz Wallnöfer or Franz Würth, hot water vessel; marking: Viennese mark (18??), maker's mark FW, monogram VF with crown of a count (Vigyázó Ferenc), height: 46.8 cm.
Museum of Applied Arts, Budapest (IM 53.2209.1.1-3-4)

503

504

505

506            507

508

509

510

511

512

510-515 Michael Wiener (?), Girandole; Punzierung: Wiener Punze (1817), Vorratspunze (VR), Taxstempel (A TF), Namenspunze W, Höhe: 51.7 cm. – Kunstgewerbemuseum Budapest (IM 57.625)

510-515 Michael Wiener (?), girandole; marking: Viennese mark (1817), stock mark (VR), tax mark (A TF), maker's mark W, height: 51.7 cm. – Museum of Applied Arts, Budapest (IM 57.625)

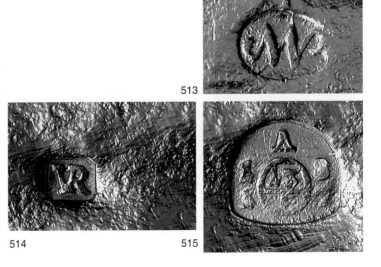

513

514    515

516

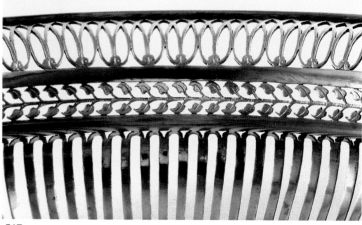

517

516-522 Jakob Krautauer, Henkelkorb; Punzierung: Wiener Punze (1818), Taxstempel (A TF), Namenspunze „Krautauer", bez.: „15 LÖTHIG", Höhe: 19 cm, Durchmesser: 27.6 cm. – Kunstgewerbemuseum Budapest (IM 52.983)

516-522 Jakob Krautauer, basket with handle; marking: Viennese mark (1818), tax mark (A TF), maker's mark "Krautauer", marked "15 LÖTHIG", height: 19 cm, diameter: 27.6 cm. – Museum of Applied Arts, Budapest (IM 52.983)

518

519

520

521

522

523

524

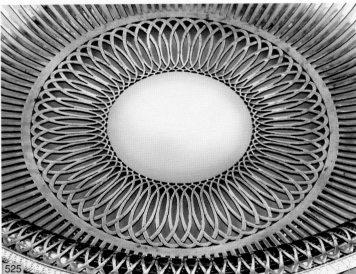

525

523-525 Jakob Krautauer, Henkelkorb; Punzierung: Wiener Punze (1818), Taxstempel (A TF), Namenspunze „Krautauer", bez.: „15 LÖTHIG", Höhe: 19 cm, Durchmesser: 27.6 cm. – Kunstgewerbemuseum Budapest (IM 52.983)

523-525 Jakob Krautauer, basket with handle; marking: Viennese mark (1818), tax mark (A TF), maker's mark "Krautauer", marked "15 LÖTHIG", height: 19 cm, diameter: 27.6 cm. – Museum of Applied Arts, Budapest (IM 52.983)

526

527

528

529

530

526-530 Lorenz Frank, Gewürzständer (Glaseinsätze: Dorka Borbás, 1990); Punzierung: Wiener Punze (1818), Namenspunze LF, bez.: „15 LÖTHIG"; Höhe: 14.6 cm. – Kunstgewerbemuseum Budapest (IM 53.2680.1-3)

526-530 Lorenz Frank, cruet stand (glass cruets: Dorka Borbás, 1990); marking: Viennese mark (1818), maker's mark LF, marked "15 LÖTHIG"; height: 14.6 cm. – Museum of Applied Arts, Budapest (IM 53.2680.1-3)

531, 532 Ferdinand Tobner, Gewürzaufsatz; Punzierung: Wiener Punze (18?? = vor 1824), Vorratsstempel (VR), Namenspunze FT, Höhe: 10.2 cm. – Kunstgewerbemuseum Budapest (IM 53.2612)

531

532

531, 532 Ferdinand Tobner, cruet stand; marking: Viennese mark (18?? = before 1824), stock mark (VR), maker's mark FT, height: 10.2 cm. – Museum of Applied Arts, Budapest (IM 53.2612)

533

534

535

536

533-538 Josef Hosp, Gewürzständer (Gläser: Dorka Borbás, 1990); Punzierung: Wiener Punze (1819), Namenspunze: Monogramm JH, Vorratspunze (VR), Höhe: 31.1 cm. – Kunstgewerbemuseum Budapest (IM 53.1458.1-3)

533-538 Josef Hosp, cruet stand (bottles: Dorka Borbás, 1990); marking: Viennese mark (1819), maker's mark: monogram JH, stock mark (VR), height: 31.1 cm. – Museum of Applied Arts, Budapest (IM 53.1458.1-3)

537

538

539

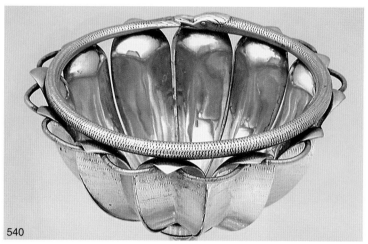

540

541

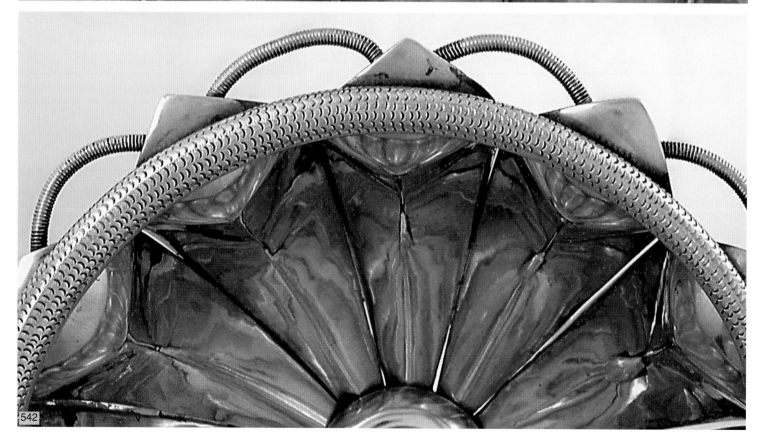

542

543

539-545 Benedikt Nikolaus Ranninger, Löffelständer (Löffel fehlen); Punzierung: Wiener Punze (1819), Vorratspunze (VR), Taxstempel (A TF), Namenspunze BNR, Höhe: 15.1 cm. – Kunstgewerbemuseum Budapest (IM 56.1396)

539-545 Benedikt Nikolaus Ranninger, spoon stand (spoons missing); marking: Viennese mark (1819), stock mark (VR), tax mark (A TF), maker's mark BNR, height: 15.1 cm. – Museum of Applied Arts, Budapest (IM 56.1396)

544

545

546

547

546-548 Benedikt Nikolaus Ranninger, Gewürzschälchen; Punzierung: Wiener Punze (1819), Vorratspunze (VR), Namenspunze BNR, Höhe: 7 cm. – Kunstgewerbemuseum Budapest (IM 61.548)

546-548 Benedikt Nikolaus Ranninger, spice dish; marking: Viennese mark (1819), stock mark (VR), maker's mark BNR, height: 7 cm. – Museum of Applied Arts, Budapest (IM 61.548)

548

549

550

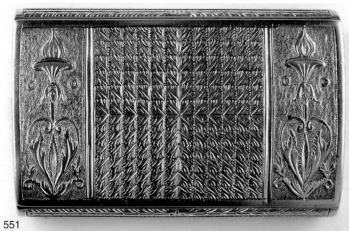

551

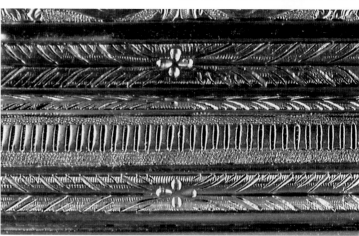

552

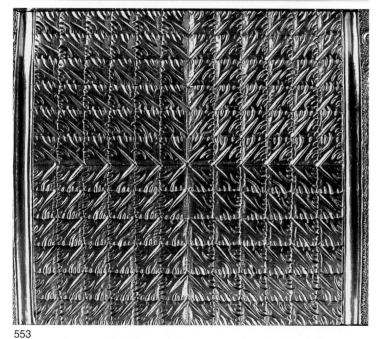

553

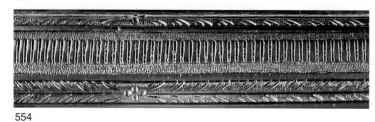

554

555

549-558 Unbekannter Silberschmied (Anton Oberhauser?), Tabaksdose (innen vergoldet); Punzierung: Wiener Punze (181?), Namenspunze undeutlich (AO?), Maße: 8.3 x 5.2 x 2.1 cm. – Kunstgewerbemuseum Budapest (IM 53.4578)

549-558 Unknown silversmith (Anton Oberhauser?), snuff box (gilded inside); marking: Viennese mark (181?), maker's mark unclear (AO?), dimensions: 8.3 x 5.2 x 2.1 cm. – Museum of Applied Arts, Budapest (IM 53.4578)

557

556

558

559

559-561 Benedikt Nikolaus Ranninger, Handspiegel; Punzierung: Wiener Punze (1820), Vorratsstempel (VR), Namenspunze: BNR, Länge: 27.9 cm, Breite: 12.8 cm. – Kunstgewerbemuseum Budapest (IM 69.412)

559-561 Benedikt Nikolaus Ranninger, hand mirror; marking: Viennese mark (1820), stock mark (VR), maker's mark: BNR, length: 27.9 cm, Breite: 12.8 cm. – Museum of Applied Arts, Budapest (IM 69.412)

560

562

562-565 Johann Würth, Details eines ovalen Tabletts; Punzierung: Wiener Punze (1817), Taxstempel (A TF), Namenspunze I.W., Maße (Oval) 16.9 x 11.7 cm, Detail: vergrößert. – Kunstgewerbemuseum Budapest (IM 73.57)

562-565 Johann Würth, details of an oval tray; marking: Viennese mark (1817), tax mark (A TF), maker's mark I.W., dimensions (oval) 16.9 x 11.7 cm, enlarged detail. – Museum of Applied Arts, Budapest (IM 73.57)

563          564

561

565

566

566-572 Wenzel Massabost, Tabaksdose (Silber, vergoldet); Punzierung: Wiener Punze (181?), Namenspunze WM, Taxstempel (A TF), Maße: 8.5 x 5.5 x 2.6 cm. – Kunstgewerbemuseum Budapest (IM 80.402)

567

566-572 Wenzel Massabost, snuff box (silver gilt); marking: Viennese mark (181?), maker's mark WM, tax mark (A TF), dimensions: 8.5 x 5.5 x 2.6 cm. – Museum of Applied Arts, Budapest (IM 80.402)

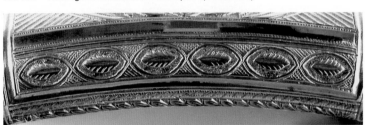

568

569

570

571

572

573

574

575

576

577

579

580

578

573-576  Alois Johann Nepomuk Würth, Teller (aus einem Satz von vier Stück); Punzierung: Wiener Punze (1817), Taxstempel (A TF), Namenspunze: AIW, Durchmesser: 20.8 cm. – Kunstgewerbemuseum Budapest (IM 59.1578.2)

573-576  Alois Johann Nepomuk Würth, plate (of a set of four); marking: Viennese mark (1817), tax mark (A TF), maker's mark: AIW, diameter: 20.8 cm. – Museum of Applied Arts, Budapest (IM 59.1578.2)

577-580  Caspar Haas, Tablett; Punzierung: Wiener Punze (1806), Namenspunze: Monogramm CH; Höhe: 4 cm, Durchmesser: 24.2 cm. – Kunstgewerbemuseum Budapest (IM 53.3540)

577-580  Caspar Haas, tray; marking: Viennese mark (1806), maker's mark: monogram CH; height: 4 cm, diameter: 24.2 cm. – Museum of Applied Arts, Budapest (IM 53.3540)

582

583

584

581-584  Johann Klima, Löffel; Punzierung: Wiener Punze (1820?), Taxstempel (A TF),Vorratspunze (VR), Namenspunze JK, Länge: 14.1 cm. – Kunstgewerbemuseum Budapest (IM 58.273)

581-584  Johann Klima, spoon; marking: Viennese mark (1820?), tax mark (A TF), stock mark (VR), maker's mark JK, length: 14.1 cm. – Museum of Applied Arts, Budapest (IM 58.273)

581

585

586

587

585-588 Mathias Schön, drei kleine Löffel; Punzierung: Wiener Punze (1805, 1806), Namenspunze: MS; Länge: 12.2 cm. – Kunstgewerbemuseum Budapest (IM 18.352-18.354)

585-588 Mathias Schön, three small spoons; marking: Viennese mark (1805, 1806), maker's mark: MS; length: 12.2 cm. – Museum of Applied Arts, Budapest (IM 18.352-18.354)

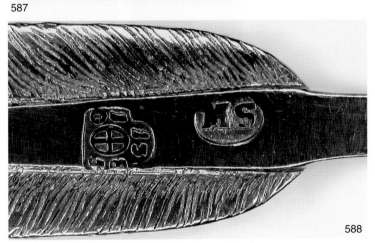

588

589

589, 590 Berthold Gelder, Zuckerzange; Punzierung: Wiener Punze (181?), Vorratsstempel (VR), Namenspunze: BG; Länge: 15.5 cm. Kunstgewerbemuseum Budapest (IM 53.4136)

589, 590 Berthold Gelder, sugar tongs; marking: Viennese mark (181?), stock mark (VR), maker's mark: BG; length: 15.5 cm. Museum of Applied Arts, Budapest (IM 53.4136)

590

591

592

593

594

591-594 Unbekannter Silberschmied, Zuckerzange; Punzierung: Wiener Punze (1807?), Namenspunze undeutlich (DW = D. Würth?), Länge: 12.8 cm. – Kunstgewerbemuseum Budapest (IM 69.493)

591-594 Unknown silversmith, sugar tongs; marking: Viennese mark (1807?), maker's mark unclear (DW ?), length: 12.8 cm. – Museum of Applied Arts, Budapest (IM 69.493)

595

600

595-599 Johann Pretsch, Gewürz-schälchen; Punzierung: Wiener Punze (1804), Namenspunze: IP; Höhe: 8.9 cm. – Kunstgewerbemuseum Budapest (IM 53.2007)

595-599 Johann Pretsch, spice dish; marking: Viennese mark (1804), maker's mark: IP; height: 8.9 cm. – Museum of Applied Arts, Budapest (IM 53.2007)

600-602 Johann Mathias Kiermayer, Kerzenleuchter; Punzierung: Wiener Punze (1796), Namenspunze IMK, Höhe: 23.1 cm. – Kunstgewerbemuseum Budapest (IM 52.1303.1)

600-602 Johann Mathias Kiermayer, candlestick; marking: Viennese mark (1796), maker's mark IMK, height: 23.1 cm. – Museum of Applied Arts, Budapest (IM 52.1303.1)

596

597

598

601                602

599

603

607

610

603-606 Anton Fuchs, Leuchter; Punzierung: Wiener Punze (1792 oder 1799), Namenspunze: Monogramm AF, Höhe: 23.2 cm. – Kunstgewerbemuseum Budapest (IM 52.1302.1)

603-606 Anton Fuchs, candlestick; marking: Viennese mark (1792 or 1799), maker's mark: monogram AF, height: 23.2 cm. – Museum of Applied Arts, Budapest (IM 52.1302.1)

604

605

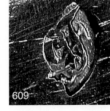

608

609

607-609 Georg Forgatsch, Leuchter; Punzierung: Wiener Punze (1807 = gültig 1807-1809), Namenspunze (Monogramm) GF, Höhe: 25.9 cm. – Kunstgewerbemuseum Budapest (IM 63.569.1)

607-609 Georg Forgatsch, candlestick: marking: Viennese mark (1807 = valid 1807-1809), maker's mark (monogram) GF, height: 25.9 cm. – Museum of Applied Arts, Budapest (IM 63.569.1)

610-613 Franz Wallnöfer oder Franz Würth, Leuchter; Punzierung: Wiener Punze (18??), Namenspunze FW, Höhe: 22.1 cm. – Kunstgewerbemuseum Budapest (IM 54.271)

610-613 Franz Wallnöfer or Franz Würth, candlestick; marking: Viennese mark (18??), maker's mark FW, height: 22.1 cm. – Museum of Applied Arts, Budapest (IM 54.271)

611

612

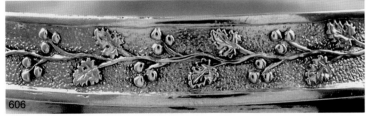

606

613

83

614

615

616

617

618

619

620

621

614-623  Anton Köll, Henkelkrug (Humpen); Punzierung: Wiener Punze (1821), Namenspunze AK, Höhe: 22.8 cm. – Kunstgewerbemuseum Budapest (IM 71.202)

614-623  Anton Köll, jug with handle (tankard); marking: Viennese mark (1821), maker's mark AK, height: 22.8 cm. – Museum of Applied Arts, Budapest (IM 71.202)

622

623

624

625

626

627

624-640 Carl Blasius, sugar stands (Museum of Applied Arts, Budapest)

637 Sugar stand (IM 59.83.1-2, ills. 625, 626, 630, 633); marking: Viennese mark (1819), stock mark (VR), maker's mark CB, height 15.3 cm, length (handles): 15.3 cm

639 Sugar stand (IM 67.817.1-2, ills. 624, 631, 634, 638); marking: Viennese mark (1821), maker's mark CB, height: 17.2 cm, length (handles): 15.2 cm

640 Sugar stand (IM 64.204.1-2, ills. 627, 628, 629, 632, 635); marking: Viennese mark (1817), maker's mark CB, height: 15.7 cm, length (handles): 14.2 cm.

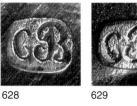  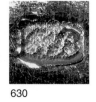 

628          629          630          631

 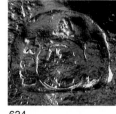 

633          634          635

Seite 86 / page 86

638 Carl Blasius, parts of a service (two jugs and a sugar stand); marking: Viennese mark (1821), stock mark (VR), maker's mark CB, jugs (height 31.2 and 27.7 cm), sugar stand (height 17.2 cm). – Museum of Applied Arts, Budapest (IM 67.813, 67.817.1-2, 67.818)

632

636

637

624-640 Carl Blasius, Zuckeraufsätze (Kunstgewerbemuseum Budapest)

637 Zuckeraufsatz (IM 59.83.1-2, Abb. 625, 626, 630, 633); Punzierung: Wiener Punze (1819), Vorratsstempel (VR), Namenspunze CB, Höhe 15.3 cm, Länge (Henkel): 15.3 cm

639 Zuckeraufsatz (IM 67.817.1-2, Abb. 624, 631, 634, 638); Punzierung: Wiener Punze (1821), Namenspunze CB, Höhe: 17.2 cm, Länge (Henkel): 15.2 cm

640 Zuckeraufsatz (IM 64.204.1-2, Abb. 627, 628, 629, 632, 635); Punzierung: Wiener Punze (1817), Namenspunze CB, Höhe: 15.7 cm, Länge (Henkel): 14.2 cm.

638

638 Carl Blasius, Teile eines Services (zwei Kannen und eine Zuckervase); Punzierung: Wiener Punze (1821), Vorratspunze (VR), Namenspunze CB, Kannen (Höhe 31.2 bzw. 27.7 cm), Zuckervase (Höhe 17.2 cm). – Kunstgewerbemuseum Budapest (IM 67.813, 67.817.1-2, 67.818)

639

640

641

642

643

644

645

646

648

648-650 Mathias Schön, Deckelgefäß; Punzierung: Wiener Punze (1821), Vorratsstempel (VR), Namenspunze: MS; Höhe: 12.8 cm. – Kunstgewerbemuseum Budapest (IM 69.86.1-2)

648-650 Mathias Schön, lidded vessel; marking: Viennese mark (1821), stock mark (VR), maker's mark MS; height: 12.8 cm. – Museum of Applied Arts, Budapest (IM 69.86.1-2)

649

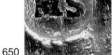

650

641-647 Wenzel Challupetzky (?), Ständer (Besteckteile fehlen); Punzierung: Wiener Punze (1821), Vorratsstempel (VR), Namenspunze WC?, Höhe: 14.5 cm. – Kunstgewerbemuseum Budapest (IM 68.282)

641-647 Wenzel Challupetzky (?), stand (cutlery missing); marking: Viennese mark (1821), stock mark (VR), maker's mark WC?, height: 14.5 cm. – Museum of Applied Arts, Budapest (IM 68.282)

647

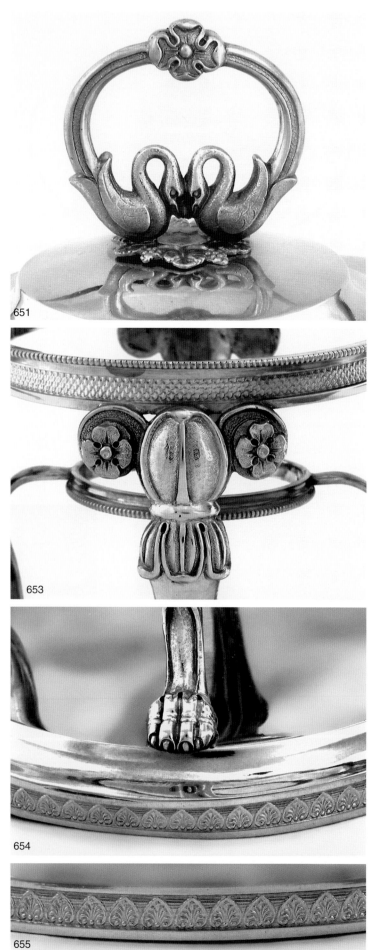

651

653

654

655

652

656

657

651-661 Michael Carl Dörfer, Heißwasserkessel (Brenner später ergänzt: Dianakopf Wien, VC im Sechseck); Punzierung: Wiener Punze (1821), Namenspunze MCD, Vorratspunze (VR), Taxstempel (A TF); Höhe: 24 cm. – Kunstgewerbemuseum Budapest (IM 61.566.1-4)

651-661 Michael Carl Dörfer, hot water kettle (burner replaced later: Diana's head, Vienna, VC in hexagon); marking: Viennese mark (1821), maker's mark MCD, stock mark (VR), tax mark (A TF); height: 24 cm. – Museum of Applied Arts, Budapest (IM 61.566.1-4)

658

659

660

661

662

662-672  Karl Wallnöfer, Deckelterrine; Punzierung: Wiener Punze (1822), Namenspunze „Wallnöfer", Höhe: 13.4 cm, Länge (Henkel): 31 cm, Durchmesser: 25.2 cm. – Kunstgewerbemuseum Budapest (IM 64.222.1.1-1.2)

662-672  Karl Wallnöfer, tureen with cover; marking: Viennese mark (1822), maker's mark "Wallnöfer," height: 13.4 cm, length (handles): 31 cm, diameter: 25.2 cm. – Museum of Applied Arts, Budapest (IM 64.222.1.1-1.2)

663

664

665

666

667

668

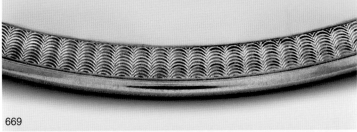

669

670

672

671

673

674

675

676

677

678

673-682 Franz Wallnöfer oder Franz Würth, Deckelgefäß; Punzierung: Wiener Punze (1820?), Namenspunze FW, Taxstempel (A TF), Höhe: 27.3 cm. – Kunstgewerbemuseum Budapest (IM 63.581.1-3)

673-682 Franz Wallnöfer or Franz Würth, stand with cover; marking: Viennese mark (1820?), maker's mark FW, tax mark (A TF), height: 27.3 cm. – Museum of Applied Arts, Budapest (IM 63.581.1-3)

679

680

681

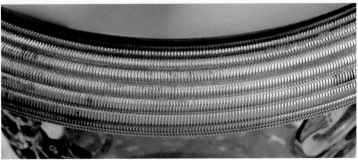

682

683

684

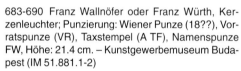

690

685

683-690 Franz Wallnöfer oder Franz Würth, Kerzenleuchter; Punzierung: Wiener Punze (18??), Vorratspunze (VR), Taxstempel (A TF), Namenspunze FW, Höhe: 21.4 cm. – Kunstgewerbemuseum Budapest (IM 51.881.1-2)

683-690 Franz Wallnöfer or Franz. Würth, candlestick; marking: Viennese mark (18??), stock mark (VR), tax mark (A TF), maker's mark FW, height: 21.4 cm. – Museum of Applied Arts, Budapest (IM 51.881.1-2)

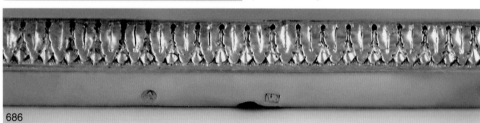

686

687

688

689

## DIE PUNZENTAFELN DES HAUPTPROBIER- UND PUNZIERUNGSAMTES IN WIEN

Auf den Punzentafeln (I - IV, VI – VIII) des Hauptpunzierungs- und Probieramtes Wien haben sich annähernd 2000 Namens- und Firmenpunzen aus der Zeit von 1781 bis 1866 erhalten. Viele dieser Punzen sind einander zum Verwechseln ähnlich. Manche sind undeutlich eingeschlagen, bei einer ganzen Reihe fehlen die zugehörigen Namen. Einige dieser Probleme konnte ich bereits in drei Markenlexika lösen, die 1996-2001 erschienen; sie enthalten die Punzen in Umzeichnungen, die dem Idealbild möglichst nahe kommen sollten. Auf Einzelprobleme ging ich in zwei Beiträgen in der „Weltkunst" ein (s. S. 275).
Namenspunzen bestehen meist aus zwei Buchstaben: den Initialen des Vor- und Zunamens (Abb. 692-698). Diese Reihenfolge kann aber auch umgekehrt werden; es gibt sogar Goldschmiede, die beide Versionen anwenden (LF sowie FL für Franz Lorenz, s. Abb. 693, 694). Auch Einzelbuchstaben können zur Punze werden (A = Almeroth, Abb. 691), und nicht selten sind es drei Buchstaben: die Initialen von zwei Vornamen können mit jener des Zunamens kombiniert werden (MCD = Michael Carl Dörffer, Abb. 700, BNR = Benedikt Nikolaus Ranninger, Abb. 705); fallweise wird auch die Initiale des Vornamens mit zwei Buchstaben des Zunamens verbunden (ASt = Anton Stadler, Abb. 699, AAS = Anton Aser, s. S. 114), manchmal zwei Buchstaben des Vornamens mit der Initiale des Nachnamens (PHS = Philipp Scheidl, Abb. 701; StF für Stephan Fränzl, Abb. 702), oder man greift auf Anfangs- und Endbuchstaben des Zunamens zurück (FTK = Florian Türk, Abb. 703). In seltenen Fällen bedeuten drei Buchstaben den ganzen (kurzen) Namen (UHL = Carl Uhl, Abb. 704). Monogramme aus zwei oder mehr Buchstaben (Abb. 708-711) sind meist besonders sorgfältig gestaltet. Auch der volle Wortlaut des Namens kommt vor (Krautauer, Abb. 717; Wallnöfer, Abb. 718); Doppeladler stehen für Firmen mit Landesfabriksbefugnis (Abb. 712-714). Punzen können verprellt oder doppelt geschlagen (Abb. 707), seitenverkehrt (Abb. 696), verschlagen oder beschädigt sein (Abb. 695).

## THE MARKS TABLETS IN THE MAIN ASSAY OFFICE IN VIENNA

Close to 2,000 maker's and company marks from the period from 1781 to 1866 have come down to us on the marks tablets (I – IV, VI – VIII) of the Main Assay Office in Vienna. Many of these marks are very similar to each other. Some have not been struck clearly, and a whole group of them lack the names they belong to. I have already been able to solve some of these problems in three marks lexicons which appeared between 1996 and 2001. They contain the marks reproduced in drawings that try to come as close as possible to the ideal image. I have also treated specific problems in two contributions to the magazine "Weltkunst" (see p. 275).
Makers marks usually consist of two letters: the initials of the given and family names (ills. 692-698). The order of the initials can also be switched. There are even goldsmiths who use both versions (LF and FL for Franz Lorenz, see ills. 693, 694). Single letters can also be used for a mark (A = Almeroth, ill. 691) and not infrequently there are also three letters: the initials of two given names can be combined with that of the family name (MCD = Michael Carl Dörfler, ill. 700; BNR = Benedikt Nikolaus Ranninger, ill. 705). Occasionally the initial of the given name is combined with two letters of the family name (AST = Anton Stadler, ill. 699; AAS = Anton Aser, see p. 114). Sometimes two letters of the given name appear with the initial of the family name (PHS = Philipp Scheidl, ill. 701; StF for Stephan Fränzl, ill. 702), or the first and last letters of the family name are used (FTK = Florian Türk, ill. 703)). In rare cases three letters make up the whole (short) name (UHL = Carl Uhl, ill. 704). Monograms made up of two or more letters (ills. 708-711) are usually carefully executed. The full writing of a name also occurs (Krautauer, ill. 717; Wallnöfer, ill. 718). Double eagles stand for companies with national factory authorization (ills. 712-714). Marks can be struck insufficiently, twice (ill. 707), in reverse (ill. 696), badly or be damaged (695).

| 691 J. J. Almeroth Taf. VII-2-32 | 692 Franz Lorenz Taf. VI-4-44b | 693 Franz Lorenz Taf. VI-4-44a | 694 Franz Pelikan Taf. VI-8-45 | 695 Anton Truxa Taf. VIII-3-14 | 696 Karl Adler Taf. VII-3-17 | 697 Joh. G. Hann Taf. I-3-13a | 698 Thom. Müller Taf. VI-6-44a |

| 699 Anton Stadler Taf. IV-4-01 | 700 M. C. Dörfer Taf. IV-1-01 | 701 Ph. Scheidel Taf. IV-5-48 | 702 St. Fränzl Taf. VI-6-27b | 703 Florian Türk Taf. VII-4-08 | 704 Carl Uhl Taf. IV-3-21 | 705 B. N. Ranninger, Taf. VI-1-25f | 706 Schiffer & Dub, Taf. VII-5-33a |

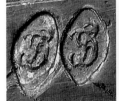       

| 707 Georg Forgatsch Taf. III-2-39a | 708 Anton Fuchs Taf. II-4-19 | 709 F.L.Turinsky Taf. II-3-26b | 710 Jos. Ewerth Taf. I-2-34 | 711 J.Hauptmann Taf. I-3-39 | 712 St. Mayerhofer, Taf. VI-1-12c | 713 Jakob Weiß Taf. VI-5-24 | 714 Ed. Schiffer Taf. VII-4-32b |

| 715 Heinrich Anders, Taf. IV-5-40a | 716 H. Anders, Taf. IV-5-40b | 717 Jakob Krautauer, Privatbesitz (SR) | 718 Karl Wallnöfer, Taf. III-4-39c |

Die älteste erhaltene Punzentafel (aus Messing), mit „Herren 1781" überschrieben, enthält vier Spalten; die erste ist links von 1 bis 60 durchnumeriert. Neben den Namen sind meist die zugehörigen Punzen eingeschlagen; viele Punzen fehlen jedoch. Die ersten 150 Namen stimmen in der Reihenfolge exakt mit der Numerierung 1-150 aus dem gedruckten „Catalogus" von 1781 überein und beziehen sich auf die in diesem Jahr tätigen Meister (Numerierung I-1-1, I. B. Hauptmann, bis I-3-31, F. Glogseisen, darunter die „Frauen" [Witwen] von I-3-17 bis I-3-30). Ab Spalte 3, Nummer 32 (F. Hausmann) sind die Punzenbilder der ab 1782 ins Gremium aufgenommenen Meister eingeschlagen, wobei leider viele Namen fehlen; zahlreiche davon konnte ich allerdings bereits im Markenlexikon 5 (1996) aufgrund von Archivalien rekonstruieren. Offen bleibt hingegen vorläufig die Zuordnung der in Zeile 60 (Spalte 3 und 4, Abb. 725-727) am unteren Tafelrand eingeschlagenen Punzen. In der 4. Spalte sind nur ganz vereinzelt Namen zu finden (untypischerweise im linken Bereich der Spalte anstatt rechts angebracht), zweimal sind sie zu weit links (noch bei Spalte 3) angeordnet (die Punzen für F. Seglenner bzw. J. Huber).

Für manche Silberschmiede sind mehrere Punzen überliefert, die uns deutlich zeigen, daß das jüngere Punzenbild gegenüber dem älteren vereinfacht wurde: dies zeigen die Punzen von Johann Georg Hann (Abb. 720) ebenso wie die von Josef Ignaz Fautz (Abb. 721, 722) oder Johann Leykauf (Abb. 723, 724) und andere (s. Seite 99).

The oldest surviving marks tablet (in brass), under the heading "Herren 1781", is comprised of four columns. The first is numbered on the left consecutively from 1 to 60. Next to the names, the appropriate marks are usually struck. However, a large number of marks is missing. The order of the first 150 names exactly matches the numbering from 1 to 150 in the printed "Catalogus" of 1781. They refer to the masters who worked during this particular year (from I-1-1, I. B. Hauptmann, up to I-3-31, F. Glogseisen, and also including the "women" [widows] from I-3-17 to I-3-30). Starting at column 3, number 32 (F. Hausmann) the marks of the makers accepted into the guild from 1782 onwards are struck, although many names are missing. However, I was able to reconstruct quite a number of them in the Marks Lexicon 5 (1996) with the help of archive material that has been preserved. For the time being, however, attributions for the marks struck in line 60 (columns 3 and 4, ills. 725-727) on the lower edge of the tablet are still missing. In the 4th column names are only listed occasionally (atypically placed in the left part of the column instead of the right). In two cases (the marks for F. Seglenner and J. Huber) they are placed too far to the left (still at column 3). Several marks are handed down for some silversmiths, clearly showing that the more recent appearance of the mark has been simplified, compared with the older one. This is evident in the marks of Johann Georg Hann (ill. 720), for Josef Ignaz Fautz (ills. 721, 722), Johann Leykauf (ills. 723, 724) and others (see page 99).

721, 722 Zwei Punzen (rechts) von Josef Ignaz Fautz; die ältere Punze (Abb. 721, Taf. I-2-43), die jüngere Punze (Abb. 722, Taf. II-2-08)

721, 722 Two marks (right) of Josef Ignaz Fautz; the older mark (ill. 721, tablet I-2-43), the later mark (ill. 722, tablet II-2-08)

721                722

720 Zwei Punzen von Johann Georg Hann (Taf. I-3-13); links die ältere Punze (siehe S. 165, P977-979), rechts die jüngere, vereinfachte Form (s. S. 165, P958-976)

720 Two marks of Johann Georg Hann (tablet I-3-13); the older mark on the left (see p. 165, P977-979), the later, simpler shape on the right (see p. 165, P958-976)

723                724

719 Drei Punzen von Andreas Hellmayer und Franz Hellmayer (Taf. I-1-52, siehe auch S. 250, 254) sowie zwei Punzen von Gregor Hueber (Taf. I-1-53, siehe auch S. 165)

719 Three marks of Andreas and Franz Hellmayer (tablet I-1-52, see pp. 250, 254) and two marks of Gregor Hueber (tablet I-1-53, see p. 165)

723, 724 Zwei Punzen (oben) von Johann Leykauf (Taf. I-3-16a, b)
723, 724 Two marks (top) of Joh. Leykauf (tablet I-3-16a, b)

725 Unterer Rand der Punzentafel I, Spalte 3 / Bottom edge of marks tablet I, column 3
Punzenbilder ohne Namensangabe / marks without names

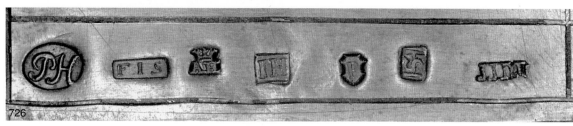

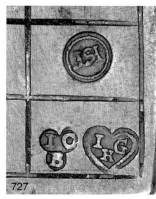

726 Unterer Rand der Punzentafel I (1781), Spalte 4 / Bottom edge of marks tablet I, column 4; Punzenbilder ohne Namensangabe / marks without names
727 Unterer Rand der Punzentafel I (1781), Spalte 4 /Ecke rechts / Bottom edge of marks tablet I, column 4, right corner

728 Josef Hoffmann, Taf. I-3-33

729 Franz Anton Hueber, Taf. I-2-20

730 Franz Anton Dermer, Taf. I-2-24

731 Ignaz Sebastian Wirth, Taf. I-2-21

732 Ignaz Josef Würth
Taf. I-2-25a,b

733 Ignaz Josef Würth
Taf. I-2-25c

734 Mathias Augenstein
Taf. I-3-12

735 Joh. Georg Nußböck, Taf.I-2-29

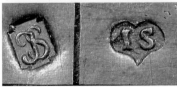

736 Joseph Schneider, Taf. I-3-02

737 Punzentafel I / Marks Tablet I,
„Herren 1781"
Hauptpunzierungs- und Probieramt,
Wien / Vienna Assay Office

## PUNZENTAFEL II

Die mit „CATALOGUS DEREN HERREN 1792" bezeichnete Punzentafel II (aus Kupfer) enthält vier Spalten; in der Mitte der Tafel ist eine vertikale Numerierung von 1 bis 45 eingeschlagen, die für alle Spalten gilt. Zu berücksichtigen ist allerdings ein Fehler in der Zeilennumerierung, die die Zeile 43 doppelt zählt. Nach der Zeile 4 folgen zwei Zeilen mit der Nummer 43: in der ersten dieser Zeilen ist die Ziffer 4 eingeschlagen und die Ziffer 3 nur dazugeschrieben, bei der nächsten Zeile ist die Zahl 43 vollständig eingeschlagen. In meiner Punzen-Nummern-Systematik löste ich dieses Problem, indem ich die Zeilen mit 4(3) sowie 43 bezeichnete.

Wieder sind die Meister in der Reihenfolge ihrer Aufnahme ins Gremium mit ihren Punzen angeführt (wovon manche erneut fehlen). Der gedruckte „Catalogus" von 1792 hingegen scheint sich vorwiegend auf die Aufnahme der Galanteriearbeiter aus dem „Compositionsmittel" (dem Gremium – der Innung – der Compositionsarbeiter) zu beziehen, die in diesem Jahr ins Gremium der Gold- und Silberschmiede aufgenommen wurden (auf der Tafel in einer vom „Catalogus" etwas abweichenden Reihenfolge ab Spalte 4 zu finden). Die Reihenfolge der Namen auf der Tafel stimmt im übrigen exakt mit einer Liste in einem Zunftbuch überein).

So gibt die Punzentafel wohl einen vollständigen Überblick über die 1792 tätigen Meister und „Frauen" (Witwen, II-4-31 bis II-4-37), nicht aber der gedruckte „Catalogus". Während die Tafel von 1781 Neuzugänge über dieses Jahr hinaus (bis 1790) aufnimmt, beschränkt sich die Tafel II wohl auf die 1792 tätigen Gold- und Silberschmiede. Zu den prominentesten unter ihnen zählt wohl Ignaz Joseph Wirth (Abb. 746). Einer der 1792 aufgenommenen Galanteriearbeiter war Anton Kilisky, von dem eine ganze Reihe von Punzen eingeschlagen wurden (s. Abb. 738). Immerhin fünf Punzen stehen neben dem Namen von Franz Stark (Abb. 740). Für eine ganze Reihe von Silberschmieden sind zwei oder mehr Punzen eingeschlagen (S. 100, Abb. 738-748; S. 101, Abb. 749-756).

## MARKS TABLET II

The Tablet of Marks III (in copper), with the heading "CATALOGUS DEREN HERREN 1792", has four columns. Vertical numbering from 1 to 45, valid for all the columns, is embossed in the middle of the tablet.

However, a mistake in the numbering of the lines has to be taken into consideration: line 43 is counted twice. After line 42, two lines with the number 43 follow. In the first of these the cipher 4 is embossed and the cipher 3 added in writing. In the next line the number 43 is completely embossed. In my marks numbering system, I solve this problem by labeling the lines 4(3) and 43.

Once more the masters are listed along with their marks (several of which are again missing) in the order of their acceptance into the guild. The printed "Catalogus" of 1792, however, appears to apply primarily to the addition of the fancy goods workers in "composition material" who were taken into the gold and silversmith guild in this year (found on the tablet in a somewhat altered sequence from column 4). The order of the names on the tablet exactly matches a list in a guild's brotherhood book.

Thus, the marks tablet probably gives a complete survey of the masters and the "women" (widows, II-4-31 to II-4-37) who were active in 1792, while the printed "Catalogus" does not.

Whereas the tablet from 1781 includes new entries beyond this year (up to 1790), Tablet II apparently limits itself to the masters who were active in 1792. One of the most prominent of these was probably Ignaz Joseph Wirth (ill. 746). One of the fancy goods workers accepted into the guild in 1792 was Anton Kilisky; a whole series of his marks are struck here (ill. 738). Five marks stand next to the name of Franz Stark (ill. 740). Two or more marks are embossed for a number of silversmiths (pp. 100, ills. 738-748; p. 101, ills. 749-756).

738  Anton Kilisky, Taf. II-4-15

739  Felix Greidl (Kreidl), Taf. II-3-18

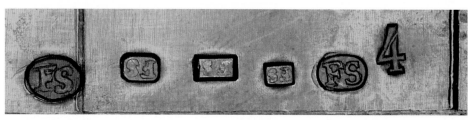

740  Franz Stark, Taf. II-2-4(3)

741  Franz Lorenz Turinsky, Taf. II-3-26

742  Wenzel Challupetzky, Taf. II-4-27

743  Mich. Hutschenreiter, Taf. II-4-28

744  Anton Wessely, Taf. II-4-42

745  Wenzel Massebost, Taf. II-4-43

746  Ignaz Joseph Wirth, Taf. II-1-4(3)

747  Martin Kern, Taf. II-3-12

748  Johann Sitte, Taf. II-3-21

749 Josef Kirzler, Taf. II-2-11

750 Johann Michael Krothmayr, Taf. II-2-07

751 Josef Schneider, Taf. II-2-20

752 Johann Gutmann, Taf. II-2-37

753 Josef Hauptmann, Taf. II-2-38

754 Dominik Dudeum, Taf. II-4-01

755 Joh. Georg Lutz, Taf. II-4-23

756 Joh. Georg Aigner, Taf. II-3-25

757 Punzentafel II / Marks Tablet II, „CATALOGUS DEREN HERREN 1792".
Hauptpunzierungs- und Probieramt, Wien / Vienna Assay Office

· CATALOGUS DEREN HERREN 1792 II

## PUNZENTAFEL III

Wieder vierspaltig und mit einer vertikalen Zeilennumerierung von 1 bis 48 in der Mitte versehen, enthält die mit „CATALOGUS DEREN HERREN 1798" bezeichnete Punzentafel III (aus Kupfer) alle 1798 tätigen Meister sowie Ergänzungen bis 1822 (dort schließt dann zeitlich die Tafel IV an). In Spalte 2 dieser Tafel III sind ab Zeile 30 zahlreiche Punzen nicht neben den richtigen Namen eingeschlagen. Ich versuchte die Zugehörigkeit festzustellen und gab die vermuteten Namen im Markenlexikon Nr. 5 in eckigen Klammern [ ] an.

Bereits auf Tafel I und II waren Mitglieder der Dynastie Wirth (Würth) vertreten (Ignaz Sebastian und Ignaz Josef Würth, S. 99, Abb. 731-733; S. 100, Abb. 746), so folgen nun deren drei auf Tafel III: Franz Würth (Abb. 760), Alois Johann Nepomuk Würth (Abb. 763) und Dominikus Würth (Abb. 762). Mit fünf typischen Kennzeichen zeigen die Punzen von A. I. N. Würth die größte Vielfalt (Abb. 763). Bemerkenswert sind auch die Punzen von Franz Walnefer (Abb. 764) bzw. Carl Wallnöfer (Abb. 765); einmal wegen der Ähnlichkeit des FW mit der Punze von Franz Würth, andererseits wegen der Schreibweise des Familiennamens. Ebenso interessant sind die Punzenbilder von Starckloff (Abb. 766), und ungewöhnlich ist die Zahl der in unterschiedlichen Größen eingeschlagenen Punze CP von Carl Packeny (Abb. 761). Weitere Detailfotos (S. 103, Abb. 767-774) veranschaulichen die Vielfalt der verwendeten Punzen.

## MARKS TABLET III

Once again in four columns and with a vertical list of numbers from 1 to 48 running down the center, the Marks Tablet III (of copper), titled "CATALOGUS DEREN HERREN 1798," contains all the masters who worked in 1798, plus additions up to 1822 (from which point in time the Tablet IV takes over). In column 2 of this Tablet III, starting at line 30, many of the marks are not struck next to the proper names. I tried to determine the proper ownership and in the Marks Lexicon No. 5, I placed the presumed names in brackets [ ].

Members of the Wirth (Würth) dynasty were already listed on Tablets I and II (Ignaz Sebastian and Ignaz Josef Würth, p. 99, ills. 731-733; p. 100, ill. 746). Three others follow on Tablet III: Franz Würth (ill. 760), Alois Johann Nepomuk Würth (ill. 763) and Dominikus Würth (ill. 762). The largest variety is shown in the five typical marks of A. I. N. Würth (ill. 763). Also worth mentioning are the marks of Franz Walnefer (ill. 764) and Carl Wallnöfer (ill. 765); for one thing because of the similarity of the FW with the mark of Franz Würth, and also because of the way the family name is written.

Equally interesting is the appearance of the marks of Starckloff (ill. 766) and also the number of CP marks struck for Carl Packeny (ill. 761) in different sizes. Additional photographs of details (p. 103, ills. 767-774) illustrate the variety of the marks that were used.

758, 759  Michael Wiener, Taf. III-4-13

760  Franz Würth, Taf. III-1-17

761  Carl Packeny, Taf. III-4-17

762  Dominikus Würth, Taf. III-3-46

763  Alois Joh. Nepomuk Würth, Taf. III-2-27

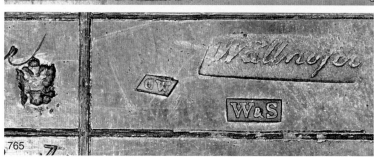

764  Franz Walnefer sen., Taf. III-1-37

765  Carl Wallnöfer (sowie Wallnöfer & Söhne) Taf. III-4-39

766  Stephan Eduard Starckloff, Taf. III-3-47

767 Johann Peter Nickel, Lorenz Wieninger, Taf. III-1-25

768 Jos. Weitgassner, Taf. III-1-41

769 Caspar Haas, Taf. III-1-46

770 Anton Josef Quitteiner Taf. III-3-35c,d

771 Anton Josef Quitteiner Taf. III-3-35a,b

772 Jakob Krautauer, Taf. III-1-09

773 Georg Jovanov Taf. III-2-29d

774 Georg Jovanov, Taf. III-2-29a-c

775 Punzentafel III „CATALOGUS DEREN HERREN 1798" / Marks Tablet III.
Hauptpunzierungs- und Probieramt, Wien / Vienna Assay Office

CATALOGUS DEREN ○ HERREN 1798

## PUNZENTAFEL IV

Diese Tafel trägt die Inschrift „CATALOGUS der bürgl. Herren Gold und Silberarbeiter unter den Obervorsteher Caspar Haas Anno 1824".

Die Chronologie der Meister auf Punzentafel III (Neuwirth Markenlexikon Nr. 5) reicht bis zum Jahr 1822; mit diesem Jahr beginnt auch die Punzentafel IV und führt relativ konsequent bis 1850 (Markenlexikon Nr. 6). Die Angabe „anno 1824" darf also nicht zu dem Schluß verleiten, es handle sich nur um die Meister dieses Jahres oder wirklich nur um bürgerliche Gold- und Silberarbeiter. Der Begriff ist um verwandte Gewerbe, die ebenfalls Edelmetalle verarbeiteten, zu erweitern: so begegnen uns vor allem Schwertfeger und Uhrgehäusemacher (der Kreis dieser Gewerbe ist bei den Namen auf Tafel VI, s. Seite 107) noch zu erweitern.

In fünf Spalten geteilt, mit durchnummerierten Zeilen (1 - 49), stehen neben den gravierten Namen die eingeschlagenen Punzen. Die eigenwillige Schreibweise mancher Namen ist fallweise einfach zu enträtseln (Ranninger statt Ramiger, Heindl statt Hindel, Sugg statt Sach, Kremmer statt Kummer), häufig aber doch etwas schwieriger. Die richtige Schreibweise ist vor allem dann wichtig, wenn die Initialen davon betroffen sind (Punze IV = Johann Vorsach, nicht Forsach, wie angegeben). Problematisch sind mißverständliche Namensangaben wie Alois Trisch, wenn wohl Fritsch gemeint ist). Die Beifügung „unbekan(n)t" neben einer Punze ist ein noch größeres Problem. Im Markenlexikon Nr. 6 habe ich Identifizierungs-Vorschläge jeweils in eckige Klammern [ ] gesetzt.

Detailfotos geben u. a. die Punzen einiger bekannter Firmen wieder: Schiffer (Abb. 776), Pioté & Köchert (Abb. 777), Sander (Abb. 782-784), Ratzersdorfer (Abb. 785) und Reiner (Abb. 786).

## MARKS TABLET IV

This tablet bears the inscription, "CATALOGUS of the bourgeois gold and silversmiths under chairman Caspar Haas anno 1824."

The chronology of the masters listed on the Marks Tablet III (Neuwirth Marks Lexicon No. 5) extends to the year 1822. The Marks Tablet IV also begins with this year and leads rather consistently to 1850 (Marks Lexicon No. 6). The notation, "anno 1824," therefore should not mislead one into coming to the conclusion that this is only a compilation of masters for this year or only of bourgeois gold and silversmiths. The term must be extended to include related trades that also worked in precious metals. Thus we also find the list expanded to include makers of sword hilts and watchcases (the names for those in this trade are found on Tablet VI, see page 107). Divided into five columns with lines numbered consecutively (1 - 49), the engraved names are listed with the corresponding marks struck next to them. The highly individual style of spelling some of the names is easy to decipher in come cases (Ranninger instead of Ramiger, Heindl instead of Hindel, Sugg for Sach, Dremmer for Kummer), but is frequently somewhat more difficult in others. The correct spelling is especially important when the initials are affected (mark IV = Johann Vorsach, not Forsach, as shown). Problems arise when names are likely to be misunderstood, such as Alois Trisch, when Fritsch is probably meant. The remark, "unknown", next to a mark is an even bigger problem. Attributing a mark can only be attempted with caution and with reservations. In the Marks Lexicon No. 6 I put such suggestions for identification in brackets [ ].

Photographs of details show, among other things, the marks of some of the well known companies: Schiffer (ill. 776), Pioté & Köchert (ill. 777), Sander (ill. 782-784), Ratzersdorfer (ill. 785) and Reiner (ill. 786).

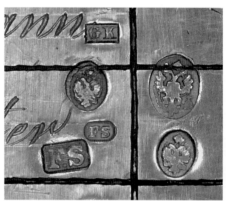

777 Emanuel Pioté, Pioté & Köchert, Taf. IV-2-26

778 Franz Schub, Taf. IV-1-20

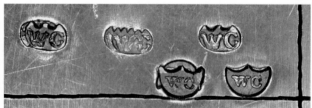

776 Franz Schiffer, Taf. IV-2-43

779 Wenzel Chalupetzky, Taf. IV-1-17

780 Johann Baptist Helmer, Taf. IV-1-09

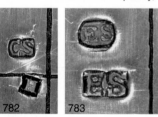

782 Christian Sander jun.(?) Taf. IV-5-27

781 Matthias Wagner, Taf. IV-5-07

782

783

783 Eduard Sander, Taf. IV-5-16

784 Christian Sander Söhne bzw. Christian Sander jun., Taf. IV-4-42

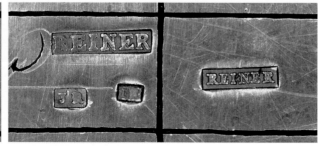

785 Hermann Ratzersdorfer, Taf. IV-4-41

786 Josef Reiner, Taf. IV-1-36

787 Leopold Weber, Taf. IV-1-30

788 Franz Berg-hofer, Taf. IV-1-39

789 Johann Wastel Taf. IV-3-28

790 Carl Johann Wolf, Taf. IV-4-23

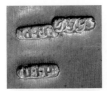

791 Daniel Jakob Patnot, Taf. IV-2-31

792 Johann Mickl Taf. IV-5-08

793 Punzentafel IV / Marks Tablet IV „CATALOGUS Anno 1824" Hauptpunzierungs- und Probieramt, Wien / Vienna Assay Office

Die Tafel VI stellt gegenüber den Tafeln I – IV einen Sonderfall dar, der schon in der Inschrift „Für die Befugten 1830 – 1850" augenfällig ist. Frühere Tafeln für Befugte waren ursprünglich wohl vorhanden, haben sich bedauerlicherweise aber nicht erhalten. So fehlt wohl eine ganze Reihe von Punzen.

Die Tafel VI zählt nicht weniger als 8 Spalten, wobei 44 Zeilen innerhalb dieser Spalten der Chronologie folgen; außerhalb dieser Ordnung sind unten (von mir in Markenlexikon Nr. 6 als Zeile 45 definiert) einige Namen und Punzen zu finden, die zeitlich ans Ende der Spalte 8 gehört hätten, dort aber offensichtlich keinen Platz fanden (Abbildungen in Markenlexikon Nr. 6, S. 51). In die Innungslisten wurden die Befugten erst 1837 aufgenommen. Neben den befugten Gold- und Silberschmieden und Juwelieren, manchmal auch Edelsteinschneidern, sind noch verschiedenste andere gold- und silberverarbeitende Gewerbe zu berücksichtigen: Augenglasmacher, Augenglasgestellmacher, Optiker, Dosenerzeuger, Guillocheure, Graveure, Gürtler, Schwertfeger, Büchsenmacher und Waffenfabriken; Tabakpfeifenbeschläger, Uhrmacher, Uhrgehäusemacher. Privilegiumsinhaber und Landesfabriken sind ebenso in Betracht zu ziehen wie protokollierte Firmen. Von diesen wurden bereits in der Einleitung die Firmen von Triesch (S. 19) und Mayerhofer (S. 14 - 17) mit Punzenabbildungen berücksichtigt. Über zahlreiche Punzen verfügten auch Peter Stubenrauch (Abb. 794), Alexander Schoeller (Abb. 795), Johann Schubert (Abb. 796), Stephan Fränzl (Abb. 797), Gregor Lorenz (Abb. 798), Benedikt Nikolaus Ranninger (Abb. 799), Josef Reiner (Abb. 800), Jakob Martin May (Abb. 801), Josef Wieninger (Abb. 802), Thomas Müller (Abb. 803), Josef Witek (Abb. 804) und Christoph Sevin (Abb. 805).

Tablet VI is a special case, compared with Tablets I – IV. This already becomes apparent in the subheading, "For those authorized from 1830 – 1850." Earlier tablets for authorized craftsmen probably existed, but unfortunately have not survived. Thus a whole series of marks is missing.

Tablet VI has no less than 8 columns. The 44 lines crossing these columns are chronological. Outside this order there are a few names and marks (which I defined as Line 45 in the Marks Lexicon No. 6) which should have belonged at the end of column 8 but apparently did not have room (illustrations in Marks Lexicon No. 6, p. 51).

The authorized craftsmen were not entered in the guild lists until 1837. In addition to the authorized gold and silversmiths, jewelers and sometimes even cutters of precious stones and various other gold and silver-working trades were also included: spectacle makers, spectacle frame makers, opticians, box makers, guillochers, engravers, "gürtler," hilt makers, gunsmiths and weapons factories, makers of pipe mounts, clockmakers, watchcase makers. Holders of privileges, national factories and registered companies must also be considered. Of those already mentioned in the introduction, the companies of Triesch (p. 19) and Mayerhofer (pp. 14 - 17) are represented by illustrations of their marks. Those with a number of marks also include Peter Stubenrauch (ill. 794), Alexander Schoeller (ill. 795), Johann Schubert (ill. 796), Stephan Fränzl (ill. 797), Gregor Lorenz (ill. 798), Benedikt Nikolaus Ranninger (ill. 799), Josef Reiner (ill. 800), Jakob Martin May (ill. 801), Josef Wieninger (ill. 802), Thomas Müller (ill. 803), Josef Witek (ill. 804) and Christoph Sevin (ill. 805).

794  Peter Stubenrauch, Taf. VI-4-24

795  Alexander Schoeller (Berndorfer Metallwarenfabrik), Taf. VI-8-18

796  Johann Schubert, Taf. VI-8-8

797  Stephan Fränzel, Taf. VI-6-27

798  Gregor Lorenz, Taf. VI-4-5

799  Benedikt Nikolaus Ranninger, Taf. VI-1-25

800 Josef Reiner, Taf. VI-1-9

801 Jak. Martin May, Taf. VI-3-8

802 Jos. Wieninger, Taf. VI-2-19

803 Thomas Müller, Taf. VI-6-44

804 Josef Witek, Taf. VI-5-17

805 Christ. Sevin, Taf. VI-3-39

806 Punzentafel VI / Marks Tablet VI, „Für die Befugten 1830-1850". – Hauptpunzierungs- und Probieramt, Wien / Vienna Assay Office

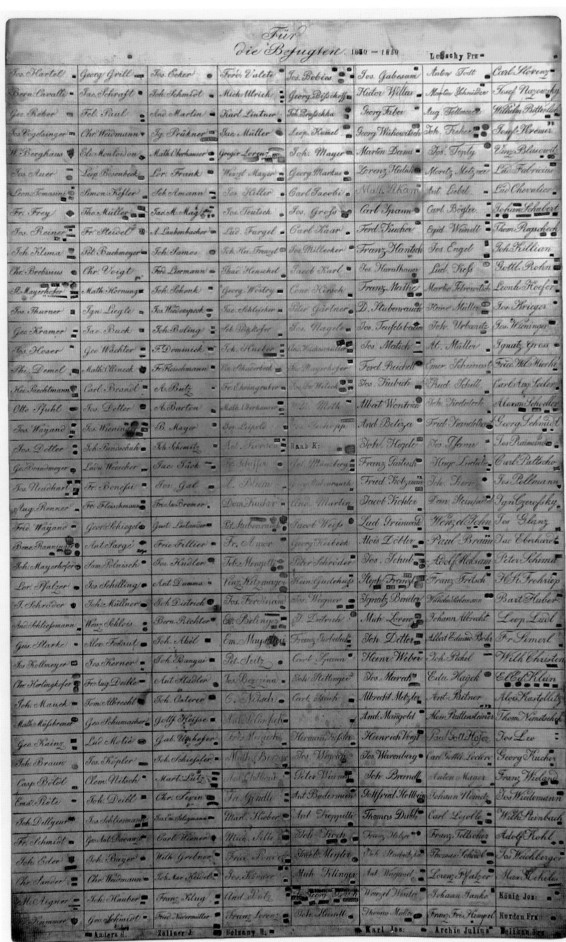

Die nur mit den Jahreszahlen „1850 – 1859" bezeichnete Tafel erfaßt Namens- und Firmenpunzen von 1850 bis 1858. Es handelt sich überwiegend um Meister (eventuelle frühere Befugnisse habe ich im Markenlexikon Nr. 7 und im Punzenteil dieses Buches vermerkt, da die Gültigkeitsdauer der Punze damit zusammenhängen könnte). Neben Gold- und Silberschmieden sind auch Uhrgehäusemacher und Pfeifenbeschläger, Optiker und Augengläsergestellmacher sowie Firmen mit einfacher Fabriksbefugnis oder Landesfabriksbefugnis vertreten.

Die Tafel ist in fünf Spalten geteilt; in den von 1 bis 45 durchnummerierten Zeilen sind Namen und Punzen eingeschlagen. Manche dieser Namen sind in den Innungslisten nicht auffindbar, sodaß andere Quellen zur Identifizierung herangezogen werden mußten. Fallweise stimmen die Initialen von Vor- und Zunamen nicht überein. Dies kann verschiedene Gründe haben, z. B. die Weiterführung einer Punze durch die Witwe (Punze FA für Katharina Amor, Witwe nach Franz Amor, Abb. 810).

Fallweise steht die Initiale des Zunamens vor jener des Vornamens, wie etwa DF = Philipp Duschnitz, MC = Carl Mahatsek, HF = Friedrich Hartmann. Wieder fällt die eigenwillige Schreibweise mancher Namen auf: für „Schmidler" wäre richtigerweise Schindler zu lesen. Andere Abweichungen gehen noch weiter und erschweren die Identifizierung beträchtlich. Im Markenlexikon Nr. 7 habe ich versuchte Zuordnungen in eckige Klammern [ ] gesetzt.

Untenstehend finden sich einige Beispiele, wo für Meister / Befugte / Firmen mehrere Punzen eingeschlagen wurden:

Friedrich Dorschel führte sowohl die Initialen FD (einmal PD!) sowie DORSCHEL als Punzen (Abb. 807), Ludwig Fortner das Monogramm LF im Schild in unterschiedlicher Größe, einmal auf dem Kopf stehend eingeschlagen (Abb. 808). Samuel Goldschmidt verwendete die Buchstaben SG und die Punze S. GOLDSCHMIDT (Abb. 809). Bei Eduard Schiffer sind drei ganz verschiedenartige Punzen eingeschlagen: der Schriftzug „Schiffer", der Doppeladler und die Namenspunze ES (Abb. 811).

Daß die Punze S & D für Schiffer & Dub (Abb. 812) nur kurz verwendet werden konnte, ergibt sich aus der Firmengeschichte (s. Seite 227): die Protokollierung der Firma erfolgte 1858, die Ablösung durch die Firma Eduard Schiffer im Jahre 1860.

The tablet labeled simply with the dates "1850 -1859" includes makers and company marks from 1850 to 1858. These are mostly masters (I have noted possible earlier authorization in the Marks Lexicon No. 7 and in the marks section of this book, since the period of the validity of the mark could be in connection with this). In addition to gold and silversmiths there are also watchcase makers and pipe mount makers, opticians and spectacle frame makers along with companies with common factory authorization and those with national factory authorization. The tablet is divided into five columns: names and marks are struck in the lines consecutively numbered from 1 to 45. Some of these names are not found in the guild lists, so that other sources had to be consulted for identification. Sometimes the initials of the first and last names do not match. There can be various reasons for this. For example, the continuation of the use of a mark by the widow (mark FA for Katharina Amor, widow succeeding Franz Amor, ill. 810).

In come cases the initial of the family name comes before that of the given name, such as DF = Philipp Duschnitz, MC = Carl Mahatsek, HF = Friedrich Hartmann. In addition, the highly individual way of writing some of the names is noticeable: Schindler would be the right way to read "Schmidler". Other departures go even farther and make identification very difficult indeed. In the Marks Lexicon No. 7 I have placed attempts at attribution in brackets [ ].

There are several examples below showing marks struck for master / authorized person / company:

Friedrich Dorschel used the initials FD (once PD!) and also DORSCHEL as a mark (ill. 807). Ludwig Fortner used the monogram LF inside shields of different size, once embossed upside down (ill. 808). Samuel Goldschmidt used the letter SG and the mark S. GOLDSCHMIDT (ill. 809) as well. There are three completely different marks struck for Eduard Schiffer; the writing "Schiffer", the double eagle and the maker's mark ES (ill. 811).

The fact that the mark S & D for Schiffer & Dub (ill. 812) could only be used for a short time, results from the history of the company (see page 227): the registration of the company took place in 1858, its takeover by the company of Eduard Schiffer occurred in the year 1860.

807 Friedrich Dorschel, Taf. VII-1-32

809 Samuel Goldschmidt, Taf. VII-3-7

810 Punze von Katharina Amor, Witwe nach Franz Amor Taf. VII-1-39

810 Mark of Katharina Amor, widow of Franz Amor, tablet VII-1-39

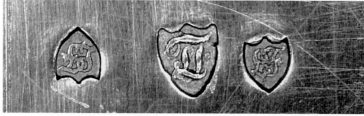

808 Ludwig Fortner, Taf. VII-4-29

811 Eduard Schiffer, Taf. VII-4-32

812 Schiffer & Dub, Taf. VII-5-33

(1850) — 1859

| | | № | | | |
|---|---|---|---|---|---|
| Heim Otto | Wappler J: | 1 | Fleischer Jos: | Gollasch Karl | Pietsch Ed: |
| Wedel Herm: | Duschanitz F: | 2 | Zauner Kasp: | Lenz Alex: | Baumeister Carl |
| Wastl Ludw: | Heitzenknecht Gr: | 3 | Buschka Jos: | Bauer Mich: | Medy Alois |
| Gorile W: | Reihl Ed: | 4 | Niess d: | Fritzl Fr: | Solterer Jos: |
| Hafner J: | Andacher Jos: | 5 | Schwertner Herm: | Schweitzer Jos: | Beron Frz: |
| Belzani H: | Raah Carl | 6 | Niessen Rich: | Angellechner Jos: | Bachmann Jos: |
| Manhek F: | Rolletzek Leop: | 7 | Goldschmidt Sam: | Gieth Carl | Prehn Fr: |
| Wrubel G: | Sonnleithner Joh: | 8 | Albert Lor: | Türk Flor: | Peters Ad: |
| Meth W: | Fritzl Ludw: | 9 | Kohn Andr: | Karl Jos: | Adler Gustv: |
| Starke H: | Heitner Mark: | 10 | Kling Wenzl: | Abel Jak: | Bittner Theod: |
| Markovitschka M: | Winninger Jos: | 11 | Grebner Wilh jun: | Kattner Alb: | Pittner Wilh: |
| Midvius M: | Hess Mich: | 12 | Wastl Mich: | Zima Jos: | Konrad Joh: |
| Binder M: | Zempliner Wilh: | 13 | Rosenberg Sal: | Türk d: | Tomach Fr: |
| Edenburg H: | Ortner Carl | 14 | Rutzky G: | Bonnenberger Heim: | Illisch Mich: |
| Vangoin C: | Düsterbehn Fried: | 15 | Fischer Sam: | Wittek Ign: | Rudolf Joh: |
| Röhringer C: | Hofer Paul | 16 | Stadelmayer Jos: | Schwarz Joh: | Skaupy Wilh: |
| Schmidinger G: | Schenk Alex: | 17 | Adler Karl | Zima Jos: | Hartmann Fr: |
| Eberhard G: | Pfeffer Heinr: | 18 | Lorenz Jos: | Biedermann Emil: | Ruhmann J: |
| Wannermayer F: | Haarstrick Wilh: | 19 | Kraus GAnt: | Benter Carl | Rothe Ernst |
| Weikert R: | Becker Ludw: | 20 | Beck Carl Ant: | Scholz Ant: | Schill Theod: |
| Waibel F: | Radeimer Frz: | 21 | Adler Frz: | Davanzo Alex: | Braun Edu: |
| Tyler F: | Heisler Fr: | 22 | Pekaschy Lor: | Wondraschek Joh: | Mayer Heilp: |
| Friderici C | Davanzo Ant: | 23 | Wondrak Jak: | Schwester Au: | Pelikan Ant: |
| Gerhard Rud: | Striebeck Otto | 24 | Bilder Frz: | Weck Ad: | Radda Joh: |
| Hajek Wenz: | Altgwöbl Carl | 25 | Gillarduzzi Frz: | Dumm Jos: | Pech Fr: |
| Krämer Joh: | Wairinger Jos: | 26 | Hausbruge Joh: | Stepinger Fl: | Meierhofer-Klinkosch |
| Abele C: | Schmitt Jos: | 27 | Schmidler Wenz: | Roth Ant: | North Math: |
| Hamel Frz: | Kwassinger Fr: | 28 | Starke Frz: | Keim Ruß: | Mirach Joh: |
| Leutner Theof: | Mahatsek Carl | 29 | Wehse Ed: | Fortner Ludw: | Urban Fr: |
| Frenzl Chr: | Steidle d: | 30 | Hornung A: | Gregorius Heim: | Wayand Frid: |
| Bözenböck P: | Schärl Joh: | 31 | Fahrlich Ung: | Brückner Joh: | Stenßl Fr: |
| Borschel Fried: | Almeroth d: | 32 | Wilken Ed: | Schiffer Edu: | Hermann Joh: |
| Erben Em: | Scheiringer d: | 33 | Prinz Abr: | Reichhalter Ant: | Schiffer—Dub: |
| Dohnal Bern: | Klieber And: | 34 | Aumüller G: | Panek Fr: | Edenburg Herm: |
| Hutterer Georg | Golsch Fr: | 35 | Hauser Joh: | Radda Joh: | Prinz Abr: |
| Bader Joh: | Millöcker Carl: | 36 | Wiesner d: | Epstein Herm: | Rüdorf Wilh: |
| Albrecht Ed: | Glantka Ant: | 37 | Horvath Alex: | Fiach Ludw: | Lichtblau Rud: |
| Steiner Ed: | Pittner d: | 38 | Bender Sebast: | Gmeiner Jos: | Keil Joh: |
| Amor Kath: | Kordon d: | 39 | Tennemann Wilh: | Mandel Dav: | Kulank Ad: |
| Ott Jos: | Bendelt Alois | 40 | Gedlizka Jos: | Fischer Adolf | Matzenauer Joh: |
| Keucher Flor: | Müller Herm: | 41 | Fleklas Carl | Rudolf Jos: | Schuhmacher Aug: |
| Netz Bernh: | Schallberger Cäcl: | 42 | Weiss Adolf | Klein Frid: | Stanitzka Jos: |
| Müller Frz: | Wannermayer Fr: | 43 | Schiessler Frz: | Ruzicka Fr: | Siess Jos: |
| Wagner G: | Hirschberger W: | 44 | Anton Aug: | Grohmann Ed: | Brunner Ant: |
| Fulwa Jos: | rabakat | 45 | | | |

813  Punzentafel VII / Marks Tablet VII, „1850-1859". – Hauptpunzierungs- und Probieramt, Wien / Vienna Assay Office

Die Punzentafel VIII, wiewohl „1859-1866" datiert, enthält Namens- und Firmenpunzen bereits ab 1858 und geht auch über das Jahr 1866 hinaus (siehe Neuwirth, Markenlexikon Nr. 7). Die Punzen sind in fünf Spalten zu je 53 Zeilen angeordnet. Gold- und Silberschmiede, Firmen mit einfachen Fabriksbefugnissen und Landesfabriksbefugnissen kommen ebenso vor wie Gürtler und Bronzearbeiter, Metallwarenfabriken (Abb. 819: J. C. Weikert), Schwertfeger, Optiker usw. Neben dem Jahr des Meisterrechts oder der Befugnisverleihung ist in zeitgenössischen Quellen immer häufiger der Begriff der Gewerbsverleihung zu finden; größere Firmen wurden meist protokolliert (Merkantil- und Wechselgericht bzw. Handelsgericht). Fehlen solche Daten, muß auf Gewerbsanmeldungen in der Hauptregistratur bzw. auf Daten des Steueramts zurückgegriffen werden (alle Archivalien im Wiener Stadt- und Landesarchiv). In Einzelfällen sind Eintragungen in Wiener Adreßbüchern aufschlußreich.

Das Einschlagen der Punzen und der zugehörigen Namen geschah manchmal offensichtlich recht nachlässig; fallweise fehlen die Namen, häufig sind sie unrichtig geschrieben: statt „Werschy" sollte es „Werscher" heißen, statt „Tauch & Ziegler" richtig „Triesch & Ziegler", und „M. Gorisch Söhne" kann nur „M. Goldschmidt Söhne" bedeuten. Ganz selten besteht die Punze nicht aus Buchstaben oder einem Doppeladler, sondern aus einem Symbol (s. Abb. 817, Bolzani & Füssl). Viele der Punzen auf Tafel VIII sind winzig; auf Firmenpunzen wie dem SP für Sternegger & Pichelmayer (Abb. 815) sowie die Punzen von Adolf Weiss (Abb. 816) trifft dies ebenso zu wie auf das HR-Monogramm von Ratzersdorfer (Abb. 818) und andere (Abb. 822 ff.). Auf die Firmengeschichte von Theuer, Schiffer & Theuer bzw. Jg. Theuer & Sohn (Abb. 820, 821) ging ich bereits auf Seite 18 ein.

The Marks Table VIII, although dated "1859-1866," includes makers and company marks starting already in 1858 and extends beyond the year 1866 (see Neuwirth, Marks Lexicon No. 7). The marks are arranged in five columns of 53 lines. Gold and silversmiths, companies with common factory authorization and those with national authorization appear, as do "gürtler" and bronze workers, metal wares factories (ill. 819; J. C. Weikert), hilt makers, opticians, etc. In addition to the year when the master title or the authorization was awarded, the term "bestowal of trade" is seen increasingly often. Bigger companies were usually registered (Mercantile and Commercial Court). When such data are missing, that from the trade applications in the main registry or the tax office are drawn upon (all the records in the Vienna Municipal and Provincial Archives). In isolated cases the entries in the Vienna Address Books were quite informative.

Apparently, striking the marks next to the corresponding names was undertaken in a rather careless manner. In some cases the names are missing, frequently they are not written correctly: instead of "Werschy" it should be "Werscher"; "Triesch & Ziegler" should be written instead of "Tauch & Ziegler" and "M. Gorisch Söhne" can only mean "M. Goldschmidt Söhne." Very rarely the mark does not consist of letters or a double eagle, but a symbol instead (see ill. 817, Bolzani & Füssl). Many of the marks on Table VIII are tiny. This is true of the company marks such as those of SP for Sternegger & Pichelmayer (ill. 815) and for the marks of Adolf Weiss (ill. 816), along with the HR monogram of Ratzersdorfer (ill. 818) and others (ill. 822 ff.). I have already treated the company history of Theuer, Schiffer & Theuer or Ig. Theuer & Son (ills. 820, 821) on page 18.

814 Alois Ballauf, Taf. VIII-1-8

815 Firma Sternegger & Pichelmayer Taf. VIII-2-39

816 Adolf Weiss, Taf. VIII-5-5

817 Firma Bolzani & Füssl, Taf. VIII-3-12

819 J. C. Weikert Taf. VIII-2-16

818 Hermann Ratzersdorfer, Taf. VIII-3-45

820 Firma Jg. Theuer & Sohn, Taf. VIII-2-12

821 Firma Schiffer & Theuer, Taf. VIII-2-3

822 Wilhelm Wolf
Taf. VIII-3-33

823 Ignaz Mauthner
Taf. VIII-2-40

824 Adolf Weiss,
Taf. VIII-5-5, s. ill. 816

825 Adalbert Skribetzky, Taf. VIII-1-22

826 Josef (?) Vogl
Taf. VIII-2-13

827 Jos. C. Gross?
Taf. VIII-2-23

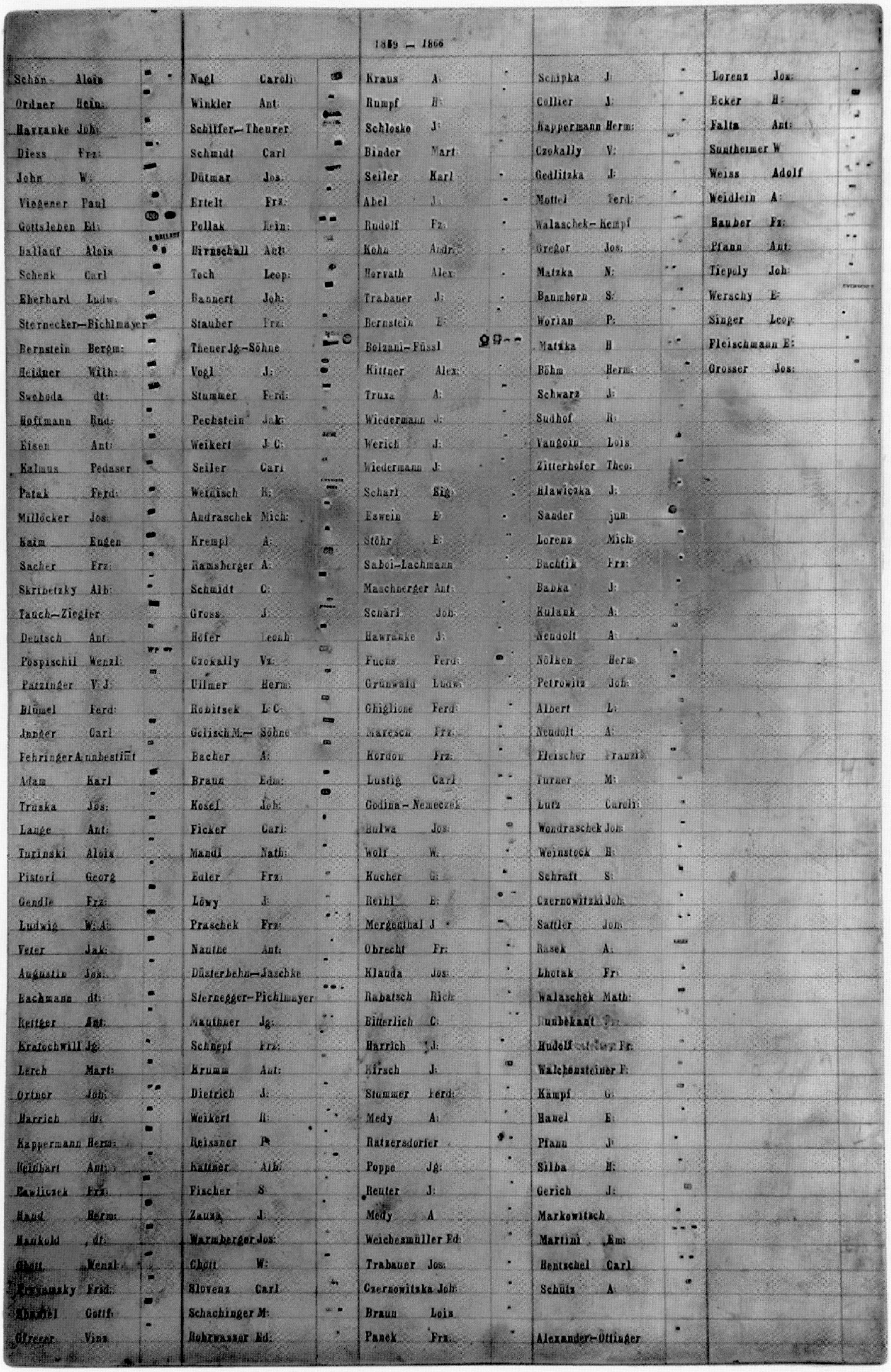

828 Punzentafel VIII / Marks Tablet VIII, „1859-1866" Hauptpunzierungs- und Probieramt, Wien / Vienna Assay Office

## SCHWERTFEGER-PUNZEN

Die Schwertfeger oder „Sporer" gehörten zu der einzigen Berufsgruppe, die zu bestimmten Zeiten bereits an einer Sonderform der Punze erkennbar war: im Patent Maria Theresias von 1774 ist es die Punze Nr. 5 (Abb. 829). Sporen haben sich relativ selten erhalten. Im Kunsthandel fand sich auf einem derartigen Objekt eine Punze, die jener vom Patent in etwa entspricht, allerdings die Feingehaltszahl 13 in der Mitte zeigt (Abb. 830-832; s. Knies 1896, S. 71, Taf. III, Nr. 1, 2); die Datierung ist leider undeutlich. Interessant ist, daß die – noch nicht eindeutig identifizierte – Namenspunze BH noch auf weiteren Silbergegenständen vorkommt (Abb. 833, 834).

Vermutlich ab dem Ende des 18. Jahrhunderts wird den Buchstaben der Namenspunze ein S für Schwertfeger hinzugefügt (Abb. 836-838). Bereits in einem 2000 erschienenen Beitrag (s. S. 273) konnte ich auf ein außerordentlich wichtiges Hofdekret vom 25. Oktober 1793 hinweisen. Es bestimmte, *„daß die Arbeiten der Schwertfeger ganz gleich mit jenen der Gold= und Silberarbeiter punziret, ihren Punzen aber der Buchstabe S. nebst dem Anfangsbuchstaben von dem Nahmen des Meisters, eingeschnitten werden soll."*

Dieser Vorschrift entspricht das EMS von Elias Monspart (Abb. 836) und das GFS eines Hirschfängers im Monturdepot des Kunsthistorischen Museums Wien (Abb. 837). Dieser ist vermutlich vom Schwertfeger Georg Fischer (1785 Bürgereid) angefertigt worden. Eine weitere, höchst qualitätvolle Arbeit eines Wiener Schwertfegers (wohl Josef Rehl, Bürgereid 1789) befindet sich in der Mährischen Galerie, Brünn (Abb. 839).

Den Schwertfeger mit den Initialen AWS (Abb. 838) konnte ich noch nicht identifizieren. Die Punzen der Firmen von J. H. Hausmann (Abb. 841) und Franz Jung (Abb. 842) zeigen eine andere Rahmung; die Punze der Firma W. B. Ohligs-Haussmann mußte erst enträtselt werden (Abb. 843). Nähere Firmengeschichten finden sich auf den Seiten 182 (Hausmann), 153 (Jung) und 223 (Ohligs-Haussmann).

## HILT MAKERS' MARKS

Hilt makers were the only professional group that was – at certain times – recognizable by a special shape of mark, sometimes referred to in German as "Sporen" (= "spurs"). In the patent issued by Maria Theresia in 1774 it is the mark no. 5 (ill. 829).

Surviving marks are relatively rare. I found an object from the art trade with a mark that approximately corresponded with the one from the patent, however it showed the assay number 13 in the center (ills. 830-832; see Knies 1896, p. 71, pl. III, nos. 1, 2), and unfortunately, the date is unclear. It is interesting that the maker's mark BH (not yet definitely identified) appears on other silver objects as well (ills. 833, 834).

Around the end of the 18th century, an S (for "Schwertfeger" = hilt maker) was added to the makers mark (ills. 836-838). I have already pointed to an extremely important court decree from October 25, 1793, in an article published in 2000 (see p. 273). It says "that the work of the hilt maker is to be marked exactly the same way as that of the gold worker and silver worker; but that the letter S should be cut into their marks next to the initials of the name of the master."

This regulation corresponds with the EMS of Elias Monspart (ill. 836) and the GFS on a hunting knife in the "Monturdepot" (uniforms depot) of the Kunsthistorisches Museum in Vienna (ill. 837). This was presumably made by the hilt maker Georg Fischer (freeman's oath sworn in 1785). Another, very fine piece of work of a Viennese hilt maker (probably Josef Rehl, freeman's oath, 1789) is located in the Moravian Gallery in Brno (ill. 839).

I have not been able to identify the hilt maker with the initials ASW (ill. 838) yet. The mark of the companies of J. H. Hausmann (ill. 841) and Franz Jung (ill. 842) show a different frame. I had to puzzle out the mark of the company W. G. Ohligs-Haussmann (ill. 843). More detailed company histories are found on page 182 (Hausmann), 153 (Jung) and 223 (Ohligs-Haussmann).

829 Schwertfegerpunze aus dem Patent von Maria Theresia (24. 5. 1774, Punze Nr. 5). – WSTLA
829 Hilt maker mark from the patent of Maria Theresia (24th May 1774, mark no. 5). – WSTLA

  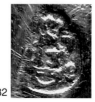

830-833 Punzierung eines Sporenpaares: Schwertfegerpunze mit undeutlicher Jahresangabe 17?8, Namenspunze BH. – Wien, S. Reisch
830-833 Marking of a pair of spurs: hilt maker mark with unclear year 17?8, maker's mark BH. – Vienna, S. Reisch

834, 835 Wiener Punze 1816, Taxstempel, Namenspunze BH. – Brünn, MG 21.982
834, 835 Viennese Mark 1816, tax mark, maker's mark BH. – Brünn, MG 21.982

 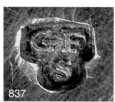 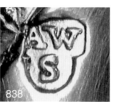

836 Elias Monspart (Mannspart), Schwertfeger / hilt maker, Taf. IV-2-1

837 GFS (= wohl Georg Fischer / probably Georg Fischer, Schwertfeger / hilt maker), 1802. – Wien, KHM, Monturdepot, Inv. U 1016/002

838 AWS (AW Schwertfeger / hilt maker), 1804. – Budapest, IM E-60.223

839, 840 IRS = wohl Joseph Rehl oder Josef Roel (identisch?)
839, 840 IRS = probably Joseph Rehl or Josef Roel (identical?)

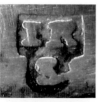 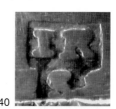

839     840

841 J. H. Hausmann, Taf. IV-2-15. – 842 Franz Jung, Taf. IV-4-22
843 W. B. Ohligs-Haussmann, Taf. VIII-4-40

# WIENER NAMENS- UND FIRMENPUNZEN 1781 – 1866

Die Punzen-Übersicht ist in mehrere Abschnitte gegliedert: alphabetischer Teil, Doppeladler, Monogramme, Motive, gotische Schrift. Die Systematik folgt jener meiner Markenlexika Nr. 5, 6 und 7; einige Korrekturen waren notwendig. In den Markenlexika wurde bei der Umzeichnung ein Idealbild der ursprünglichen Punze angestrebt. In der fotografischen Wiedergabe ist der Duktus der Buchstaben wegen ihrer Undeutlichkeit manchmal schwer zu erkennen, sodaß in solchen Fällen die Markenlexika mitverwendet werden sollten. Besonders empfiehlt sich dies bei Ähnlichkeiten von C und G, von K, B und R, von H und M, von I und J. Ein I mit nachfolgendem Punkt kann auch einem L sehr ähnlich sehen. Zwischen den aus Buchstaben bestehenden Namenspunzen und Monogrammen gibt es Grenzfälle (geringfügige Überschneidungen), die eine Zuordnung zu beiden Bereichen erlauben. Da die Namenspunzen mit gotischen Buchstaben oft schwer lesbar sind, wurden sie abschließend nochmals wiedergegeben (S. 272). Zur besseren Unterscheidung wurden die Punzen der Tafeln in bräunlichem Metallton (Duplex), jene von Objekten in Graustufen gedruckt.

Die Numerierung der Punzen erfolgt mit vorangestelltem P (P1-P2763). Dies unterscheidet sie von den Abbildungsnummern des Einleitungsteiles und einigen wenigen Illustrationen im Punzenteil. Ein Linienraster soll die Übersichtlichkeit sowie die Zusammengehörigkeit von Punze und Text verdeutlichen.

Die knappen Angaben unter den Punzen entsprechen der folgenden Systematik:

1. Zeile: fortlaufende Nummer der Punze (P1 - P2763) sowie Name des Punzeninhabers (der Firma) bzw. nur die Initialen, wenn der Name des Punzeninhabers unbekannt ist

2. Zeile:
   a) wenn die Punze von einer Punzentafel stammt: relevante Angabe zum Beginn der Tätigkeit (Befugnis, Meisterrecht, Firmenprotokollierung etc.)
   b) wenn die Punze von einem Objekt stammt: Jahresangabe aus der Wiener Punze

3. Zeile
   a) wenn die Punze von einer Punzentafel stammt: Position auf der Tafel
   b) wenn die Punze von einem Objekt stammt: Besitzangabe (s. Abkürzungsverzeichnis S. 273)

Im Laufe der Arbeit erwiesen sich Kommentare als sinnvoll: sie wurden in Form von Anmerkungen neben die betreffenden Punzen gestellt und beziehen sich vor allem auf die jeweilige Firmengeschichte, informieren aber auch über andere relevante Daten.

Auf die Schwierigkeit, die Gültigkeitsdauer einer Punze festzulegen, habe ich bereits hingewiesen (Witwenfortbetrieb, Übernahme eines Betriebes etc.). Die „Anheimsagung" (= Geschäftszurücklegung) sowie das Todesjahr eines Punzeninhabers sind dafür nur bedingt heranzuziehen.

Bei mehreren gleichen Buchstaben-Kombinationen wurde in der Regel folgende Reihenfolge gewählt: freistehend (ohne Rahmung), im Rechteck, im Achteck, im Oval, im Kreis, besondere Kontur.

# VIENNESE MAKERS' AND COMPANY MARKS 1781 - 1866

The overall picture of marks is divided into several sections: the alphabetical part, double eagle, motifs, gothic script and monograms. The system is the same as that in my marks lexicons, numbers 5, 6 and 7. Several corrections were necessary. In the marks lexicons, the drawings of the marks were aimed at providing an ideal reproduction of the original mark. In the photographic reproduction, the style of writing the letters sometimes makes them unclear and hence difficult to recognize. In such cases, the marks lexicons should be used in conjunction with this publication. This is especially recommended in distinguishing between the similarities of the letters C and G; K, B and R; H and M, I and J. An I followed by a dot can look very much like an L. There are borderline cases where maker's marks, made up of letters, and monograms (minor overlapping) can fall into both categories. Since the maker's marks in gothic script are often difficult to read, they are shown again at the end (p. 272). To make it easier to distinguish them, the marks from the tablets are printed in a brownish metallic color (duplex) and those of the objects in shades of gray.

The numbers for the marks are preceded by a P (P1 - P2763). This distinguishes them from the illustration numbers in the introduction and a few of the illustrations in the section on marks. Squared lines are intended to give a clear overall picture and make it easier to tell which marks and text belong to each other.

The brief information below the marks corresponds to the following system:

1st line: consecutive number of the mark (P1 - P 2763) and the mark's owner (the company) or only the initials if the name of the owner of the mark is not known.

2nd line:
   a) when the mark comes from a marks tablet: relevant information about the start of activity (authorization, master's title, company registration, etc.)
   b) when the mark comes from an object: year shown in the Vienna mark

3rd line:
   a) when the mark comes from a marks tablet: position on the tablet
   b) when the mark comes from an object: ownership information (see list of abbreviations p. 273)

During the course of the work it became apparent that commentaries would be useful. They appear as notes next to the corresponding marks. Most of them refer chiefly to the corresponding company histories, but also give information on other relevant data.

I have already pointed to the difficulty in determining the period of a mark's validity (a widow carrying on with the business, company takeovers, etc.). The year trade was given up and the year of death of the owner of a mark is therefore only of limited use.

As a rule, when the same letter combinations appear, the following order was chosen: free-standing (without a frame), in a rectangle, an oval, an octagon, a circle, a special contour.

P1　Joh. Jak. Almeroth
M 1852
Taf. VII-2-32

P2　Augustin Antes
M 1855
Taf. VII-3-44

P3　Anton Adler
G 1822
Taf. III-4-47

### Anmerkung zur Punze AAS von Anton Aser (P4-9)

Die Punze AAS im Dreipaß wurde von Anton Aser verwendet (Aufnahme ins Gremium: 1802, Meisterrecht: 1803, in den Innungslisten 1803-1809 genannt). Er starb 1809 (seine Witwe Anna Aser, 1810 und 1811 in den Innungslisten nachweisbar, übernahm wohl die Punze). Hinzuweisen ist auf die Punze P9, die vom Feingehaltsstempel des Jahres 1807 begleitet wird (von 1807 bis 1809 in Gebrauch).

P4　Anton Aser
G 1802
Taf. III-2-14

P5　Anton Aser
18??
Budapest, IM 73.58

P6　Anton Aser
18??
Budapest, NM 1954.89

### Remarks the mark AAS of Anton Aser (P4-9)

The mark AAS in a trefoil was used by Anton Aser (guild entry: 1802, master's title: 1803, entered in the guild lists from 1803-1809). He died in 1809 (his widow Anna Aser is found in the guild lists of 1810 and 1811; she probably continued to use his mark). The mark P9 which goes with the hallmark of 1807 (used from 1807 to 1809) should also be mentioned.

P7　Anton Aser
180?
Wien, Dorotheum1926/46

P8　Anton Aser
1806
Wien, Dorotheum 1962/62

P9　Anton Aser
1807 (= 1807-1809)
Privatbesitz (HH)

P10　Andreas Butz (sen.)
B 1812
Taf. VI-3-17

P11　Anton Burgef
G 1816
Taf. III-4-5

P12　Carl Anton Beck
B 1853
Taf. VII-3-20

P13　Andreas Bock
G 1825, M 1826
Taf. IV-1-34

P14　Anton Barton (Parton)
B 1812
Taf. VI-3-18

P15　Anton Barton?
(= Parton?), B 1812
Taf. VI-4-42a

P16　Anton Barton?
(= Parton?), B 1812
Taf. VI-4-42b

P17　Andreas Butz (jun.?)
B 1829
Taf. VI-4-43a

P18　Andreas Butz (jun.?)
B 1829
Taf. VI-4-43b

P19　Andreas Brunner
M 1858
Taf. VII-5-44

### Anmerkung zur Punze AB von Anton Barton (P14-16)

Auf der Punzentafel VI steht neben der Punze AB irrtümlich der Name Jos. Körner. Aufgrund der Ähnlichkeit zur Punze des Anton Barton (P14) ist eine Zuordnung der Punzen P15 und P16 an diesen Silberschmied wohl wahrscheinlich.

### Remarks on the mark AB of Anton Barton (P14-16)

Erroneously the name Jos. Körner is placed next to the mark AB on marks tablet VI. Compared with the mark of Anton Barton (P14) the marks P15 and P16 obviously belong to this silversmith.

### Anmerkung zur Punze AB von A. B. Bächer (P20)

Die Punze AB (P20) ist mit großer Wahrscheinlichkeit der Firma von Abraham Bernard Bächer zuzuschreiben.

Firmengeschichte:

1853 Protokollierung der Firma „A. B. Bächer" in Wien. Bächer hatte 1846 in Prag das „fömliche Fabriks Befugniß zur Erzeugung von geprägten Silber und Metall-Waaren" erhalten.
1866 Protokollierung der Firma als Offene Gesellschaft; Gesellschafter: Abraham Bernhard Bächer, „Nürnbergerwaarenhändler und lb. Silber- und Metallwaarenfabrikant" in Prag (Hauptniederlassung) sowie Bernhard Bächer, Wien (Zweigniederlassung).
1872 Löschung der 1866 gegründeten Firma und Errichtung einer Offenen Gesellschaft zwischen Bernhard Bächer und Wilhelm Bächer in Wien, Auflassung des Nürnbergerwarenhandels, Betrieb einer Silber- und Metallwarenfabrik mit Hauptniederlassung in Wien. 1882 Löschung dieser Firma.

*(MerkG Prot. Bd 8, B 71; HG Ges 5/372)*

P20　A. B. Bächer; FB 1846
Prag; pFa 1853 Wien
Taf. VIII-2-29

P21　Punze / mark AB
18?4 (1844, 1864?)
Wien, Dorotheum 1944/108

### Remarks on the mark AB of A. B. Bächer (P20)

The mark AB (P20) is very probably that of Abraham Bernard Bächer's company.

Company history:

1853 registration of the company "A. B. Bächer" in Vienna. In the year 1846 Bächer was awarded the "factory authorization to make pressed silver and metal wares" in Prague.
1866 registration of the company as General Partnership: Abraham Bernhard Bächer, "Nuremberg wares commerce, and silver and metal wares manufacturer with factory authorization" in Prague (main branch) and Bernhard Bächer, Vienna (subsidiary branch).
1872 dissolution of the company founded in 1866 and start of a General Partnership of Bernhard Bächer and Wilhelm Bächer in Vienna, dissolution of the "Nuremberg wares commerce," running of a silver and metal wares factory with main branch in Vienna. 1882, dissolution of this company.

*(MerkG Prot. Bd 8, B 71; HG Ges 5/372)*

### Anmerkung zur Punze AB von Albert Eduard Böhr (P22)

Albert (Adalbert) Eduard Böhr (Meisterrecht 1855) ist in den Innungslisten von 1856 bis 1876 verzeichnet, er starb 1876 (Anheimsagung und Abmeldung von der Erwerbsteuer im selben Jahr).

Firmengeschichte:
1852 Erwähnung von Eduard Adalbert Böhr und Karl Ferd. Funke betreffend Firmaprotokollierung.
1863 Übertragung der Firma (Offene Gesellschaft seit 15. 2. 1852) ins Register für Gesellschaftsfirmen.
1871 Eintragung der Firma Funke & Böhr ins Handelsregister, gleichzeitig Löschung im Register für Gesellschaftsfirmen.
1889 Löschung über Steuerabschreibung.

Die Punze AB des Albert Eduard Böhr galt offensichtlich auch für die Firma Funke & Böhr (Tafel B-I-2-2: AB in unregelmäßiger Rahmung, mit der falschen Bezeichnung „Böhr ü Frank").
*(HR 505(605)/1852; HG Ges 1/530; HG E 11/174)*

P22 Albert Eduard Böhr
M 1855
Taf. VI-7-30

### Remarks on the mark AB of Albert Eduard Böhr (P22)

Albert (Adalbert) Eduard Böhr (master's title: 1855) is entered in the guild lists from 1856-1876, he died in 1876 (in this year end of trade and termination of tax).

Company history:
1852 Mention of Eduard Adalbert Böhr and Karl Ferd. Funke concerning the registration of a company.
1863 Transfer of the company (General Partnership since February 2, 1852) into the Register for Partnership Companies.
1871 Entry of the company Funke & Böhr into the Commercial Register, dissolution of the company in the Register for Partnership Companies.
1889 Dissolution due to tax end.

The mark AB of Albert Eduard Böhr obviously was also used by the company Funke & Böhr (on marks tablet B-I-2-2: AB in irregular frame, with the wrong name "Böhr ü Frank").
*(HR 505(605)/1852; HG Ges 1/530; HG E 11/174)*

### Anmerkung zur Punze AB von Andreas Beliza (P23)

Andreas Beliza war „bef. Optiker"; sein Ansuchen (1830) „um Vervollständigung seines Befugnisdekrets durch den Beisatz, daß er auch in Gold und Silber arbeiten dürfe", wurde genehmigt. Im Jahre 1835 wurde die von ihm und seinem Sohn Johann (Augengläsergestell-Befugnis: 1847) zu führende Firma „A. Beliza et Sohn" (Gesellschaftsfirma) protokolliert und im Jahre 1855 gelöscht.

*(HR 379/1830, fol. 43; MerkG Prot. Bd 6, B 7)*

P23 Andreas Beliza
Befugniserweiterung 1830
pFa 1835; Taf. VI-6-19

### Remarks on the mark AB of Andreas Beliza (P23)

Andreas Beliza was an authorized optician; his application (1830) *"for completion of his authorization decree with the addition that he may also work in gold and silver"* was granted. The company "A. Beliza et Sohn" was run by Andreas Beliza and his son Johann (spectacle frame-maker's authorization: 1847); it was registered in 1835 and dissolved in 1855.

*(HR 379/1830, fol. 43; MerkG Prot. Bd 6, B 7)*

P24 Alois Ballauf
M 1858
Taf. VIII-1-8c

P25 Alois Ballauf
M 1858
Taf. VIII-1-8b

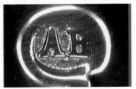

P26 Punze / mark AB
1863 (?)
Privatbesitz (KF)

P27 Punze / mark AB
1855
Privatbesitz (KJ)

P28 Punze / mark AB
18?2
Budapest, IM 67.20

P29 Alexander Benkowitsch, B 1830, M 1835
Taf. IV-3-10

P30 Anton Biedermann
B 1834
Taf. VI-5-38

### Anmerkung zur Punze AB (P21, 26-28, P31-34)

Es gibt eine ganze Reihe von Punzen mit den Initialen AB, die einem bestimmten Silberschmied schwer zuzuordnen sind. Bei vier Punzen ist eine unregelmäßige Umrahmung auffallend (P31-34). Ob dies auf eine Beschädigung der ursprünglichen Form oder auf eine bewußte Konturgestaltung zurückzuführen ist, kann derzeit nicht festgestellt werden. Aufgrund der Wiener Punze können sie in die Jahre 1846 und 1848 bzw. 1856 und 1857 datiert werden.

P31 Punze / mark AB
1846
Wien, HM 96.417

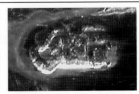

P32 Punze / mark AB?
1848
Wien, HM 49.832/1

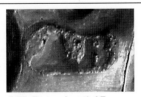

P33 Punze / mark AB
1856
Wien, HM 194.936

P34 Punze / mark AB
1857
Privatbesitz (KJ)

### Remarks on the mark AB (P21, P26 – P28, P31-34)

There is a whole series of marks with the initials AB; it is a hard task to attribute them to a certain silversmith.
The irregular frame of four marks is remarkable (P31-34). At the moment it is impossible to decide if the original shape was damaged or the frame was deliberately shaped this way.
According to the Viennese hallmark they can be dated in the years 1846, 1848, 1856 and 1857.

P35 Alois Ballauf
M 1858
Taf. VIII-1-8a

| P36 Andreas Carl (Karl) B 1813, M 1830 Taf. IV-2-14 | P37 Anton Carl Wipf G 1761 Taf. I-1-48 | P38 Anton Carl Wipf G 1761 Taf. II-1-21 | P39 Anton Carl Wipf 1776 Budapest, IM 52.101 | P40 Anton Carl Wipf 1776 Budapest, IM 52.101 |

**Anmerkung zur Punze ACW von Anton Carl Wipf (P37-40)**

Die Punze ACW des Anton Carl Wipf (Aufnahme ins Gremium: 1761, gest. 1816, in Innungslisten und Adreßbüchern 1766, 1780-1815 genannt, zeitweiser Nichtbetrieb 1814, 1815) ist in zwei Varianten auf den Punzentafeln I und II erhalten. Die Buchstaben der älteren Punze (P37) sind breiter, flächiger und stehen näher zur Rahmung. Diese Charakteristika sind auch im Punzenbild von 1776 vorhanden (in zwei Versionen des Lichteinfalls beim Fotografieren wiedergegeben, P39, 40). Bei der jüngeren Punze (P38) stehen die kleiner erscheinenden Buchstaben etwas anders im schildförmigen Feld verteilt.

**Remarks on the mark ACW of Anton Carl Wipf (P37-40)**

The mark ACW of Anton Carl Wipf (guild entry: 1761, died in 1816, entered in guild lists and address books in 1766, 1780-1815, temporary no business: 1814, 1815) is found in two variations on Marks Tablets I and II.

The initials of the earlier mark (P37) are larger and flatter and are situated near the frame. These characteristics are also to be found in the mark's image of 1776 (reproduced in two versions photographed under different lighting, P39,40).

The apparently smaller initials of the later mark (P38) are somewhat differently placed inside the shield-shaped contour.

| P41 Anton Davanzo B 1844, M 1851 Taf. VII-2-23 | P42 Alexander Davanzo M 1856 Taf. VII-4-21 | P43 Augustin Dorfmeister G 1810 Taf. III-3-3 | P44 Anton Dumma B 1824 Taf. VI-3-27 | P45 Anton Deutsch B 1860 Taf. VIII-1-24 |

**Anmerkung zur Punze AD von Anton und Alexander Davanzo (P41, 42)**

Die Punzen von Anton und (Josef) Alexander Davanzo sind nahezu identisch (P41, 42): flächige Initialen in querrechteckigem Rahmen. Eine Unterscheidung wird dadurch erleichtert, daß Alexander Davanzo 1856 das Meisterrecht erhielt und das Gewerbe bereits 1860 „anheimsagte" (zurücklegte). In den Innungslisten ist er von 1857 bis 1860 genannt.

Anton (Alois) Davanzo (Befugnis: 1844, Meisterrecht: 1851) ist von 1846 bis 1883 in den Innungslisten zu finden; weitere Punzen sind aus der Zeit nach 1866 auf späteren Punzentafeln erhalten.

**Remarks on the mark AD of Anton and Alexander Davanzo (P41, 42)**

The marks of Anton and (Josef) Alexander Davanzo are nearly identical (P41, 42): flat initials in rectangular shapes.

They can be clearly distinguished because Alexander Davanzo was awarded his master's title in 1856 and finished his business in 1860. He is entered in the guild's lists from 1857 to 1860.

Anton (Alois) Davanzo (authorization: 1844, master's title: 1851) is entered in the guild's lists from 1846 to 1883.

More marks (after 1866) are to be found on later marks tablets.

| P46 Alois Döbler B 1837 Taf. VI-6-25a | P47 Alois Döbler B 1837 Taf. VI-6-25b | P48 Anton Dudeum G 1798 Taf. III-1-28a | P49 Anton Dudeum G 1798 Taf. III-1-28b | P50 Anton Dudeum G 1798 Taf. III-1-28c |

**Anmerkung zur Punze ADH von Anton Dominik Hauptmann (P51)**

Anton Dominik Hauptmann (Meisterrecht 1837), in den Innungslisten 1838-1885 nachweisbar (gest. 1885).

Firmengeschichte:

1851 Protokollierung der Firma „D. Hauptmann & Sohn" (Gesellschafter: Dominik und sein Sohn Anton Dominik Hauptmann), siehe S. 143, P562, 563.
1857 Auflösung der Firma.
1860 Protokollierung der von Anton Dominik Hauptmann allein geführten Firma „A. D. Hauptmann".
1863 Übertragung ins Register der „Einzelnfirmen".
1875 Umwandlung in eine Gesellschaftsfirma unter „A. D. Hauptmann & Cie".

(MerkG Prot. Bd 8, H 17; MerkG Prot. Bd 12, H 80; HG E 4/278; HG Ges 19/121)

P51 Anton Dominik Hauptmann, M 1837 Taf. IV-3-30

**Remarks on the mark ADH of Anton Dominik Hauptmann (P51)**

Anton Dominik Hauptmann (master's titel: 1837) is entered in the guild's lists from 1838 to 1885 (died in 1885).

Company history:

1851 registration of the company "D. Hauptmann & Sohn" (partners: Dominik and his son Anton Dominik Hauptmann), see p. 143, P562, 563)
1857 dissolution of the company.
1860 registration of the company "A. D. Hauptmann", run by Anton Dominik Hauptmann alone.
1863 transfer into the register of single firms.
1875 transformation into a partnership company with the name "A. D. Hauptmann & Cie".

(MerkG Prot. Bd 8, H 17; MerkG Prot. Bd 12, H 80; HG E 4/278; HG Ges 19/121)

P52  A. E. (Anton Eisen?)
M 1859
Taf. VI-2-45b

P53  Anton Eisen
M 1859
Taf. VIII-1-16

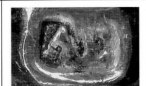

P54  Punze / mark AE
1857
Wien, HM 140104/1

P55  Abraham Fournier
G 1798
Taf. III-1-22

P56  Anton Falta
GV 1862
Taf. VIII-5-3

P57  August Fellmoser
B 1839
Taf. VI-7-3

P58  Anton Fehringer
B 1860
Taf. VIII-1-29

P59  Adolf Fischer
M 1857
Taf. VII-4-40

P60  Alois Frisch
M 1836
Taf. IV-3-20a

P61  Alexander Feraut
B 1822
Taf. VI-2-30

P62  Alexander Feraut
18?1
Brünn, MG 22145

### Anmerkung zur Punze AFO von Anton Ferdinand Oberhauser (P63)

Firmen- und Punzengeschichte der Familie Oberhauser (Anton und Katharina Oberhauser und ihre Söhne Matthias und Anton Ferdinand Oberhauser) sind eng miteinander verknüpft.

**Anton Oberhauser** hatte 1777 seine Befugnis erhalten, 1778 den Bürgereid abgelegt und war 1792 ins Gremium aufgenommen worden. 1803 wurde ihm und seinem Sohn Matthias Oberhauser gemeinschaftlich die Landesfabriksbefugnis „zur Verfertigung der silber plattirten Schnallen" verliehen. 1814 wurde diese Befugnis ausgedehnt auf die „Erzeugung sämtl. Gold= und Silbergalanteriearbeiten". Anton Oberhauser ist bis 1827 unter der Adresse Neubau 231 zu finden (dieselbe Adresse ist ab 1828 bei Matthias Oberhauser angegeben). 1829 erfolgte die Anheimsagung der Landesfabriksbefugnis durch die Witwe Katharina, die nach dem Tod von Anton Oberhauser eine zweite Ehe eingegangen war.

**Anton Ferdinand Oberhauser,** der zweite Sohn von Anton Oberhauser, war 1808 der Firma seines Vaters und Bruders beigetreten. 1814 wurde er ins Gremium aufgenommen, 1818 legte er sein Gewerbe zurück („Anheimsagung").

**Matthias Oberhauser** (Befugnis: 1812, Meisterrecht 1827, Anheimsagung 1849) ist unter folgenden Adressen nachweisbar: Neubau 218 (1813, 1814), Neubau 231 (1828-1849).

Drei Punzen der Familie Oberhauser sind bekannt: **AO** für Anton Oberhauser (siehe S. 125, P204-206), **AFO** für Anton Ferdinand Oberhauser (S. 117, Punze P63) und **MO** für Matthias Oberhauser (siehe S. 220, P2035-2040).

*(MerkG Prot. Akt F3 / O / 27)*

P63  Anton Ferdinand
Oberhauser, G 1814
Taf. III-3-39

### Remarks on the mark AFO of Anton Ferdinand Oberhauser (P63)

The company and marks history of the Oberhauser family (Anton und Katharina Oberhauser and their sons Matthias and Anton Ferdinand Oberhauser) are closely connected.

**Anton Oberhauser** got his authorization in 1777, he took the freeman's oath in 1778 and entered the guild in 1792. In the year 1803 he and his son Matthias Oberhauser together were awarded the national factory authorization "for the production of silver plated buckles". This authorization was extended in 1814 to the "production of all gold and silver fancy goods". Anton Oberhauser is found until 1827 at the address "Neubau 231" (from 1828 the same address is noted for Matthias Oberhauser).
In 1829 the widow Katharina (who married a second time after the death of Anton Oberhauser) renounced the national factory authorization.

In 1808, **Anton Ferdinand Oberhauser,** the second son of Anton Oberhauser, entered the company of his father and brother. In 1814 he entered the guild (1818 end of trade).

**Matthias Oberhauser** (authorization: 1812, master's title: 1827, end of trade: 1849) is to be found at the following addresses: Neubau 218 (1813-1814), Neubau 231 (1828-1849).

Three marks are known for the family of Oberhauser:
**AO** for Anton Oberhauser (see p. 125, P204-206), **AFO** for Anton Ferdinand Oberhauser (see p. 117, P63) and **MO** for Matthias Oberhauser (see p. 220, P2035-2040).

*(MerkG Prot. Akt F3 / O / 27)*

P64  Anton Glantka
M 1852
Taf. VII-2-37

P65  Anton Gerber
M 1826
Taf. IV-1-37

P66  Anton Ghillioni
B 1829, M 1836
Taf. IV-3-16

P67  Anton Ghillioni
B 1829, M 1836
Taf. VI-4-37

P68  Anton Glassner
G 1786
Taf. I-3-50

P69  Anton Glassner
G 1786
Taf. II-3-5

P70  Anton Hirnschall
B 1862
Taf. VIII-2-8

P71  Anton Haller
M 1827
Taf. IV-1-42

P72  Adam Hügel
M 1842
Taf. IV-3-45a

P73  Adam Hügel
M 1842
Taf. IV-3-45b

P74  Alexander Horvath
M 1854
Taf. VIII-3-9

P75  Adolf Heilsam
B 1840
Taf. VI-7-26b

P76  Anton Hornung
M 1853
Taf. VII-3-30

P77  Alexander Horvath
M 1854
Taf. VII-3-37

**Anmerkung zu Punze AH mit Krone (P78)**

Auf der ältesten erhaltenen Punzentafel von 1781 ist die Punze AH mit Krone (wohl ein hofbefreiter Goldschmied) ohne Namensangabe eingeschlagen.

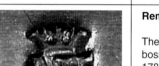

P78  Punze AH mit Krone / mark AH with crown
Taf. I-4-60c

**Remarks on the mark AH with crown (P78)**

The mark AH with crown (probably a court goldsmith) is embossed without a name on the earliest known marks tablet of 1781.

P79  Andreas Hesser
G 1770
Taf. I-2-28

P80  Andreas Hesser
G 1770
Taf. II-1-43

P81  August Hellmayr
M 1848
Taf. IV-5-35

P82  Adolf Heilsam, B 1840
Bürgerrecht / citizenship
1861; Taf. VI-7-26a

P83  Anton Haass
G 1749
Taf. I-1-13

**Anmerkung zu Punze AH von Josef Anton Hueber (P84)**

Die Punze von Joseph Anton Hueber bzw. Huber (Meisterrecht: 1735, gest. 1762, Steuerleistung 1749: 12 Gulden) wurde von seiner Witwe Ursula Hueber (Huber, Huberin) übernommen (jährliche Steuerleistungen: „Joseph Anton Hueber seel. Witwe" 1763-1790: 2-3 Gulden).

P84  A. Huberin (Ursula Huber, Witwe von / widow of J. A. Huber), Taf. I-3-26

**Remarks on the mark AH of Josef Anton Hueber (P84)**

The mark of Joseph Anton Hueber or Huber (master's titel: 1735, died in 1762, tax 1749: 12 Guilders) was taken over by his widow Ursula Hueber (Huber, Huberin). The annual tax for "Joseph Anton Hueber seel. Witwe" in the years 1763-1790 ran from 2 to 3 Guilders.

**P85 Andreas Josephus Dischendorfer, G 1770**
Taf. I-2-31

**P86 Matthäus Aigner**
1821
Wien, WKA 21/346

**P87 Anton Josef Lange**
B 1860
Taf. VIII-1-32

**P88 Anton Josef Quitteiner**
G 1814
Taf. III-3-35a

**P89 Anton Josef Quitteiner**
G 1814
Taf. III-3-35b

**P90 Anton Josef Quitteiner**
1821
Privatbesitz (EJ)

**P91 Alois Joh. Nepomuk Würth, G 1804**
Taf. III-2-27b

**P92 Alois Joh. Nepomuk Würth, G 1804**
Taf. III-2-27e

**P93 Alois Joh. Nepomuk Würth, G 1804**
Taf. III-2-27d

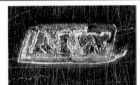

**P94 Alois Joh. Nepomuk Würth, 1817**
Budapest, IM 59.1578.2

**P95 Alois Joh. Nepomuk Würth, 1817**
Budapest, IM 59.1578.2

**P96 Alois Joh. Nepomuk Würth, 1821**
Wien, S. Reisch

### Anmerkung zur Punze AIW von Alois Johann Nepomuk Würth (P91-98)

Von Alois Johann Nepomuk Würth aus der Gold- und Silberschmiede-Dynastie Würth (Wirth) sind auf der Punzentafel III mehrere Punzen verschiedener Form überliefert (P91-93, 97 sowie Doppeladler, S. 242, P2446). Würth erhielt 1804 das Meisterrecht, ist bis 1831 in den Innungslisten genannt und starb 1833.

Aus den Jahren 1817 und 1821 ist die aus den drei nebeneinander stehenden Initialen AIW gebildete Punze bekannt (P94-96); aus dem Jahr 1824 die Punze mit den Buchstaben A I WÜRTH (P98).

Die Punze im Hochoval könnte die älteste gewesen sein (P91, 92). Sie ähnelt in dieser Umrahmung anderen Punzen der Familie Würth, so z. B. dem IIW von Ignaz Josef Würth (S. 183), und entfernt auch dem AW von Alois Würth; dort ist das Hochoval oben allerdings seitlich abgeschrägt (S. 130).

**P97 Alois Joh. Nepomuk Würth, G 1804**
Taf. III-2-27a

**P98 Alois Joh. Nepomuk Würth, 1824**
Wien, S. Reisch

### Remarks on the mark AIW of Johann Nepomuk Würth (P91-98)

On marks tablet III several marks of different shape are embossed for Alois Johann Nepomuk Würth of the gold and silversmith dynasty Würth (Wirth) (P91-93, 97 and double eagle, p. 242, P2446). Würth (master's title: 1804) is found in the guild lists until 1831. He died in 1833.

The mark shaped of the three initials AIW placed side by side is known from the years 1817 and 1821 (P94-96).

The mark with the letters A I WÜRTH (P98) is found 1824.

The mark in an upright oval probably was the earliest one (P91, 92). There are certain similarities with the form of other marks of the Würth familiy, for example with the IIW of Ignaz Josef Würth (p. 183).
It is also similar to the AW of Alois Würth although the upright oval is slanted on both sides on top (p. 130).

**P99 Punze / mark AK**
Taf. IV-5-38

**P100 Alois Krempl**
B 1860
Taf. VIII-2-20

**P101 (Carl) Anton (J.) Kraus, M 1853**
Taf. VII-3-19

### Anmerkung zur Punze AK freistehend (P99-104)

Zu den häufigsten Buchstabenkombinationen zählen die Initialen AK. Fallweise sind sie schwer zu unterscheiden (beispielsweise bestimmte Punzen von A. Köll bzw. A. Kilisky und A. Kirstorffer). Manche Punzen konnte ich noch nicht zuordnen, wiewohl sie in verschiedenen Sammlungen oder Auktionen in nahezu identischer Form vorkommen (freistehendes AK, P102-104).

**P102 Punze / mark AK**
1854
Budapest, IM 69.89

**P103 Punze / mark AK**
1854
Privatbesitz (KJ)

**P104 Punze / mark AK**
1865?
Wien, Dorotheum 1926/91a

### Remarks on the mark AK free-standing (P99-104)

The initials AK are very frequently to be found. Sometimes they are hard to distinguish (i. e. certain marks of A. Köll, A. Kilisky and A. Kirstorffer).
Although several nearly identical marks appear in different collections or auctions I have not been able to attribute them yet (free-standing AK, P102-104).

| <br>P105 Anton Kilisky<br>B 1782, G 1792<br>Taf. II-4-15e | <br>P106 Anton Kreissel<br>G 1820<br>Taf. III-4-38a | <br>P107 Anton Kreissel<br>G 1820<br>Taf. III-4-38b | | |
|---|---|---|---|---|
| <br>P108 Adolf Kulank<br>M 1858<br>Taf. VII-5-39 | <br>P109 Anton Kordon<br>B 1827, M 1841<br>Taf. VI-4-20c | <br>P110 Anton Kordon<br>B 1827, M 1841<br>Taf. VII-2-39 | <br>P111 Anton Krumm<br>B 1849<br>Taf. IV-4-21 | <br>P112 Anton Krumm<br>B 1849<br>Taf. VIII-2-42 |
| P113 Karl Adler<br>M 1853<br>Taf. VII-3-17 | P114 Anton Kilisky<br>B 1782, G 1792<br>Taf. II-4-15a | P115 Anton Kilisky<br>B 1782, G 1792<br>Taf. II-4-15b | P116 Anton Kilisky<br>B 1782, G 1792<br>Taf. II-4-15c | P117 Alois Kraus<br>B 1863<br>Taf. VIII-3-1 |

### Anmerkung zur Punze AK von Alexander Kittner (P118, 119)

Kittner erhielt 1837 die Befugnis, 1839 das Meisterrecht; in den Innungslisten ist er von 1838-1873 genannt. Er starb im Jahre 1872.

Firmengeschichte:

1860 Protokollierung der Gesellschaftsfirma „Kittner & Hübner" (Alexander Kittner und Moritz Hübner).

1863 Übertragung der Firma „Kittner & Hübner" ins Register für Gesellschaftsfirmen (Offene Gesellschaft seit 1860), Gesellschafter: Alexander Kittner und Moritz Hübner.

1871 Löschung der Firma.

Die ältere Punze (P118) zeigt die Initialen AK (mit nachstehenden Punkten?), die Ecken der Umrahmung sind abgerundet (abgeschrägt?). Die spätere Punze (P119) zeigt eine unregelmäßige, auf dem Achteck basierende querformatige Kontur.

*(MerkG Prot. Bd 11, K 323; HG Ges 2/410)*

<br>P118 Alexander Kittner<br>B 1837, M 1839<br>Taf. IV-4-11

<br>P119 Alexander Kittner<br>B 1837, M 1839<br>Taf. VIII-3-13

### Remarks on the mark AK of Alexander Kittner (P118, 119)

Kittner (authorization: 1837, master's title: 1839) is found in the guild lists from 1838-1873). He died in 1872.

Company history:

1860 registration of the partnership company "Kittner & Hübner" (Alexander Kittner and Moritz Hübner).

1863 transfer of the company "Kittner & Hübner" into the register for partnership companies (general partnership from 1860), partners: Alexander Kittner and Moritz Hübner.

1871 dissolution of the company.

The earlier mark (P118) consists of he initials AK (with following dots). The later mark (P119) shows an irregular octogonal contour based on a horizontal rectangle.

*(MerkG Prot. Bd 11, K 323; HG Ges 2/410)*

### Anmerkung zur Punze AK von Alexander Köchert (P120)

Alexander Köchert erhielt 1848 das Meisterrecht; er wird in den Innungslisten von 1849 bis 1879 genannt und starb 1879).

Firmengeschichte:

1831 Gründung der Firma Pioté & Köchert (Gesellschafter: Emanuel Pioté und Heinrich Köchert), siehe S. 147, P624, 625.

1851 Protokollierung der Firma „Köchert & Sohn" (öffentliche Gesellschaft; Gesellschafter: Heinrich Köchert und sein Sohn Alexander Köchert).

1858 Prokollierung einer Nachtragserklärung

1863 Übertragung ins Register für Gesellschaftsfirmen unter dem Namen „Köchert & Sohn", Gesellschafter: Heinrich Köchert und Alexander Köchert.

1869 „über Ableben" des Jakob Heinrich Köchert gelöscht Protokollierung der Firma „A. E. Köchert".

*(MerkG Prot. Bd 8, K 17; HG Ges 1/238; HG E 10/110)*

P120 Alexander Köchert<br>M 1848<br>Taf. IV-5-37

### Remarks on the mark AK of Alexander Köchert (P120)

Alexander Köchert (master's title: 1848) is found in the guild lists from 1849 to 1879 and died in 1879.

Company history:

1831 foundation of the company Pioté & Köchert (partners: Emanuel Pioté and Heinrich Köchert), see p. 147, P624, 625.

1851 registration of the company "Köchert & Sohn" (general partnership; partners: Heinrich Köchert and his son Alexander Köchert).

1858 registration of an addition.

1863 transfer into the register for partnership companies under the name "Köchert & Sohn," partners: Heinrich Köchert and Alexander Köchert.

1869 dissolution due to the death of Jakob Heinrich Köchert, registration of the company "A. E. Köchert."

*(MerkG Prot. Bd 8, K 17; HG Ges 1/238; HG E 10/110)*

P121 Albert Kattner
M 1855
Taf. VII-4-11

P122 Anton Kordon
B 1827, M 1841
Taf. VI-4-20a

P123 Anton Kordon
B 1827, M 1841
Taf. VI-4-20b

P124 Adolf Kulank
M 1858
Taf. VIII-4-23

**Anmerkung zu den Punzen AK von Anton Köll
(P125-138, 142)**

Zwei Punzen AK des Anton Köll (Gewerbsverleihung: 1795?, Aufnahme ins Gremium: 1797, gest. 1854, in den Innungslisten 1801-1854 genannt, Anheimsagung: 1841, Nichtbetrieb: 1851-54) zeigt eine achteckige Grundform und einen Punkt zwischen den Buchstaben (P125, 126).

Während seine Punze aus dem Jahr 1816 diesem Bild noch entspricht, ist die beschädigte Kontur der Punze von 1817 charakteristisch; von ihr haben sich zahlreiche Beispiele erhalten (P130-137). Die Punze seines gleichnamigen Sohnes Anton Köll (Meisterrecht: 1827, gest. 1857) ist auf der Punzentafel (IV-1-45) nicht angegeben; sie könnte jener des Vaters ähnlich gewesen sein.

Eine ältere Punze von Anton Köll besteht ebenfalls aus Initialen mit nachgestellten Punkten (P142). Die querformatige Umrahmung hat abgerundete Ecken und ähnelt verblüffend der Punze von Andreas Kirstorffer (P141) sowie auch mehreren Punzen von Anton Kilisky (P139, 140).

P125 Anton Köll
G 1797
Taf. III-1-13a

P126 Anton Köll
G 1797
Taf. III-1-13b

**Remarks on the mark AK of Anton Köll
(P125-138, 142)**

Two marks AK of Anton Köll (bestowal of trade: 1795?, guild entry: 1797, died in 1854, entered into the guild lists 1801-1854, end of trade: 1841, no business: 1851-1854) show an octagonal shape and a dot between the letters (P125, 126). The mark of 1816 corresponds to this image while the mark of 1817 shows a typical damage of the frame. Numerous examples of this type are documented (P130-137).

On a marks tablet (IV-1-45) we only find the name but not the mark of his son Anton Köll, having the same name as his father. The mark Anton Köll Jr. (master's title: 1827, died in 1857) probably had the same shape as those of his father.

An earler mark of Anton Köll also consists of initials with following dots (P142). The horizontal rectangular frame has rounded corners and resembles strongly the mark of Andreas Kirstorffer (P141) and several marks of Anton Kilisky (P139, 140).

P127 Anton Köll
1810/16?
Wien, Dorotheum 1892/41

P128 Anton Köll
1816
Budapest, NM 1955.110

P129 Anton Köll
1810/16?
Wien, Dorotheum 1892/41

P130 Anton Köll
1817
Wien, HM 11.084

P131 Anton Köll
1817
Wien, HM 11.084

P132 Anton Köll
1817
Wien, Dorotheum 1909/85

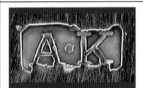

P133 Anton Köll
1817
Privatbesitz (BJ)

P134 Anton Köll
1817
Privatbesitz (BJ)

P135 Anton Köll
1817
Privatbesitz (BJ)

P136 Anton Köll
1817
Privatbesitz (BJ)

P137 Anton Köll
1817
Privatbesitz (BJ)

P138 Anton Köll
1821
Budapest, IM 71.202

P139 Anton Kilisky
B 1782, G 1792
Taf. II-4-15d

P140 Anton Kilisky
B 1782, G 1792
Taf. II-4-15f

P141 Andreas Kirstorffer
G 1794
Taf. II-3-44b

P142 Anton Köll
G 1797
Taf. III-1-13c

P143 Punze / mark AK
1792
Wien, Dorotheum 1892/35

P144 Punze / mark AK
181?
Wien, WKA 21/324

P145 Punze / mark AK
1806
Budapest, NM 54.190

P146 Punze / mark AK
1806
Budapest, NM 54.190

**Anmerkung zur Punze AK (P144-149)**

Die querformatige Punze AK mit abgerundeten Ecken und Punkten (P144) nach den Buchstaben wurde sowohl von Anton Kilisky als auch von Anton Köll und Andreas Kirstorffer verwendet (s. S. 121); eine Unterscheidung und eindeutige Zuweisung ist nicht leicht. Aus dem Beginn des 19. Jahrhunderts stammt eine querovale AK-Punze, die in der Höhe stärker gerundet ist (P145-149); auch sie ist schwer zuzuordnen.

P147 Punze / mark AK
1807 (= 1807-1809)
Wien, WKA 28/637

P148 Punze / mark AK
1807 (= 1807-1809)
Wien, WKA 28/637

P149 Punze / mark AK
1807 (= 1807-1809)
Wien, S. Reisch

**Remarks on the mark AK(P144-149)**

The horizontal mark AK with rounded corners and dots after the letters (P144) was used by Anton Kilisky, Anton Köll and Andreas Kirstorffer (see p. 121). A differentiation and definite identification is difficult.

A horizontal oval AK mark from the beginning of the 19th century shows a higher oval (P145-149) and is also difficult to attribute to a certain silversmith.

P150 Albert Kattner
M 1855
Taf. VIII-2-46a

P151 Albert Kattner
M 1855
Taf. VIII-2-46b

P152 Anton Kordon
B 1827, M 1841
Taf. VI-4-20d

P153 Punze / mark AK
1814
Wien, S. Reisch

P154 Punze / mark AK
1859
Privatbesitz (KJ)

P155 Punze / mark AK
1801
Budapest, IM 71.110.2

P156 Punze / mark AK
1801
Budapest, IM 71.110.2

P157 Punze / mark AK
180?
Budapest, IM 60.875.1

**Anmerkung zur Punze AK (P155-159)**

Zu Beginn des 19. Jahrhunderts verwendet ein bisher noch unbekannter Silberschmied eine querformatige Punze mit abgerundeten Ecken und einem charakteristischen A, das anstelle des Querstrichs eine V-Form zeigt .

Beispiele sind in Wiener und Budapester Sammlungen vertreten und ab 1801 datiert.

P158 Punze / mark AK
1805?
Wien, Dorotheum 1962/44

P159 Punze / mark AK
1807 (= 1807-1809)
Wien, HM 70706/2

**Remarks on the mark AK (P155-159)**

A horizontal mark with rounded corners with a characteristic letter A (showing a V instead of the horizontal line) was used by a silversmith so far unknown at the beginning of the 19th century.

Examples in Viennese and Budapest collections are dated from 1801.

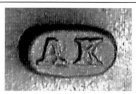

P160 Anton Kilisky
B 1782, G 1792
Taf. II-4-15g

P161 Adam Kreuzinger
G 1797
Taf. III-1-18

P162 Anton Kornelis
B 1834
Taf. VI-5-39

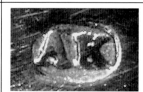

P163 Anton Kornelis
1840 (= 1840-1842)
Wien, Dorotheum 1962/88

P164 Andreas Kirstorffer
G 1794
Taf. II-3-44a

**Anmerkung zur Punze AK von Carl Adolf Kohl (P165)**

Im Jahre 1855 wurde für Carl Adolf Kohl (Befugnis: 1846, Meisterrecht 1851, in den Innungslisten 1847-1872 genannt) die Firma „C. A. Kohl" protokolliert, 1863 ins Register der „Einzelnfirmen" eingetragen, dort 1871 gelöscht. Die Firma „C. A. Kohl's Nachfolger" (Inhaber: Ludwig Brüll, Goldarbeiter) wurde 1871 protokolliert und 1873 „über Geschäftsaufgebung" gelöscht.

(MerkG Prot. Bd 8, K 115; HG E 2/218; HG E 11/136)

P165 (Carl) Adolf Kohl
B 1846, M 1851
Taf. VI-8-40b

**Remarks on the mark AK of Carl Adolf Kohl (P165)**

In 1855 a company "C. A. Kohl" was registered for Carl Adolf Kohl (authorization: 1846, master's title: 1851, in the guild lists found from 1847 to 1872), 1863 transferred to the register of single firms and dissolved in 1871. The company "C. A. Kohl's Nachfolger" (owner: Ludwig Brüll, goldsmith) was registered in 1871 and dissolved in 1873 due to end of trade.

(MerkG Prot. Bd 8, K 115; HG E 2/218; HG E 11/136)

**P166** Andreas Kohn
M 1853
Taf. VII-3-9a

**P167** Andreas Kohn
M 1853
Taf. VII-3-9b

**P168** Adolf Kohl
B 1846, M 1851
Taf. VI-8-40a

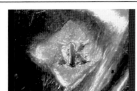

**P169** AK (Adolf Kohl?)
1852
Privatbesitz (KJ)

**P170** AK (Adolf Kohl?)
1853
Privatbesitz (KJ)

**P171** Punze / mark AK
1860
Wien, Dorotheum 1926/99a

**P172** Punze / mark AK
1862
Privatbesitz (SA)

**P173** Andreas Kohn
M 1853
Taf. VIII-3-8

**P174** Anton Leykauff
G 1788
Taf. I-3-56

**P175** Alois Leithe
M 1822, G 1823
Taf. IV-1-7

**P176** Anton Liebel
B 1838
Taf. VI-7-7

**P177** Andreas Lauben-
bacher, Adr: 1812
Taf. VI-3-9

**P178** Anton Luzenberger
G 1777
Taf. I-2-58

**P179** Anton Münzberg
B 1832
Taf. VI-5-21a

**P180** Anton Münzberg
B 1832
Taf. VI-5-21c

**P181** Anton Münzberg
B 1832
Taf. VI-5-21b

**P182** Andreas Martin
(jun.?), B 1832
Taf. VI-5-23

**Anmerkung zur Punze AM von Alois Müller (P183, 184)**

Alois Müller (Privilegiumsinhaber: 1839, Meisterrecht: 1840, gest. 1854, in den Innungslisten von 1839-1854 genannt) und Robert Weikert (Befugnis: 1847, Meisterrecht: 1850, in den Innungslisten von 1848 bis 1878 genannt) ersuchten im Jahre 1852 um Protokollierung der Firma „A. Müller & R. Weikert bürgl. Juweliere und Goldschmiede".
Nach dem Tod von Alois Müller wurde die Firma 1855 gelöscht.

Nicht zu verwechseln mit Alois Müllner und seiner Witwe Karoline

**P183** Alois Müller
M 1840
Taf. IV-4-3b

**P184** Alois Müller
M 1840
Taf. IV-4-3a

**Remarks on the mark AM of Alois Müller (P183, 184)**

Alois Müller (owner of a privilege: 1839, master's title: 1840, died in 1854, entered in the guild lists from 1839 to 1854) and Robert Weikert (authorization: 1847, master's title: 1850, entered in the guild lists from 1848 to 1878) applied in 1852 for registration of the company "A. Müller & R. Weikert bürgl. Juweliere und Goldschmiede".
1855 the company was dissolved after the death of Alois Müller.

Not to be mistaken for Alois Müllner and his widow Karoline.

**P185** Alois Medy
M 1857
Taf. VIII-3-44

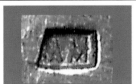

**P186** Alois Medy
M 1857
Taf. VIII-3-48

P187 Andreas Martin (sen.?)
B 1816
Taf. VI-3-3

P188 Alois Medy
M 1857
Taf. VII-5-3

P189 Anton Mayer
B 1843
Taf. VI-7-37

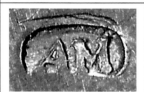

P190 Andreas Markel
M 1824
Taf. IV-1-28a

P191 Andreas Markel
M 1824
Taf. IV-1-28b

P192 Anton Maschberger
G 1865
Taf. VIII-3-22

P193 Andreas Mangold
B 1838
Taf. VI-6-34

P194 Sebastian Aman
B 1811
Taf. VI-3-7a

P195 Alois Neudolt
M 1851
Taf. VIII-4-24

P196 Alois Neudolt
M 1851
Taf. VII-2-40

P197 Alois Neudolt
M 1851
Taf. VIII-4-28

## Anmerkung zur Punze AN von Anton Nauthe (P198)

Anton Nauthe (Meisterrecht: 1849, in den Innungslisten 1850-1893 genannt) starb 1893; auf den Punzentafeln sind zwei seiner Punzen eingeschlagen: die ältere mit den Initialen AN (P198), die jüngere beschränkt sich auf den Buchstaben N (S. 222, P2085). 1864 wurde eine „Einzelnfirma" unter seinem Namen protokolliert, 1892 die Prokura von Anna Nauthe eingetragen. Ende 1892 wurde die Firma gelöscht und eine Nachfolgefirma protokolliert (1897 gelöscht).
*(HG E 6/508; HG Ges 39/74; HG E 31/22)*

P198 Anton Nauthe
M 1849
Taf. IV-5-41

## Remarks on the mark AN of Anton Nauthe (P198)

Anton Nauthe (master's title: 1849, entered in the guild lists: 1850-1893) died in 1893; two of his marks are to be found on the marks tablets: the earlier one with the initials AN (P198), the later is restricted to the letter N (p. 222, P2085). Under his name a single firm was registered in 1864, the power of attorney for Anna Nauthe was registered in 1892. At the end of 1892 the company was dissolved and a successor company registered (dissolved in 1897).
*(HG E 6/508; HG Ges 39/74; HG E 31/22)*

P199 Heinrich Anders
M 1849
Taf. IV-5-40a

P200 Heinrich Anders
M 1849
Taf. IV-5-40b

P201 Heinrich Anders
M 1849
Taf. VI-2-45

## Anmerkung zur Punze von Heinrich Anders (P199-201)

Der Name Anders erscheint dreimal auf den Punzentafeln (P199-201) für Heinrich Anders, der 1849 das Meisterrecht erhielt und in den Innungslisten 1850-1903 genannt wird.
Im Jahre 1848 bildete er mit Emil Brix (Gürtlergewerbe 1847) eine Offene Gesellschaft, die 1852 als Firma Brix & Anders protokolliert wurde.
1864 wurde sie ins Handelsregister (Gesellschaftsfirmen) übertragen; dort wird 1897 die Prokura von Carl Brix genannt, die offenbar nur in diesem Jahr gültig war; im Jahr 1900 wird die Firma gelöscht und gleichzeitig auf einen Eintrag bei den Einzelnfirmen verwiesen.
Die Punze von Heinrich Anders finden wir auf den Punzentafeln in Schreibschrift (P199-201). Der Name ist auch als Punze in Großbuchstaben bekannt. Auf einem Objekt im Historischen Museum wird auf der Unterseite auf die Firma Brix & Anders und das Entstehungsjahr 1863 verwiesen (P202, 203).
*(MerkG Prot. Bd 8, B 35; HG Ges 4/462; HG E 33/ 209)*

P202 Brix & Anders
1863
Wien, HM 48.286

P203 Brix & Anders
1863
Wien, HM 48.286

## Remarks on the mark of Heinrich Anders (P199-201)

On the marks tablets the name Anders for Heinrich Anders (master's title: 1849, entered in the guild lists 1850-1903) is embossed three times (P199-201).
1848 he founded a partnership company with Emil Brix („gürtler" authorization: 1847) registered 1852 as company "Brix & Anders".
1864 the company was transferred into the Register of Commerce (partnership companies); there Carl Brix is noted in 1897 as authorized signatory (apparently only valid in this year). In 1900 the company was dissolved and at the same time the entry in the register of single companies mentioned.
We find the mark of Heinrich Anders on the marks tablets in written characters (P199-201). His name is also known in capitals. The bottom of of an object in the Historical Museum of the City of Vienna refers to the company "Brix and Anders" and the production year 1863 (P202, 203).
*(MerkG Prot. Bd 8, B 35; HG Ges 4/462; HG E 33/209)*

## Anmerkung zur Punze AO von Anton Oberhauser (P204-206)

Firmen- und Punzengeschichte der Familie Oberhauser (Anton und Katharina Oberhauser und ihre Söhne Matthias und Anton Ferdinand Oberhauser) sind eng miteinander verknüpft.

Anton Oberhauser hatte 1777 seine Befugnis erhalten, 1778 den Bürgereid abgelegt und war 1792 ins Gremium aufgenommen worden. 1803 ließ er seine Guillochiermaschine „privilegieren", im selben Jahr wurde ihm und seinem Sohn Matthias Oberhauser gemeinschaftlich die Landesfabriksbefugnis „zur Verfertigung der silber plattirten Schnallen" verliehen. 1814 wurde diese Befugnis ausgedehnt auf die „Erzeugung sämtl. Gold= und Silbergalanteriearbeiten". Anton Oberhauser ist bis 1827 unter der Adresse Neubau 231 zu finden (dieselbe Adresse ist ab 1828 bei Matthias Oberhauser angegeben). 1829 erfolgte die Anheimsagung der Landesfabriksbefugnis durch die Witwe Katharina, die nach dem Tod von Anton Oberhauser eine zweite Ehe eingegangen war.

Anton Ferdinand Oberhauser, Sohn von Anton Oberhauser, war 1808 in die Firma seines Vaters und Bruders eingetreten. 1814 wurde er ins Gremium aufgenommen, 1818 legte er sein Gewerbe zurück („Anheimsagung").

Matthias Oberhauser, noch vor seinem Bruder Anton Ferdinand im väterlichen Betrieb tätig (Firma Anton Oberhauser & Sohn) erhielt die Befugnis im Jahre 1812 (1813-1814: Neubau 218), das Meisterrecht 1827; von 1828-1849 lautete seine Adresse Neubau 231 (1849 Anheimsagung).

Drei Punzen der Familie Oberhauser sind bekannt: **AO** für Anton Oberhauser (P204-206), **AFO** für Anton Ferdinand Oberhauser (S. 117, P63) und **MO** für Matthias Oberhauser (s. S. 220, P2025-2040).

Zwei Punzen AO mit der Jahreszahl 1810 (1810-1812) bzw. 1819 sind hier wiedergegeben (P205, 206). Sie unterscheiden sich von der älteren Punze (auf Punzentafel II, P204) vor allem in der Form der Initialen sowie durch die undeutlich gewordene Kontur auf der linken Seite der Umrahmung.

*(MerkG Prot. Akt F3 / O / 27)*

P204  Anton Oberhauser
B 1777, G 1792
Taf. II-4-8

P205  Anton Oberhauser
1810 (= 1810-1812)
Privatbesitz (EJ)

P206  Anton Oberhauser
1819
Privatbesitz (EJ)

## Remarks on the mark AO of Anton Oberhauser (P204-206)

The company and marks history of the Oberhauser family (Anton und Katharina Oberhauser and their sons Matthias and Anton Ferdinand Oberhauser) are closely connected. Anton Oberhauser got his authorization in 1777, he took the freeman's oath in 1778 and entered the guild in 1792.

In 1803 he got a privilege for his guilloche machine, in the same year he and his son Matthias Oberhauser together were awarded the national factory authorization "for the production of silver plated buckles". This authorization was extended in 1814 to the "production of all gold and silver fancy goods". Anton Oberhauser is found until 1827 at the address "Neubau 231" (from 1828 the same address is noted for Matthias Oberhauser).

In 1829 the widow Katharina (who married a second time after the death of Anton Oberhauser) renounced the national factory authorization

In 1808, Anton Ferdinand Oberhauser, the second son of Anton Oberhauser, entered the company of his father and brother. In 1814 he entered the guild (1818, end of trade).

Earlier than his brother Anton Ferdinand Matthias Oberhauser (authorization: 1812, master's title: 1827, end of trade: 1849) worked in his father's company. He is to be found at the following addresses: Neubau 218 (1813-1814), Neubau 231 (1828-1849).

Three marks are known for the family of Oberhauser: **AO** for Anton Oberhauser (see p. 125), **AFO** for Anton Ferdinand Oberhauser (see p. 117, mark P63) und **MO** for Matthias Oberhauser (see p. 220, P2025, 2040).

Two marks AO with the year 1810 (1810-1812) and 1819 are illustrated here (P205, 206). There are differences to the earlier mark (on marks tablet II, P204) especially in the form of the initials and the unclear contour of the left side of the frame.

*(MerkG Prot. Akt F3 / O / 27)*

## Anmerkung zur Punze AO von Alexander & Öttinger (P207)

Die Punze AO mit Punkt nach dem A wird auf der Punzentafel VIII von den Namen **Alexander-Öttinger** begleitet. Die Rahmung war ursprünglich wohl achteckig (abgeschrägte Ecken rechts noch gut sichtbar). Für diese Firma ist keine Protokollierung nachweisbar. Es gab einen Leopold Alexander (Gewerbsverleihung 1868) und einen Ludwig Oetinger (Gewerbsverleihung 1872), für die die Punze stehen könnte.

P207  Alexander & Öttinger
GV 1868 bzw. 1872
Taf. VIII-4-53

## Remarks on the mark AO of Alexander & Öttinger (P207)

On marks tablet VIII the mark AO with dot after the A is accompanied by the name **Alexander-Öttinger**.

Originally the frame seems to have been octagonal (on the right the slanted corners are quite clear). A registration for this company is not yet known. It is possible that the mark stands for Leopold Alexander (bestowal of trade: 1868) and Ludwig Oetinger (bestowal of trade: 1872).

P208  Anton Pfann
G 1868
Taf. VIII-5-8a

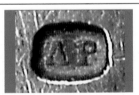

P209  Anton Pfann
G 1868
Taf. VIII-5-8b

P210  Anton Pelikan
M 1858
Taf. VII-5-23

P211  Adolf Peters
M 1857
Taf. VII-5-8

P212  Andreas Prohaska
G 1819
Taf. III-4-25

P213  Anton Pelischek
B 1822
Taf. VI-4-34

P214  Abraham Prinz
M 1858
Taf. VII-3-33

P215  Abraham Prinz
M 1858
Taf. VII-5-35

P216 Anton Pittner
B 1842, M 1850
Taf. VI-7-33a

**Anmerkungen zu den Punzen AP bzw. A. PITTNER von Anton Pittner (P216, 217)**
Anton Pittner (Befugnis 1842, Meisterrecht 1850) ist von 1843-1868 in den Innungslisten nachweisbar. 1868 Eintragung der Firma „Anton Pittner's Nachfolger" ins Register für „Einzelnfirmen" (Inhaber Victor Conradi, Goldarbeiter in Wien); 1875 Konkurseröffnung, 1876 Aufhebung des Konkurses, 1898 über Gewerbezurücklegung gelöscht.
**Remarks on the marks AP and A. PITTNER of Anton Pittner (P216, 217)**
Anton Pittner (authorization: 1842, master's title: 1850) is entered from 1843 to 1868 in the guild lists. 1868, registration of the company "Anton Pittner's Nachfolger" in the register for single firms (owner: Victor Conradi, goldsmith in Vienna), 1875 bankruptcy proceedings, 1876 suspension, 1898 end of trade and dissolution.
*(HG E 11/45)*

P217 Anton Pittner
B 1842, M 1850
Taf. VII-2-38

P218 Anton Reichhalter
GV 1851
Taf. VII-4-33

P219 August Renner
B 1823
Taf. VI-1-23

P220 Anton Rettger
B 1860
Taf. VIII-1-40

P221 Anton Rossi
G 1807
Taf. III-2-36a

P222 Anton Rossi
G 1807
Taf. III-2-36b

P223 August Reineck
M 1837
Taf. IV-3-22

P224 Anton Reinhart
B 1860
Taf. VIII-1-46

P225 Anton Ramsberger
G 1863
Taf. VIII-2-21

P226 Andreas Renner
G 1792
Taf. II-4-38a

P227 Punze / mark A. R.
1810 (= 1810-1812)
Budapest, IM 53.4148

P228 Anton Roth
M 1856
Taf. VII-4-27

P229 Anton Rossi
G 1807
Taf. III-2-38

P230 Alois Riedlechner
G 1796
Taf. III-1-48

P231 Punze / mark A R
Taf. I-3-60c

P232 Andreas Renner
G 1792
Taf. II-4-38d

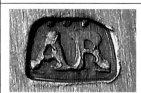

P233 Andreas Renner
G 1792
Taf. II-4-38c

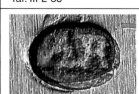

P234 Andreas Renner (?)
G 1792
Taf. II-4-39

P235 Alois Ruttensteiner
B 1842
Taf. VI-7-34

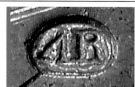

P236 Anton Radici
G 1813
Taf. III-3-25a

P237 Anton Rechinger
G 1789
Taf. I-4-13

P238 Anton Rechinger
G 1789
Taf. II-3-28

**Anmerkung zu Punze AR von Anton Rechinger (P237-240)**

Die Initialen AR in einem unregelmäßigen Oval bilden die Punze von Anton Rechinger (1789 Aufnahme ins Gremium, in den Innungslisten 1801-1812 verzeichnet, gest. 1812; Steuerleistungen 1790-1812 nachweisbar: 1810 mit 43 fl. die höchste Steuerleistung). Auf der Tafel I ist die Punze noch in relativ gutem Zustand (P237); die später eingeschlagene Punze zeigt oben eine Einbuchtung in der Kontur (P238), die auf den Punzen der 1791 datierten Objekte ebenfalls deutlich sichtbar ist (P239, 240).
Seine Witwe Anna ist 1813 und 1814 in den Innungslisten nachweisbar; sie hat die Punze wohl übernommen.

P239 Anton Rechinger
1791
Brünn, MG 18630/5

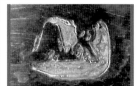

P240 Anton Rechinger
1791
Brünn, MG 18630/b

**Remarks on the mark AR of Anton Rechinger (P237-240)**

The mark of Anton Rechinger (guild entry: 1789, entered in the guild lists from 1801-1812, died in 1812, tax documented 1790-1812: 1810 highest payment 43 Guilders) is formed by the initials AR in an irregular oval. On marks tablet I the mark is preserved in a relatively good condition (P237).
The dent on top of the contour of a later mark (P238) is also clearly to be seen on marks of objects dated 1791 (P239, 240).
His widow Anna is found in 1813 and 1814 in the guild lists; she probably used the same mark.

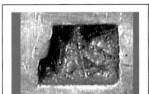

**P241** August Steinbühler
M 1838
Taf. IV-3-41

**P242** Andreas Schliess-
mann(?), B 1811
Taf. VI-1-29

**P243** Andreas Schliess-
mann(?), B 1811
Taf. VI-2-39b

**P244** Andreas Schliess-
mann(?), B 1811
Taf. VI-2-39c

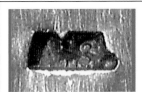

**P245** Alexander Schenk
M 1852
Taf. VII-2-17

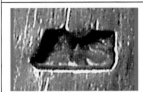

**P246** Adalbert Skribetzky
M 1857
Taf. VIII-1-22a

**P247** Anton Stagler
M 1826
Taf. IV-1-40

**P248** Anton Scholz
M 1856
Taf. VII-4-20

**P249** Alois Schön
M 1858
Taf. VIII-1-1a

**P250** August Surland
G 1813
Taf. III-3-34

**P251** (Johann) Andreas
Schill, G 1816
Taf. III-4-1a

**P252** (Johann) Andreas
Schill, G 1816
Taf. III-4-1b

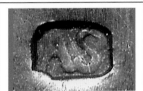

**P253** Andreas Schmid
G 1792
Taf. II-4-5

**P254** August Schuhmacher
M 1858
Taf. VII-5-41

## Anmerkung zur Punze AS von Alexander Schoeller (P255, 256)

Die Initialen AS sowie BMF (S. 251, P2520-2524) wurden für Alexander Schoeller in die Punzentafel VI eingeschlagen (AS = Alexander Schoeller, BMF = Berndorfer Metallwarenfabrik).

Firmengeschichte:

1843 Gründung der „Berndorfer Metallwarenfabrik A. Schoeller" (Gründungsvertrag zwischen Alexander Schoeller aus Wien und der Firma Friedrich Krupp aus Essen).
Die Produktion umfaßte anfangs neben Erzeugnissen aus Alpaka und Packfong auch Bestecke aus Silber.

1844 Errichtung einer Niederlage in Wien, Wollzeile.

1849 Gesellschaftsvertrag zwischen Hermann Krupp und der Firma Alexander Schoeller.

1855 Offene Gesellschaft (Alexander und Paul Schöller); Firmierung: „K. K. Berndorfer und Triestinghofer Metallwaarenfabrik Alex. Schoeller".

1858 Errichtung einer Niederlage in Wien (am Graben).

1863 Eintragung ins Register für Gesellschaftsfirmen.

1868 Änderung des Firmennamens in „Berndorfer Metallwaarenfabrik Schoeller & Co, Wien".

1873 Auflösung der Werkstätte in Wien.

1879 Eintragung im Handelsregister Wien (Zweigniederlassungen in Berndorf sowie Triestinghof).

1886 Tod von Alexander Schoeller.

1888 Zweigniederlassung in Traisen.

1890 Eintragung des Firmenwortlautes „Berndorfer Metallwaarenfabrik, A. Krupp".

*(HG Ges 2/328, Ges 23/232, Ges 36/68, E 25/113, E 29/157, E 36/148, E 41/33, B 6/62, B 4313, B 12855)*
*(Ingrid Haslinger, Tafelkultur Marke Berndorf, Wien 1998; Waltraud Neuwirth, Blühender Jugendstil II, Wien 1991, S. 147-222; dort weitere Firmen- und Markengeschichte der Berndorfer Metallwarenfabrik)*

**P255** Alexander Schoeller
(Berndorfer Metallwaren-
fabrik, 1843)
Taf. VI-8-18c

**P256** Alexander Schoeller
(Berndorfer Metallwaren-
fabrik, 1843)
Taf. VI-8-18d

## Remarks on the mark AS of Alexander Schoeller (P255, 256)

On marks tablet VI the initials AS and BMF (p. 251, P2520-2524) were embossed for Alexander Schoeller (AS = Alexander Schoeller, BMF = Berndorfer Metallwarenfabrik = Berndorf metal wares factory).

Company history:

1843 foundation of the "Berndorfer Metallwarenfabrik A. Schoeller" (foundation contract between Alexander Schoeller from Vienna and the company Friedrich Krupp from Essen).
At the beginning the production included objects made of alpaca and packfong as well as silver cutlery.

1844 foundation of a subsidiary branch in Vienna, Wollzeile.

1849 company contract between Hermann Krupp and the company Alexander Schoeller.

1855 general partnership (Alexander und Paul Schöller); company name "K. K. Berndorfer und Triestinghofer Metallwaarenfabrik Alex. Schoeller".

1858 foundation of a subsidiary branch in Vienna (Graben).

1863 entry in the register of partnership companies.

1868 alteration of the company name into "Berndorfer Metallwaarenfabrik Schoeller & Co, Wien".

1873 dissolution of the Viennese workshop.

1879 entry in the Register of Commerce in Vienna (subsidiary branches in Berndorf and Triestinghof).

1886 death of Alexander Schoeller.

1888 subsidiary branch in Traisen.

1890 entry of the company name "Berndorfer Metallwaarenfabrik, A. Krupp".

*(HG Ges 2/328, Ges 23/232, Ges 36/68, E 25/113, E 29/157, E 36/148, E 41/33, B 6/62, B 4313, B 12855)*
*(Ingrid Haslinger, Tafelkultur Marke Berndorf, Wien 1998; Waltraud Neuwirth, Blühender Jugendstil II, Wien 1991, pp. 147-222; there further information on the company and mark history of the Berndorf metal wares factory)*

| | | | | |
|---|---|---|---|---|
|  |  |  |  | |
| P257 Anton Saget (Sargé) B 1819 Taf. VI-2-25a | P258 Anton Saget (Sargé) 1821 Wien, Dorotheum 1926/62 | P259 Anton Schwenk B 1788, G 1792 Taf. II-4-29 | P260 Alois Schön M 1858 Taf. VIII-1-1b | |

| | | | | |
|---|---|---|---|---|
| 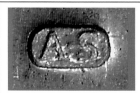 | 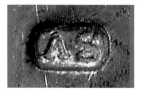 |  |  |  |
| P261 Anton Schmit (Schnit) G 1811 Taf. III-3-8a | P262 Anton Schmit (Schnit) G 1811 Taf. III-3-8b | P263 Adolf Schwester M 1856 Taf. VII-4-23 | P264 Adalbert Skribetzky M 1857 Taf. VIII-1-22b | P265 Andreas Schütz E 1866 Taf. VIII-4-51 |

### Anmerkung zur Punze AS von Anton Schneider (P266-272)

Von der Punze AS des Anton Schneider (geb. um 1736, gest. 1814, 1760 Aufnahme ins Gremium; in Adreßbüchern und Innungslisten von 1766 bis 1814 genannt) haben sich zwei Varianten auf den Punzentafeln I und II sowie einige Beispiele auf Objekten erhalten.

Daraus läßt sich gut die Veränderung der Form ablesen: Die Ecken der ältesten Punze von Tafel I (P266) sind bei der späteren Punze von 1782 (P268, 269) abgerundet (dieselbe Punze in zwei verschiedenen Beleuchtungseinstellungen fotografiert).

Vereinfacht erscheinen die Bögen der Umrahmung bei den Punzen der Tafel II (P267) und bei zwei 1810 (= 1810-1812) datierten Beispielen (P271, 272). Vor allem die Beschädigung der Punzenform über dem S ist deutlich erkennbar. Die Höhe der Steuerbemessung für Anton Schneider (20 Gulden jährlich über einen größeren Zeitraum) weist auf einen florierenden Betrieb.

P266 Anton Schneider
G 1760
Taf. I-1-46

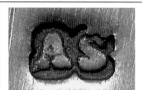

P267 Anton Schneider
G 1760
Taf. II-1-19

### Remarks on the mark of Anton Schneider (P266-272)

Two variations on marks tablets I and II and some examples on objects document the mark AS of Anton Schneider (born about 1736, died in 1814, 1760 guild entry; found in address books and guild lists from 1766 to 1814).

The changes of shape are well documented: the corners of the earlier mark on tablet I (P266) are rounded in the later mark of 1782 (P268, 269). This mark was photographed twice under different lighting.

The frame of the marks of tablet II (P267) and two examples of 1810 (= 1810-1812) have simplified curves. Especially the damage of the form on top of the S is clearly visible (P271, 272).

The high tax evaluation for Anton Schneider (annually 20 Guilders for quite a long time) indicates a flourishing business.

| | | | | |
|---|---|---|---|---|
|  | 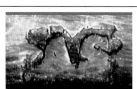 | 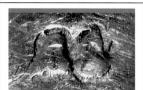 | 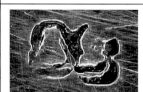 | 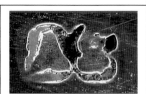 |
| P268 Anton Schneider 1782 Wien, Dorotheum 1859/34 | P269 Anton Schneider 1782 Wien, Dorotheum 1859/34 | P270 Anton Schneider (?) 1803 Wien, S. Reisch | P271 Anton Schneider 1810 (= 1810-1812) Privatbesitz (EJ) | P272 Anton Schneider 1810 (= 1810-1812) Privatbesitz (EJ) |

| | | | | |
|---|---|---|---|---|
|  |  |  |  |  |
| P273 Anton Strauch M 1838 Taf. IV-4-5 | P274 Anton Saget (Sargé) B 1819 Taf. VI-2-25b | P275 Anton Stadler B 1824, M 1839 Taf. IV-4-1 | P276 Anton Stadler B 1824, M 1839 Taf. VI-3-32 | P277 Alois Turinsky B 1860 Taf. VIII-1-33 |

| | | | | |
|---|---|---|---|---|
|  |  |  |  | 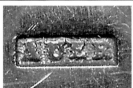 |
| P278 Anton Todt B 1847 Taf. VI-7-1 | P279 Anton Todt 1850 Wien, Dorotheum 1962/119 | P280 Anton Todt 1850 Wien, Dorotheum 1962/119 | P281 Anton Truxa G 1863 Taf. VIII-3-14 | P282 Josef Auer B 1811 Taf. VI-1-6a |

P283  Anton Winkler
B 1862
Taf. VIII-2-2

**Anmerkungen zur Punze AW im Rechteck (P284-297)**

Die Punze AW im Rechteck (auf Objekten) kann man oft nur dann einem bestimmten Silberschmied zuordnen, wenn die Initialen von einem oder zwei Punkten begleitet werden. Ansonsten geben zwar die Befugnisverleihungen einen Anhaltspunkt, doch bleiben manche Punzen (P289-293) immer noch rätselhaft, vor allem bei stark beschädigter Kontur. Hier sei nochmals darauf hingewiesen, daß nicht alle Punzen von Befugten auf Punzentafeln erhalten sind.

**Remarks on the mark AW in a rectangle (P284-297)**

The mark AW in a rectangle (on objects ) can only be attributed to a certain silversmith if the initials of a mark are accompanied by one or two dots. Otherwise the authorization dates may help, but nevertheless some marks (P289-293) remain a riddle, especially if the contour is badly damaged.
It seems important to underline once more that the marks of authorized persons on the marks tablets are far from being complete.

P284  Andreas Weichesmüller, B 1832
Taf. VI-5-15a

P285  Andreas Weichesmüller, B 1832
Taf. VI-5-15b

P286  Andreas Weichesmüller, B 1832
Taf. VI-5-15c

P287  Andreas Weichesmüller, 1832
Wien, Dorotheum 1926/32

P288  Adolf Weiss
M 1856
Taf. VII-3-42

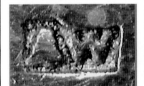

P289  Punze / mark AW
1831
Privatbesitz (EJ)

P290  Punze / mark AW
1838
Privatbesitz (SCH)

P291  Punze / mark AW
183?
Budapest, IM 53.1411.1

P292  Punze / mark AW
1838
Budapest, IM 59.274

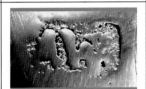

P293  Punze / mark AW
18??
Budapest, IM 52.3529.1

P294  Anton Wayand
B 1839
Taf. IV-5-24

P295  Anton Wayand
B 1839
Taf. VI-6-42a

P296  Anton Wayand
B 1839
Taf. VI-6-42b

**Anmerkungen zur Punze AW von Anton Wayand (P294-296)**

Anton Wayand (Befugnis: 1839, Anheimsagung 1854; gest. 1854) ist in den Innungslisten von 1840 bis 1850 genannt, 1848-1850 Zusatz: abgereist, bzw. „befindet sich in Graz".

**Remarks on the mark AW of Anton Wayand (P294-296)**

Anton Wayand (authorization: 1839, end of trade: 1854, died 1854) is found in the guild lists from 1840 to 1850. 1848-1850 we find the addition: "departed," and "stays in Graz".

**Anmerkungen zur Punze AW von Anton Weidlein (P297)**

Diese Punze kann vermutlich Anton Weidlein zugeschrieben werden, dessen Gewerbsansuchen aus dem Jahre 1868 genannt wird (Rubrik „Gürtler").

*(HR 795/1868, fol. 143)*

P297  Anton Weidlein
GA 1868
Taf. VIII-5-6

**Remarks on the mark AW of Anton Weidlein (P297)**

This mark probably can attributed to Anton Weidlein, whose application of trade is mentioned in 1868 (column "Gürtler").

*(HR 795/1868, fol. 143)*

P298  Anton Wessely
B 1790, G 1792
Taf. II-4-42a

P299  Anton Wessely
B 1790, G 1792
Taf. II-4-42b

P300  Adolf Weiss
M 1856
Taf. VIII-5-5a

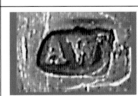

P301  Adolf Weiss
M 1856
Taf. VIII-5-5b

P302  Anton Wolfsberger
M 1837
Taf. IV-3-33

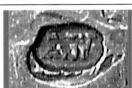

P303  Adolf Weiss
M 1856
Taf. VIII-5-5c

P304  Albert Wontrich
B 1836
Taf. VI-6-18

P305 Alois Würth
G 1804
Taf. III-2-23a

P306 Alois Würth
G 1804
Taf. III-2-23b

P307 Alois Würth
1804
Budapest, NM 54.190

**Anmerkungen zur Punze AW von Alois Würth (P305-325)**

Von Alois Würth sind zahlreiche Punzen mit den übereinan-derstehenden Buchstaben AW erhalten: außer den beiden Punzen auf der Tafel III (P305, 306), sind auch Punzen auf Objekten in Brünn, Budapest und Wien sowie im Kunsthan-del überliefert (P307-325).

Alois Würth (geb. 1771, gest. 1831), erhielt 1804 das Mei-sterrecht und wurde im selben Jahr ins Gremium aufgenom-men (1805-1831 in den Innungslisten genannt).

Seine Witwe Emanuela führte den Betrieb nach seinem Tod weiter (1832 unter derselben Adresse genannt, im selben Jahr Anheimsagung des Gewerbes, 1835 verstorben).

*(HR 412/1832)*

P308 Alois Würth
1806
Brünn, MG 18620/a

P309 Alois Würth
1806
Brünn, MG 18620/a

P310 Alois Würth
1806
Brünn, MG 18620/a

P311 Alois Würth
1806
Brünn, MG 18620/b

P312 Alois Würth
1806
Brünn, MG 18620/b

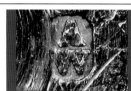
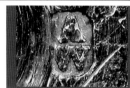

P313 Alois Würth
1806
Brünn, MG 18620/b

**Remarks on the mark AW of Alois Würth (P305-325)**

Many marks of Alois Würth with the superimposed letters AW are preserved. Besides the two marks on plate III (P305, 306) we know marks on objects in Brno, Budapest and Vienna and the art trade (P307-325).

Alois Würth (born 1771, died in 1831, master's title: 1804, guild entry the same year) is found from 1805-1831 in the guild lists.

His widow Emanuela continued the business after his death (1832 at the same address, end of trade also in 1832, died in 1835).

*(HR 412/1832)*

P314 Alois Würth
1806
Brünn, MG 18620/c

P315 Alois Würth
1806
Brünn, MG 18620/c

P316 Alois Würth
1806
Brünn, MG 18620/c

P317 Alois Würth
1807 (= 1807-1809)
Budapest, IM 19.574

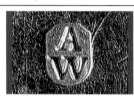

P318 Alois Würth
1807 (= 1807-1809)
Budapest, IM 61.560

P319 Alois Würth
1807 (= 1807-1809)
Wien, Dorotheum 1909/76

P320 Alois Würth
1807 (= 1807-1809)
Wien, Dorotheum 1926/33

P321 Alois Würth
1815
Wien, Dorotheum 1892/68

P322 Alois Würth
1817
Wien, HM 71.0901

P323 Alois Würth
1818
Wien, WKA 28/660

P324 Alois Würth
1821
Wien, Dorotheum 1962/80

P325 Alois Würth
182?
Wien, Dorotheum 1962/81

P326 Punze / mark AWS
1804
Budapest, IM E-60.223

**Anmerkung zur Punze AWS (P326)**

Die charakteristische Punzenform mit dem S nach den Initia-len AW des Silberschmieds deutet auf die Punze eines Schwertfegers, der bislang noch nicht identifiziert werden konnte.

**Remarks on the mark AWS (P326)**

The typical shape of the mark with a S after the initials AW of the silversmith indicates that this is the mark of a hilt maker. He has not yet been identified.

P327 August Ziegenhorn
G 1820
Taf. III-4-34

P328 Alois Zitterhofer
M 1827
Taf. IV-1-43

P329 August Bremer
B 1822
Taf. VI-3-23

P330 Paul Atz
G 1799
Taf. III-1-30

### Anmerkung zur Punze BA von Paul Atz (P330)

Für Paul Atz ist eine Punze (P 330) überliefert, die das P des Vornamens durch ein B ersetzt. Wir kennen zwei Silberschmiede dieses Namens.
Der eine Paul Atz wurde 1799 ins Gremium aufgenommen (ihm dürfte die Punze zuzuordnen sein), der andere erhielt sein Befugnis im Jahre 1788 und wurde 1792 ins Gremium aufgenommen.

P331 Bernhard Berolja
M 1845
Taf. IV-5-5

P332 Benjamin Bernstein
M 1859
Taf. VIII-1-12

P333 Benjamin Bernstein
M 1859
Taf. VIII-3-11

### Remarks on the mark BA of Paul Atz (P330)

In the mark of Paul Atz (P330) we find the P of the first name replaced by a B. We know two silversmiths by this name.
One Paul Atz entered the guild in 1799 (the mark P330 probably can be attributed to him).
The other Paul Atz (authorization: 1788) entered the guild in 1792.

P334 Bernhard Cavalli
B 1823
Taf. VI-1-2

P335 Bernhard Dohnal
GV 1850
Taf. VII-1-34

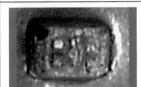

P336 Balthasar v. Fabricius
M 1850
Taf. IV-5-46

### Anmerkung zur Punze B & F von Bolzani & Füssl (P337, 338)

Von Johann Bolzany (Befugnis: 1837) hatte Heinrich Bolzany (Lehner-Bolzany) den Betrieb übernommen. Heinrich Bolzany erhielt seine Befugnis 1847 und das Meisterrecht 1850; seine Namenspunze bestand aus seinen Initialen HB (S. 170, P1053, 1054). Für Bolzani & Füssl wurden zwei Punzen B & F (P337, 338) sowie zwei Bildpunzen (die sich vermutlich auf den Schwerpunkt der Goldkettenerzeugung beziehen) in die Tafeln eingeschlagen (S. 272, P2762, 2763).
Auf späteren Punzentafeln kommt die Punze B & F ebenfalls vor (B-I-1-7), ferner die Punze B & C (B-V-2-11), die sich auf Bolzani & Co. bezieht.

Firmengeschichte:

1851 wurde die Firma „**Heinrich Bolzani**" protokolliert.

1852 wurde zwischen ihm und Georg Füssl (Meisterrecht 1855) eine „öffentl. Gesellschaft" unter dem Namen „Bolzani & Cie" errichtet und protokolliert (bei gleichzeitiger Löschung der Firma „Heinrich Bolzani").

1857 Errichtung einer öffentlichen Gesellschaft zwischen der Firma Bolzani & Cie (Georg Füssl und Heinrich Bolzani) sowie Josef Heinrich; Auflösung im Jahre 1860.

1863 Übertragung der 1852 gegründeten Firma „**Bolzani & Cie**" vom Merkantilprotokoll ins Handelsregister (Gesellschaftsfirmen; öffentliche Gesellschafter: Heinrich Lehner Bolzani und Georg Füssl).

1866 Eintragung der Firma „**Bolzani & Füssl**".

1878 Löschung des Heinrich Lehner Bolzani (gest. 1878), die Witwe Amalie Lehner Bolzani wird „offene Gesellschafterin"; alleiniges Vertretungsrecht des offenen Gesellschafters Georg Füssl.

1889 Eintragung der Prokura des Rudolf Füssl.

1894 Eintragung der Prokura des Heinrich Bolzani.

1896 Löschung der Firma, 1895 Eintragung der Gesellschaftsfirma Bolzani & Co.

*(MerkG Prot. Bd 8, L 12; HG Ges 2/22; HG Ges 43/156)*

P337 Bolzani & Füssl
pFa (OHG) 1852
Taf. VIII-3-12c

P338 Bolzani & Füssl
pFa (OHG) 1852
Taf. VIII-3-12d

### Remarks on the mark B & F of Bolzani & Füssl (P337, 338)

Heinrich Bolzany (Lehner-Bolzany) took over the business of Johann Bolzany (authorization: 1837).

The mark of Heinrich Bolzany (authorization: 1847, master's title: 1850) consisted of his initials HB (P1053, 1054, p. 170).
On the marks tablet two marks B & F were embossed for Bolzani & Füssl (P337, 338) as well as two marks with symbols probably corresponding to the company's main production of golden bracelets (p. 272, P2762, 2763).

The mark B & F is also found on later marks tablets (B-I-1-7), also the mark B & C (B-V-2-11) standing for Bolzani & Co.

Company history:

1851 registration of the company "**Heinrich Bolzani**"

1852 foundation and registration of the general partnership "Bolzani & Cie." between Bolzani and Georg Füssl (maker's mark: 1855); at the same time dissolution of the company "Heinrich Bolzani".

1857 foundation of a general partnership between the company Bolzani & Cie (Georg Füssl and Heinrich Bolzani) and Josef Heinrich; dissolution in 1860.

1863 transfer of the company founded in 1852, "**Bolzani & Cie**" from the Mercantile Protocol into the Register of Commerce (partnership companies; partners: Heinrich Lehner Bolzani and Georg Füssl).

1866 entry of the company "**Bolzani & Füssl**".

1878 dissolution of Heinrich Lehner Bolzani (died in 1878), the widow Lehner Bolzani becomes a partner; only the partner Georg Füssl represents the company.

1889 entry of the power of attorney for Rudolf Füssl.

1894 entry of the power of attorney for Heinrich Bolzani.

1896 dissolution of the company, 1895 entry of the partnership company Bolzani & Co.

*(MerkG Prot. Bd 8, L 12; HG Ges 2/22; HG Ges 43/156)*

### Anmerkung zur Punze BG von Berthold Gelder (P339-346)

Berthold Gelder, „Galanterie-Waaren-Fabrikant von Gold und Silber", wurde um 1765 geboren und starb 1836.
1811 erhielt er die Befugnis, 1816 das Meisterrecht; in Adreßbüchern und Innungslisten ist er von 1812 bis 1834 genannt (Anheimsagung ebenfalls 1834).
Sein Sohn Ludwig Gelder (S. 209, P1830) erhielt 1821 das Meisterrecht.
Punzen Berthold Gelders konnten bis 1819 auf Objekten gefunden werden; sie zeigen die Buchstaben BG im charakteristischen Herzschild.

### Remarks on the mark BG of Berthold Gelder (P339-346)

Berthold Gelder, fancy wares manufacturer of gold and silver was born about 1765 and died in 1836.
1811 he got his authorization, 1816 the master's title; from 1812 to 1834 he is found in address books and guild lists (end of trade also in 1834).
His son Ludwig Gelder (p. 209, P1830) got the master's title in 1821.
Berthold Gelder's marks are documented on objects until 1819; they show the initials BG in a typical heart shaped shield.

P339 Berthold Gelder
B 1811, G 1816
Taf. III-4-6a

P340 Berthold Gelder
B 1811, G 1816
Taf. III-4-6b

P341 Berthold Gelder
181?
Budapest, IM 53.4136

### Remarks on the mark BNR of Benedikt Nikolaus Ranninger (p. 133, P360-387; p. 134, P393-398)

Objects of Benedikt Nikolaus Ranninger can be identified by different types of marks: one mark consisting of the two initials (BR, p. 134, P393-398) another of three initials (BNR). A double eagle mark with the letters BNR WR obviously documents the co-operation with his nephew Wulf Heinrich Ranninger (p. 242, P2447).

Benedikt Nikolaus Ranninger was a fancy goods manufacturer of gold and silver and got his authorization in 1814. He is entered in address books and guild lists from 1814 to 1845 (end of trade 1845)
Numerous surviving objects are the evidence of an extensive production and of a considerable quantity of marks obviously renewed quite often.

I discovered the mark BR (P393) on objects bearing the Viennese mark of 1815 and 1816 (P395-398).

The BNR in an upright oval (P363, 364) apparently was the earlier mark of this type (documented 1816-1832, P366-386). A mark of 1833 shows a lower oval frame (P361); the horizontal oval BNR mark (P360) and a nearly circular oval mark (P362) cannot be dated precisely.
A typically damaged shape characterizes the marks of 1818 and 1819 (P368-371) where the contour next to the N is affected.
From the middle of the 1920s the upright oval of the mark (P378 ff.) becomes slightly wider than the frame of the earlier mark.

P342 Berthold Gelder
1813
Wien, S. Reisch

P343 Berthold Gelder
1819
Privatbesitz (EJ)

P344 Berthold Gelder
1819
Privatbesitz (EJ)

P345 Berthold Gelder
1819
Wien, WKA, 21/327

P346 Berthold Gelder
1819
Wien, Dorotheum 1909/75

P347 Bartholomäus Huber
B 1811
Taf. VI-8-28

P348 Punze / mark BH
17?8
Wien, S. Reisch

P349 Punze / mark BH
181?
Budapest, IM 56.1393.1

P350 Punze / mark BH
1816
Brünn, MG 21982

P351 Johann Bulling
FB 1806
Taf. VI-3-14a

P352 Johann Bulling
FB 1806
Taf. VI-3-14b

P353 Balthasar Kühn
M 1825
Taf. IV-1-33a

P354 Balthasar Kühn
M 1825
Taf. IV-1-33b

P355 Balthasar Kühn
M 1825
Taf. IV-1-33c

P356 Leopold Blum
M 1837
Taf. IV-3-37

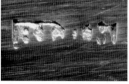

P357 Leopold Blum
18??
Wien, DM L-173

P358 Bartholomäus Mayer
B 1814
Taf. VI-3-19

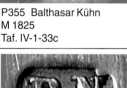

P359 Bernhard Netz
M 1852
Taf. VII-1-42

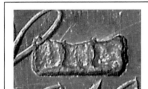

P360  B. N. Ranninger
B 1814
Taf. VI-1-25c

P361  B. N. Ranninger
1833
Wien, Dorotheum 1826/84

P362  B. N. Ranninger
B 1814
Taf. VI-1-25e

**Anmerkungen zur Punze BNR von Benedikt Nikolaus Ranninger (S. 133, P360-387; S. 134, P393-398)**

Mehrere Punzentypen kennzeichnen die Objekte von Benedikt Nikolaus Ranninger: die Punze mit zwei Initialen (BR, S. 134, P393-398) sowie drei Initialen (BNR), und eine Punze, die er mit seinem Neffen Wulf Heinrich Ranninger (Doppeladler) führte (S. 242, P2447).

Benedikt Nikolaus Ranninger war Galanterie-Waaren-Fabrikant von Gold und Silber und erhielt 1814 seine Befugnis. Von 1814 bis 1845 ist er in den Adreßbüchern bzw. Innungslisten verzeichnet. 1845 erfolgte die Anheimsagung.

Die Zahl der erhaltenen Objekte läßt auf eine umfangreiche Produktion schließen, ebenso die Punzen, die offenbar in schneller Folge ersetzt werden mußten.

Die Punze **BR** (P393) konnte ich auf Objekten mit der Wiener Punze von 1815 und 1816 finden (P395-398).

Das **BNR im Hochoval** (P363, 364) war offensichtlich die ältere Punze dieses Typs (ab 1816 bis 1832 nachweisbar, P366-386); 1833 gibt es eine Punze im niedrigen Queroval (P361); die querformatige BNR-Punze (P360) kann ebensowenig genau datiert werden wie die nahezu kreisförmige ovale Punze (P362).

Die Punzen von 1818 und 1819 (P368-371) zeigen eine charakteristische Beschädigung der Form, wobei die Kontur neben dem N beeinträchtigt ist.

Etwa ab Mitte der zwanziger Jahre ist das Hochoval etwas breiter (P378 ff.) als bei der älteren Punze.

P363  B. N. Ranninger
B 1814
Taf. VI-1-25b

P364  B. N. Ranninger
B 1814
Taf. VI-1-25f

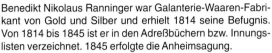

P365  B. N. Ranninger
18??
Privatbesitz (EJ)

P366  B. N. Ranninger
1816
Wien, Dorotheum 1826/55

P367  B. N. Ranninger
1817
Privatbesitz (EJ)

P368  B. N. Ranninger
1818
Wien, Dorotheum 1909/73

P369  B. N. Ranninger
1818
Wien, Dorotheum 1926/50

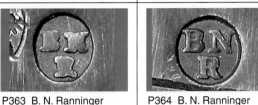

P370  B. N. Ranninger
1819
Privatbesitz (EJ)

P371  B. N. Ranninger
1819
Privatbesitz (EJ)

P372  B. N. Ranninger
1819
Wien, Dorotheum 1944/48

P373  B. N. Ranninger
1821?
Budapest, IM 54.730

P374  B. N. Ranninger
1821
Wien, Dorotheum 1859/110

P375  B. N. Ranninger
1821
Wien, Dorotheum 1962/60

P376  B. N. Ranninger
1824
Privatbesitz (EJ)

P377  B. N. Ranninger
1827
Budapest, IM 50.4248

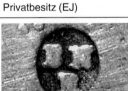

P378  B. N. Ranninger
1827
Budapest, IM 59.79

P379  B. N. Ranninger
1827
Wien, S. Reisch

P380  B. N. Ranninger
1827
Privatbesitz (EJ)

P381  B. N. Ranninger
1830
Wien, HM 74803/1

P382  B. N. Ranninger
1830
Budapest, IM 57.32

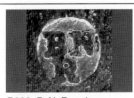

P383  B. N. Ranninger
1831
Privatbesitz (EJ)

P384  B. N. Ranninger
1831
Budapest, IM 57.499

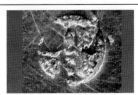

P385  B. N. Ranninger
1831
Privatbesitz (EJ)

P386  B. N. Ranninger
1832
Wien, Dorotheum 1826/87

P387  B. N. Ranninger
18??
Budapest, NM 1954.189

**P388** Carl Albrecht Böck
G 1798
Taf. III-1-20a

**P389** Carl Albrecht Böck
G 1798
Taf. III-1-20b

**P390** Gustav Adolf Beck
M 1856
Taf. VII-4-24

**P391** Carl Robitsek (?)
GV 1866
Taf. VIII-2-27

**P392** Bernhard Richter
B 1820
Taf. VI-3-29

**P393** B. N. Ranninger
B 1814
Taf. VI-1-25d

**P394** B. N. Ranninger
18??
Wien, Dorotheum 1909/134

**P395** B. N. Ranninger
1815
Privatbesitz (EJ)

**P396** B. N. Ranninger
1815
Privatbesitz (EJ)

**P397** B. N. Ranninger
1815
Wien, S. Reisch

**P398** B. N. Ranninger
1816
Privatbesitz (EJ)

**P399** Punze / mark Bv.I (L?)
18??
Wien, Dorotheum 1944/102

**P400** Carl Abele
B 1850
Taf. VII-1-27a

**P401** Carl Abele
B 1850
Taf. VII-1-27b

**P402** Carl Altgrübl
M 1852
Taf. VII-2-25

### Anmerkung zur Punze CARL WAGNER von Carl Wagner (P403)

Carl Wagner war Uhrgehäusemacher und ist von 1865 bis 1892 in den Innungslisten vertreten.
1852 hatte er bereits um das Gewerbe und 1858 um das Bürgerrecht angesucht.

*(HR 505(605)/1852; HR 568(668)/1858)*

**P403** Carl Wagner
GA / St 1852
Taf. VII-1-44

### Remarks on the mark CARL WAGNER of Carl Wagner (P403)

Carl Wagner was a watch case maker and is entered in the guild lists from 1865 to 1892. Already in 1852 he applied for the trade and in 1858 for the citizenship.

*(HR 505(605)/1852; HR 568(668)/1858)*

### Anmerkung zur Punze CB von Conrad Böhringer (P404)

Conrad Böhringer erhielt 1850 das Meisterrecht; er ist von 1851-1885 in den Innungslisten genannt (gest. 1882!).
1863 Eintragung ins Register der „Einzelnfirmen" (Firma „Conrad Böhringer", Inh.: Konrad Böhringer, Goldarbeiter in Wien); 1880 Prokurist Alfred Böhringer; 1882 über Ableben des Firmeninhabers Konrad Böhringer wird die Firma von Alfred Böhringer weitergeführt; 1889 Firmenlöschung.

*(HG E 5/176)*

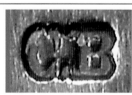

**P404** Conrad Böhringer
M 1850
Taf. VII-1-16

### Remarks on the mark CB of Conrad Böhringer (P404)

Conrad Böhringer (master's title: 1850) is entered in the guild lists from 1851-1885 (died in 1882!). 1863, entry in the register of single firms (company name "Conrad Böhringer," owner: Konrad Böhringer, goldsmith in Vienna); 1880, power of attorney for Alfred Böhringer. 1882, continuation of the company by Alfred Böhringer due to the death of the owner Konrad Böhringer; 1889, dissolution of the company.

*(HG E 5/176)*

**P405** C. (Alois C.?) Bögler
GV 1840?
Taf. VI-7-8a

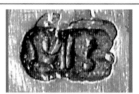

**P406** C. (Alois C.?) Bögler
GV 1840?
Taf. VI-7-8b

**P407** Carl Brandl
B 1821
Taf. VI-2-17

**P408** Punze / mark CB
1814
Budapest, IM 63.570

**P409** Carl Baumeister
GV 1857
Taf. VII-5-2

## Anmerkung zur Punze CB von Carl Blasius (P410-425)

Carl Blasius (geb. um 1771, gest. 1834) erhielt 1804 das Meisterrecht und ist bis 1834 in den Innungslisten genannt; 1842 erfolgte die Anheimsagung des Betriebes, der nach seinem Tod von der Witwe Josepha Blasius – sicher mit derselben Punze – weitergeführt wurde (sie ist von 1835 bis 1842 in den Innungslisten genannt).
Punzen mit den Initialen CB sind von Carl Blasius in großer Zahl bis 1821 überliefert.

P410  Carl Blasius
G 1804
Taf. III-2-28

## Remarks on the mark CB of Carl Blasius (P410-425)

Carl Blasius (born about 1771, died in 1834; master's title: 1804) is found in the guild lists until 1834; 1842, end of trade, continuation of the business after the death of Blasius by the widow Josepha Blasius certainly using the same mark (she is entered vom 1835 to 1842 in the guild lists).
Marks with the initials CB of Carl Blasius are documented in considerable quantities till 1821.

P411  Carl Blasius
1803
Budapest, IM 64.219

P412  Carl Blasius
1804
Budapest, IM 53.2489

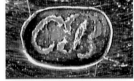

P413  Carl Blasius
1807 (= 1807-1809)
Privatbesitz (EJ)

P414  Carl Blasius
1807 (= 1807-1809)
Privatbesitz (EJ)

P415  Carl Blasius
1807 (= 1807-1809)
Wien, Dorotheum 1859/58

P416  Carl Blasius
1807 (= 1807-1809)
Wien, S. Reisch

P417  Carl Blasius
1813?
Budapest, NM 1954.177

P418  Carl Blasius
1817
Budapest, IM 64.204

P419  Carl Blasius
1817
Budapest, IM 64.204

P420  Carl Blasius
1819
Budapest, IM 69.459

P421  Carl Blasius
1821
Budapest, IM 67.813

P422  Carl Blasius
1821
Budapest, IM 67.817

P423  Carl Blasius
1821
Budapest, IM 67.818

P424  Carl Blasius
1821
Privatbesitz (EJ)

P425  Carl Blasius
1821
Privatbesitz (EJ)

P426 Carl Friedrich Bredow
M 1850
Taf. IV-5-45

P427  Caspar Böldl
B 1817
Taf. VI-1-37

P428  C. Bitterlich
unbekannt / unknown
Taf. VIII-3-40a

P429  C. Bitterlich
unbekannt / unknown
Taf. VIII-3-40b

P430  Christian Brebisius
GV vor 1807
Taf. VI-1-11

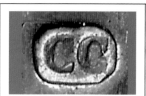

P431  Clement Christ
B 1812, M 1819
Taf. IV-1-25

P432  Carl Chalupetzky
G 1813
Taf. III-3-33a

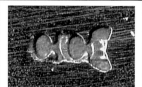

P433  Carl Chalupetzky
1815
Privatbesitz (HH)

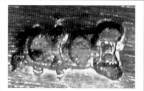

P434  Carl Chalupetzky
1816
Brünn, MG 10683

P435  Punze / mark CCM
18??
Budapest, IM 19.143

P436  Punze / mark CCP
Taf. I-3-60f

P437  Carl Friderici
B 1850
Taf. VII-1-23b

P438  Carl Leopold Fahn-
rich, B 1848
Taf. VII-3-31

P439  Christian Friedrich
Frenzel, M 1851
Taf. VII-1-30b

P440  Carl Fleckles
M 1856
Taf. VII-3-41

P441  Carl Franz Ficker
GV 1863
Taf. VIII-2-32

P442  Carl Friderici
B 1850
Taf. VII-1-23a

**Anmerkung zur Punze CG von Carl Godina (P443)**

Carl Godina erhielt 1831 das Meisterrecht und ist von 1832 bis 1846 in den Innungslisten genannt. 1847-1849 wurde sein Betrieb von Antonia Godina weitergeführt, 1849 Anheimsagung.

siehe Godina & Nemeczek, öffentliche Gesellschaft ab 1858 (S. 167, P1014): Ferdinand Godina und Johann Nemeczek.

P443  Carl Godina
M 1831
Taf. IV-2-22

**Remarks on the mark CG of Carl Godina (P443)**

Carl Godina (master's title: 1831) is found from 1832 to 1846 in the guild lists. His business was continued from 1847-1849 by Antonia Godina; 1849 end of trade.

see Godina & Nemeczek, general partnership from 1858 (p. 167, P1014): Ferdinand Godina and Johann Nemeczek.

P444  Carl Gioth
M 1855
Taf. VII-4-7b

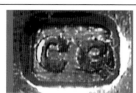

P445  Carl Gioth
M 1855
Taf. VII-4-7a

P446  Carl Gaul
M 1834
Taf. IV-3-5

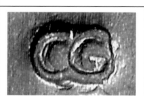

P447  Carl Gemeiner
G 1767
Taf. I-2-11

P448  Carl Gustav Schmidt
M 1826
Taf. IV-1-38

P449 Caspar Haas
G 1801
Taf. III-1-46b

P450 Christoph Hasen-
bauer, G 1802
Taf. III-2-7a

P451 Christoph Hasen-
bauer, G 1802
Taf. III-2-7c

P452 Carl Hentschel
GV 1865
Taf. VIII-4-50a

P453 Carl Hentschel
GV 1865
Taf. VIII-4-50b

P454 Carl Hauptmann
G 1784
Taf. I-3-46a

P455 Carl Hauptmann
G 1784
Taf. I-3-46b

P456 Carl Hauptmann
G 1784
Taf. II-2-43

P457 Carl Hauptmann
G 1802
Taf. III-2-3

P458 Christoph Hasen-
bauer, G 1802
Taf. III-2-7b

P459 Christian Herlingkofer
B 1823
Taf. VI-1-32a

P460 Christian Herlingkofer
B 1823
Taf. VI-1-32b

P461 Christian Herlingkofer
B 1823
Taf. VI-1-32c

P462 Christian (F.) Frenzel
M 1851
Taf. VII-1-30a

P463 Carl Jacoby
B 1831
Taf. VI-5-7

P464 Carl Jacoby
1838?
Wien, Dorotheum 1962/86

P465 Punze / mark CIKO
(CIRO?)
Taf. I-3-60d

P466 Punze / mark C I B
1777
Wien, Dorotheum 1874/27

**Anmerkungen zur Punze CIB (P466)**

Johann Christoph Biermann (= Beyermann) wird 1762-1775 mit einer Steuerleistung von 5-10 Gulden genannt. Beyermann wird 1764-1778 in den Innungslisten geführt. Seine Initia-len entsprechen der Punze P466, die ihm wohl zuzuschreiben ist.

**Remarks on the mark CIB (P466)**

Johann Christoph Biermann (probably Beyermann) ist mentioned from 1762-1775 with tax payments of 5-10 Guilders. Beyermann is mentioned in the guild lists from 1764-1778. His in-itials match the letters in the mark P466 possibly belonging to him.

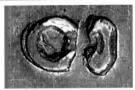

467 Carl Jesner
GV vor 1829
Taf. IV-1-24

P468 Carl Isak
M 1834
Taf. VI-5-33

**Anmerkungen zur Punze CJ von Carl Jünger (P469)**

Carl Jünger erhielt 1860 seine Befugnis; als Todesjahr ist 1866 bekannt.
Er ist in den Innungslisten von 1862-1866 angeführt, dort ist von 1868-1871 seine Witwe Karoline genannt (Gewerbsver-leihung 1867).

Firmengeschichte:

1863 wurde seine Firma ins Register der „Einzelnfirmen" ein-getragen (Inhaber: Karl Jünger), die Löschung erfolgte 1888 „über Ableben des Firmainhabers und Geschäftszurückle-gung".

*(HG E 5/166)*

P469 Carl Jünger
B 1860
Taf. VIII-1-28

**Remarks on the mark CJ of Carl Jünger (P469)**

Carl Jünger got his authorization in 1860; he died in 1866. From 1862-1866 he is entered in the guild lists where his widow Karoline is found from 1868-1871 (bestowal of trade: 1867).

Company history:

1863 entry of his company in the register of single firms (owner: Karl Jünger), dissolution in 1888 due to the death of the owner and end of trade.

*(HG E 5/166)*

P470  Christian Kraus
G 1777
Taf. II-2-13

P471  Carl Klein
M 1836
Taf. IV-3-15

P472  Carl Kollitzhofer
M 1838
Taf. IV-3-40

P473  Carl Künzel
M 1839
Taf. IV-4-2

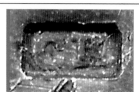

P474  Carl Kraemer
M 1845
Taf. IV-4-45

P475  Carl Klein (?)
M 1848
Taf. IV-5-26

P476  Carl Kaar
B 1830
Taf. VI-5-9

P477  Christian Krauss
G 1776
Taf. I-2-51

### Anmerkung zu Punze CK von Carl Klinkosch (P478)

Carl Klinkosch (1797-1860) erhielt 1821 das Meisterrecht, 1850 die Landesfabriksbefugnis; er ist in den Innungslisten von 1821-1860 genannt; die Steuerabmeldung erfolgte 1861.

Firmengeschichte:

Wohl ab 1831 Zusammenarbeit mit Stephan Mayerhofer (s. Mayerhofer & Klinkosch, S. 14-17).

P478  Carl Klinkosch
G 1821
Taf. III-4-42

### Remarks on the mark CK of Carl Klinkosch (P478)

Carl Klinkosch (1797-1860) got the master's title in 1821 and the national factory authorization in 1850. He is entered in the guild lists from 1821 to 1860; tax end is documented for 1861.

Company history:

From about 1831 cooperation with Stephan Mayerhofer (see Mayerhofer & Klinkosch, pp. 14-17).

### Anmerkung zu Punze CL von Carolina Lutz (P479)

Carolina Lutz war die Witwe von Johann Lutz. Sie ist von 1858 bis 1867 in den Innungslisten genannt und starb 1870. Ihre Punze besteht aus den Initialen CL (P479).
Johann Lutz erhielt sein Befugnis 1840; er ist 1841-1857 in den Innungslisten nachweisbar; seine Punze ist aus den Initialen IL gebildet (s. S. 186, P1319, 1320).

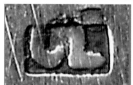

P479  Carolina Lutz, Witwe von / widow of / Johann Lutz: B 1840), Taf. VIII-4-31

### Remarks on the mark CL of Carolina Lutz (P479)

Carolina Lutz was the widow of Johann Lutz. She is entered in the guild lists from 1858-1867 and died in 1870.
Her mark consisted of the initials CL (P479)
Johann Lutz (authorization: 1840) is entered in the guild lists from 1841 to 1857. His mark is made up of the initials IL (see p. 186, P1319, 1320)

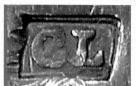

P480  Carl Leclerc
B 1841, M 1851
Taf. VI-7-36

P481  Carl Lejolle
B 1843
Taf. VI-7-39b

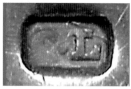

P482  Carl Lintner (Linder)
B 1826
Taf. VI-4-3

P483  Christoph Lehmann
G 1813
Taf. III-3-28

P484  Carl Lejolle
B 1843
Taf. VI-7-39a

P485  Carl Lejolle
B 1843
Taf. VI-7-39c

P486  Carl Lustig
B 1862
Taf. VIII-3-30a

P487  Carl Lustig
B 1862
Taf. VIII-3-30b

P488  Claudius Niederleithner, G 1753
Taf. I-1-30

P489  Clement Nitsch
B 1822, M 1833
Taf. VI-2-37

P490  Carolina Nagl
B 1861
Taf. VIII-2-1

P491  Carl Nitsch
B 1828, M 1831
Taf. IV-2-25

P492  Carl Nitsch
B 1828, M 1831
Taf. VI-4-33

**P493 Carl Ortner**
B 1851
Taf. VII-2-14

**P494 Carl Packeny**
B 1815, G 1817
Taf. III-4-17a

**P495 Carl Packeny**
B 1815, G 1817
Taf. III-4-17d

**P496 Carl Packeny**
B 1815, G 1817
Taf. III-4-17b

**P497 Carl Packeny**
B 1815, G 1817
Taf. III-4-17c

**P498 Carl Packeny**
B 1815, G 1817
Taf. III-4-17

### Anmerkung zur Punze CP von Carl Packeny (P493-500)

Auf der Punzentafel III ist eine ganze Reihe von Punzen Carl Packenys eingeschlagen (P498); sie zeigen die Buchstabenkombination CP in verschiedenen Größen, in mehr oder weniger deutlicher Umrahmung, mit und ohne Punkte nach den Buchstaben.

Packeny erhielt die Befugnis 1815, die Aufnahme ins Gremium erfolgte 1817; er ist von 1817 bis 1859 in den Innungslisten genannt (er starb 1858) und war k. k. Landes- bzw. Bezirksgerichtsschätzmeister.

Seine Witwe Rosa Packeny ist von 1860-1866 in den Innungslisten verzeichnet.

### Remarks on the mark CP of Carl Packeny (P493-500)

A whole series of marks of Carl Packeny is embossed on marks tablet III (P498); they show the combination of the letters CP in differenz sizes, in a more or less distinct frame, with or without dots after the initials.

Packeny (authorization: 1815, guild entry: 1817) is entered from 1817 to 1859 in the guild lists (he died in 1858) and was imperial royal national and district court treasurer.

His widow Rosa Packeny is found from 1860 to 1866 in the guild lists.

**P499 Carl Packeny**
B 1815, G 1817
Taf. III-4-17e

**P500 Carl Packeny**
B 1815, G 1817
Taf. III-4-17f

**P501 Carl Rupkau**
G 1812
Taf. III-3-22a

**P502 Carl Rupkau**
G 1812
Taf. III-3-22b

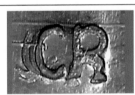

**P503 Carl Raab**
B 1835
Taf. VI-5-20a

**P504 Carl Raab**
B 1844, M 1852
Taf. VII-2-6

### Anmerkung zur Punze CR von Carl Rutzky (P505)

Carl Rutzky (Meisterrecht 1851, in den Innungslisten 1853-1892 genannt) und Heinrich Pollak ersuchten im Jahre 1853 um Protokollierung der Firma „Carl Rutzky & Pollak" (öffentliche Gesellschaft); die Firma wurde bereits 1854 wieder gelöscht. Eine Firma Rutzki & Jaschke ist ebenfalls bekannt (Albert Josef Jaschke: Innungslisten 1868-1899; Rutzki & Jaschke: Innungslisten 1883-1892).

*(MerkG Prot. Bd 8, R 50)*

**P505 Carl Rutzky**
M 1851
Taf. VII-3-14

### Remarks on the mark CR of Carl Rutzky (P505)

Carl Rutzky (master's title: 1851, entered in the guild lists from 1853 to 1892) and Heinrich Pollak applied in 1853 for the registration of the company "Carl Rutzky & Pollak" (general partnership); the company was dissolved in 1854 already. A company Rutzki & Jaschke is also known (Albert Jaschke: guild lists 1868-1899; Rutzki & Jaschke: guild lists 1883-1892).

*(MerkG Prot. Bd 8, R 50)*

**P506 Carl Reuter**
M 1856
Taf. VII-4-19

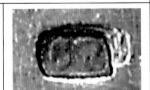

**P507 Christoph Reuter**
(M 1856), Josefine Reuter
(GV 1869), Taf. VIII-3-47

**P508 Carl Raab**
B 1835
Taf. IV-3-11

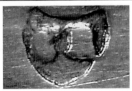

**P509 Carl Raab**
1858
Budapest, IM 53.1413.1

## Anmerkung zur Punze CS und CSS, CSJ (P510-543)

Auf die verschiedenen Mitglieder der Familie Sander (Christian Sander und seine Söhne Christian und Eduard) bzw. deren Firmen in unterschiedlichen Besitzverhältnissen beziehen sich Punzen mit den Initialen CS, CSS und CSJ (S. 141) sowie das Monogramm CS (s. S. 253, P2542).

Die Zuordnung ist nicht immer einfach, wird aber durch die Objekte mit der Wiener Punze (mit Jahreszahl) meist ermöglicht.

Das CS in Schreibschrift (P530-540) kann Christian Sander senior zugeordnet werden, da nur dieser bereits ab 1819 tätig war. Die älteste dieser Punzen, die ich auf einem Objekt finden konnte, ist in die 1820er Jahre zu datieren, die jüngste stammt aus dem Jahre 1846. Auf derselben Punzentafel erscheint die Punze CS (P525) in der gleichen Zeile, sodaß sie wohl ebenfalls Christian Sander sen. zuzuordnen ist. Für Christian Sander jun. ist ziemlich sicher die Punze CS (P512) zu beanspruchen.

Etwas schwieriger ist die Zuordnung der Punzen CSS und CSJ auf der Punzentafel IV (P541, 542); eine Möglichkeit wäre die Lesart Christian Sander sen. und Christian Sander jun. Wahrscheinlicher ist allerdings, daß das CSS von der Firma „Christian Sander's Söhne" verwendet wurde.

Das Monogramm CS steht ziemlich sicher für die Firma „Christian Sander jun." (S. 253, P2542, Monogramme).

### Daten zu Christian Sander Vater und Sohn sowie Eduard Sander:

#### Christian Sander sen.

Befugnis 1819, anheim 1859, gest. 1874 (mit 86 Jahren), in den Innungslisten 1837-1851 (1851: Nichtbetrieb) genannt.

Im Jahre 1828 wird dem bef. Goldarbeiter Christian Sander bewilligt, *„auch Drechslergesellen halten zu dürfen".*

*(WSTLA, HR 347/1828, fol. 143 v°)*

#### Christian Sander jun.

Meisterrecht 1843, Aufnahme ins Gremium 1844, Innungslisten: 1845-1900.

#### Eduard Sander

Meisterrecht 1846, gest. 1862, anheim 1862, in den Innungslisten 1847-1862 genannt.

### Firmengeschichte
### „Chr. Sander's Söhne", „Christian Sander jun."

#### Firma „Chr. Sander's Söhne"

1853 Protokollierung der Gesellschaftsfirma von Christian Sander jun. (Meisterrecht 1843) und Eduard Sander (Meisterrecht: 1846).
1863 Löschung der Firma, Eintragung der „Firma Christian Sander jun." (geführt von Christian Sander).

*(MerkG Prot. Bd 8, S/100)*

#### Firma „Christian Sander jun."

1864: Protokollierung der Firma „Chr. Sander junior, Wien", Inhaber: Christian Sander, im Handelsregister für „Einzelnfirmen".
1869 Konkurseröffnung.
1870 Aufhebung des Konkurses.
1872 Übertragung ins Register für Gesellschaftsfirmen (B 14/209).

*(HG E 6/276)*

#### Firma „Sander & Bryner"

1873-1876: Sander & Bryner (in den Innungslisten: 1873-75 bei Christian Sander genannt)

*(Akten des Handelsgerichts: HG 82 / 100 / F3 / S, E 6 / 276)*

## Remarks on the marks CS and CSS, CSJ (P510-543)

Marks with the initials CS, CSS and CSJ (p. 141) and the monogram CS (see p. 253, P2542) belong to different members of the Sander family (Christian Sander and his sons Christian and Eduard) and their companies run by different owners.

In most cases the somewhat difficult identification is facilitated by objects with the Viennese mark (including the year).

The CS in written letters (P530-540) can be attributed to Christian Sander, Sr.; he alone worked as early as 1819. The earliest of these marks to be found on an object can be dated in the 1820s, die latest is of the year 1846.

On the marks tablet we also find the mark CS (P525) in the same line; therefore we possibly may attribute it to Christan Sander, Sr., too.

The mark CS (P512) almost certainly is that of Christan Sander, Jr.

The attribution of the marks CSS and CSJ on marks tablet IV (P541, 542) are more difficult. One way to read them would be Christian Sander, Sr. and Christian Sander, Jr. though it is more probable that the CSS means the company "Christian Sander's Söhne".

The monogram CS is fairly certainly that of the company "Christian Sander jun." (p. 253, P2542, monograms).

### Data concerning Christian Sander father and son and Eduard Sander:

#### Christian Sander, Sr.

authorization: 1819, end of trade 1859, died in 1874 (86 years old), entered in the guild lists from 1837-1851 (1851: no business)..

In 1828 the authorized goldsmith Christian Sander was allowed "to employ journeyman turners as well".

*(WSTLA, HR 1347/1828, fol. 143 v°)*

#### Christian Sander, Jr.

master's title: 1843, guild entry: 1844, in the guild lists: 1845-1900.

#### Eduard Sander

master's title: 1846, died in 1862, end of trade 1862, entered in the guild lists from 1847-1862.

### Company history
### "Chr. Sander's Söhne," "Christian Sander jun."

#### Company "Chr. Sander's Söhne"

1853 registration of the partnership company of Christian Sander, Jr. (master's title: 1843) and Eduard Sander (master's title: 1846).
1863 dissolution of the company, registration of the company "Christian Sander jun." (directed by Christian Sander).

*(MerkG Prot. Bd 8, S/100)*

#### Company "Christian Sander jun."

1864: registration of the company "Chr. Sander junior, Wien," owner: Christian Sander in the Register of Commerce for für "Einzelnfirmen" (single firms).
1869 adjudication of bankruptcy.
1870 suspension of bankruptcy proceedings.
1872 transfer into the register of partnership companies (B 14/209).

*(HG E 6/276)*

#### Company "Sander & Bryner"

1873-1876: Sander & Bryner (entered next to Christian Sander in the guild lists from 1873-75)

*(Akten des Handelsgerichts: HG 82 / 100 / F3 / S, E 6 / 276)*

P510  Carl Seiler, GV 1846
(C. A. Seiler: B 1844)
Taf. VIII-2-17

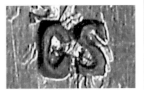

P511  Carl Schraft
GV 1846
Taf. VIII-4-34

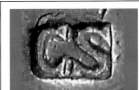

P512  Christian Sander jun.?
M 1843
Taf. IV-5-27

P513  Punze / mark CS
1854
Privatbesitz (SA)

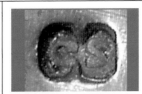

P514  Carl August Seiler
B 1844
Taf. VI-8-17

P515  Carl Slovenz
B 1843
Taf. VI-8-1

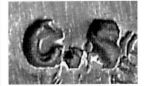

P516  Carl Slovenz
B 1843
Taf. VIII-2-51

P517  Cornelius Sugg
M 1833
Taf. IV-2-46

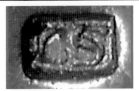

P518  Carl Schill
M 1826
Taf. IV-1-35

P519  Carl Schmidt
B 1861
Taf. VIII-2-22

P520  Carl Schmidt
B 1861
Taf. VIII-2-4

P521  Carl Spann, St 1834
(bei Anna Spann: 1817)
Taf. VI-5-31

P522  Carl Scheiger
B 1819
Taf. III-4-30

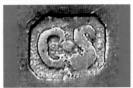

P523  Christian Schmidt-
bauer, GV vor 1829,
St. 1828, Taf. IV-1-19

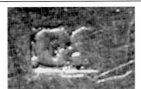

P524  Punze / mark CS
182?
Wien, Dorotheum 1962/115

P525 Christian Sander sen.?
B 1819
Taf. VI-1-42b

P526  Carl Schenk
M 1859
Taf. VIII-1-9

P527  Cyrillus Schillberger
M 1853
Taf. VII-2-42

P528 Cyrillus Schillberger(?)
1857
Budapest, IM 51.1179.1

P529  Carl Spann, St 1834
(bei Anna Spann: 1817)
Taf. VI-6-8

P530 Christian Sander sen.?
B 1819
Taf. VI-1-42a

P531  Christian Sander sen.
182?
Wien, HM 71.468

P532  Christian Sander sen.
183?
Budapest, IM 50.272

P533  Christian Sander sen.
1839
Budapest, IM 69.1621

P534  Christian Sander sen.
1840 (= 1840-1842)
Budapest, IM 75.168

P535  Christian Sander sen.
1840 (= 1840-1842)
Wien, Dorotheum 1892/99

P536  Christian Sander sen.
1840 (= 1840-1842)
Privatbesitz (SA)

P537  Christian Sander sen.
1846
Budapest, IM 52.988.e

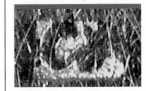

P538  Christian Sander sen.
1846
Budapest, IM 52.988.e

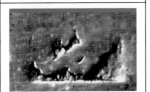

P539  Christian Sander sen.
1846
Budapest, IM 52.988.e

P540  Christian Sander sen.
18?6 (= 1846?)
Wien, Dorotheum 1962/123

P541  Christian Sander jun.
M 1843
Taf. IV-4-42b

P542  Christian Sander
Söhne, pFa 1853
Taf. IV-4-42a

P543  Christian Sander
Söhne 186? (185?)
Wien, Dorotheum 1962/90

P544  Carl Steidle
M 1852
Taf. VII-2-30

### Anmerkung zur Punze CV von Carl Vaugoin (P545)

Carl Vaugoin erhielt sein Meisterrecht 1850 (anheim 1856, Namensberichtigung von Vagon auf Vaugoin und neuerliches Dekret); in den Innungslisten 1851-1902 verzeichnet. Louis und Karl Vaugoin (Söhne von Carl Vaugoin) gründeten die Firma „Gebr. Vaugoin", später Louis Vaugoin allein unter Firma „Louis Vaugoin", S. 214, P1909, 1910).

P545  Carl Vaugoin
M 1850
Taf. VII-1-15

### Remarks on the mark CV of Carl Vaugoin (P545)

Carl Vaugoin got his master's title in 1850 (end of trade 1856, correction of the familiy name from Vagon to Vaugoin and new decree); entered in the guild lists from 1851-1902. Louis and Karl Vaugoin (sons of Carl Vaugoin), founded the company "Gebr. Vaugoin," later Louis Vaugoin runs the company "Louis Vaugoin," p. 214, P1909, 1910).

P546  Carl Vogtherr
M 1850
Taf. IV-5-42a

P547  Carl Vogtherr
M 1850
Taf. IV-5-42b

P548  Christian Voigt
B 1821
Taf. VI-2-11

### Anmerkung zur Punze CW von Carl Wallnöfer (P549)

Carl Wallnöfer (Sohn von Franz Wallnöfer sen., geb. um 1798, gest. 1872) erhielt 1820 das Meisterrecht und wird in den Innungslisten 1821-1857 genannt. Zusammen mit seinem Bruder Franz Wallnöfer gründete er die Firma „Gebrüder Wallnöfer", die später in die Firma „Karl Wallnöfer" überging.

Firmengeschichte: siehe S. 19 und 161.

P549  Carl Wallnöfer
G 1820
Taf. III-4-39b

### Remarks on the mark CW of Carl Wallnöfer (P549)

Carl Wallnöfer (son of Franz Wallnöfer, Sr., born about 1798, died in 1872) got his master's title in 1820 and is found in the guild lists from 1821-1857. Together with his brother Franz Wallnöfer he founded the company "Gebrüder Wallnöfer," becoming later the company "Karl Wallnöfer".

Company history see pp. 19 and 161.

P550  Carl Wolf
B 1842
Taf. IV-4-23b

P551  Christoph Weidmann
B 1812
Taf. VI-2-42

P552  Carl Wrubel
M 1850
Taf. VII-1-8

P553  Carl Wolf
B 1842
Taf. IV-4-23a

P554  Dominikus Dudeum
G 1792
Taf. II-4-1a

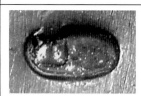

P555  Dominikus Dudeum
G 1792
Taf. II-4-1b

### Anmerkung zur Punze C. WOLF von Carl Johann Wolf (P553)

Im Jahre 1842 ersuchte Karl Johann Wolf „um Ausfertigung einer Anweisung an das k. k. Hauptmünzamt zur Probschlagung auf die Uhrgehäuser" und erhielt das Gewerbs-Dekret.

### Remarks on the mark C. WOLF of Carl Johann Wolf (P553)

In 1842 Karl Johann Wolf applied for "drawing up an instruction to the royal imperial mint office concerning the marking of watch cases" and got the trade decree.

(HR 506/1842, fol. 285, neu: 346)

### Anmerkung zur Punze DERMER von Franz Ignaz Dermer (P556-559)

Franz Ignaz Dermer wurde 1798 ins Gremium aufgenommen; er ist von 1798 bis 1820 in den Innungslisten verzeichnet (gest. 1820).

Seine Punzen bestehen sowohl aus den Initialen FID (S. 153, P741) als auch aus dem Familiennamen DERMER (P556-559).

P556  Franz Ignaz Dermer
G 1798
Taf. III-1-23b

### Remarks on the mark DERMER of Franz Ignaz Dermer (P556-559)

Franz Ignaz Dermer (guild entry: 1798) is found from 1798-1820 in the guild lists. He died in 1820.

His marks consist of the initials FID (p. 153, P741) and of the family name DERMER (P556-559).

P557  Franz Ignaz Dermer
1804
Wien, Dorotheum 1859/62

P558  Franz Ignaz Dermer
1807 (= 1807-1809)
Budapest, IM 61.536

P559  Franz Ignaz Dermer
1807 (= 1807-1809)
Budapest, IM 61.536

### Anmerkung zur Punze DF von Filipp Duschnitz (P560)

Filipp (Philipp) Duschnitz (Duschanitz) erhielt 1858 sein Meisterrecht (1871 Anheimsagung). In den Innungslisten ist er 1859-1871 vertreten.
Er war an einer Gesellschaft „Triesch Stern & Duschnitz" mit Josef Triesch und Michael Stern beteiligt (Errichtung 1857, Löschung 1862); Triesch: siehe S. 232 (P2257-2267).

*(MerkG Prot. Bd 10, T 125)*

P560 Filipp Duschnitz
M 1858
Taf. VII-2-2

### Remarks on the mark DF of Filipp Duschnitz (P560)

Filipp (Philipp) Duschnitz (Duschanitz) got his master's title in 1858 (1871 end of trade); he is entered in the guild lists from 1859-1871.
He participated in the partnership company "Triesch Stern & Duschnitz" with Josef Triesch and Michael Stern (foundation 1857, dissolution 1862); Triesch: see p. 232 (P2257-2267).

*(MerkG Prot. Bd 10, T 125)*

P561 David Franz
B 1785, G 1792
Taf. II-4-20

P562 Dominikus Hauptmann, G 1814
Taf. III-3-37a

### Anmerkung zur Punze DH (P562, 563)

Dominik Hauptmann (Gewerbsverleihung 1814, in den Innungslisten 1814-1857 genannt, gest. 1856) und sein Sohn Anton Hauptmann (Meisterrecht: 1837, siehe auch S. 116, P51, ADH) ließen 1851 eine Firma „D. Hauptmann & Sohn" protokollieren, die 1857 wieder aufgelöst wurde.

*(MerkG Prot. Bd 8, H 17)*

P563 Dominikus Hauptmann, G 1814
Taf. III-3-37b

### Remarks on the mark DH (P562, 563)

Dominik Hauptmann (bestowal of trade: 1814, entered in the guild lists from 1814-1857, died in 1856) and his son Anton Hauptmann (master's title: 1837, see also p. 116, P51, ADH) had registered the company "D. Hauptmann & Sohn" in 1851, dissolved in 1857.

*(MerkG Prot. Bd 8, H 17)*

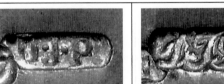

P564 Daniel Jakob
Patnoter, St 1831
Taf. IV-2-31a

P565 Daniel Jakob
Patnoter, St 1831
Taf. IV-2-31b

P566 Daniel Jakob
Patnoter, St 1831
Taf. IV-2-31c

### Anmerkung zur Punze D & J der Firma Düsterbehn & Jaschke (P567)

Für die (offensichtlich nicht protokollierte) Firma Düsterbehn & Jaschke wurde die Punze D & J eingeschlagen. Albert Josef Jaschke erhielt seine Gewerbsverleihung 1867. Zwei Silberarbeiter mit dem Namen Friedrich Düsterbehn sind bekannt: ein älterer (Befugnis 1840, Meisterrecht 1851, Punze FD, s. S. 150, P668); vermutlich ist aber der jüngere Friedrich (Johann) Düsterbehn gemeint (Befugnis 1866 oder 1867, in den Innungslisten 1868-1915 genannt).

P567 Düsterbehn & Jaschke
Taf. VIII-2-38

### Remarks on the mark D & J of the company Düsterbehn & Jaschke (P567)

The mark D & J was embossed for the obviously unregistered company Düsterbehn & Jaschke. Albert Josef Jaschke got his bestowal of trade in 1867. Two silversmiths of the name Friedrich Düsterbehn are known: an older one (authorization: 1840, master's title: 1851, mark FD, see p. 150, P668). But the identification with the younger Friedrich (Johann) Düsterbehn is more likely (authorization 1866 or 1867, entered in the guild lists from 1868-1915).

P568 Dominikus Kucher
B 1828
Taf. VI-4-23

P569 David Kreisel (sen.)
G 1780
Taf. II-2-30

### Anmerkung zur Punze DK von David Kreisel sen. und jun. (P569, 570)

Zwei Silberschmiede mit dem Namen David Kreisel sind bekannt: David Kreisel (sen.) wurde 1780 ins Gremium aufgenommen, Steuerleistungen sind 1781-1796 nachweisbar; 1797 wird „David Kreisel seel. Witwe" genannt (Magdalena) David Kreisel (jun.) wurde 1813 ins Gremium aufgenommen, er ist 1814-1847 in den Innungslisten nachweisbar, die Anheimsagung erfolgte 1846.

P570 David Kreisel (jun.)
G 1813
Taf. III-3-29

### Remarks on the mark DK of David Kreisel, Sr. and Jr. (P569, 570)

Two silversmiths named David Kreisel are known: David Kreisel (Sr.) entered the guild in 1780, tax payments are documented 1781-1796; in 1797 his widow Magdalena ("David Kreisel seel. Witwe") is mentioned.
David Kreisel Jr. entered the guild in 1813, he is found in the guild lists from 1814-1847, end of trade is documented for 1846.

**P571 Dominikus Müller**
G 1799
Taf. III-1-31

**P572 David Mandel**
M 1857
Taf. VII-4-39

**P573 Friedrich Dorschel**
M 1851
Taf. VII-1-32c

**P574 David Puppenschlag**
B 1839
Taf. IV-4-4

**P575 Daniel Steinhübel**
B 1841, M 1847
Taf. VI-7-23

**P576 Punze / mark DS**
1819
Wien, HM 71.487/2

**P577 Daniel Stubenrauch**
St 1836
Taf. VI-6-13

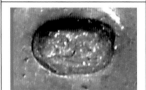

**P578 Dominikus Storr**
B 1811, G 1813
Taf. III-3-30a

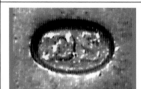

**P579 Dominikus Storr**
B 1811, G 1813
Taf. III-3-30b

**P580 Dominikus Storr**
B 1811, G 1813
Taf. III-3-30c

**Anmerkung zur Punze DS von Dominikus Storr (P578-585)**

Dominikus Storr (geb. um 1785 Passau, gest. 1861) erhielt 1811 das Befugnis und wurde 1813 ins Gremium aufgenommen; in den Innungslisten ist er von 1814 bis 1850 geführt (Anheimsagung); zeitweiser „Nichtbetrieb" ist für die Jahre 1836 sowie 1847 bis 1850 erwähnt.
Seine Punze (DS im Queroval) zeigt in der Form von 1818 eine deutliche Beschädigung über dem D (P581-585).

**P581 Dominikus Storr**
1818
Budapest, IM 66.284

**P582 Dominikus Storr**
1818
Budapest, IM 66.284

**P583 Dominikus Storr**
1818
Budapest, IM 66.284

**Remarks on the mark DS of Dominikus Storr (P578-585)**

Dominikus Storr (born about 1785 Passau, died in 1861) got his authorization in 1811 and entered the guild in 1813. In the guild lists he is found from 1814-1850 (end of trade); temporary "no business" is mentioned for the years 1836 and 1847 to 1850.
In the shape of 1818 his mark, the letters DS in a horizontal oval, shows a clear damage on top of the D (P581-585)

**P584 Dominikus Storr**
1818
Wien, Dorotheum 1844/98

**P585 Dominikus Storr**
181?
Wien, Dorotheum 1859/59

**P586 Dominikus Würth**
G 1815
Taf. III-3-46a

**P587 Dominikus Würth**
G 1815
Taf. III-3-46b

**Anmerkung zur Punze DW von Dominikus Würth (P586-589)**

Die Punze DW von Dominikus Würth (1784-1854) ist in vier Varianten (mit rechteckiger bzw. achteckiger Rahmung) überliefert. Er wurde 1815 ins Gremium aufgenommen und ist von 1816 bis 1850 in den Innungslisten verzeichnet (bis 1854: als „Ansagmeister")
1841 Anheimsagung des Gewerbes

*(HR 496/1841)*

**P588 Dominikus Würth**
G 1815
Taf. III-3-46c

**P589 Dominikus Würth**
G 1815
Taf. III-3-46d

**Remarks on the mark DW of Dominikus Würth (P586-589)**

The mark DW of Dominikus Würth (1784-1854) is known in four variations (with a rectangular or an octogonal frame).
He entered the guild in 1815 and is found from 1816 to 1850 in the guild lists (till 1854: "Ansagmeister" of the guild)
1841 end of trade

*(HR 496/1841)*

P590  Eduard Albrecht
M 1851
Taf. VII-1-37

P591  Ernst Bellinger
B 1828
Taf. VI-4-29c

P592  Ernst Bellinger
B 1828
Taf. VI-4-29b

### Anmerkung zur Punze EB von Emil Biedermann (P593, 594)

Emil Biedermann hatte 1856 das Meisterrecht erhalten; in den Innungslisten wird er von 1858-1893 genannt.

Firmengeschichte:

1860 Protokollierung der Firma „Emil Biedermann".

1863 Übertragung der Firma „Emil Biedermann" ins Handelsregister der „Einzelnfirmen".
Protokollierung des Ehepaktes (die minderjährige Clara Lichtenstadt, vertreten durch Julius Breisach als Bevollmächtigten des Brautvaters Dr. Sigmund Lichtenstadt).

1880 Protokollierung der Prokura von Max Mediansky.

1893 Löschung über Geschäftsrücklegung.

*(MerkG Prot. Bd 12, B 203; HG E 2/474)*

P593  Emil Biedermann
M 1856
Taf. VII-4-18a

P594  Emil Biedermann
M 1856
Taf. VII-4-18b

### Remarks on the mark EB of Emil Biedermann (P593, 594)

Emil Biedermann (master's title: 1856) is found in the guild lists from 1858-1893.

Company history:

1860 registration of the company "Emil Biedermann".

1863 transfer of the company "Emil Biedermann" into the register of commerce (single firms).
Registration of the marriage contract (the minor Clara Lichtenstadt, represented by Julius Breisach attorney of Dr. Sigmund Lichtenstadt father of the bride).

1880 registration of power of attorney for Max Mediansky.

1893 dissolution due to end of trade.

*(MerkG Prot. Bd 12, B 203; HG E 2/474)*

P595  Edmund Johann
Braun, M 1862
Taf. VIII-2-30

P596  Ernst Bellinger
B 1828
Taf. VI-4-29d

P597  Edmund Braun
M 1857
Taf. VII-5-21

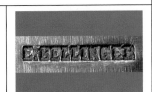

P598  Ernst Bellinger
B 1828
Taf. VI-4-29a

### Anmerkung zur Punze EE von Emanuel Erben (P599)
Emanuel Erben ist weder in den Innungslisten noch in relevanten Akten zu finden. Nur in den Indizes der Hauptregistratur (Stadt Wien) sind einige Angaben über Erben erhalten: 1840 und 1855 wird er vom Mittel wegen „Störerey" angeklagt. 1853 hatte er bereits um „ein Gewerb" angesucht, das ihm verweigert wurde, 1854 brachte er einen Rekurs wegen der Verweigerung des Gewerbes ein.
*(HR 485/1840;　HR 515(615)/1853;　HR 525(626)/1854; HR 537(637)/1855)*

P599  Emanuel Erben
E 1854 (Rekurs)
Taf. VII-1-33

### Remarks on the mark EE of Emanuel Erben (P599)

Neither the guild lists nor relevant records show a sign of Emanuel Erben. Only the indices of the main registration (City of Vienna) contain data on Erben: in 1840 and 1855 he is accused by the guild of illegal work. In 1853 he had applied for a trade unsuccessfully; in 1854 he lodged an appeal against the refusal of trade.

*(HR 485/1840;　HR 515(615)/1853;　HR 525(626)/1854; HR 537(637)/1855)*

P600  Eduard A. K. Eswein
GV 1867
Taf. VIII-3-19

601  Punze / mark EE
1777
Dorotheum, Wien 1909/11

602  Eduard Fleischmann
GV 1868
Taf. VIII-5-12

### Anmerkung zur Punze  EF von Engelbert Fritschner (P603)
Fritschner erhielt das Meisterrecht: 1848, in den Innungslisten ist er ab 1849 vermerkt (1892: Nichtbetrieb); 1864 erfolgte die Eintragung der Firma „Engelbert Fritschner, Wien" ins Register der „Einzelnfirmen". Bereits im Jänner 1865 war Konkurseröffnung, im Juli 1865 Aufhebung des Konkurses; 1898 wurde die Firma über Steuerabschreibung gelöscht.

*(HG E 6/502)*

603  Engelbert Fritschner
M 1848
Taf. IV-5-36b

### Remarks on the mark EF of Engelbert Fritschner (P603)

Fritschner (master's title: 1848) is entered in the guild lists from 1849 (1892: no business); in 1864 the company "Engelbert Fritschner, Wien" was entered into the register of single firms. In January 1865 bancruptcy proceedings were opened and suspended in July im 1865; in 1898 dissolution of the company due to tax end.

*(HG E 6/502)*

| | | | | |
|---|---|---|---|---|
|  |  |  | | |
| P604  Eduard Grohmann<br>M 1857<br>Taf. VII-4-44 | P605  Eduard Gottsleben<br>M 1859<br>Taf. VIII-1-7a | P606  Eduard Gottsleben<br>M 1859<br>Taf. VIII-1-7b | | |
|  |  |  | |  |
| P607  Elias Eduard Klein<br>B 1846<br>Taf. VI-8-32d | P608  Elias Eduard Klein<br>B 1846<br>Taf. VI-8-32f | P609  Elias Eduard Klein<br>B 1846<br>Taf. VI-8-32e | | P610  Eugen Kaim<br>M 1856<br>Taf. VIII-1-20 |
|  |  | | | |
| P611  Elias Eduard Klein<br>B 1846<br>Taf. VI-8-32c | P612  Eduard Hayek<br>B 1839<br>Taf. VI-7-32 | | | |
|  |  |  |  | |
| P613  Emanuel Münzberg<br>G 1807<br>Taf. III-2-39b | P614  Emanuel Münzberg<br>G 1807<br>Taf. III-2-42a | P615  Emanuel Münzberg<br>G 1807<br>Taf. III-2-42b | P616  Emmerich Mayschay<br>B 1828<br>Taf. VI-4-30 | |
|  |  |  | | |
| P617  Emerich Martini<br>M 1843<br>Taf. VIII-4-49a | P618  Emerich Martini<br>M 1843<br>Taf. VIII-4-49b | P619  Emerich Martini<br>M 1843<br>Taf. VIII-4-49c | | |

| | | |
|---|---|---|
| **Anmerkung zur Punze EM von Elias Montoison (P620)**<br><br>Elias Montoison war Uhrgehäusemacher, der sein Befugnis im Jahre 1807 erhielt.<br>Er ist in zeitgenössischen Adreßbüchern ab 1811 zu finden.<br>1853 legte er sein Befugnis zurück.<br><br>*(HR 85/1807, fol. 18 rº; HR 514(614)/1853)* | <br><br>P620  Elias Montoison<br>B 1807<br>Taf. VI-2-5 | **Remarks on the mark EM of Elias Montoison (P620)**<br><br>Elias Montoison was a watch case maker who got his authorization in 1807.<br>He is found in contemporary address books (1811 et seq.)<br>1853 end of trade.<br><br>*(HR 85/1807, fol. 18 rº; HR 514(614)/1853)* |
| **Anmerkung zur Punze EMS von Elias Monspart, Schwertfeger (P621)**<br><br>Aus der Punzenform und dem unter den Initialen stehenden S geht hervor daß Monspart ein Schwertfeger war (1825 Ansuchen um ein Schwertfegergewerbe).<br><br>*(HR 295/1825, fol. 661)* | P621  Elias Monspart<br>GV 1825 (?)<br>Taf. IV-2-1 | **Remarks on the mark EMS of Elias Monspart, hilt maker (P621)**<br><br>The form of the mark and the S below the initials prove that Monspart was a hilt maker (Application for the hilt maker trade in 1825).<br><br>*(HR 295/1825, fol. 661)* |

P622  Eduard Paradeiser
M 1845
Taf. IV-4-44

P623  Eduard Pietsch
M 1857
Taf. VII-5-1

P624  Emanuel Pioté
B 1812, M 1831
Taf. VI-1-38

P625  E. Pioté, H. Köchert
pFa 1831
Taf. IV-2-26b

**Anmerkung zur Punze EP von Emanuel Pioté sowie EP HK für Pioté & Köchert (P624, 625)**

Emanuel Pioté erhielt seine Befugnis im Jahre 1812 und das Meisterrecht 1831 (Anheimsagung 1848). Er ist von 1813 bis 1851 in den Adreßbüchern bzw. Innungslisten verzeichnet. Die Punze von Pioté besteht aus seinen Initialen EP (P624), die auch in der Firmenpunze enthalten sind: EP HK (P625). 1831 Protokollierung der Firma Pioté & Köchert.
Siehe auch AK (Alexander Köchert, S. 120).

*(MerkG Prot. Bd 8, K 17)*

**Remarks on the mark EP of Emanuel Pioté and EP HK for Pioté & Köchert (P624, 625)**

Emanuel Pioté (authorization: 1812, master's title: 1831, end of trade: 1848) is entered in address books and guild lists from 1813-1851. The mark of Pioté consists of his initials EP (P624). These letters are also included in the company mark EP HK (P625).
1831 registration of the company Pioté & Köchert.
Also see AK (Alexander Köchert, p. 120).

*(MerkG Prot. Bd 8, K 17)*

P626  Eduard Reihl
B 1843, M 1851
Taf. VII-2-4

P627  Eduard Reihl
B 1843, M 1851
Taf. VIII-3-35a

P628  Eduard Sander
M 1846
Taf. IV-5-16b

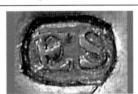

P629  Eduard Sander
M 1846
Taf. IV-5-16a

**Anmerkung zur Punze ES von Eduard Sander (P628, 629)**

Eduard Sander erhielt 1846 das Meisterrecht (Anheimsagung 1862); in den Innungslisten ist er von 1847 bis 1862 vertreten. Gemeinsam mit seinem Bruder Christian (Vater: Christian Sander sen.) führte er die Firma „Christian Sander's Söhne", die 1853 protokolliert und 1863 gelöscht wurde.

Siehe auch Firmengeschichte Sander (S. 140, 141).

*(MerkG Prot. Bd 8, S 100)*

**Remarks on the mark ES of Eduard Sander (P628, 629)**

Eduard Sander (master's title: 1846, end of trade: 1862) is entered in the guild lists from 1847-1862. Together with his brother Christian (father: Christian Sander, Sr.) he directed the company "Christian Sander's Söhne" registered in 1853 and dissolved in 1863.

Also see company history Sander (pp. 140, 141).

*(MerkG Prot. Bd 8, S 100)*

P630  Eduard Steiner
B 1847, M 1857
Taf. VII-1-38b

P631  Eduard Stöhr
E 1864
Taf. VIII-3-20

P632  Punze / mark ES
Taf. VI-8-0

P633  Emmerich Scheinast
M 1840
Taf. VI-7-16

P634  Eduard Steiner
B 1847, M 1857
Taf. VII-1-38a

**Anmerkung zur Punze ES von Eduard Schiffer (P635)**

Eduard Schiffer erhielt das Meisterrecht im Jahre 1856.

Firmengeschichte:

1858 Protokollierung der Firma Schiffer & Dub (siehe Punze S & D, S. 227, P2186-2188), Gesellschafter: Eduard Schiffer und Thomas Dub.
1860 Protokollierung der Firma „Eduard Schiffer", Löschung 1862.
1863 Protokollierung der Firma „Schiffer & Theuer" (gemeinsam mit Johann Theuer, Marke S. & Th., siehe S. 230, P2225-2227).
1863 Eintragung der Firma „Eduard Schiffer" ins Register für „Einzelnfirmen".
1865 Eröffnung des Konkurses, der 1870 wieder aufgehoben wurde.
1888 Löschung der Firma „über Steuerabschreibung".

*(MerkG Prot. F3 / S / 308; HG Ges 3/12; HG E 5/304 )*

P635  Eduard Schiffer
M 1856
Taf. VII-4-32c

**Remarks on the mark ES of Eduard Schiffer (P635)**

Eduard Schiffer got the master's title in 1856

Company history:

1858 registration of the company "Schiffer & Dub" (see mark S & D, p. 227, P2186-2188), partners: Eduard Schiffer und Thomas Dub.
1860 registration of the company "Eduard Schiffer," dissolution in 1862.
1863 registration of the company "Schiffer & Theuer" (together with Johann Theuer, mark S. & Th., see p. 230, P2225-2227).
1863 entry of the company "Eduard Schiffer" into the register for single firms.
1865 bancruptcy proceedings were opened and suspended in 1870.
1888 dissolution of the company due to tax end.

*(MerkG Prot. F3 / S / 308; HG Ges 3/12; HG E 5/304 )*

| P636 Eduard Wehse<br>B 1846, M 1853<br>Taf. VII-3-29 | P637 Egidius Weindl<br>B 1840<br>Taf. VI-7-9a | P638 Egidius Weindl<br>B 1840<br>Taf. VI-7-9b | P639 Eduard Weichesmül-<br>ler, GV 1864<br>Taf. VIII-3-49 | P640 Eduard Wilken<br>M 1837<br>Taf. IV-3-32 |

**Anmerkung zur Punze EW von Eduard Würth (P641)**

Eduard Würth (gest. 1887 mit 89 Jahren) erhielt 1824 das Meisterrecht und wurde von 1825-1836 in den Innungslisten angeführt (1837: Nichtbetrieb).

1832 ersucht Eduard Edler von Würth, k. k. Hof-Silberarbeiter, „um eine Aufschriftstafel".

1844 sagt Eduard Edler v. Würth „derzeit in Altbrünn" sein Gewerbe anheim.

*(HR 412/1832; HR 528/1844)*

P641 Eduard Würth
M 1824
Taf. IV-1-29

**Remarks on the mark of Eduard Würth (P641)**

Eduard Würth (died in 1887 89 years old), master's title: 1824) was entered in the guild lists from 1825 to 1836 (1837: no business).

1832 Eduard Edler von Würth, imperial royal court silversmith applied for a sign board

1844 Eduard Edler v. Würth "presently in Altbrünn" retired from his business

*(HR 412/1832; HR 528/1844)*

**Anmerkung zur Punze FA von Franz und Katharina Amor (P642, 643)**

Franz Amor erhielt sein Gold- und Juwelenarbeiterbefugnis im Jahre 1824; in den Innungslisten ist er 1837-1838 genannt.

Firmengeschichte:

1839 erfolgte die Protokollierung der Firma „**Franz Amors Wittwe**".

1840 Löschung dieser Firma und die Protokollierung der Firma „**Franz Amors Wittwe et comp**" (Gesellschafter: Katharina Amor und Max Flekeles/Fleckles, siehe S. 217, P1964), Löschung 1845.

1851 Protokollierung der Sozietätsfirma „**Katharina Amor & Stepinger**" (öffentliche Gesellschaft) auf Antrag von Katharina Amor und Philipp Stepinger, 1858 Auflösung.

Für Katharina Amor sind von 1840-1857 Steuerzahlungen nachweisbar, dazwischen wird zeitweiser Nichtbetrieb gemeldet; Abmeldung von der Steuer und Anheimsagung 1857.

*(MerkG Prot. Bd 6, A 14; MerkG Prof. Bd 8, A7)*

P642 Franz Amor
B 1825
Taf. VI-4-25

P643 Katharina Amor
Witwe von / widow of Franz Amor
pFa 1839
Taf. VII-1-39

**Remarks on the mark FA of Franz and Katharina Amor (P642, 643)**

Franz Amor got his gold and jewellery authorization in 1824; he is entered in the guild lists from 1837-1838

Company history:

1839 registration of the company "**Franz Amors Wittwe**".

1840 dissolution of this company and registration of the company "**Franz Amors Wittwe et comp**" (partners: Katharina Amor and Max Flekeles/Fleckles, see p. 217, P1964), dissolution in 1845.

1851 registration of the partnership company "**Katharina Amor & Stepinger**" (general partnership) on application of Katharina Amor and Philipp Stepinger, dissolution in 1858.

Tax payments are documented from 1840-1857 for Katharina Amor, with temporary "no business" periods in between; tax end and end of trade: 1857.

*(MerkG Prot. Bd 6, A 14; MerkG Prof. Bd 8, A7)*

| P644 Franz André<br>St 1831<br>Taf. IV-2-29 | P645 Franz Adler<br>M 1853<br>Taf. VII-3-21 |

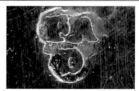

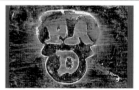

| P646 Franz Anton Dermer<br>G 1769<br>Taf. I-2-24a | P647 Franz Anton Dermer<br>G 1769<br>Taf. I-2-24b | P648 Franz Anton Dermer<br>G 1769<br>Taf. II-1-42 | P649 Franz Anton Dermer<br>1791<br>Privatbesitz (BJ) | P650 Franz Anton Dermer<br>1791<br>Privatbesitz (BJ) |

**Anmerkung zur Punze FAD von Franz Anton Dermer (P646-650)**

Franz Anton Dermer (um 1738 - 1802) wurde 1769 ins Gremium aufgenommen; in Adreßbüchern und Innungslisten ist er von 1770 bis 1803 verzeichnet; seine Steuerleistung im Jahre 1802 betrug 10 Gulden; seine Witwe Magdalena Dermer führte den Betrieb fort; sie wird von 1804 bis 1807 in den Innungslisten genannt.

**Remarks on the mark FAD of Franz Anton Dermer (P646-650)**

Franz Anton Dermer (about 1738 - 1802) entered the guild in 1769; he is found from 1770-1803 in address books and guild lists; his tax payments in 1802 amounted to 10 Guilders. The business was continued by his widow Magdalena Dermer; she is found in the guild lists from 1804-1807.

P651 Franz August Deibel
B 1811 (Falschschmuck),
1815 (Gold); Taf. VI-2-32

P652 Franz Anton Fautz
G 1807
Taf. III-2-41b

P653 Franz Anton Fautz
G 1807
Taf. III-2-41c

P654 Franz August Sacher
M 1837
Taf. IV-3-35

P655 Franz Berghofer
M 1827
Taf. IV-1-39c

---

**Anmerkung zur Punze FB von Franz Braun (P656)**

Franz Braun erhielt 1845 sein Befugnis, er ist von 1846-1878 in den Innungslisten verzeichnet.

Firmengeschichte:
1853 Protokollierung der Firma „Franz Braun".
1863 Übertragung ins Register für „Einzelnfirmen".
1888 Löschung über Steuerabschreibung.

(MerkG Prot. Bd 8, B 73; HG E 3/278)

P656 Franz Braun
M 1845
Taf. IV-4-48

**Remarks on the mark FB Franz Braun (P656)**

Franz Braun (authorization: 1845) is entered in the guild lists from 1845-1878.

Company history:

1853 registration of the company "Franz Braun".
1863 transfer into the register of single firms.
1888 dissolution due to tax end.

(MerkG Prot. Bd 8, B 73; HG E 3/278)

---

**Anmerkung zur Punze FB von Friedrich Bermann (P657)**

Friedrich Bermann erhielt 1850 das Meisterrecht. In den Innungslisten ist Bermann von 1851-1868 genannt, danach seine Witwe Amanda Maria Bermann (1869-1870).

Firmengeschichte
1855 Protokollierung der Firma „Fried. Bermann".
1863 Übertragung ins Register für „Einzelnfirmen".
1871 Löschung „über Ableben des Friedrich Bermann".
(MerkG Prot. Bd 8, B 99; HG E 2/102)

P657 Friedrich Bermann
M 1850
Taf. IV-5-47

**Remarks on the mark FB of Friedrich Bermann (P657)**

Friedrich Bermann (master's title: 1850) is intered in the guild lists from 1851-1868, afterwards his widow Amanda Maria Bermann is found (1869-1870)

Company history:
1855 registration of the company "Fried. Bermann".
1863 transfer into the register of single firms.
1871 dissolution due to the death of Friedrich Bermann.
(MerkG Prot. Bd 8, B 99; HG E 2/102)

---

**Anmerkung zu den Punzen FB von Franz Beron sen. und jun. (P658, 659)**

Franz Beron sen. erhielt 1832 sein Meisterrecht; er ist von 1833 bis 1865 in den Innungslisten nachweisbar (seine Witwe Katharina Beron ist in den Innungslisten 1866-1869 genannt)

Franz Beron jun. erhielt das Meisterrecht 1857 (Anheimsagung 1876; in den Innungslisten 1858-1891 genannt).

Firmengeschichte:

1860 Firma „Franz Beron & Sohn" (Offene Gesellschaft seit 30. 4. 1860, Gesellschafter: Franz Beron sen. und jun.).
1861 Protokollierung der Firma „Franz Beron & Sohn": Gesellschafter: Franz Beron Witwe (Katharina Beron, gest. 1869) und Franz Beron Sohn.
1865 Löschung der Firma „Franz Beron & Sohn", Protokollierung der Firma „F. Beron".
1931 Löschung infolge Erwerbsteuerabschreibung.

(MerkG Prot. Bd 12, B 392; HG Ges 4/110; HG E 7/386)

P658 Franz Beron
M 1832
Taf. IV-2-37

P659 Franz Beron
M 1857
Taf. VII-5-5

**Remarks on the marks FB of Franz Beron Sr. and Jr. (P658, 659)**

Franz Beron Sr. (master's title: 1832) is entered in the guild lists from 1833-1865 (his widow Katharina Beron is found 1866-1869 in the guild lists).
Franz Beron Jr. (master's title: 1857) retired from his business in 1876 (entered in the guild lists from 1858-1891).

Company history:

1860 company "Franz Beron & Sohn" (general partnership since 30 April 1860, partners: Franz Beron Sr. and Jr.).
1861 registration of the company "Franz Beron & Sohn": partners: Franz Beron widow (Katharina Beron, died in 1869) and Franz Beron son.
1865 dissolution of the company "Franz Beron & Sohn," registration of the company "F. Beron".
1931 dissolution due to tax end.

(MerkG Prot. Bd 12, B 392; HG Ges 4/110; HG E 7/386)

---

P660 Franz Berghofer
M 1827
Taf. IV-1-39a

P661 Franz Berghofer
M 1827
Taf. IV-1-39b

P662 Franz Bonessi
B 1827
Taf. VI-2-22

P663 Franz Baumgartner
G 1798
Taf. III-1-19

---

P664 Franz Burghart
B 1783, G 1792
Taf. II-4-17

P665 Franz Bilder
M 1853
Taf. VII-3-24

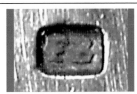

P666 Franz Bachtik
GV 1867
Taf. VIII-4-21

P667 Franz Bernh. Calmann, M 1832
Taf. IV-2-35

## Anmerkung zur Punze FD von Friedrich Düsterbehn (P668)

Friedrich Düsterbehn (Befugnis: 1840, Meisterrecht: 1851) ist in den Innungslisten von 1841 bis 1874 genannt.

Firmengeschichte:
1864 Protokollierung der Firma „F. Düsterbehn".
1930 Löschung infolge Gewerbezurücklegung.
s. auch Firma Düsterbehn & Jaschke (S. 143, P567).
*(HG E 6/510)*

P668 Friedrich Düsterbehn
B 1840, M 1851
Taf. VII-2-15

## Remarks on the mark FD of Friedrich Düsterbehn (P668)

Friedrich Düsterbehn (authorization: 1840, master's title: 1851) is entered in the guild lists from1841-1874.

Company history:
1864 registration of the company "F. Düsterbehn".
1930 dissolution due to end of trade.

Also see company Düsterbehn & Jaschke (p. 143, P567).
*(HG E 6/510)*

P669 Franz Dominik
B 1816
Taf. VI-3-15

P670 Franz Diess
M 1858
Taf. VIII-1-4b

P671 Franz Deimel
G 1802
Taf. III-2-4

P672 Franz Deimel
G 1802
Taf. III-2-5b

P673 Franz Domhart
M 1828
Taf. IV-2-3

P674 Friedrich Dorschel
M 1851
Taf. VII-1-32a

P675 Friedrich Dorschel
M 1851
Taf. VII-1-32b

P676 Friedrich Dorschel
1852
Wien, Dorotheum 1962/159

P677 Friedrich Dorschel
1853
Wien, DM L-190

P678 Friedrich Joh.
Deschler, G 1794
Taf. III-1-5

P679 Franz Dankmaringer
G 1809
Taf. III-2-48a

P680 Franz Dankmaringer
G 1809
Taf. III-2-48b

P681 Franz Ertelt
M 1860
Taf. VIII-2-6

P682 Franz Edler
GV 1842
Taf. VIII-2-34

P683 Punze / mark FE
1765
Budapest, IM 69.1062-1

P684 Ferdinand Ebenwimmer, G 1766
Taf. I-2-7

P685 Ferdinand Ebenwimmer, G 1766
Taf. II-1-38

P686 Franz Eylly
G 1758
Taf. I-1-42

P687 Franz Eylly
G 1758
Taf. II-1-17

P688 Franz Eylly (?)
1???
Brünn, MG 18.630

## Anmerkung zu den Punzen FE von Franz und Friedrich Ehrengruber (P689, 690)

Die beiden Punzen mit den Initialen FE sind jeweils einem Franz Ehrengruber zugeordnet, deren Verwandtschaftsverhältnis bisher noch unklar ist (Vater und Sohn?).
Der **ältere Franz Ehrengruber** (Befugnis 1812) wird in Adreßbüchern von 1813-1822 als „Galanterie-Waaren-Fabrikant von Gold und Silber" genannt. Der **jüngere Franz Ehrengruber** (Meisterrecht 1841) wird in den Innungslisten 1842-1874 genannt (Anheimsagung 1874). **Friedrich Ehrengruber** (Meisterrecht 1847, in den Meisterlisten 1848-1862 genannt, Anheimsagung 1869), Sohn des erstgenannten Franz Ehrengruber, führte eine „k. k. landesbef. Fabrik von Gold- und Stahl-Galanteriewaren"; er heiratete 1848 Anna Turiet, Witwe von Wilhelm Turiet; 1851 Protokollierung der Firma „Friedrich Ehrengruber" und der Befugnis zum Fortbetrieb der Landesfabrik (1848); 1861 Anheimsagung des Landesfabriksbefugnisses und Löschung der Firma. Eine Punze ist nicht überliefert (wohl ebenfalls FE).
*(Merk Prot Bd. 7, E 5)*

P689 Franz Ehrengruber
M 1841
Taf. IV-4-14

P690 Franz Ehrengruber
B 1812
Taf. VI-4-17

## Remarks on the mark FE of Franz and Friedrich Ehrengruber (P689, 690)

The two marks with the initials FE are attributed to two different Franz Ehrengruber whose relationship is not yet known (father and son?).
The **elder Franz Ehrengruber** (authorization: 1812) is entered in address books from 1813-1822 as fancy wares manufacturer of gold and silver. The **younger Franz Ehrengruber** (master's title: 1841) is entered in the guild lists from 1842-1874 (end of trade: 1874). **Friedrich Ehrengruber** (master's title: 1847, found in the guild lists from1848-1862, end of trade: 1869), son of the older Franz Ehrengruber, ran a royal imperial factory of gold and steel fancy goods with national factory authorization. In 1848 he married Anna Turiet, widow of Wilhelm Turiet; in 1851 registration of the company "Friedrich Ehrengruber" and of the authorization for continuation of the national factory (1848); in 1861 end of trade concerning the national factory authorization and dissolution of the company. A mark is not known (probably also FE).
*(Merk Prot Bd. 7, E 5)*

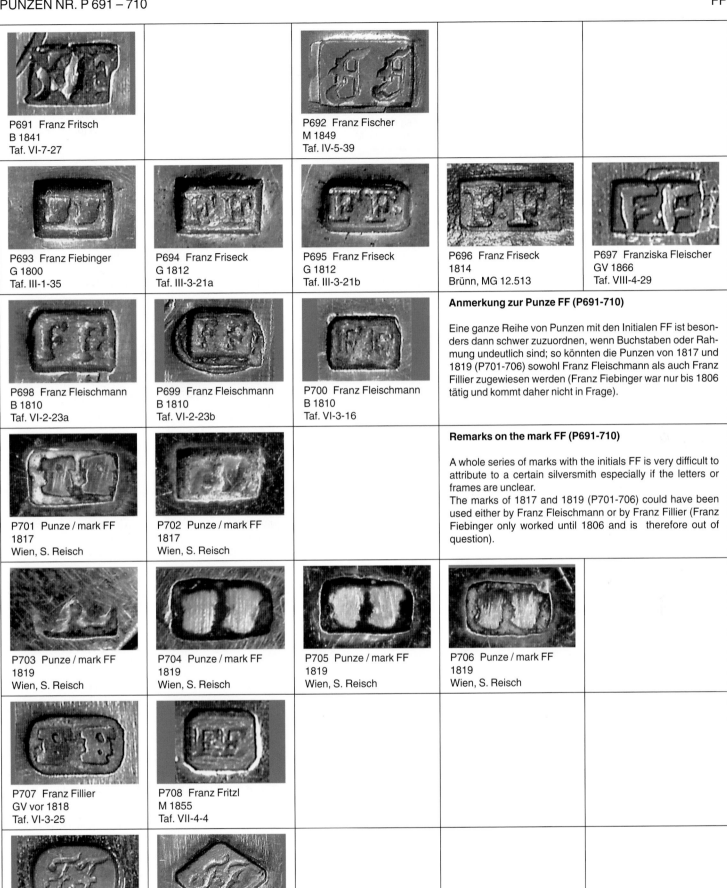

**P691** Franz Fritsch
B 1841
Taf. VI-7-27

**P692** Franz Fischer
M 1849
Taf. IV-5-39

**P693** Franz Fiebinger
G 1800
Taf. III-1-35

**P694** Franz Friseck
G 1812
Taf. III-3-21a

**P695** Franz Friseck
G 1812
Taf. III-3-21b

**P696** Franz Friseck
1814
Brünn, MG 12.513

**P697** Franziska Fleischer
GV 1866
Taf. VIII-4-29

**P698** Franz Fleischmann
B 1810
Taf. VI-2-23a

**P699** Franz Fleischmann
B 1810
Taf. VI-2-23b

**P700** Franz Fleischmann
B 1810
Taf. VI-3-16

**Anmerkung zur Punze FF (P691-710)**

Eine ganze Reihe von Punzen mit den Initialen FF ist besonders dann schwer zuzuordnen, wenn Buchstaben oder Rahmung undeutlich sind; so könnten die Punzen von 1817 und 1819 (P701-706) sowohl Franz Fleischmann als auch Franz Fillier zugewiesen werden (Franz Fiebinger war nur bis 1806 tätig und kommt daher nicht in Frage).

**P701** Punze / mark FF
1817
Wien, S. Reisch

**P702** Punze / mark FF
1817
Wien, S. Reisch

**Remarks on the mark FF (P691-710)**

A whole series of marks with the initials FF is very difficult to attribute to a certain silversmith especially if the letters or frames are unclear.
The marks of 1817 and 1819 (P701-706) could have been used either by Franz Fleischmann or by Franz Fillier (Franz Fiebinger only worked until 1806 and is therefore out of question).

**P703** Punze / mark FF
1819
Wien, S. Reisch

**P704** Punze / mark FF
1819
Wien, S. Reisch

**P705** Punze / mark FF
1819
Wien, S. Reisch

**P706** Punze / mark FF
1819
Wien, S. Reisch

**P707** Franz Fillier
GV vor 1818
Taf. VI-3-25

**P708** Franz Fritzl
M 1855
Taf. VII-4-4

**P709** Ferdinand Fuchs
GV 1865
Taf. VIII-3-25

**P710** Franz Frey
B 1818
Taf. VI-1-8

**P711  Friedrich Golsch**
B 1847, M 1851
Taf. VII-2-35

**P712  Franz Gerl**
B 1781, G 1792
Taf. III-4-14a

**P713  Franz Gerl**
B 1781, G 1792
Taf. III-4-14b

**P714  Franz Gindorff**
M 1837
Taf. IV-3-29a

**P715  Franz Gindorff**
M 1837
Taf. IV-3-29b

**P716  Friedrich Gindle**
B 1829
Taf. VI-4-38a

**P717  Franz Gerbalek**
B 1833
Taf. VI-5-30a

**P718  Franz Gillarduzzi**
M 1853
Taf. VII-3-25

**P719  Friedrich Gindle**
B 1829
Taf. VI-4-38b

**P720  Franz Gerbalek**
B 1833
Taf. VI-5-30b

**P721  Franz Josef Gendle**
GV 1860
Taf. VIII-1-35

**P722  Friedrich Ghiglione**
GV 1866
Taf. VIII-3-27

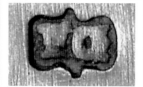

**P723  Felix Greidl**
G 1788
Taf. II-3-18c

**P724  Felix Greidl**
G 1788
Taf. I-4-4

**P725  Felix Greidl**
G 1788
Taf. II-3-18a

**P726  Felix Greidl**
G 1788
Taf. II-3-18b

**Anmerkung zur Punze FG von Felix Greidl (P723-726)**

Felix Greidl (Aufnahme ins Gremium 1788) ist von 1789 bis 1804 in Adreßbüchern und Innungslisten genannt. Steuerleistungen sind von 1790 bis 1805 überliefert (zwischen 5 und 12 Gulden jährlich); seine Witwe Magdalena wird 1805 erwähnt.
Die Punze FG ist unterschiedlich gerahmt: drei Varianten zeigen einen Zweipaß (P724-726), eine Rahmung ist queroval (P723).

**Remarks on the mark FG of Felix Greidl (P723-726)**

Felix Greidl (guild entry: 1788) is found 1789-1804 in address books and guild lists. Tax payments are documented from 1790 to 1805 (5-12 Guilders annually); his widow Magdalena is mentioned in 1805.
The mark FG has different frames: a bifoil in three variations (P724-726), a horizontal oval (P723).

**P727  Franz Helmer**
B 1818, M 1835
Taf. IV-3-12

**P728  Franz Heisler**
B 1841, M 1851
Taf. VII-2-22

**P729  Franz Hamilton**
G 1803
Taf. III-2-21b

**P730  Franz Hantsch**
B 1836
Taf. VI-6-10

**P731  Franz Holzer**
B 1838
Taf. VI-6-40a

**P732  Franz Anton Hauber**
GV 1866 (Franz Hauber:
GV 1841), Taf. VIII-5-7

**P733  Franz Hamilton**
G 1803
Taf. III-2-21a

**P734  Franz Hempel**
B 1837
Taf. VI-7-44

P735  Franz Hueber
G 1769
Taf. I-2-20a

P736  Franz Hueber
G 1769
Taf. I-2-20b

P737  Franz Holzer
B 1838
Taf. VI-6-40b

P738  Franz Hartmann
G 1812
Taf. III-3-13

P739  Franz Hartmann
1815
Budapest, IM 67.826.1-2

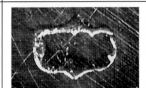

P740  Franz Hartmann
1815
Budapest, IM 67.826.1-2

**Anmerkung zur Punze FH von Franz Hartmann (P738-740)**

Nur aufgrund der charakteristischen Rahmung und den andeutungsweise erkennbaren Buchstaben können die Punzen (P739, 740) dem Silberschmied Franz Hartmann zugeordnet werden (P738). Hartmann (Meisterrecht 1812) ist von 1812-1821 in Adreßbüchern und Innungslisten genannt (Anheimsagung 1821).

**Remarks on the mark FH of Franz Hartmann (P738-740)**

The marks (P739, 740) can only be attributed to the silversmith Franz Hartmann due to the typical frame (P738) and the vaguely recognizable letters.
Hartmann (master's title: 1812) is found in address books and guild lists from 1812 to 1821 (end of trade: 1821)

**Anmerkung zur Punze FID von Franz Ignaz Dermer (P741, 742)**

Die Initialen FID bilden eine Punze von Franz Ignaz Dermer (P741); den vollen Namen DERMER zeigt eine wohl später zu datierende Punze (s. S. 142, P556-559). Franz Ignaz Dermer wurde 1798 ins Gremium aufgenommen; er ist von 1801 bis 1820 in den Innungslisten verzeichnet (gest. 1820). Die Punze von 1802 zeigt starke Beschädigungen der Rahmung (P742); ob die Punze P743 Dermer zugeschrieben werden, kann, ist ungewiß.

P741  Franz Ignaz Dermer
G 1798
Taf. III-1-23a

**Remarks on the mark FID of Franz Ignaz Dermer (P741, 742)**

A mark of Franz Ignaz Dermer consists of his initials FID (P741); the whole family name DERMER is found on a probably later mark (see p. 142, P556-559).
Franz Ignaz Dermer (guild entry: 1798) is entered 1801-1820 in the guild lists (died in 1820). the mark of 1802 shows a badly damaged frame (P742). There is no certainty in attributing the mark P743 to Dermer.

P742  Franz Ignaz Dermer?
1802
Privatbesitz (EJ)

P743  Punze / mark FID
1799
Budapest, IM 64.214

P744  Ferdinand Ignaz Ney
G 1751
Taf. I-1-18

P745  Franz J. Stallmayer
G 1790
Taf. I-4-60b

P746  Franz J. Stallmayer
G 1790
Taf. II-3-31

**Anmerkung zur Punze FIS von Franz Jung (P747)**

Die Punze FIS besteht aus den Initialen von Franz Jung (FI) und dem S (Schwertfeger). Jung erhielt 1840 das Befugnis für das Schwertfegergewerbe. Im Jahre 1860 erfolgte die Protokollierung dieses Gewerbes sowie der von Jung allein zu führenden Firma „Franz Jung". 1863 wurde die Firma ins Register für „Einzelnfirmen" übertragen, 1864 der Konkurs eröffnet und 1866 „über Geschäftsaufgebung" gelöscht.

*(MerkG Prot. Bd 12, J 122; HG E 4/68)*

Die Firma ist in zeitgenössischen Adreßbüchern angeführt:
*„Jung Franz, Waffenfabrikant und Schätzmeister, erzeugt und hält stets ein assortirtes Lager von allen Gattungen Offiziers- und Beamtensäbeln, dann Staatsdegen, Hirschfänger und Fechtrequisiten. Fabrik und Waffenkammer: Spitelberg, am Glacis 134; Niederlage: Stadt, Kärntnerstrasse 1049"* sowie *„Jung Franz, für Cavallerie, Infanterie und Marine, Spitelberg, vis-à-vis dem ungarischen Gardegebäude 134; Niederlage: Stadt, Kärntnerstrasse 1049."* (Gottfried-Pernold 1854/I, S. 939)

P747  Franz Jung,
Schwertfeger, St 1840
Taf. IV-4-22

**Remarks on the mark FIS of Franz Jung (P747)**

The mark FIS consists of the initials for Franz Jung (FI) and an S (for „Schwertfeger" = hilt maker). In 1840 Jung got the authorization for the hilt maker trade. This authorization and his company „Franz Jung" was registered in 1860. In 1863 the company was transferred to the register of single firms, in 1864 bankruptcy proceedings were opened and in 1866 the company was dissolved due to end of trade.

*(MerkG Prot. Bd 12, J 122; HG E 4/68)*

The company is mentioned in contemporary address books:
*„Jung Franz, manufacturer of arms and treasurer produces and holds an assorted depot of all sorts of officer's and official's sables, also state swords, hunting knives and fencing articles; factory and arms depot: Spitelberg, on the Glacis 134; subsidiary branch: Stadt, Kärntnerstrasse 1049"* and *„Jung Franz, für Cavallerie, Infanterie und Marine, Spitelberg, vis-à-vis dem ungarischen Gardegebäude 134; subsidiary branch: Stadt, Kärntnerstrasse 1049."* (Gottfried-Pernold 1854/I, S. 939).

**P748** Franz Kraft
G 1774
Taf. I-2-44

**P749** Franz Klug
B 1825, M 1833
Taf. VI-3-43b

**P750** Ferdinand Kotzmann
B 1837
Taf. VI-6-22a

**P751** Ferdinand Kotz-
mann, 1840 (= 1840-1842)
Wien, Dorotheum 1909/118

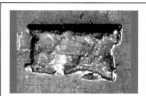

**P752** Franz Klug
B 1825, M 1833
Taf. IV-2-49

**P753** Franz Köll?
M 1810
Taf. III-2-47b

**P754** Franz Köll
M 1810
Taf. III-3-5

**P755** Franz Köll
M 1810
Taf. IV-1-16

**Anmerkung zur Punze FK von Franz Köll (P753-758)**

Franz Köll erhielt 1810 das Meisterrecht und ist in den Innungslisten von 1811 bis 1830 verzeichnet (gest. 1830)

**Remarks on the mark FK of Franz Köll (P753-758)**

Franz Köll (master's title: 1810) is found in guild lists from
1811 to 1830 (died in 1830)

**P756** Franz Köll?
18?3
Brünn, MG 28.965

**P757** Franz Köll?
1814
Brünn, MG 18.701

**P758** Franz Köll
1816
Wien, HM 71.459

**P759** Punze / mark FK
1816
Wien, Dorotheum 1892/50

**P760** Ferdinand Kotzmann
B 1837
Taf. VI-6-22b

**P761** Ferdinand Kotzmann?
1839
Wien, WKA, 28/638

**P762** Florian Keucher
M 1851
Taf. VII-1-41

**P763** Franz Klug
B 1825, M 1833
Taf. VI-3-43a

**P764** Franz Kübler
M 1852
Taf. VII-1-43a

**P765** Franz Kübler
M 1852
Taf. VII-1-43b

**P766** Franz Kwassinger
M 1851
Taf. VII-2-28

**P767** Friedrich Klein
M 1857
Taf. VII-4-42

**P768** Franz Kordon
GV 1865
Taf. VIII-3-29

**P769** Ferdinand Kuhn
B 1833
Taf. VI-6-9

**P770** Friedrich Kandelhart
B 1833
Taf. VI-7-19

**P771** Franz Kordon
GV 1865
Taf. VI-8-44

**P772** Franz Krauss
G 1800
Taf. III-1-39

**P773** Friedrich Kummer
B 1822
Taf. VI-1-44

P774 Franz Lindhuber
M 1845
Taf. IV-5-3

P775 Friedrich Laubenbacher, G 1783
Taf. II-2-34

P776 Friedrich Laubenbacher, G 1783
Taf. II-2-35

P777 Friedrich Laubenbacher, G 1815
Taf. III-3-44b

P778 Franz Lebschy
B 1844
Taf. VI-7-0

P779 Franz Leskier
M 1850
Taf. IV-5-49

P780 Ferdinand Liermann
B 1810
Taf. VI-3-11

P781 Friedrich Laubenbacher, G 1815
Taf. III-3-44a

**Anmerkung zur Punze FL von Friedrich Laubenbacher (P775-777, 781)**

Es gibt zwei Silberschmiede mit dem Namen Friedrich Laubenbacher. Der ältere (P775, 776) erhielt 1781 das Meisterrecht und wurde 1783 ins Gremium aufgenommen. Seine Steuerleistungen sind von 1783 bis 1798 nachweisbar (2-6 Gulden jährlich); Fortführung wohl durch Witwe Magdalena (1801 Innungsliste, Steuerleistungen: 1801-1805). Der jüngere (P777, 781) erhielt 1815 das Meisterrecht und ist 1816 bis 1836 in den Innungslisten nachweisbar.

P782 Franz Lhotak
GV 1868
Taf. VIII-4-38

P783 Franz Lorenz
B 1831
Taf. VI-4-44b

P784 Franz Linzberger
G 1754
Taf. I-1-35

**Remarks on the mark FL of Friedrich Laubenbacher (P775-777, 781)**

Two silversmiths named Friedrich Laubenbacher are known. The elder one (P775, 776) (master's title: 1781) entered the guild in 1783. His tax payments are documented from 1783 to 1798 (2-6 Guilders annually); his business obviously was continued by his widow Magdalena (guild list: 1801, tax payments: 1801-1805). The younger Laubenbacher (P777, 781) (master's title: 1815) is entered in the guild lists from1816-1836.

**Anmerkung zur Punze FLT von Franz Lorenz Turinsky (P785-796)**

Franz Lorenz Turinsky (geb. um 1757, gest. 1829) wurde 1789 ins Gremium aufgenommen; in den Innungslisten ist er von 1801 bis 1828 nachweisbar, in den jährlichen Steuerlisten ist er von 1790 bis 1812 mit 3 bis 12 Gulden verzeichnet.

Zwei Punzentypen charakterisieren sein Werk: die Initialen FLT werden unterschiedlich gerahmt; die ältere Punze (P785, 786) unterscheidet sich von der jüngeren (P787) auch durch den Duktus der Buchstaben. Diese Punze in schildförmiger Umrahmung ist auf zahlreichen Objekten von 1801 bis 1827 in unterschiedlichem Erhaltungszustand überliefert (P788-796)

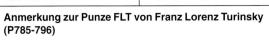

P785 Franz Lorenz Turinsky, G 1789
Taf. I-4-10a

P786 Franz Lorenz Turinsky, G 1789
Taf. I-4-10b

**Remarks on the mark FLT of Franz Lorenz Turinsky (P785-796)**

Franz Lorenz Turinsky (born about 1757, died in 1829) entered the guild in 1789. From 1801 to 1828 he is found in the guild lists, his tax payments are documented from 1790 to 1812 (3-12 Guilders annually).

His work is characterised by two types of marks with different frames including the initials FLT.

The difference between the earlier mark (P785, 786) and the later one (P787) lies also in the shape of the letters.

This mark in a shield is found on many objects dated 1801-1827 in varying states of preservation (P788-796).

P787 Franz Lorenz Turinsky
G 1789
Taf. II-3-26a

P788 Franz Lorenz Turinsky
1801
Budapest, IM 66.289

P789 Franz Lorenz Turinsky
1803
Privatbesitz (KG)

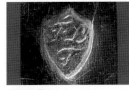

P790 Franz Lorenz Turinsky, 1804
Privatbesitz (EJ)

P791 Franz Lorenz Turinsky, 1804
Privatbesitz (EJ)

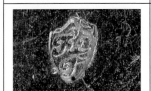

P792 Franz Lorenz Turinsky, 1807 (= 1807-1809)
Wien, Dorotheum 1909/68

P793 Franz Lorenz Turinsky, 1807 (= 1807-1809)
Wien, Dorotheum 1909/68

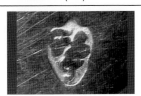

P794 Franz Lorenz Turinsky 1827
Wien, DM L-193

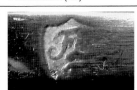

P795 Franz Lorenz Turinsky 18??
Brünn, MG 12514

P796 Franz Lorenz Turinsky, 18??
Budapest, IM 59.1788.2

P797 Friedrich Manheck
B 1829, M 1850
Taf. VI-4-35

P798 Friedrich Manheck
B 1829, M 1850
Taf. VII-1-7

P799 Franz Maschin
G 1792
Taf. II-4-7

P800 Franz Messer-
schmidt, G 1799
Taf. III-1-32

P801 Franz Mathei
B 1838
Taf. VI-6-12a

P802 Franz Mathei
B 1838
Taf. VI-6-12b

P803 Franz Mathei
B 1838
Taf. VI-6-12c

P804 Franz Massabost
G 1814
Taf. III-3-40a

P805 Franz Massabost
G 1814
Taf. III-3-40b

P806 Franz Mikosch
G 1807
Taf. III-2-37

P807 Franz Maresch
GV 1863
Taf. VIII-3-28

P808 Franz Matthias Adler
G 1813
Taf. III-3-24

P809 Franz Nitsch
M 1839
Taf. IV-3-43

P810 Friedrich Nieder-
müller, B 1820
Taf. VI-3-44

P811 Franz Obrecht
GV 1867
Taf. VIII-3-37

P812 Franz Pieter
G 1802
Taf. III-2-6

P813 Friedrich Pondel
B 2839
Taf. VI-4-41

P814 Friedrich Przyemsky
B 1860
Taf. VIII-1-51

P815 Franz Pieter
G 1825
Taf. IV-1-31

P816 Franz Pech
M 1858
Taf. VII-5-25

P817 Franz Pawliczek
B 1860
Taf. VIII-1-47

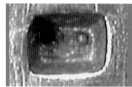

P818 Franz Praschek
B 1846, M 1855
Taf. VIII-2-36a

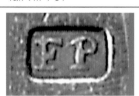

P819 Franz Praschek
B 1846, M 1855
Taf. VIII-2-36b

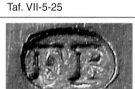

P820 Felix Paul
B 1811
Taf. VI-2-3b

P821 Franz Pastisch
B 1837
Taf. VI-6-21

P822 Ferdinand Patak
B 1859
Taf. VIII-1-18

P823 Felix Paul
B 1811
Taf. VI-2-3a

P824 Franz Panek (?)
GV 1867 (?)
Taf. VIII-3-53

P825 Franz Panek
GA 1855 (?)
Taf. VII-4-34

**Anmerkung zur Punze FP bzw. F.PANEK von Franz Panek (P824, 825)**

Zweimal ist ein Franz Panek als Uhrgehäuse-macher nachweisbar: der eine (Gewerbsan-meldung 1855, Zurücklegung 1863), der an-dere (Gewerbsverleihung 1867, in den In-nungslisten 1868-1882 verzeichnet). Die Zu-ordnung der Punzen kann nur vermutet wer-den

*(HR 537(637)/1855, HR 640(740)/1863)*

**Remarks on the mark FP and F.PANEK of Franz Panek (P824, 825)**

Two watch case makers named Franz Panek are known: the elder one (application of trade: 1855, end of trade: 1863), the other (bestowal of trade 1867, found in the guild lists from 1868-1882). The attribution of the marks to one of them can only be assumed.

*(HR 537(637)/1855, HR 640(740)/1863)*

P826 Franz Riessner
G 1819
Taf. III-4-31a

P827 Franz Riessner
G 1819
Taf. III-4-31b

P828 Franz Radeiner
B 1838, M 1851
Taf. VII-2-21

P829 Franz Ruzicka
M 1857
Taf. VII-4-43

P830 Friedrich Rothe
M 1845
Taf. IV-4-43

P831 Franz Rudolf
GV 1865
Taf. VIII-3-7

P832 Franz Reissner
B 1862
Taf. VIII-2-45

P833 Franz Reyman
G 1766
Taf. III-1-44

P834 Friedrich Reichelt
B 1836
Taf. VI-6-16

P835 Franz Schub
BE 1811, St vor / before
1829, Taf. IV-1-20b

P836 Franz Starke
M 1853
Taf. VII-3-28

P837 Ferdinand Sand-
meyer, G 1790
Taf. I-4-14

P838 Ferdinand Sand-
meyer, G 1790
Taf. II-3-30

P839 Punze / mark FS
1791
Wien, Dorotheum 1926/25

P840 Franz Simmerl
B 1843
Taf. VI-8-30

P841 Friedrich Schmidt
B 1811
Taf. VI-1-40

P842 Franz X. Stauber
GV 1863
Taf. VIII-2-11

P843 Franz Strobl
G 1811
Taf. III-3-6a

P844 Franz Stark
G 1783
Taf. II-2-4(3)d

P845 Franz Stark
G 1783
Taf. II-2-4(3)c

P846 Franz Strobl
G 1811
Taf. III-3-6c

P847 Punze / mark FS
1817
Wien, WKA 21/325

P848 Punze / mark FS
1818
Wien, Dorotheum 1859/51

P849 Franz Schubert
M 1840
Taf. IV-4-6

P850 Franz Stark
G 1783
Taf. II-2-4(3)b

P851 Franz Strobl
G 1811
Taf. III-3-6b

P852 Franz Schnepf
B 1862
Taf. VIII-2-41

**Anmerkung zur Punze FS von Franz Schiffer (P853, 856, 858)**

Franz Schiffer (geb. 1800 Essen, gest. 1854) erhielt seine Befugnis 1827, das Meisterrecht 1832; in den Innungslisten ist er von 1833-1854 vertreten; 1846 Verleihung des Titels eines „k. k. Hof-Gold und Silberarbeiters", Steuerabmeldung 1855. Seine Witwe Franziska ist in den Innungslisten 1855-1860 genannt. 1860 Anheimsagung.

Firmengeschichte

1851 Protokollierung der Firma „Franz Schiffer und Sohn k. k. Hof- und bürgl. Gold und Silberarbeiter" (Franz Schiffer und Sohn Eduard Schiffer).
1855 Löschung der früheren Verträge und Errichtung einer öffentlichen Gesellschaft zwischen der Witwe Franziska Schiffer und Eduard Schiffer zur Fortführung der Firma „Franz Schiffer und Sohn k. k. ..." (s. oben).
1860 Löschung der Sozietätsfirma „Franz Schiffer & Sohn" siehe auch Eduard Schiffer, S. 147, P635.
*(MerkG Prot. Bd 8, S 46)*

P853 Franz Schiffer
B 1827, M 1832
Taf. IV-2-43e

**Remarks on the mark FS of Franz Schiffer (P853, 856, 858)**

Franz Schiffer (born in 1800 Essen, died in 1854, authorization: 1827, master's title: 1832) is entered in the guild lists from 1833-1854; in 1846 award of the title royal imperial court gold and silversmith; tax end in 1855. His widow Franziska is found in the guild lists from 1855-1860. End of trade in 1860.

Company history:
1851 registration of the company "Franz Schiffer und Sohn k. k. Hof- und bürgl. Gold und Silberarbeiter" (Franz Schiffer and son Eduard Schiffer).
1855 dissolution of earlier contracts and foundation of a general partnership between the widow Franziska Schiffer and Eduard Schiffer to continue the company "Franz Schiffer und Sohn k. k. ..." (see above).
1860 dissolution of the partnership company "Franz Schiffer & Sohn".
see also Eduard Schiffer, p. 147, P635.
*(MerkG Prot. Bd 8, S 46).*

**Anmerkung zur Punze FS von Ferdinand Schiessler (P854)**

Ferdinand Schiessler erhielt 1855 das Meisterrecht; in den Innungslisten ist er von 1856-1889 genannt.

Firmengeschichte:

1855 Protokollierung der Firma „Ferdinand Schiessler".
1861 Änderung in „Ferdinand Schüssler".
1863 Übertragung ins Register für „Einzelfirmen".
1889 Löschung (über Ableben des Firmeninhabers und Geschäftszurücklegung).

*(MerkG Prot. Bd 13, K 397; HG E 5/308)*

P854 Ferdinand Schiessler
M 1855
Taf. VII-3-43

**Remarks on the mark FS of Ferdinand Schiessler (P854)**

Ferdinand Schiessler (master's title: 1855) is entered in the guild lists from 1856 to 1889.

Company history:
1855 registration of the company "Ferdinand Schiessler".
1861 changed into "Ferdinand Schüssler".
1863 transfer into the register of single firms.
1889 dissolution due to the death of the owner and end of trade.

*(MerkG Prot. Bd 13, K 397; HG E 5/308)*

| | | | | |
|---|---|---|---|---|
|  |  | 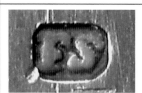 | 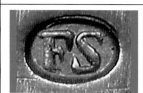 | 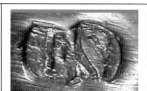 |
| P855 Franz Schefler<br>G 1769<br>Taf. I-2-19 | P856 Franz Schiffer<br>B 1827, M 1832<br>Taf. IV-2-43d | P857 Franz Sacher<br>M 1837<br>Taf. VIII-1-21 | P858 Franz Schiffer<br>B 1827, M 1832<br>Taf. VI-4-21 | P859 Punze / mark FS<br>1826<br>Budapest, IM 2599 |
|  |  |  | | |
| P860 Franz Stark<br>G 1783<br>Taf. II-2-4(3)e | P861 Franz Stark<br>G 1783<br>Taf. II-2-4(3)a | P862 Franz Stark<br>G 1783<br>Taf. I-3-45 | | |
|  |  | |  |  |
| P863 Ferdinand Stummer<br>GV 1863<br>Taf. VIII-3-43 | P864 Franz Seglenner<br>G 1783<br>Taf. I-3-17 | | P865 Franz Schub<br>BE 1811, St vor / before<br>1829, Taf. IV-1-20a | P866 Franz Steidel<br>B 1823<br>Taf. VI-2-9 |

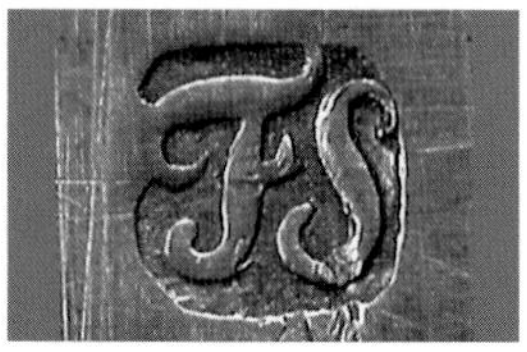

P867 Fabian Sebastian
Feyerwary, 1752
Wien, Dorotheum 1892/22

P868 Fabian Sebastian
Feyerwary, 1753
Budapest, IM 69.1073

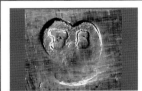

P869 Fabian Sebastian
Feyerwary, 175?
Wien, Dorotheum 1874/19

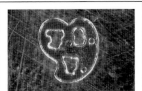

P870 Fabian Sebastian
Feyerwary, 17?2
Wien, Dorotheum 1892/16

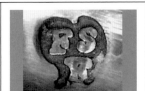

P871 Fabian Sebastian
Feyerwary, 1777
Prag, NM, H2-12.663-1

P872 Ferdinand Stummer
GV 1863
Taf. VIII-2-14

P873 Ferdinand Stengl
GA 1858, St 1858
Taf. VII-5-31

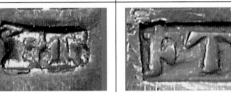

P874 Franz Tyler
B 1847
Taf. VII-1-22

P875 Franz Tuma
M 1823
Taf. IV-1-14b

P876 Franz Teltscher
B 1843
Taf. VI-7-40

**Anmerkung zur Punze FT von Friedrich Georg Triesch (P877-885, 892)**

Friedrich Georg Triesch (Befugnis: 1835) wird in den Innungslisten von 1837 bis 1868 genannt.

Firmengeschichte:

1854 Protokollierung der Gesellschaft „**Fr. Triesch & Comp.**" (Georg Friedrich Triesch, Theodor Brezina; von Brezina allein zu führende Sozietätsfirma).
1859 Löschung des Gold- und Silberarbeiterbefugnisses, Steuerabmeldung; Protokollierung des Landesfabriksbefugnisses und der Gesellschaftsfirma „**Fr. Triesch & Cie.**"
1860 Protokollierung: Nachtrag zum Gesellschaftsvertrag zwischen Theodor Brezina, Friedrich Triesch & Maria Brezina; nur Maria Brezina zeichnet obige Firma; Löschung der Firma „Fr. Triesch & Comp."
1860 Protokollierung der Firma „**Fr. Triesch & Ziegler**", Zeichnung durch Friedrich Triesch und Mathias Ziegler.
1861 Zeichnung durch Triesch: „Fr. Triesch", durch Ziegler: „& Ziegler".
1861 Löschung der Firma „Fr. Triesch & Ziegler", Protokollierung der Firma „**Fr. Triesch, Ziegler & Comp**" (mit Maria Brezina).

Zahlreiche Punzen sind auf den Punzentafeln und auf Objekten zu finden: das Monogramm FT im Rechteck und im Achteck, F Triesch, T & C°, T & Z (s. S. 19).

*(MerkG Prot. Bd 8, T 23, T 43)*

P877 Friedrich G. Triesch
B 1835
Taf. VI-5-43e

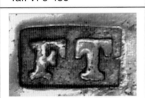

P878 Friedrich G. Triesch
1847
Budapest. IM 53.3428.1

P879 Friedrich G. Triesch
1849
Wien, Dorotheum 1962/96

**Remarks on the mark FT of Friedrich Georg Triesch (P877-885, 892)**

Friedrich Georg Triesch (authorization: 1835) is found in the guild lists from 1837 to 1868.

Company history:

1854 registration of the partnership company "**Fr. Triesch & Comp.**" (Georg Friedrich Triesch, Theodor Brezina; company run by Brezina alone).
1859 dissolution of the gold and silver authorization, tax end; registration of the national factory authorization and the partnership company "**Fr. Triesch & Cie.**"
1860 registration: addition to the company contract between Theodor Brezina, Friedrich Triesch & Maria Brezina; the company is signed for by Maria Brezina alone; dissolution of the company "Fr. Triesch & Comp."
1860 registration of the company "**Fr. Triesch & Ziegler**," signatories: by Friedrich Triesch and Mathias Ziegler
1861 signed by Triesch: "Fr. Triesch," by Ziegler: "& Ziegler"
1861 dissolution of the company "Fr. Triesch & Ziegler," registration of the company "**Fr. Triesch, Ziegler & Comp**" (with Maria Brezina)

On marks tablets and on objects many marks are preserved: the monogram FT in a rectangle and in an octagon, F Triesch, T & C°, T & Z (see p. 19).

*(MerkG Prot. Bd 8, T 23, T 43)*

P880 Friedrich G. Triesch
B 1835
Taf. VI-5-43d

P881 Friedrich G. Triesch
B 1835
Taf. VI-5-43g

P882 Friedrich G. Triesch
B 1835
Taf. VI-5-43k

| | | | | |
|---|---|---|---|---|
|  |  |  | | |
| P883  Friedrich G. Triesch ?<br>1846<br>Wien, Dorotheum 1909/129 | P884  Friedrich G. Triesch?<br>1844<br>Budapest, IM 19.125b | P885  Friedrich G. Triesch?<br>1844<br>Budapest, IM 19.125b | | |
|  |  |  |  |  |
| P886  Franz Tuma<br>M 1823<br>Taf. IV-1-14a | P887  Franz Tuma(?)<br>1840 (= 1840-1842)<br>Privatbesitz (SA) | P888  Franz Tuma<br>M 1823<br>Taf. IV-1-14c | P889  Franz Tomsch<br>M 1857<br>Taf. VII-5-13 | P890  Punze / mark FT<br>Taf. I-4-2 |
|  |  |  |  |  |
| P891  Florian Türk<br>M 1855<br>Taf. VII-4-8 | P892  Friedrich G. Triesch<br>B 1835<br>Taf. VI-5-43f | P893  Franz Urban<br>E 1862<br>Taf. VII-5-29 | P894  Franz Urban<br>18?3<br>Privatbesitz (KF) | P895  Ferdinand Valete<br>B 1824<br>Taf. VI-4-1 |

See p. 161:

**Remarks on the mark  FW of Franz Wallnöfer (P906-910)**

Several generations of the Wallnöfer silversmith dynasty are known:

**Franz Walnefer, Sr.** (master's title: 1800, national factory authorization: 1812, died in 1858, in the guild lists from 1801-1858) informed the Mercantile Court in 1820 of the alteration concerning his family name from "Walnefer" to "Wallnöfer".

His son **Karl Wallnöfer** (guild entry: 1820, found in the guild lists from1821-1857, died in 1872) had the whole name Wallnöfer embossed on a marks tablet, see p. 237).

The company "Franz Wallnöfer & Söhne" was run by **Franz Walnefer (Wallnöfer), Sr.** and his sons **Franz Wallnöfer, Jr.** (guild entry: 1822, found in the guild lists from1823-1857) and **Karl Wallnöfer** (see above). The company was taken over by the sons Franz und Karl under the name **"Gebr. Carl und Franz Wallnöfer jun."**

Company history:

1828 registration of the company "Franz Wallnöfer & Söhne" with Franz Wallnöfer, Jr. and Karl Wallnöfer.
1838 change into the company "Gebr. Carl und Franz Wallnöfer jun."
1856 Dissolution of the company and entry of the company "Carl Wallnöfer" ("Karl Wallnöfer").
1857 dissolution of the company "Karl Wallnöfer".

*(MerkG Prot. Akt F3 / W / 125; MerkG Prot. Bd 6, W 20)*

The rectangular FW marks are not easily distinguished. Those of Franz Würth seem to be distinct enough by the dot after the F but this dot found on objects is often unclear.

The marks of Franz Walnefer, Sr. (P906, P908: FW in a rectangle with dots after the letters and FW in an octagon) can easily be mistaken for that of Franz Würth if the image of the mark is only vaguely visible and frames, letters or dots are damaged.

Franz Wallnöfer, Jr. used a FW mark whose letters are situated close to the rectangular frame.

Also see: mark  CW (p. 142, P549), FW (p. 161), Wallnöfer (p. 237, P2335-2352) and W & S (p. 241, P2438) and double eagle (p. 249, P2500).

**Anmerkung zur Punze FW von Franz Würth (P896-899)**

Franz Würth (1773-1831) wurde 1797 ins Gremium aufgenommen; in den Innungslisten ist er 1801-1831 genannt, Steuern sind ab 1798 nachweisbar. Seine Punze aus den Buchstaben F.W ist rechteckig gerahmt; durch die Ähnlichkeit mit jener von Franz Walnefer sind genaue Zuschreibungen manchmal außerordentlich schwierig. Im Laufe der Zeit wurde die Punze wohl mehrfach erneuert, wobei sich minimale Abweichungen ergeben konnten.

P896  Franz Würth
G 1797
Taf. III-1-17a

**Remarks on the mark FW of Franz Würth (P896-899)**

Franz Würth (1773-1831, guild entry 1797) is entered in the guild lists from 1801-1831, tax payments are documented from 1798. His mark with the letters F.W is framed rectangularly. Exact attributions sometimes are extremely difficult due to the similarity with the mark of Franz Walnefer.
The mark certainly was renewed from time to time showing minimal alterations of the image.

P897  Franz Würth (?)
18??
Budapest, IM 54.271

P898  Franz Würth (?)
18??
Budapest, IM 53.2209

P899  Franz Würth
1821
Privatbesitz (BJ)

P900  Ferdinand Wurm?
G 1805
Taf. III-2-33

P901  Franz Würth (?)
1813
Brünn, MG 18.453/1

P902  Franz Würth (?)
1815?
Wien, KHM O-01/008

P903  Punze / mark FW
1810 (= 1810-1812)
Wien, HM 55.984/1

P904  Punze / mark FW
1810 (= 1810-1812)
Privatbesitz (EJ)

P905  Punze / mark FW
1818
Wien, S. Reisch

**Anmerkung zur Punze FW von Franz Wallnöfer (P906-910)**

Mehrere Generationen der Familie Wallnöfer sind uns als Silberarbeiter bekannt:
**Franz Walnefer sen.** (1800 Meister; 1812 Landesfabriksbefugnis, gest. 1858, 1801 bis 1858 in den Innungslisten genannt) gab dem Merkantilgericht im Jahre 1820 seine Namensänderung von „Walnefer" auf „Wallnöfer" bekannt; sein Sohn **Karl Wallnöfer** (1820 Aufnahme ins Gremium, in den Innungslisten 1821-1857 vertreten, gest. 1872) ließ den vollen Schriftzug Wallnöfer auf einer Punzentafel einschlagen (s. S. 237).
**Franz Walnefer (Wallnöfer) sen.** führte mit seinen Söhnen **Franz Wallnöfer jun.** (1822 Aufnahme ins Gremium, in den Innungslisten 1823-1857 verzeichnet) und **Karl Wallnöfer** (s. oben) die Firma „Franz Wallnöfer & Söhne", die dann durch die Söhne Franz und Karl als „**Gebr. Carl und Franz Wallnöfer jun.**" weitergeführt wurde.

Firmengeschichte:

1828 Protokollierung der Firma „Franz Wallnöfer & Söhne" mit Franz Wallnöfer jun. und Karl Wallnöfer.
1838 Umwandlung in Firma „Gebr. Carl und Franz Wallnöfer jun."
1856 Löschung der Firma und Eintragung der Firma „Carl Wallnöfer" („Karl Wallnöfer").
1857 Löschung der Firma „Karl Wallnöfer".

*(MerkG Prot. Akt F3 / W / 125, MerkG Prot. Bd 6, W 20)*

P906  Franz Walnefer
(sen.), G 1800
Taf. III-1-37a

P907  Franz Wallnöfer
sen. (?), 1832
Wien, S. Reisch

Die Punzen von Franz Walnefer sen. (P906, P908: FW im Rechteck mit Punkten nach den Buchstaben sowie FW im Achteck) sind mit jener von Franz Würth verwechselbar, wenn das Punzenbild nur undeutlich erhalten ist und Rahmung, Buchstaben oder Punkte beeinträchtigt sind. Franz Wallnöfer jun. führte eine FW-Punze, deren Buchstaben knapp an die obere und untere Rechteckrahmung heranreichen.
Die Unterscheidung der rechteckig gerahmten FW-Punzen ist oft nicht einfach. Jene von Franz Würth scheint durch den Punkt nach dem F genügend charakterisiert, doch ist dieser Punkt auf Objekten häufig undeutlich.

siehe auch: Punze CW (S. 142, P549), FW (S. 161), Wallnöfer (S. 237, P2335-2352), W & S (S. 241, P2438) sowie Doppeladler (S. 249, P2500).

P908  Franz Walnefer (sen.)
G 1800
Taf. III-1-37b

P909  Franz Wallnöfer sen.?
1817
Wien, Dorotheum 1962/70

P910  Franz Wallnöfer (jun.)
G 1820
Taf. IV-1-06

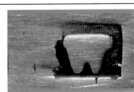

P911  Punze / mark FW
1858
Budapest, IM 53.4157.1

**Anmerkung zur Punze FW von Franz Wannermayer (P912)**

Franz Wannermayer (Befugnis 1837, Meisterrecht 1850, Anheimsagung 1863) ist von 1838 bis 1863 in den Innungslisten genannt. Mit seinem Sohn Georg Wannermayer (Befugnis 1843, gest. 1867, in den Innungslisten 1844-1867 genannt) führte er die Firma „Franz Wannermeyer und Sohn" (s. unten).

Firmengeschichte:

1852 Protokollierung der Firma „Franz Wannermeyer und Sohn"

(MerkG Bd. 8, W 24)

s. auch Punze GW (P1049, S. 169) mit nebenstehendem Namen Franz Wannermayer(!) auf der Punzentafel.

P912 Franz Wannermayer
B 1837, M 1850
Taf. VII-1-19

**Remarks on the mark of Franz Wannermayer (P912)**

Franz Wannermayer (authorization: 1837, master's title: 1850, end of trade: 1863) is entered from 1838-1863 in the guild lists. Together with his son Georg Wannermayer (authorization: 1843, died in 1867, entered in the guild lists from 1844-1867) he directed the company "Franz Wannermeyer und Sohn" (see below).

Company history:

1852 registration of the company "Franz Wannermeyer und Sohn"

(MerkG Bd. 8, W 24)

Also see mark GW (P1049, p. 169) with the embossed name Franz Wannermayer(!) on the marks tablet.

P913 Punze / mark FW, EW?
1804
Wien, Dorotheum 1926/31

P914 Friedrich Wayand
B 1820 (?)
Taf. VI-1-24

P915 Friedrich Wayand
M 1825
Taf. IV-1-32

P916 Franz Waibel
B 1844
Taf. VII-1-21

P917 Franz Wieland
B 1846
Taf. VI-8-37a

P918 Franz Wieland
B 1846
Taf. VI-8-37b

P919 Punze / mark FW
1805
Wien, Dorotheum 1892/62

P920 Franz Wieninger
M 1827
Taf. IV-1-44

P921 Franz Würth
G 1797
Taf. III-1-17b

P922 Franz Würth?
1801
Budapest, IM 75.175

P923 Ferdinand Wieninger
G 1820
Taf. III-4-36a

P924 Ferdinand Wieninger
G 1820
Taf. III-4-36b

P925 Ferdinand Wieninger
G 1820
Taf. III-4-36c

P926 Franz Weissenböck
G 1811
Taf. III-3-14b

P927  Franz Wieser
G 1814
Taf. III-1-1

P928  Franz Wieser
G 1814
Taf. III-3-42

P929  Franz Wieser (?)
18??
Privatbesitz (KF)

P930  Franz Weissenböck
G 1811
Taf. III-3-14a

P931  Franz Werscher
GA 1853
Taf. VIII-5-10

**Anmerkung zur Punze von F. Werscher (P931)**
Franz Werscher (auf der Punzentafel irrtümlich Werschy geschrieben), suchte 1853 um ein Gewerbe an. Er war Uhrgehäusemacher und ist in den Innungslisten von 1865-1872 genannt. Verwandtschaftliche Beziehung zu Ludwig Werscher möglich.

**Remarks on the mark of F. Werscher (P931)**
Franz Werscher (erroneously written "Werschy" on the marks tablet) applied in 1853 for a trade. He was a watch case maker and is entered in the guild lists from 1865-1872. Probably related to Ludwig Werscher.

*HR 514(614)/1853*

P932  Ferdinand Wolfgang
Wurm, G 1805
Taf. III-2-30a

P933  Ferdinand Wolfgang
Wurm, G 1805
Taf. III-2-30b

P934  Franz Lassingleitner
M 1828
Taf. IV-1-47

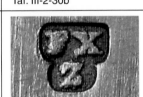

P935  Franz Xaver Ziegler
G 1791
Taf. II-3-41

P936  Franz Zeitler
B 1848
Taf. IV-5-44a

P937  Franz Zöpf
M 1829
Taf. IV-2-8

P938  Franz Zeitler
B 1848
Taf. IV-5-44b

P939  Georg Aumüller
M 1854
Taf. VII-3-34

P940  Gustav Adler
M 1857
Taf. VII-5-9

P941  Georg Adam
Davanzo, B 1817
Taf. VI-2-40

P942  Josef Gal
B 1823
Taf. VI-3-22

P943  GB (Georg Bischof?)
(B 1830?)
Taf. IV-2-17

P944  Georg Bischof
B 1830
Taf. VI-5-2

P945  Georg Brandmayer
B 1817
Taf. VI-1-21

P946  Gerhard Cocksel
G 1754
Taf. I-1-34

P947  Georg Fautz
M 1833
Taf. IV-2-38

P948  Georg Faber
B 1835
Taf. VI-6-3

**Anmerkung zur Punze GFS (P949)**

Diese Punze mit den Buchstaben GFS hat die typische Form der Schwertfegerpunze, wobei nur die ersten zwei Buchstaben als Initialen eines Namens zu lesen sind (GF = wohl Georg Fischer). Das S bedeutet Schwertfeger (vgl. S. 112).

P949  Punze / mark GF S
1802
Wien, KHM U-1016

**Remarks on the mark GFS (P949)**

This mark with the letters GFS shows the typical form of a hilt maker's mark. Only the two first letters are the initials of a name (GF = probably Georg Fischer). The letter S means "Schwertfeger" (= hilt maker), see p. 112.

P950  Georg Hutterer
GV 1850
Taf. VII-1-35

P951  Gottfried Heisse
B 1815
Taf. VI-3-34

P952  Gregor Heitzen-
knecht, B 1848
Taf. VII-2-3a

P953  Gregor Heitzen-
knecht, B 1848
Taf. VII-2-3b

P954  Gregor Heitzen-
knecht, B 1848
Taf. VII-2-3c

P955  Gregor Hueber
G 1763
Taf. I-1-53a

P956  Gottfried Hauptmann
M 1832
Taf. IV-2-34

## Anmerkung zur Punze GH von Gregor Hueber (P957) und Johann Georg Hann (P958-979)

Die Initialen GH im Queroval, das sich einem Kreis annähern kann, können sowohl für Gregor Hueber als auch Johann Georg Hann stehen. **Gregor Hueber** wurde 1763 ins Gremium aufgenommen und ist bis 1789 in Adreßbüchern bzw. in den Innungslisten nachweisbar (seine jährlichen Steuerleistungen sind bis 1792 dokumentiert und betragen in diesem Jahr 4 Gulden). **Johann Georg Hann** wurde 1780 ins Gremium aufgenommen und ist von 1801 bis 1812 in den Innungslisten verzeichnet (gest. 1812); seine Steuerleistungen sind von 1781 bis 1808 dokumentiert und betrugen jährlich von 1795 bis 1800 nicht weniger als 24 Gulden, was auf eine hohe Einstufung (und Produktion) schließen läßt. Zahlreiche erhaltene Objekte mit der Punze GH (vor allem aus den Beständen des Budapester Kunstgewerbemuseums, aber auch aus Wiener Sammlungen bzw. Auktionsangeboten) geben einen guten Überblick über die Punze von 1789 bis 1807 (= 1807-1809). Eine Verwechslung mit Gregor Hueber wäre nur in den Jahren bis 1792 (Todesjahr Huebers) möglich; gegen einen großen Auftrag wie das sogenannte „Palatin"-Service in Budapest durch Hueber spricht allerdings seine geringe Steuerleistung zur fraglichen Zeit. Die ältere Punze von Hann ist auf Tafel I eingeschlagen (P977) und auf einem Objekt aus dem Jahr 1782 erhalten (P978, 979, unterschiedliche Beleuchtung). Der Bekanntheitsgrad Hanns macht seine Punze inzwischen auch für Fälscher interessant: das gefälschte GH ist weniger leicht zu erkennen als die gefälschte Wiener Amtspunze, die die Namenspunze begleitet (siehe S. 11).

P957 Gregor Hueber
G 1763
Taf. I-1-53b

P958 Johann Georg Hann
G 1780
Taf. I-3-13b

P959 Johann Georg Hann
G 1763
Taf. II-2-29

## Remarks on the marks GH of Gregor Hueber (P957) and Johann Georg Hann (P958-979)

The initials GH in a horizontal oval of nearly circular shape could be attributed to Gregor Hueber as well as to Johann Georg Hann.
**Gregor Hueber** (guild entry: 1763) is found until 1789 in address books and guild lists (his annual tax payments are found until 1792 and ran to 4 Guilders in this year).
**Johann Georg Hann** (guild entry: 1780) is entered from 1801-1812 in the guild lists (died in 1812). His tax payments are known from 1781 to 1812 (from 1795 to 1800 they ran annually to no less than 24 Guilders proving his high tax assessment and production).
Many preserved objects with the mark GH (especially in the collections of the Budapest Museum of Applied Arts, but also in Viennese collections and auction houses) give a good overview of the mark from 1789 and 1807 (= valid 1807-1809).
Only in the years until 1792 (death of Hueber) the Hann mark could be taken for that of Hueber. Because of Hueber's relatively small tax payments it is not very probable that he should have met a large order like that of the so called "Palatin" service in Budapest. Therefore the provenience of this service from the Hann firm can be taken for granted.
Hann's earlier mark is embossed on marks tablet I (P977) and preserved on an object from 1782 (P978, 979, different lighting). Meanwhile the well known mark of Hann is appreciated by fakers. The forged GH is difficult to ascertain so that the corresponding Viennese hallmark has to be considered (see p. 11).

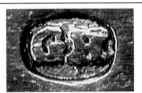

P960 Johann Georg Hann
1789
Budapest, IM 18.308

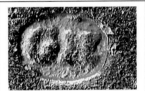

P961 Johann Georg Hann
1791
Budapest, IM 15.953

P962 Johann Georg Hann
1791
Budapest, IM 52.1306

P963 Johann Georg Hann
1791
Budapest, IM 52.1307

P964 Johann Georg Hann
1791
Budapest, IM 52.1526

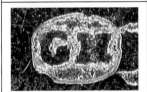

P965 Johann Georg Hann
1791
Budapest, IM 93.37

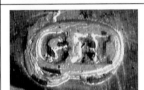

P966 Johann Georg Hann?
1792
Budapest, NM 54.198

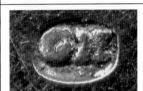

P967 Johann Georg Hann
1794
Privatbesitz (PD)

P968 Johann Georg Hann
1796
Budapest, IM 59.82

P969 Johann Georg Hann
1798
Wien, Dorotheum 1826/43

P970 Johann Georg Hann
1802
Privatbesitz (EJ)

P971 Johann Georg Hann
1805
Wien, Dorotheum 1844/77

P972 Johann Georg Hann
1806
Budapest, IM 64.216.1.2

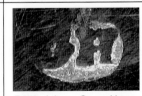

P973 Johann Georg Hann
1806
Budapest, IM 64.216.2.1

P974 Johann Georg Hann
1806
Budapest, IM 64.216.2.2

P975 Johann Georg Hann
1806?
Budapest, IM 64.216.1.1.

P976 Johann Georg Hann
1807 (= 1807-1809)
Wien, S. Reisch

P977 Johann Georg Hann
G 1780
Taf. I-3-13a

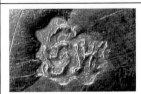

P978 Johann Georg Hann
1782
Budapest, NM 1954.174

P979 Johann Georg Hann
1782
Budapest, NM 1954.174

P980 Johann Georg
Hackel, G 1769
Taf. I-2-27

P981 Georg Haunold
M 1839
Taf. IV-3-44

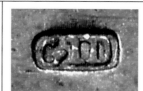

P982 Georg Josef
Dobitsch, G 1814
Taf. III-3-43

P983 Georg Jovanov
G 1804
Taf. III-2-29b

P984 Georg Jovanov
G 1804
Taf. III-2-29d

P985 Georg Jovanov
G 1804
Taf. III-2-29a

P986 Georg Jovanov
G 1804
Taf. III-2-29c

P987 Georg Kunstmann
G 1823, M 1824
Taf. IV-2-42

P988 Georg Kramer
B 1820
Taf. VI-1-14b

P989 Georg Kreutz (?)
B 1844
Taf. VI-1-35a

P990 Georg Kreutz (?)
B 1844
Taf. VI-1-35b

P991 Georg Kämpf
GV 1867
Taf. VIII-4-43

P992 Georg Kucher
B 1843
Taf. VI-8-36a

P993 Georg Kucher
B 1843
Taf. VI-8-36b

P994 Georg Kucher
B 1843
Taf. VIII-3-34

P995 Georg Kramer
B 1820
Taf. VI-1-14a

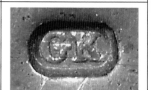

P996 Georg Kohlmayer
G 1812
Taf. III-3-16

P997 Gustav Lestander
B 1816
Taf. VI-3-24

P998 Gregor Lorenz
B 1825
Taf. VI-4-5d

P999 Gregor Lorenz
B 1825
Taf. VI-4-5c

P1000 Gregor Lorenz
B 1825
Taf. VI-4-5e

P1001 Joh. Georg Lau-
benbacher, G 1798
Taf. III-1-21

P1002 Joh. G. Laubenba-
cher, 1805
Wien, Dorotheum 1892/59

P1003 Joh. G. Laubenba-
cher, 1805
Budapest, NM 1955.111

P1004 German Leichter
B 1820, M 1842
Taf. IV-1-18

P1005 Gregor Lorenz
B 1825
Taf. VI-4-5a

P1006 Gregor Lorenz
B 1825
Taf. VI-4-5b

P1007  Georg Michel
M 1845
Taf. IV-5-2

P1008  Georg Markus
B 1831
Taf. VI-5-6b

P1009  Georg Markus
B 1831
Taf. VI-5-6a

P1010  Johann Georg
Nußböck, G 1770
Taf. I-2-29a

P1011  Johann Georg
Nußböck, G 1770
Taf. I-2-29b

P1012  Johann Georg
Nußböck, G 1801
Taf. III-1-42a

P1013  Johann Georg
Nußböck, G 1801
Taf. III-1-42b

### Anmerkung zur Punze G & N von Godina & Nemeczek (P1014)

Die Punze G & N besteht aus den Initialen der Familiennamen von Godina und Nemeczek.
Ferdinand Godina (Meisterrecht 1857, gest. 1912) ist in den Innungslisten 1858-1901 verzeichnet. Johann Nemeczek (Befugnis: 1847, Bürgereid 1861), ist in den Innungslisten von 1848 bis 1881 zu finden.

Firmengeschichte:

1858 Protokollierung der öffentlichen Gesellschaft „Godina et Nemeczek" (Gesellschafter: Ferdinand Godina und Johann Nemeczek).
1863 Übertragung ins Register für „Gesellschaftsfirmen".
1881 Löschung der Firma „Godina & Nemeczek", Eintragung der Firma „F. Godina" ins Register für „Einzelnfirmen" (Löschung 1900), dann Umwandlung in Firma „F. Godina's Söhne".
*(MerkG Prot. Bd 10, G 315; HG Ges 2/220; HG E 17/221, HG Ges 52/30)*

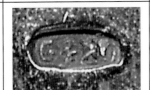

P1014  Godina &
Nemeczek, pFa 1858
Taf. VIII-3-31

### Remarks on the mark G & N of Godina & Nemeczek (P1014)

The mark G & N consists of the initials of the family names of Godina and Nemeczek.
Ferdinand Godina (master's title: 1857, died in 1912) is entered in the guild lists from 1858-1901.
Johann Nemeczek (authorization: 1847, freeman's oath: 1861) is found from 1848-1881 in the guild lists.

Company history:

1858 registration of the general partnership "Godina et Nemeczek" (partners: Ferdinand Godina and Johann Nemeczek)
1863 transfer into the register of partnership companies
1881 dissolution of the company "Godina & Nemeczek," entry of the company "F. Godina" into the register of single firms (dissolution in 1900), later transformation into "F. Godina's Söhne".
*(MerkG Prot. Bd 10, G 315; HG Ges 2/220; HG E 17/221, HG Ges 52/30)*

P1015  Georg Puth
B 1830, M 1832
Taf. IV-2-32

P1016  Georg Pistori
B 1860
Taf. VIII-1-34

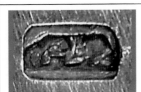

P1017  Franz Prehn
(Punze GP!); M 1857
Taf. VII-5-7

P1018  Georg Quitteiner
G 1829, M 1830
Taf. IV-2-13

P1019  Gottlieb Rohn
B 1844
Taf. VI-8-11a

P1020  Georg Reber
B 1817
Taf. VI-1-3

P1021  Gottlieb Rohn
B 1844
Taf. VI-8-11b

P1022  Giov. Batt. Radici
G 1789
Taf. I-4-9

P1023  Giov. Batt. Radici
G 1789
Taf. II-3-24

P1024 Wilhelm Grebner
M 1853
Taf. VII-3-11

P1025 Georg Grill
GV 1810
Taf. VI-2-1

**Anmerkung zur Punze GRILL von Georg Grill (P1025)**

Georg (Johann Georg) Grill erhielt sein Gewerbe als Uhrgehäusemacher im Jahre 1810; er wird in zeitgenössischen Adreßbüchern genannt (Redl 1822), aber nicht in den Innungslisten der Gold- und Silberschmiede.

**Remarks on the mark GRILL by Georg Grill (P1025)**

Georg (Johann Georg) Grill got his trade as watch case maker in 1810; he is listed in contemporary address books (Redl 1822) but not documented in the guild lists of gold and silversmiths.

P1026 Josef Carl Gross (?)
B 1842, M 1860
Taf. VIII-2-23b

**Anmerkung zur Punze GROSS von Josef Gross (P1026, 1027)**

Der herzförmig gerahmte Schriftzug „Grohs" (= Gross) ist unter der Punze JG eingeschlagen; beide beziehen sich auf Josef Gross (Silberpfeifenbeschläger), der 1831 sein Befugnis erhielt (Anheimsagung 1862, in den Innungslisten 1837-1866 erwähnt).

Fortführung des Betriebes durch Barbara Gross (in den Innungslisten 1867-1870 genannt).

P1027 Josef Gross
B 1831
Taf. VI-5-8b

**Remarks on the mark GROSS of Josef Gross (P1026, 1027)**

The heart shaped writing "Grohs" (= Gross) is embossed directly under the mark JG; both are related to Josef Gross (silver pipe mount maker), who got his authorization in 1831 (end of trade: 1862) and is entered in the guild lists from 1837-1866.

Continuation of business by Barbara Gross (entered in the guild lists from 1867-1870).

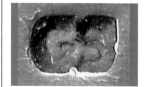

P1028 Georg Schmidt
B 1820
Taf. VI-2-44

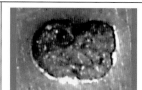

P1029 Georg Schmidt
B 1834, M 1850
Taf. VI-8-19b

P1030 Gottfried Shaniel
B 1860
Taf. VIII-1-52

P1031 Georg Schmidinger
M 1850
Taf. VII-1-17

P1032 Georg Stubenrauch
B unbekannt / unknown
Taf. VI-5-22

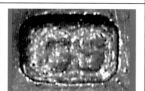

P1033 Punze / mark GS
1855
Budapest, IM 52.2831.1

P1034 Georg Schmidt
B 1834, M 1850
Taf. VI-8-19a

P1035 Gustav Starke
B 1819, M 1848
Taf. IV-5-29

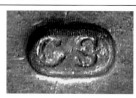

P1036 Gottfried Schmidt
G 1802
Taf. III-1-47

P1037 Gustav Starke
B 1819, M 1848
Taf. VI-1-30

P1038 Georg Schiegel
B 1811
Taf. VI-2-24

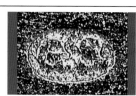

P1039 Punze / mark GS
185?
Privatbesitz (EJ)

P1040 Georg Schumacher
B 1807, FB 1810
Taf. VI-2-34

**Anmerkung zur Punze GST von Gottfried Sterner (P1041)**

Auf der Punzentafel IV steht neben der ovalen Punze mit den Buchstaben GST nur das Wort „unbekant"; es ist jedoch mit ziemlicher Sicherheit anzunehmen, daß es sich um die Initialen von Gottfried Sterner handelt (Meisterrecht 1847, gest. 1860), der von 1848-1860 in den Innungslisten genannt wird (zeitweiser Nichtbetrieb ab 1856).

Firmengeschichte:

1852 Protokollierung einer öffentlichen Gesellschaft unter dem Firmennamen „Sterner & Klaber" (Gesellschafter: Gottfried Sterner, Herrmann Klaber).

1853 Löschung dieser Firma, Protokollierung der von Sterner allein zu führenden Firma „G. Sterner".

1853 Protokollierung einer Gesellschaft unter der Firma „G. Sterner & Compie", Löschung der Firma „G. Sterner". Gesellschafter sind nun: Gottfried Sterner, Bernhard Berolja und Alois Meller (s. Bernhard Berolja, S. 131).

*(MerkG Prot. Bd 8, S 58)*

P1041 Gottfried Sterner (?)
M 1847 (?)
Taf. IV-5-25

**Remarks on the mark GST by Gottfried Sterner (P1041)**

The word "unknown" is embossed on marks tablet IV next to the oval mark with the letters GST but we can be nearly certain that they are the maker's mark of Gottfried Sterner (master's title: 1847, died in 1860), entered in the guild lists from 1848-1860 (temporary "no business" from 1856).

Company history:

1852 registration of a general partnership with the company name "Sterner & Klaber" (partners: Gottfried Sterner, Herrmann Klaber).

1853 dissolution of this company, registration of the company "G. Sterner" directed only by Sterner.

1853 registration of a partnership company "G. Sterner & Compie", dissolution of the company "G. Sterner".

Partners are now: Gottfried Sterner, Bernhard Berolja and Alois Meller (see Bernhard Berolja, p. 131).

*(MerkG Prot. Bd 8, S 58)*

P1042  Georg Trausnek
M 1846
Taf. IV-5-20

P1043  Gabriel Umhefer
B 1816
Taf. VI-3-35

P1044  Georg Wachter
B 1824, M 1834
Taf. VI-2-15b

P1045  Georg Wostry
B 1826, M 1830
Taf. IV-2-19

P1046  Georg Wostry
B 1826, M 1830
Taf. VI-4-12

P1047  Georg Wachter
B 1824, M 1834
Taf. VI-2-15a

**Anmerkung zur Punze GW von Wannermayer (P1048, 1049)**

Georg Wannermayer (Befugnis 1843, gest. 1867, in den Innungslisten 1844-1867 genannt) führte mit seinem Vater Franz Wannermayer (Befugnis 1837, Meisterrecht 1850, Anheimsagung 1863, von 1838 bis 1863 in den Innungslisten genannt) die Firma „Franz Wannermeyer und Sohn".
Während neben P1048 auf der Punzentafel der Name Georg Wannermayer steht, ist bei P1049 der Name Fr. Wannermayer eingeschlagen (!); Franz Wannermayer hatte eine eigene Punze (P912, S. 162), die aus den Buchstaben FW bestand.

Firmengeschichte:

1852 Protokollierung der Firma „Franz Wannermeyer und Sohn".

*(MerkG Bd. 8, W 24)*

P1048  Georg Wannermayer, GV 1843
Taf. IV-5-19

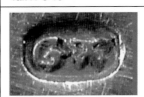

P1049  Georg Wannermayer, GV 1843
Taf. VII-2-43

**Remarks on the mark GW of Wannermayer (P1048, 1049)**

Georg Wannermayer (authorization: 1843, died in 1867, entered in the guild lists from 1844-1867) and his father Franz Wannermayer (authorization: 1837, master's title: 1850, end of trade: 1863, entered in the guild lists from 1838-1863) directed the company "Franz Wannermeyer und Sohn."
Next to the mark P1048 on the marks tablet the name Georg Wannermayer is found; the mark P1049 is accompanied by the name Fr. Wannermayer (!) on the marks tablet
Franz Wannermayer's mark consisted of the initials FW (P912, p. 162).

Company history:

1852 registration of the mark "Franz Wannermeyer und Sohn".

*(MerkG Bd. 8, W 24)*

P1050  Georg Wukowitsch
B 1835
Taf. VI-6-4

P1051 August Hellmayr (?)
M 1848
Taf. IV-5-28

P1052 Moritz Hablin
M 1833
Taf. IV-2-44b

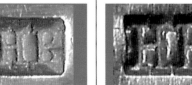

P1053 Heinrich Bolzani
B 1847, M 1850
Taf. VI-4-45

P1054 Heinrich Bolzani
B 1847, M 1850
Taf. VII-1-6

P1055 Heinrich Bohnen-
berger, M 1858
Taf. VII-4-14

P1056 Hermann Böhm
GV 1867
Taf. VIII-4-13

P1057 Conrad Hirsch
St 1830, M 1837
Taf. VI-5-12

P1058 Herrmann Josef
Edenburg, GV 1850
Taf. VII-1-14

P1059 Herrmann Josef
Edenburg, GV 1850
Taf. VII-5-34

P1060 Hermann Epstein
M 1854
Taf. VII-4-36

**Anmerkung zur Punze HE von Herrmann Josef Edenburg (P1058, 1059)**

Herrmann Josef Edenburg (Meisterrecht 1850) ist in den Innungslisten von 1851 bis 1881 genannt.

Firmengeschichte:

1872 Protokollierung der Firma „Josef Edenburg".
1881 Löschung „über Geschäftsaufgebung".

*(HG E 11/472)*

P1061 Heinrich Ecker
GV 1868
Taf. VIII-5-2

P1062 Johann Baptist
Helmer, M 1823
Taf. IV-1-9a

P1063 Dominik Herbitz
M 1830
Taf. IV-2-20

**Remarks on the mark HE of Herrmann Josef Edenburg (P1058, 1059)**

Herrmann Josef Edenburg (master's title: 1850) is entered in
the guild lists from 1851 to 1881.

Company history:

1872 registration of the company "Josef Edenburg".
1881 dissolution due to end of trade.

*(HG E 11/472)*

P1064 Franz Hartmann
M 1857
Taf. VII-5-17

P1065 Heinrich Johann
Frenzel, B 1825
Taf. VI-4-10

P1066 Franz Hamel
B 1849
Taf. VII-1-28

P1067 Heinrich Gudehuss
B 1832
Taf. VI-5-27

P1068 Heinrich Gregorius
M 1857
Taf. VII-4-30

P1069 Heinrich Gaster-
städt, B vor / before 1815?,
G 1820, Taf. III-4-40

P1070 Hermann (Alexan-
der?) Haukold; B 1860
Taf. VIII-1-49

P1071 Heinrich Hofbauer
G 1788
Taf. I-4-3

P1072 Heinrich Hofbauer
G 1788
Taf. II-3-13

P1073 Hermann Hand
M 1858
Taf. VIII-1-48

P1074 Hermann
Kappermann, GV 1860
Taf. VIII-1-45

P1075 Hermann
Kappermann, GV 1860
Taf. VIII-4-3

P1076 Hermann Kessler
B 1834
Taf. VI-5-35

P1077 Punze / mark HL
18?9
Privatbesitz (KJ)

P1078 Punze / mark HL
1818
Brünn, MG 12488

**Anmerkung zur Punze HL von Hugo Lüdicke (P1079, 1080)**

In der Innungsliste von 1842 wird Hugo Lüdicke von als Inhaber eines „ausschließenden Privilegiums" (1840) erwähnt. Das „Mittel" (Innung) der Gold- und Silberschmiede erhob wenig später Einspruch:

„Das Mittel zeigt an, daß derselbe weder ein bg, noch ein bef. Goldarbeiter, sondern nur Buchführer bey den Eisengußwaaren Fabrikanten Glanz war und bittet um Abänderung der Ediktal. Citation im Wiener Z. Amtsblatte N° 548".

Eine Entscheidung über diesen Einspruch ist nicht überliefert (zu Josef Glanz s. Punze JG, S. 199).

(HR 506/1842, fol 20, neu pag. 379 v°)

P1079 Hugo Lüdicke
Privilegium 1840
Taf. VI-7-21a

P1080 Hugo Lüdicke
Privilegium 1840
Taf. VI-7-21b

**Remarks on the mark HL of Hugo Lüdicke (P1079, 1080)**

In the guild list of 1842 Hugo Lüdicke is noted as owner of an exclusive privilege (1840).
The "Mittel" (guild) of gold and silversmith protested against Lüdicke:

„The guild informs that he neither is a burgher nor an authorized person but only bookkeeper at the iron wares factory of Glanz and asks for alteration of the publication in the Viennese official paper N° 548".

A decision concerning this protest is not documented (mark of Josef Glanz see JG, p. 199).

(HR 506/1842, fol 20, new pag. 379 v°)

P1081 Hermann (Heinrich?)
Müller; B 1840 oder 1860,
Taf. VII-2-41

P1082 Heinrich Müller
B 1840
Taf. VI-7-13b

P1083 Halpern Mayer
M 1857
Taf. VII-5-22

P1084 Heinrich Maschka
GV 1867
Taf. VIII-4-9a

P1085 Heinrich Maschka
GV 1867
Taf. VIII-4-12a

P1086 Heinrich Maschka
GV 1867
Taf. VIII-4-9b

P1087 Heinrich Maschka
GV 1867
Taf. VIII-4-12b

P1088 Heinrich Müller
B 1840
Taf. VI-7-13a

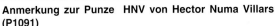

P1089 Heinrich Ordner
M 1858
Taf. VIII-1-2

P1090 Josef Hosp
G 1814
Taf. III-3-41a

**Anmerkung zur Punze HNV von Hector Numa Villars (P1091)**

Die Punze HNV ist das Zeichen von Hector Numa Villars, der als Uhrgehäusemacher tätig war.
Laut Hauptregistratur-Index zeigte er 1834 seine Beschäftigung an und reichte um ein Befugnis ein, das er auch erhielt. 1835 erhielt er das Recht zur „Jungenbildung" (Lehrlingsausbildung); 1861 legte er sein Gewerbe zurück.

(HR 429/1834; HR 438/1835; HR 611(711)/1861)

P1091 Hector Numa
Villars, B 1834
Taf. VI-6-2

**Remarks on the mark HNV of Hector Numa Villars (P1091)**

The mark HNV is the sign of Hector Numa Villars who was a watch case maker. In 1834 he announced his trade (index of the main registry) and applied for an authorization which was granted. In 1835 he was allowed to train apprentices; in 1861 he retired from his business.

(HR 429/1834; HR 438/1835; HR Bd. 611(711)/1861)

**Anmerkung zur Punze HP von Heinrich Pollak (P1092, 1093)**

Heinrich Pollak (Befugnis 1861, gest. 1883), wird von 1862-1884 in den Innungslisten genannt

Firmengeschichte:

1863 Protokollierung der Firma „H. Pollak" im Register für Einzelnfirmen.
1885 Löschung über Ableben des Firmeninhabers und Geschäftszurücklegung.

*(HG E 4/454)*

P1092  Heinrich Pollak
B 1861
Taf. VIII-2-7a

P1093  Heinrich Pollak
B 1861
Taf. VIII-2-7b

**Remarks on the mark HP of Heinrich Pollak (P1092, 1093)**

Heinrich Pollak (authorization: 1861, died in 1883) is entered in the guild lists from 1862-1884

Company history:

1863 registration of the company "H. Pollak" in the register for single firms.
1885 dissolution due to the death of the company owner and end of trade.

*(HG E 4/454)*

P1094  Heinrich Pfeffer
M 1852
Taf. VII-2-18

**Anmerkung zur Punze HP von Heinrich Pachtmann (P1095, 1096)**

Bereits im Jahre 1807 hatte Heinrich Pachtmann, Gürtlergesell, *„um das Befugnis zum Beschlagen der Tobakspfeifenköpfe von Tomback oder Silber mit nötigen Gehilfen"* angesucht und wurde abgewiesen; 1811 erhielt er sein Befugnis als Pfeifenbeschläger.
In zeitgenössischen Adreßbüchern wird er 1811-1817 genannt: „verfertigt auch alle Gattungen Bronzewaren".
In den Innungslisten wird er von 1837-1845 erwähnt. Die Anheimsagung erfolgte 1844.

*(HR 82/1807, fol. 65 r°)*

P1095 Heinrich Pachtmann
B 1811
Taf. VI-1-17a

P1096 Heinrich Pachtmann
B 1811
Taf. VI-1-17b

**Remarks on the mark HP of Heinrich Pachtmann (P1095, 1096)**

Already in 1807 Heinrich Pachtmann, a "gürtler" journeyman, applied *"for the authorization for mounting the tobacco pipes of tombac or silver with helpers"* and was rejected; in 1811 he got his authorization as pipe mount maker
He is found in contemporary address books from 1811 to 1817: *"makes all sorts of bronze wares"*.
He is also found in the guild lists from 1837-1845; end of trade: 1844.

*(HR 82/1807, fol. 65 r°)*

P1097  Heinrich Rumpf
B 1841
Taf. VIII-3-2

**Anmerkung zur Punze HS von Heinrich Starke (P1098, 1099)**

Heinrich Starke (Befugnis 1844, Meisterrecht 1850, gest. 1879), ist in den Innungslisten 1846-1881 vertreten; seine Witwe Eugenie Starke ist 1882-1896 (Gewerbsverleihung: 1881) genannt; ab 1892: Firma „H. Starke's Witwe" in den Innungslisten.

Firmengeschichte:

1847 Protokollierung des Befugnisses und der Firma „Heinrich Starke".
1851 Protokollierung der Firma „G. & H. Starke & Berroyer" (Gesellschafter: Gustav Starke, Heinrich Starke, Peter Berroyer) sowie Löschung der Firma „Heinrich Starke".
1859 Protokollierung der Firma „Starke & Berroyier" (Heinrich Starke und Peter Berroyer).
1869: Filialeröffnung: Heinrich Starke

**Gustav Starke**
Befugnis: 1819, Meisterrecht: 1848, gest. 1857, Innungslisten: 1837-1859.
**Peter Berroyer**
Befugnis 1843, Meisterrecht 1851, Innungslisten 1844-1870.
**Gustav Berroyer**
Innungslisten 1868-1875.

*(MerkG Prot. Bd 7, S 41; MerkG Prot. Bd 8, S 38, HR 708(808)/1869)*

P1098  Heinrich Starke (?)
Taf. IV-5-43

P1099  Heinrich Starke
B 1844, M 1850
Taf. VII-1-10

**Remarks on the mark HS of Heinrich Starke (P1098, 1099)**

Heinrich Starke (authorization: 1844, master's title: 1850, died in 1879) is entered in the guild lists from 1846-1881; his widow Eugenie Starke is found from 1882-1896 (bestowal of trade: 1881); from 1892: company "H. Starke's Witwe" in the guild lists.

Company history:

1847 registration of the authorization and the company "Heinrich Starke".
1851 registration of the company "G & H. Starke & Berroyer" (partners: Gustav Starke, Heinrich Starke, Peter Berroyer) and dissolution of the company "Heinrich Starke".
1859 registration of the company "Starke & Berroyier" (Heinrich Starke and Peter Berroyer).
1869: subsidiary branch: Heinrich Starke

**Gustav Starke**
authorization: 1819, master's title: 1848, died in 1857, guild lists: 1837-1859.
**Peter Berroyer**
authorization: 1843, master's title: 1851, entered in the guild lists: 1844-1870.
**Gustav Berroyer**
entered in the guild lists from 1868-1875.

*(MerkG Prot. Bd 7, S 41; MerkG Prot. Bd 8, S 38, HR 708(808)/1869)*

P1100  Heinrich Schachinger, M 1860
Taf. VIII-2-52b

P1101  Hermann Schwertner, E 1862
Taf. VII-3-5

P1102  Hermann Schwertner, 1851?
Privatbesitz (KJ)

P1103  Heinrich Schachinger, M 1860
Taf. VIII-2-52a

P1104  Heinrich Ludwig Ullmer, B 1862
Taf. VIII-2-26

P1105  Heinrich Voigt
B 1837, M 1843
Taf. VI-6-35

P1106  Hermann Wedel
M 1850
Taf. VII-1-2

P1107  Heinrich Weber
B 1838
Taf. VI-6-31

P1108  Hermann Weinstock, B 1860
Taf. VIII-4-33

P1109  Johann Albrecht
B 1841
Taf. VI-7-29

P1110  Johann Apfel
M 1830
Taf. IV-2-23

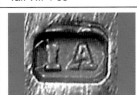

P1111  Jakob Abel
M 1855
Taf. VII-4-10

P1112  Jakob Abel
M 1855
Taf. VIII-3-6

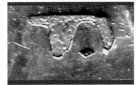

P1113  Punze / mark IA (?)
1830
Budapest, IM 59.2002.2

**Anmerkung zur Punze IÄCK von Jakob Jäck (P1114)**

Jakob (Johann Jakob) Jäck war Uhrgehäusemacher; er legte 1819 den Bürgereid ab. Seine Gewerbsverleihung muß vor 1829 stattgefunden haben (Steuereinschätzung 1828).

**Remarks on the mark IÄCK of Jakob Jäck (P1114)**

Jakob (Johann Jakob) Jäck was watch case maker (freeman's oath: 1819). The bestowal of trade presumably was before 1829 (tax assessment 1828).

P1114  Jakob Jäck
GV vor 1829
Taf. VI-3-21a

**Remarks on the mark IAF of Johann Adam Fautz (P1115-1117)**

The mark of Fautz (guild entry: 1745, died in 1788) consists of the initials IAF and is also found on an object of 1770. Fautz is entered in address books and guild lists until 1789; his tax payments are documented until 1788.

P1115  Johann Adam Fautz
G 1745
Taf. I-1-7

**Anmerkungen zur Punze IAF von Johann Adam Fautz (P1115-1117)**

Die Punze von Fautz (Aufnahme ins Gremium: 1745, gest. 1788) besteht aus den Initialen IAF und ist auch auf einem Objekt von 1770 überliefert.
Fautz ist in Adreßbüchern und Innungslisten bis 1789 genannt; seine Steuerleistungen sind bis 1788 dokumentiert.

P1116  Johann Adam Fautz
1770
Prag, NM H2-12.661a

P1117  Johann Adam Fautz
1770
Prag, NM H2-12.661c

P1118 Maria Anna Kölbelin, Witwe von J. A. Kölbel
Taf. I-3-27

**Anmerkung zur Punze IAK von Johann Adam Kölbel (P1118)**

Nach Johann Adam Kölbel (Aufnahme ins Gremium: 1739, gest. 1779) führte seine Witwe Maria Anna Kölbel(in) den Betrieb weiter (Steuer 1780-1784 nachweisbar; in Adreßbüchern und Innungslisten 1780-1782 genannt.

**Remarks on the mark IAK of Johann Adam Kölbel (P1118)**

After the death of Johann Adam Kölbel (guild entry: 1739, died in 1779) his business was continued by his widow Maria Anna Kölbel(in) (tax payments documented 1780-1784); she is found in address books and guild lists from 1780-1782.

P1119  Jakob Buck
B 1812
Taf. VI-2-14

P1120  Johann Banyai
B 1822
Taf. VI-3-31

P1121  Josef Bobies
B 1831
Taf. VI-5-1e

P1122  Josef Buschka
M 1853
Taf. VII-3-3

P1123  Josef Bobies
B 1831
Taf. VI-5-1a

P1124  Punze / mark IB
Taf. VI-6-45b

P1125  Josef Binder
G 1803
Taf. III-2-17

P1126  Johann Bayer
unbekannt / unknown
Taf. VI-2-41

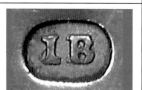

P1127  Josef Bobies
B 1831
Taf. VI-5-1b

P1128  Josef Bobies
B 1831
Taf. VI-5-1d

P1129  Johann Brockner
M 1857
Taf. VII-4-31

**Anmerkung zur Punze IBH von Johann Baptist Huber (Hueber) (P1130)**

Johann Baptist Hueber Vater (Meisterrecht: 1837), wird in den Innungslisten 1838-1871 genannt.

Firmengeschichte:

1859 Protokollierung der Firma „Joh. Hueber & Söhne" (Johann Baptist Hueber Vater, Söhne: Johann Hueber Sohn, Karl Hueber).
1863 Übertragung ins Register für „Einzelnfirmen": Firma „Joh. Hueber & Söhne".
1865 Vertretungsrecht von Karl Hueber (Löschung 1879).
1884 Löschung über Dissolution, Übertragung ins Register für „Einzelnfirmen".
1884 Inhaber: Karl Hueber, Wien.
1898 Löschung (siehe HG Ges 47/94).

*(MerkG Prot. Bd 11, H 72; HG Ges 2/330; HG E 20/77, HG Ges 47/94)*

P1130  Johann Baptist Huber, M 1837
Taf. IV-3-23

**Remarks on the mark IBH of Johann Baptist Huber (Hueber) (P1130)**

Johann Baptist Hueber, father, (master's title: 1837) is entered in the guild lists from 1838-1871.

Company history:

1859 registration of the company "Joh. Hueber & Söhne" (Johann Baptist Hueber father, sons: Johann Hueber son, Karl Hueber).
1863 transfer into the register of single firms: company "Joh. Hueber & Söhne".
1865 company represented by Karl Hueber (left the company in 1879).
1884 dissolution, transfer into the register of single firms.
1884 owner: Karl Hueber, Vienna.
1898 dissolution (see HG Ges 47/94).

*(MerkG Prot. Bd 11, H 72; HG Ges 2/330; HG E 20/77, HG Ges 47/94)*

P1131 Johann Baptist Kut-
tenauer, G 1800
Taf. III-1-34

P1132 Punze / mark IBS
1853
Privatbesitz (BJ)

**Anmerkung zur Punze ICD von Ignaz C. Dermer
(P1133-1135)**

Die Punze ICD (P1133) wurde von Ignaz C. Dermer (Sohn
von Franz Anton Dermer) und seiner Witwe geführt, die auf
der Punzentafel II aber namentlich nicht genannt wird
(P1134).
Dermer wurde 1780 ins Gremium aufgenommen (in
Adreßbüchern und Innungslisten 1780-1789 genannt); von
1781 bis 1790 sind Steuerleistungen durch ihn bzw. seine
Witwe nachweisbar (in dieser Zeitspanne wurde sicher auch
die Punze ICD verwendet). Obzwar sein Todesdatum im Totenprotokoll mit 1784 (34jährig) angegeben wird, sind seine
Steuerleistungen bis 1786, die seiner Witwe erst ab 1787
verzeichnet. Dafür gibt es zwei Erklärungen: entweder ist
das Todesjahr falsch oder die Steuereintragungen ungenau,
was aus folgendem Beispiel hervorgeht: während für die
Steuerjahre 1787 und 1789 die Witwe genannt wird, ist im
Steuerjahr 1788 noch Dermer selbst zu finden – vermutlich
eine Unvollständigkeit beim Eintragen.

P1133 Ignaz C. Dermer
G 1780
Taf. I-3-7

P1134 I. C. Dermerin
(Witwe von / widow of I. C.
Dermer), Taf. II-4-36

P1135 I. C. Dermer oder
Witwe / or widow, 1786
Budapest, IM 54.273

**Remarks on the mark ICD of Ignaz C. Dermer
(P1133-1135)**

The mark ICD (P1133) was used by Ignaz C. Dermer (son of
Franz Anton Dermer) and his widow although her name is
not mentioned explicitly on marks tablet II (P1134).
Dermer entered the guild in 1780 (found in address books
and guild lists from 1780-1789); tax payments of Dermer and
his widow are documented from 1781 to 1790 (during this
time the mark ICD certainly was used).
Although his year of death was documented in the death
register as 1784 (34 years old) we find his tax payments until
1786 and those of his widow from 1787 only.
Two explanations are possible: either the year of death or the
tax entries are wrong; the latter could be proved by the following example: the widow is named for the tax years 1787
and 1789, for 1788 we find Dermer himself – probably due to
incomplete entries.

P1136 Johann Caspar
Hauptmann, G 1765
Taf. I-1-59

P1137 Johann Caspar
Hauptmann, G 1765
Taf. II-1-27

P1138 Carl Leitner
B 1772, G 1792
Taf. II-4-4

P1139 Johann Carl Retzer
G 1802
Taf. III-2-1a

P1140 Johann Carl Retzer
G 1802
Taf. III-2-1b

P1141 J. C. Retzer?
(Taf.: Josef Körtzler)
Taf. III-3-4a

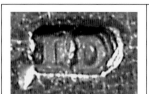

P1142 Julius Dietrich
GV 1848
Taf. VIII-2-43

P1143 Josef Dangel
M 1847
Taf. IV-5-23

P1144 Johann Deibl
B 1811
Taf. VI-2-38

P1145 Johann Heinrich
Dams (?), B 1833
Taf. VI-6-5

P1146 Josef Detler (?)
1. B 1810?, 2. B 1816?
Taf. VI-6-30a

P1147 Josef Domhart
G 1818
Taf. III-4-24a

P1148 Josef Domhart
G 1818
Taf. III-4-24b

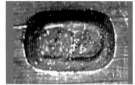

P1149 Josef Dollak
M 1843
Taf. IV-4-31

P1150 Punze / mark ID
1863
Wien, Dorotheum 1926/96a

P1151 Josef Dumm
M 1856
Taf. VII-4-25

P1152 Punze / mark ID
18?4
Privatbesitz (KJ)

P1153 Johann Dellyeur
B 1812
Taf. VI-1-39

P1154 Punze / mark ID
174?
Budapest, NM 53.440

P1155 Josef Detler (?)
1. B 1810?, 2. B 1816?
Taf. VI-1-20a

P1156 Josef Detler (?)
1. B 1810?, 2. B 1816?
Taf. VI-1-20b

P1157 Johann David
Beyermann; G 1778
Taf. I-2-60

**Anmerkung zur Punze IDB von Johann David Beyermann (P1157)**

Beyermann (Aufnahme ins Gremium: 1778, gest. 1792 mit 62 Jahren) ist von 1779 bis 1782 in Adreßbüchern zu finden. Seine Steuerleistungen sind von 1781 bis 1786 überliefert.

**Remarks on the mark IDB of Johann David Beyermann (P1157)**

Beyermann (guild entry: 1778, died in 1792, 62 years old) is found in address books from 1779 to 1782. His tax payments are documented from 1781 - 1786.

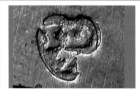

P1158 Dominikus
Hauptmann, G 1777
Taf. I-2-56

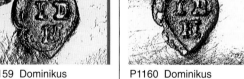

P1159 Dominikus
Hauptmann, 1800
Budapest, IM 61.571

P1160 Dominikus
Hauptmann, 1800
Budapest, IM 61.571

**Anmerkung zur Punze IDH von Dominikus Hauptmann (P1158-1160)**

Dominikus Hauptmann (geb. um 1745, Aufnahme ins Gremium: 1777, gest. 1815) ist von 1780-1814 in Adreßbüchern bzw. Innungslisten nachweisbar. Seine Steuerleistungen sind von 1779 bis 1812 nachweisbar (6 bis 55 Gulden jährlich).

P1161 Johann David
Ziegler, G 1791
Taf. I-1-27

**Remarks on the mark IDH of Dominikus Hauptmann (P1158-1160)**

Hauptmann (born about 1745, died in 1815, guild entry: 1777) is entered in address books and guild lists from 1780-1814. His tax payments are documented from 1779 to 1812 (6-55 Guilders annually).

P1162 Josef Ertl
M 1848
Taf. IV-5-30

P1163 Josef Engel
B 1840, M 1850
Taf. VI-7-10a

P1164 Josef Engel
B 1840, M 1850
Taf. VI-7-10b

P1165 Jakob Eberhardt
B 1844, M 1850
Taf. VI-8-25

P1166 Jakob Eberhardt
B 1844, M 1850
Taf. VII-1-18

P1167 Josef Ecker
GV vor 1829
Taf. VI-3-1

P1168 Josef Emanuel
Seligmann, B 1825
Taf. VI-3-39

P1169 Johann Elias Wipf
G 1775
Taf. I-2-47

P1170 Johann Finsterlein
M 1836
Taf. IV-3-13b

P1171 Josef Funk
M 1838
Taf. IV-3-38

P1172 Johann Ficker
B 1839
Taf. VI-7-4c

**Anmerkung zur Punze IF von Josef Freydenschuss und seiner Witwe Maria Anna (P1173-1178)**

Josef Freydenschuss wurde 1787 ins Gremium aufgenommen. Steuerzahlungen sind unter seinem Namen (Freüdenschuss) von 1788 bis 1792 verzeichnet. Dies widerspricht dem überlieferten Todesjahr von 1788 (mit 37 Jahren!), das vielleicht für einen anderen Freydenschuss gelten könnte? (ein Johann Freydenschuss war 1774 bei Santi Bondi in die Lehre getreten). Für „Freydenschuss seel. Witwe" (Maria Anna Freydenschuss) sind Steuerzahlungen von 1793 bis 1801 nachweisbar. Die beiden bekannten IF-Punzen der Tafeln weichen voneinander deutlich ab: eine ältere Punze auf Tafel I ist zwar mit keiner Namensangabe versehen, jedoch mit großer Wahrscheinlichkeit Josef Freydenschuss zuzuschreiben (P1173). Sie zeigt die Buchstaben IF gerade stehend in der achteckigen Rahmung. Die Achteckrahmung wird bei der späteren Punze, die seine Witwe verwendete, beibehalten; die Initialen IF stehen etwas schief (P1174). Dem entsprechen auch die Punzen auf erhaltenen Objekten von 1792 und 1794 (P1175-1178).

P1173 Josef Freydenschuss, G 1787
Taf. I-3-52

P1174 I Freydenschussin
(Witwe/widow Anna Maria),
Taf. II-4-37

**Remarks on the mark of Josef Freydenschuss and his widow Maria Anna (P1173-1178)**

Josef Freydenschuss entered the guild in 1787. Tax payments are listed under his name (Freüdenschuss) from 1788 to 1792. This is contradicted by the documented year of death in 1788 (37 years old!) belonging perhaps to another Freudenschuß? (a certain Johann Freydenschuss was apprenticed in 1774 with Santi Bondi). For "Freydenschuss seel. Witwe" (his widow Maria Anna Freydenschuss) tax payments from 1793 to 1801 are known.

The two well known IF-marks of the marks tablets are clearly distinguishable: an older mark on marks tablet I stands without a name but can most certainly be attributed to Josef Freydenschuss (P1173). it shows straight letters IF in an octagonal frame. The same frame also characterizes the later mark used by his widow (P1174) but shows slanting initials. This corresponds to the marks on preserved objects from 1792 and 1794 (P1175-1178).

P1175 Josef Freydenschuss, Witwe (Maria Anna), 1792, Budapest, IM 52.46.1

P1176 J. Freydenschuss, Witwe (Maria Anna), 1792, Budapest, IM 52.46.2

P1177 J. Freydenschuss
Witwe, 1794
Wien, WKA 21/342

P1178 J. Freydenschuss
Witwe, 1794
Wien, WKA 21/342

P1179 Johann Farkas
G 1803
Taf. III-2-16a

P1180 Josef Ferdinand
M 1829
Taf. VI-4-28

P1181 Josef Fux
G 1813
Taf. III-3-31

P1182 Josef Feyerabend
G 1780
Taf. I-3-8

P1183 Josef Feyerabend
G 1780
Taf. II-2-24

P1184 Johann Gabel
M 1829
Taf. IV-2-11

P1185 Josef Gabesam
B 1831
Taf. VI-6-1

P1186 Johann Josef Gerich
GV 1868
Taf. VIII-4-47

P1187 Josef Grosser
E 1869
Taf. VIII-5-13

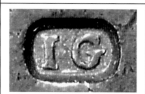

P1188 Ignaz Gindle
G 1810
Taf. III-3-2a

P1189 Ignaz Gindle
G 1810
Taf. III-3-2b

P1190 Ignaz Gindle?
18??
Budapest, NM 1954.95

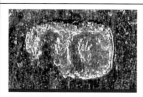

P1191 Ignaz Gindle?
1810 (= 1810-1812)
Budapest, IM 52.1315

P1192 Ignaz Gross
B 1842
Taf. VI-8-15

P1193 Johann Gutmann
G 1783
Taf. I-3-38b

P1194 Johann Gutmann
1787
Budapest, IM 64.188

### Anmerkung zur Punze IG von Johann Gutmann (P1193-1205)

Von der Punze mit den Initialen IG für Johann Gutmann sind zahlreiche Beispiele erhalten. Die ältere Punze auf Tafel I (P1193) stellt einen Zweipaß dar und ist durch eine in der Kontur etwas beeinträchtigte, aber identifizierbare Punze (P1194) für 1787 dokumentiert.
Johann Gutmann aus Prag (Aufnahme ins Gremium 1783) ist von 1788 bis 1818 in Adreßbüchern und Innungslisten verzeichnet.
Die jüngere Punze von Tafel II (P1195, 1196) schließt das IG in ein Queroval ein, das über dem I eine Beschädigung in Form eines kleinen Einschnitts zeigt, der sich in der Folge zu einer Art Kerbe verstärkt (P1200-1203). Zwei Punzen aus dem Jahr 1806 dürften ebenfalls Gutmann zuzuschreiben sein (P1204, 1205). Jährliche Steuerleistungen von 1783 bis 1810 (ab 1812 gab es bei der Steuer eine Umstellung auf Berechnungszeiten von drei Jahren: Triennien) betrugen 2 bis 25 Gulden.

P1195 Johann Gutmann
G 1783
Taf. II-2-37a

P1196 Johann Gutmann
G 1783
Taf. II-2-37b

### Remarks on the mark IG of Johann Gutmann (P1193-1205)

The marks with the initials IG for Johann Gutmann are numerous. The earlier mark on marks tablet I (P1193) shows a bifoil and is documented for 1787 by a slightly damaged mark (P1194).
Johann Gutmann from Prague (guild entry: 1783) is entered in the address books and guild lists from 1788 to 1818.
The later mark on marks tablet II (P1195, 1196) includes the IG in a horizontal oval shape showing a slight incision above the I. This small damage grows to a larger one on later marks (P1200-1203).
Two marks from 1806 presumably can also be attributed to Gutmann (P1204, 1205). Annual tax payments from 1783 to 1810 (from 1812 a span of three years was the base for tax assessment) ran from 2 to 25 Guilders

P1197 Johann Gutmann
1791
Budapest, IM 52.1526

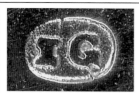

P1198 Johann Gutmann
1792
Budapest, IM 59.1585

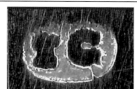

P1199 Johann Gutmann
1792
Wien, S. Reisch

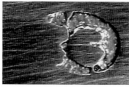

P1200 Johann Gutmann
1794
Budapest, IM 66.290

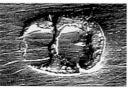

P1201 Johann Gutmann
1795
Budapest, IM 52.1304

P1202 Johann Gutmann
1797
Budapest, IM 56.1391

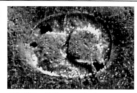

P1203 Johann Gutmann
1797
Budapest, IM 56.1391

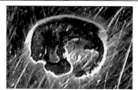

P1204 Johann Gutmann
1806
Privatbesitz (FL)

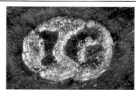

P1205 Johann Gutmann
1806
Budapest, IM 68.281

P1206 Johann Georg
Aigner, G 1789
Taf. I-4-11b

P1207 Johann Georg
Aigner, G 1789
Taf. II-3-25b

P1208 Johann Georg
Aigner, G 1789
Taf. I-4-11a

P1209 Johann Georg
Aigner, G 1789
Taf. II-3-25a

P1210 Johann Georg
Brandmayer, G 1765
Taf. I-2-1

P1211 IGB (wohl Johann
Georg Brandmayer,
G 1765), Taf. I-4-60h

P1212 Punze / mark IGH
Taf. I-4-60i

## Anmerkung zur Punze IGL von Johann Georg Laubenbacher und seiner Witwe (P1213-1216)

Zahlreiche Gold- und Silberschmiede mit dem Namen Laubenbacher bzw. Lambacher sind uns überliefert. Vor der Schreibweise Laubenbacher war auch die von Lambacher geläufig, wobei die Vornamen Johann Jakob bzw. Johann Georg offenbar alternativ angewendet werden. Auch die Beliebtheit des weiblichen Vornamens Magdalena in der Familie der Laubenbachers erschwert die Zuordnung (bei Witwenfortbetrieben).

**Johann Georg Laubenbacher / Lambacher** (1753 Aufnahme ins Gremium, gest. 1786 mit 69 Jahren) verwendete die Punze IGL im Dreipaß, die auf Tafel I eingeschlagen ist (P1213). Die Punze für **J. G. Laubenbacherin** auf Tafel II (P1214) zeigt unten bereits eine stark beeinträchtigte Form; die Buchstaben sind kaum mehr wahrzunehmen.
Steuerleistungen von **Johann Jakob Lambacher** – (offensichtlich identisch mit Johann Georg Laubenbacher) – sind in den Steuerbüchern verzeichnet: jährlich 6 Gulden (1769-81), ab 1782 -1786 steht der Name **Johann Jakob Laubenbacher** (4 Gulden), 1787-92 **Johann Jakob Laubenbacher seelig** (3 -4 Gulden). Diese offensichtlichen Ungenauigkeiten bei den Namensangaben könnten für Verwirrung sorgen.

Für **Johann Jakob Laubenbacher** sind Steuerleistungen ab 1797-1800 verzeichnet; dann erfolgte wohl die Fortführung durch Witwe Magdalena (gest. 1809). Ihre Steuerleistungen sind von 1801-1804 (je 2 Gulden) und 1805 (7 Gulden) verzeichnet, ab 1805-1812 (später nicht mehr jährlich!) wird ein **Joseph Laubenbacher** unter derselben Nummer der Steuerlisten genannt.

Ein weiterer **Johann Georg Laubenbacher** (Aufnahme ins Gremium 1798, gest. 1805?) ist von 1799 bis 1808 in den Steuerbüchern verzeichnet. Der Betrieb wurde wohl durch seine Witwe Klara fortgeführt (in den Innungslisten 1807 und 1808 genannt), die 1807 Jakob Herzog heiratet. Die Punze dieses Johann Georg Laubenbacher war ein GL (siehe S. 166, P1001).

P1213 Johann Georg
Laubenbacher, G 1753
Taf. I-1-29

P1214 J. G. Laubenbacherin (Witwe)
Taf. II-4-33

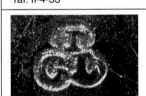

P1215 Johann Georg
Laubenbacher, 177?
Budapest, IM 19.657

P1216 J. G. Laubenbacher
1791 (Witwe)
Budapest, IM 52.1526

## Remarks on the mark IGL of Johann Georg Laubenbacher and his widow (P1213-1216)

Many gold and silversmiths named Laubenbacher or Lambacher are known. The name Lambacher was used before Laubenbacher, and the first names Johann Jakob or Johann Georg obviously were used alternatively. An exact attribution becomes more and more difficult (especially if widows continued the business) due to the preference of the feminine first name Magdalena in the Laubenbacher family.

**Johann Georg Laubenbacher / Lambacher** (guild entry: 1753, died in 1786, 69 years old) used the mark IGL in a trefoil, embossed on marks tablet I (P1213).
The mark for **J. G. Laubenbacherin** on marks tablet II (P1214) already shows a heavily damaged shape, the letters are nearly illegible.
Tax payments of **Johann Jakob Lambacher** – (obviously identical with Johann Georg Laubenbacher) – are to be found in the tax books: 6 Guilders annually (1769-81). From 1782 -1786 the name **Johann Jakob Laubenbacher** is entered (4 Guilders), from 1787-92 **Johann Jakob Laubenbacher seelig** (3 -4 Guilders) is found. These apparent inexactnesses may cause some confusion.

The tax payments of **Johann Jakob Laubenbacher** are documented from 1797-1800, probably continued by his widow Magdalena (died in 1809). Her tax payments are known from from 1801 to 1804 (2 Guilders annually) and 1805 (7 Guilders). From 1805 to 1812 a **Joseph Laubenbacher** is entered with the same number in the tax lists (after 1812 a span of three years was the base for tax assessment).

Another **Johann Georg Laubenbacher** (guild entry: 1798, died in 1805?) is found in the tax books from 1799 to 1808. The business probably was taken over by the widow Klara (entered in the guild lists of 1807 and 1808) who married Jakob Herzog in 1807.
The mark of this Johann Georg Laubenbacher (see p. 166, P1001) was formed by the letters GL.

P1217 Johann Georg Lösch
G 1764
Taf. I-1-56

P1218 Johann Georg Lösch
1787
Wien, S. Reisch

P1219 Johann Georg Lösch
G 1764
Taf. II-1-26

P1220 Johann Georg Lösch
1798
Wien, Dorotheum 1892/30

P1221 Johann Georg
Strohmayer, G 1749
Taf. I-1-12

P1222 Johann Georg
Strohmayer, 1762
Wien, Dorotheum 1981/38

P1223 Johann Georg
Strohmayer, 1780
Wien, Dorotheum 1909/29

**Anmerkung zur Punze Ig. Th. & S. der Firma von
Jg. Theuer & Sohn (P1224, 1225)**

Ignaz Theuer (Befugnis: 1863) ist von 1864 bis 1866 in den
Innungslisten verzeichnet (gest. 1865).

Firmengeschichte:

1863 Protokollierung der Firma „Jg. Theuer & Sohn" im Register für Gesellschaftsfirmen (Gesellschafter: Ignaz Theuer,
Metallwarenerzeuger, Johann Theuer, Privat-Ingenieur und
Bauunternehmer, Prokurist: Adalbert Richter); über Ableben
des Ignaz Theuer (gest. 1865) gelöscht.
1865 „Ign. Theuer & Sohn", Inhaber: Johann Theuer.
1866 Protokollierung der Firma „Jg. Theuer & Sohn Nachfolger A. Richter" (Inhaber: Adalbert Richter, Gold-, Silber- und
Juwelenhändler in Wien).
1874 Konkurseröffnung, 1875 Konkurs aufgehoben.
1875 über Geschäftsaufgabe gelöscht.
*(HG Ges 3/500; HG E 7/354; HG E 8/170)*

siehe auch Schiffer & Theuer (S. 230) sowie Eduard Schiffer
(S. 147)

P1224 Jg. Theuer & Sohn
pFa 1863
Taf. VIII-2-12a

P1225 Jg. Theuer & Sohn
pFa1863
Wien, Dorotheum 1859/51
(Reparatur eines älteren
Objekts?)

**Remarks on the mark Ig. Th. & S. of the company of
Jg. Theuer & Sohn (P1224, 1225)**

Ignaz Theuer (authorization: 1863) is entered in the guild
lists from 1864 to 1866 (died in 1865).

Company history:

1863 Registration of the company "Jg. Theuer & Sohn" in the
register for partnership companies (partners: Ignaz Theuer,
metal wares manufacturer, Johann Theuer, private engineer
and and building contractor, authorized signatory: Adalbert
Richter); dissolution due to the death of Ignaz Theuer (1865).
1865 "Ign. Theuer & Sohn", owner: Johann Theuer.
1866 registration of the company "Jg. Theuer & Sohn Nachfolger A. Richter" (owner: Adalbert Richter, gold silver and
jewelry dealer in Vienna).
1874 bankruptcy proceedings opened, 1875 suspended.
1875 dissolution due to end of trade.
*(HG Ges 3/500; HG E 7/354; HG E 8/170)*

see also Schiffer & Theuer (p. 230) and Eduard Schiffer
(p. 147)

P1226 Johann Haubruge
B 1852
Taf. VII-3-26

P1227 Johann Havranke
M 1858
Taf. VIII-1-3

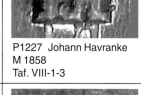

P1228 Josef Hoffmann
G 1781
Taf. I-3-33a

P1229 Punze / mark IH
Taf. I-4-60d

P1230 Johann Hoser
B 1807, M 1815
Taf. IV-1-22

P1231 Josef Hartel
B 1823
Taf. VI-1-1

P1232 Johann Hauber
B 1817, M 1829
Taf. VI-2-43b

P1233 Johann Hueber
(Huber), B 1823
Taf. VI-4-15b

P1234 Johann Hueber
(Huber), B 1823
Taf. VI-4-15d

P1235 Johann Hegele
B 1837
Taf. VI-6-20

P1236 Johann Hollauer
G 1790
Taf. II-3-37b

P1237 Johann Hollauer
G 1812
Taf. III-3-18

P1238 Josef Hauptmann
G 1783
Taf. II-2-38b

P1239 Joseph Hollauer
G 1813
Taf. III-3-32a

P1240 Joseph Hollauer
G 1813
Taf. III-3-32b

P1241 Johann Handl
B 1835
Taf. VI-5-44

P1242 Josef Hoser
B 1816
Taf. VI-1-15

**Anmerkung zur Punze IH von Peter Josef Hofstätter (Hoffstätter) (P1243, 1244)**

Peter Josef Hofstätter (Hoffstätter) erhielt 1834 das Meisterrecht und ist von 1835 bis 1877 in den Innungslisten verzeichnet (gest. 1878).
Seine vierseitige Punze mit eingeschwungenen Seiten ist auf der Tafel IV zweimal eingeschlagen (P1243, 1244).

Firmengeschichte:

1863 Eintragung der Firma „P. Jos. Hofstätter" im Register für „Einzelnfirmen" (Firmeninhaber: Peter Josef Hoffstätter) 1878 über Ableben gelöscht (gest. 1878).

*(HG E 5/368)*

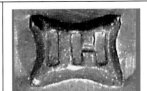

P1243  Josef Hofstätter
M 1834
Taf. IV-3-6

P1244  Josef Hofstätter
M 1834
Taf. IV-5-6

**Remarks on the mark IH of Peter Josef Hofstätter (Hoffstätter) (P1243, 1244)**

Peter Josef Hofstätter (Hoffstätter) (master's title: 1834) is entered in the guild lists from 1835 to 1877 (died in 1878).
His four-sided mark with concave sides is embossed twice on marks tablet IV (P1243, 1244).

Company history:

1863 entry of the company "P. Jos. Hofstätter" into the register for single firms (owner: Peter Josef Hoffstätter).
1878 dissolution due to the death of Hoffstätter (died in 1878).

*(HG E 5/368)*

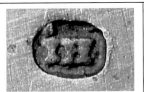

P1245  Ignaz Haller
G 1791
Taf. II-3-42a

P1246  Ignaz Haller (?)
1804
Budapest, NM 53.423

P1247  Josef Huber
G 1803
Taf. III-2-18

P1248  Josef Hiller
B 1824
Taf. VI-4-7

P1249  Jakob Herzog
G 1808
Taf. III-2-42c

P1250  Jakob Herzog
G 1808
Taf. III-2-44a

P1251  Josef Hudler
B 1816 oder / or B 1833
Taf. VI-3-26

**Anmerkung zur Punze IH von Josef Hudler (P1251)**
Zwei Silberschmiede mit dem Namen Josef Hudler sind bekannt: der ältere (Befugnis: 1816, Anheimsagung 1831), der jüngere (Befugnis 1833, Anheimsagung 1843, in den Innungslisten 1837-1844 genannt).

**Remarks on the mark IH of Josef Hudler (P1251)**
Two silversmiths named Josef Hudler are known: the elder (authorization: 1816, end of trade: 1831) and a younger one (authorization: 1833, end of trade: 1843, in the guild lists from 1837-1844).

**Anmerkung zur Punze IH von Josef Huber (P1252-1254)**

Die aus den Initialen IH bestehende Punze von Josef Huber (Aufnahme ins Gremium: 1790, gest. 1798) zeigt auf Tafel I einen Zweipaß (P1252), dessen Kontur im späteren Punzenbild von Tafel II (P1253) unklar wird; die dort bereits sichtbaren Beeinträchtigungen verstärken sich noch in der Punze von 1795 (P1254).
Seine Steuerleistungen sind von 1791 bis 1799 dokumentiert (4 Gulden jährlich, 1799: 2 Gulden); die Steuerbeiträge seiner Witwe Josepha betrugen von 1800 bis 1804 zwei bzw. drei Gulden).
In den Innungslisten ist Huber noch 1801 genannt (eine gewisse zeitliche Verzögerung in Adreßbüchern und Listen ist nicht ungewöhnlich); seine Witwe ist dort in den Jahren 1803 und 1804 zu finden (bei den Steuerleistungen finden wir sie von 1800 bis 1804 angegeben, s. oben!).

Achtung: nicht zu verwechseln mit Josef Hueber mit der Punze IMH (S. 188, P1374, 1375), Gewerbsverleihung 1777.

P1252  Josef Huber
G 1790
Taf. I-3-18 (zu I-4-18)

P1253  Josef Huber
G 1790
Taf. II-3-32

P1254  Josef Huber
1795
Wien, S. Reisch

**Remarks on the mark IH of Josef Huber (P1252-1254)**

The mark of Josef Huber (guild entry: 1790, died in 1798) embossed on marks tablet I consists of the initials IH in a bifoil (P1252). The later image of the mark on marks tablet II (P1253) becomes unclear. In the mark of 1795 (P1254) the earlier damages are even more visible.
His tax payments are documented from 1791 to 1799 (4 Guilders annually, in 1799 only 2 Guilders). The tax payments of his widow Josepha ran to two and three Guilders from 1800 to 1804.
Huber is still entered in the guild lists of 1801 (in address books or lists a certain delay of time is not unusual); his widow is to be found there in the years 1803 and 1804 (her tax payments are documented from 1800 to 1804, see above).

Attention: not to be mistaken for Josef Hueber with the mark IMH (p. 188, P1374, 1375), bestowal of trade: 1777.

**Anmerkung zur Punze IH von Josef Hoffmann (P1255-1260)**

Die Punze Josef Hoffmanns wird charakterisiert durch die beiden Sterne zwischen den Initialen (P1255-1257); die Rahmung verändert sich später etwas, und auch die Form der Sterne ist bei den jüngeren Punzen (P1256, 1257) nicht mehr so deutlich wie bei jener der Tafel I (P1255).
Hoffmann wurde 1781 ins Gremium aufgenommen; er starb 1795 (Witwenfortbetrieb durch Josepha Hoffmann).
In den Steuerbüchern sind seine jährlichen Zahlungen von 1782 bis 1796 angeführt (anfangs jährlich 6 Gulden, später 5 bzw. 4 Gulden), von 1797 bis 1803 ist „Jos. Hofmann seel. Witwe" (Josepha Hoffmann) mit jährlich 2-4 Gulden genannt. Die Punzen von 1800 sind demnach die der Witwe (P1258-1260), die 1801 in der Innungsliste genannt wird.

P1255  Josef Hoffmann
G und M 1781
Taf. I-3-33b

**Remarks on the mark IH of Josef Hoffmann (P1255-1260)**

The mark of Josef Hoffmann is characterized by the two stars between the initials (P1255-1257); later the frame changed a little, and even the shape of the stars in the later marks (P1256, 1257) are not quite as clear as in the marks of tablet I (P1255).
Hoffmann entered the guild in 1781; he died in 1795 (the business was taken over by his widow Josepha Hoffmann). His annual payments are found in the tax books from 1782 to 1796 (at the beginning 6 Guilders annually, later 5 and 4 Guilders). From 1797 to 1803 "Jos. Hofmann seel. Witwe" (his widow Josepha Hoffmann) is found with 2-4 Guilders annually. Therefore the marks of 1800 are those of the widow (P1258-1260) who is entered in the guild list of 1801.

P1256  Josef Hoffmann
G 1782
Taf. I-3-33c

P1257  Josef Hoffmann
G 1782
Taf. II-2-33

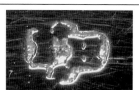

P1258  Josef Hoffmann
(Witwe Josepha), 1800
Wien, S. Reisch

P1259  Josef Hoffmann,
(Witwe Josepha) 180?
Wien, Dorotheum 1909/40

P1260  Josef Hoffmann,
(Witwe Josepha), 1800
Wien, Dorotheum 1944/44

P1261  Jakob Herzog
G 1808
Taf. III-2-44b

P1262  Josef Harathauer
M 1822
Taf. VI-6-11

**Anmerkung zur Punze IHH von Heinrich Hausmann (P1263)**

Johann Heinrich Haus(s)mann wurde 1810 Meister im Schwertfegergewerbe. Seine Punze besteht aus seinen Initialen IHH sowie dem daruntergestellten S (Schwertfeger). Anna Hausmann heiratete Bernhard Wilhelm Ohligs, der den Betrieb als Firma „B. W. Ohligs-Haus(s)mann" weiterführte (s. S. 223, Punze O-H, P2107).

P1263  Heinrich Hausmann
M 1810 (Schwertfeger)
Taf. IV-2-15

**Remarks on the mark IHH of Heinrich Hausmann (P1263)**

Johann Heinrich Haus(s)mann got his master's title (hilt maker's trade) in 1810. His mark consists of his initials IHH and the S for "Schwertfeger" (= hilt maker) below. Anna Hausmann married Bernhard Wilhelm Ohligs who continued the business as company "B. W. Ohligs-Haus(s)mann" (see p. 223, mark O-H, P2107).

**Anmerkung zu Punze IIK von Johann Kugler bzw. seiner Witwe Antonia Kugler (P1264)**

Die Punze IIK von Johann Kugler (1767 Aufnahme ins Gremium, gest. 1778) wurde von seiner Witwe Antonia (Theresia) übernommen.
Für Kugler sind Steuerleistungen von 1768-1778 nachweisbar (jährlich 6-8 Gulden); die Steuer seiner Witwe sind 1779-1782 verzeichnet.

P1264  I. Kuglerin = Antonia
Kugler, Witwe von Johann
Kugler (G 1767), Taf. I-3-25

**Anmerkung zu Punze IIK of Johann Kugler and his widow Antonia Kugler (P1264)**

The mark IIK of Johann Kugler (guild entry: 1767, died in 1778) was also used by his widow Antonia (Theresia). For Kugler the tax payments are entered from 1768-1778 (6-8 Guilders annually); the tax of his widow is found from 1779-1782.

P1265 Johann Josef Lutz
G 1769
Taf. I-2-18

P1266 Josef Siess
M 1858
Taf. VII-5-43d

P1267 Josef Siess
M 1858
Taf. VII-5-43b

P1268 Josef Siess
M 1858
Taf. VII-5-43c

P1269 Ignaz Josef
Schmidt, G 1802
Taf. III-2-13b

## Anmerkung zur Punze IIW von Johann Josef Wirth (?) (P1270-1273)

Eine unregelmäßig gerahmte Punze mit den Initialen IIW ist wohl mit der Familie Wirth (Würth) in Verbindung zu bringen, die in mehreren Generationen als Gold- und Silberschmiede tätig war. Wiewohl auf keiner Punzentafel überliefert (die älteste erhaltene ist 1781 angelegt worden), dürfte die Punze einem bestimmten Mitglied der Familie Wirth zuzuordnen sein: Johann Josef Wirth (Aufnahme ins Gremium 1726, in den Innungslisten bis 1767, seinem Todesjahr, genannt) ist in den Steuerbüchern bis 1767 erwähnt (jährliche Steuerleistungen ab 1749: 24 Gulden, bis 1767: 6 Gulden).

Nach seinem Tod führte die Witwe Anna den Betrieb (Steuerleistung 1768-1769: jährlich 6 fl.), ab 1770 wird der Sohn Ignaz Wirth genannt.

Die Annahme liegt nahe, daß die Punze (P1270) zuerst von Johann Josef Wirth, dann von seiner Witwe, und schließlich wohl auch von seinem Sohn Ignaz Josef Wirth verwendet wurde (P1271-1273), für den später noch zwei Punzenformen bekannt wurden (P1274ff.).

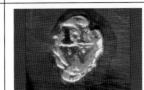

P1270 Johann Josef
Wirth (?), 1751
Wien, DM L-236

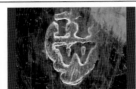

P1271 Ignaz Josef Wirth
1777
Brünn, MG 18.622

## Remarks on the mark IIW of Johann Josef Wirth (?) (P1270-1273)

A mark with the initials IIW in an irregular frame obviously belongs to the Wirth (Würth) dynasty working in several generations of gold and silversmiths. The mark is not preserved on the known marks tablets (the oldest one beginning in 1781) but can be attributed to a certain member of the Wirth family: Johann Josef Wirth (guild entry: 1726, found in the guild lists until 1767, his year of death) is entered in the tax books until 1767 (yearly tax payments from 1749: 24 Guilders until 1767: 6 Guilders).

After his death his widow Anna continued the business (tax payments 1768-1769: 6 Guilders annually); from 1770 tax payments of the son Ignaz Wirth are listed.

Obviously the mark (P1270) was first used by Johann Josef Wirth, then by his widow, and then probably also by his son Ignaz Josef Wirth (P1271-1273). For the latter we know two more marks (P1274ff.).

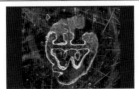

P1272 Ignaz Josef Wirth
1777
Brünn, MG 18.622

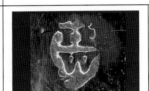

P1273 Ignaz Josef Wirth
1777
Brünn, MG 18.622

P1274 Ignaz Josef Wirth
G 1769
Taf. I-2-25c

P1275 Ignaz Josef Wirth
1779
Wien, WKA 21/345

P1276 Ignaz Josef Wirth
G 1769
Taf. I-2-25a

P1277 Ignaz Josef Wirth
G 1769
Taf. I-2-25b

P1278 Ignaz Josef Wirth
G 1769
Taf. II-1-4(3)a

P1279 Ignaz Josef Wirth
G 1769
Taf. II-1-4(3)b

## Anmerkung zur Punze IIW von Ignaz Josef Wirth (P1274-1279)

Die Punze von Ignaz Josef Wirth besteht aus den Initialen IIW. Die Rahmung der Punzen von 1777 (wohl Johann Josef Wirth) unterscheidet sich deutlich von jener des Jahres 1779 (P1275), der wir auch auf der Punzentafel I begegnen P1274. Die ovale Umrahmung weicht bei der offensichtlich späteren Form einer oben horizontal begrenzten Punze (P1276, 1277).

Ignaz Josef Wirth (Würth) wurde 1769 ins Gremium aufgenommen (gest. 1792), sein Betrieb wurde wohl von seiner Witwe Theresia fortgeführt.

Die jährlichen Steuerzahlungen von Wirth (nachweisbar für die Jahre 1770-1792) schwanken; 1773-1789 ist der Höchststand mit 24 Gulden erreicht; die Steuerleistungen der Witwe Theresia Wirth (in den Innungslisten 1801-1803 genannt) sind von 1793-1804 überliefert (meist 4 Gulden, 1804: 8 Gulden).

## Remarks on the mark IIW of Ignaz Josef Wirth (P1274-1279)

The mark of Ignaz Josef Wirth consists of the initials IIW. There is a considerable difference between the frames of the marks of 1777 (probably Johann Josef Wirth) and that of 1779 (P1275) also embossed on marks tablet I (P1274). The oval shape of the obviously later mark is replaced by a mark horizontally framed on top (P1276, 1277).

Ignaz Josef Wirth (Würth) entered the guild in 1769 and died in 1792. His business probably was continued by his widow Theresia.

The annual tax payments of Wirth (documented for 1770-1792) differ; from 1773-1789 they reach the highest level of 24 Guilders. The tax payments of his widow (found in the guild lists from 1801-1803) are entered from 1793-1804 (mostly 4 Guilders, 1804: 8 Guilders).

P1280  Josef Klinkosch
G 1804
Taf. III-2-26

P1281  Ignaz Kratochwill
B 1860
Taf. VIII-1-41

P1282  Johann Kössler
G 1767
Taf. I-2-13

P1283  Johann Kausmann-
huber, B 1789, G 1792
Taf. II-4-26

P1284  Ignaz Kulhanek
G 1803
Taf. III-2-15

P1285  Josef Klähr
G 1820
Taf. III-4-33

P1286  Josef Kerner
B 1813
Taf. VI-2-31a

P1287  Josef Koch
B 1833
Taf. VI-5-40c

P1288  Johann Kodidek
B 1840, M 1850
Taf. VI-7-18

P1289  Ignaz Kirsch
M 1858
Taf. VII-5-28

P1290  Ignaz Kirsch
M 1858
Taf. VIII-3-42

P1291  Johann Kuttenauer
G 1789
Taf. I-4-7

P1292  Johann Kuttenauer
G 1789
Taf. II-3-22

P1293  Josef Kerner
B 1813
Taf. VI-2-31b

P1294  Jakob Karl
B 1828
Taf. VI-5-11

P1295  Josef Kubick
B 1836
Taf. VI-6-17

P1296  Josef Kerner
B 1813
Taf. VI-4-42c

**P1297** Josef Kiermayer
G 1775
Taf. I-2-48

**P1298** Johann Michael
Krothmayer, G 1772
Taf. II-2-7b

**P1299** Josef Kuhn
B 1829, M 1833
Taf. IV-2-7

**P1300** Johann Kosel
E 1854 (Gottfried-Pernold)
Taf. VIII-2-31

**P1301** IK (Johann Kosel?)
1844
Wien, Dorotheum 1944/89

**P1302** Jakob Köhler
B 1830
Taf. VI-6-23

**P1303** Josef König
B 1847, M 1851
Taf. VI-8-43a

**P1304** Josef Kuhn (?)
B 1829, M 1833
Taf. IV-2-45

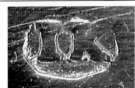

**P1305** Josef Kuhn (?)
1832
Budapest, IM 65.335

### Anmerkung zur Punze IK von Josef Kollmeyer (P1306-1315)

Josef Kollmeyer (Befugnis 1816) ist von 1817 bis 1845 in Adreßbüchern und Innungslisten genannt (Anheimsagung 1845).
Die auf Objekten erhaltene Punze ist manchmal nur mehr fragmentarisch wahrzunehmen, doch ist ihre Form so charakteristisch, daß eine Zuschreibung möglich ist: typisch sind der Stern nach dem I und der Punkt nach dem K ebenso wie die achteckige Umrahmung, deren Ecken sich manchmal runden.
Punzen von Kollmeyer sind von etwa 1819 bis 1826 erhalten (P1307-1315).

**P1306** Josef Kollmeyer
B 1816
Taf. VI-1-31

### Remarks on the mark IK of Josef Kollmeyer (P1306-1315)

Josef Kollmeyer (authorization: 1816) is entered in address books and guild lists from 1817 to 1845 (end of trade in 1845).
On objects the mark is very often only preserved in fragmentary condition but the characteristics of the shape enable an attribution. The star after the I and the dot after the K are typical, also the octagonal framing with rounded corners sometimes.
Kollmeyer's marks are known approximately from 1819 to 1826 (P1307-1315).

**P1307** Josef Kollmeyer
1819?
Wien, S. Reisch

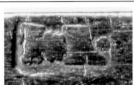

**P1308** Josef Kollmeyer
1819?
Wien, S. Reisch

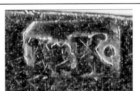

**P1309** Josef Kollmeyer
1819?
Wien, S. Reisch

**P1310** Josef Kollmeyer
1819?
Wien, S. Reisch

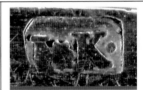

**P1311** Josef Kollmeyer
1819?
Wien, S. Reisch

**P1312** Josef Kollmeyer
1819?
Wien, S. Reisch

**P1313** Josef Kollmeyer
1820
Privatbesitz (HH)

**P1314** Josef Kollmeyer
1825
Wien, Dorotheum 1826/42

**P1315** Josef Kollmeyer
1826
Privatbesitz (FG)

P1316 Josef Kirzler
B 1780, G 1792
Taf. II-4-11a

P1317 Johann Kern
B 1845
Taf. VI-7-22

### Anmerkung zur Punze I.KERN von Josef Kern (P1318)

Josef Kern (Meisterrecht: 1812, gest. 1832) ist von 1813 bis 1832 in den Innungslisten genannt. Seine Witwe Anna Kern führte den Betrieb fort (sie wird von 1833 bis 1846 in den Innungslisten erwähnt, was ungewöhnlich lange ist).
Kern verwendete Punzen verschiedener Form: I. KERN (P1318), das Monogramm JK (S. 263), das sicher auch von seiner Witwe sowie seinem Sohn Heinrich übernommen wurde (dort wohl als K zu interpretieren, s. S. 263).

P1318 Josef Kern
G 1812
Taf. III-3-12a

### Remarks on the mark I.KERN of Josef Kern (P1318)

Josef Kern (master's title: 1812, died in 1832) is entered in the guild lists from 1813 to 1832. His widow Anna Kern continued the business (she is found from 1833 to 1846 in the guild lists which is unusually long).
Kern used marks of different shapes: I. KERN (P1318), the monogram JK (p. 263) was used also by his widow and his son Heinrich (there probably to be interpreted as K, see p. 263).

P1319 Johann Lutz
B 1840
Taf. IV-4-7a

P1320 Johann Lutz
B 1840
Taf. IV-4-7b

P1321 Josef Lecigosky
B 1820, M 1828
Taf. IV-1-48

P1322 Johann Lechner
M 1845
Taf. IV-5-1

P1323 Punze / mark IL
1807 (= 1807-1809)
Budapest, NM 1954.178

P1324 Punze / mark IL
1806
Wien, WKA 28/654

P1325 Punze / mark IL
1806
Wien, WKA 28/654

P1326 Ignaz Liegle
B 1816
Taf. VI-2-13

P1327 J. Löwy
unbekannt / unknown
Taf. VIII-2-35

P1328 Josef Lessel
B 1782, G 1792
Taf. II-4-16

P1329 Johann Leykauf
G 1780
Taf. I-3-16c

P1330 Jakob Leykauf
G 1789
Taf. II-3-20

P1331 Josef Latzel
G 1771
Taf. I-2-35

P1332 Josef Latzel
G 1771
Taf. II-2-2

P1333 Jakob Lethie
G 1780
Taf. I-3-10

P1334 Jakob Lethie
G 1780
Taf. II-2-26

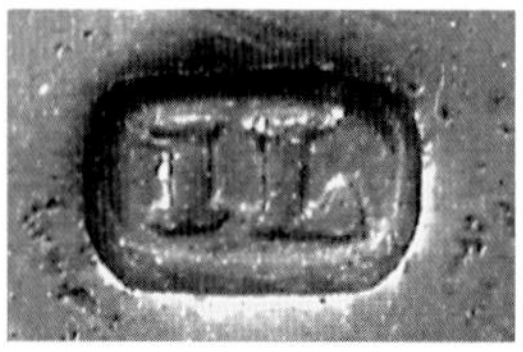

P1335 Josef Laubenbacher
G 1804
Taf. III-2-24

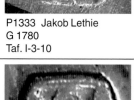

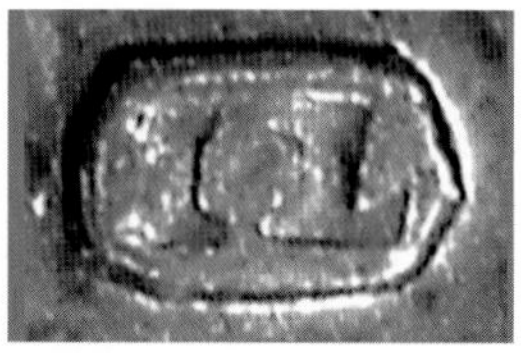

P1336 Josef Lunardi
M 1847
Taf. IV-5-22

P1337 Johann Ludwig
Sonnleithner, M 1851
Taf. VII-2-8a

P1338 Johann Ludwig
Sonnleithner, M 1851
Taf. VII-2-8b

P1339  Josef Merzy
G 1802
Taf. III-2-2

P1340  Josef Matsch
B 1834
Taf. VI-6-15a

P1341  Josef Marbacher
G 1787
Taf. I-3-57

P1342  Jakob Müller
G 1817
Taf. III-4-9a

P1343  Jakob Müller
G 1817
Taf. III-4-9b

P1344  Jakob Müller
G 1817
Taf. III-4-9c

P1345  Jakob Müller
G 1817
Taf. III-4-9d

**Anmerkung zur Punze IM von Josef Müller (P1346)**

Josef Müller erhielt 1819 das Befugnis, 1832 das Meister-recht und ist von 1833-1866) in den Innungslisten nachweis-bar.
1847 Protokollierung der Gesellschaftsfirma „Jos. Müller & J. Zikrit".
1851 Löschung der Firma.

*(MerkG Prot. Bd 7, M 11)*

P1346  Josef Müller
B 1819, M 1832
Taf. IV-2-36

**Remarks on the mark IM of Josef Müller (P1346)**

Josef Müller (authorization: 1819, master's title: 1832) and is found in the guild lists from 1833-1866).
1847 registration of the partnership company "Jos. Müller & J. Zikrit".
1851 dissolution of the company.

*(MerkG Prot. Bd 7, M 11)*

P1347  Johann Mauk
B 1816
Taf. VI-1-33

P1348  J. Munter (?)
M 1853 (?)
Taf. VII-2-45

P1349  Josef Millöcker
M 1859
Taf. VIII-1-19

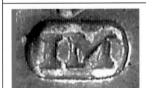

P1350  Josef Marbacher
M 1829
Taf. IV-2-10

P1351  Johann Mickl
M 1846
Taf. IV-5-8a

P1352  Josef Moser
G 1744
Taf. I-1-8

P1353  Josef Moser
G 1744
Taf. II-1-1

P1354  Josef Moser
17?4
Wien, HM Deposita 18

P1355  Johann Müller
(Müllner), B 1815
Taf. VI-2-28

P1356  Josef Millecker
B 1831
Taf. VI-5-10

P1357  Johann Josef
Marbacher, G 1761
Taf. I-1-49

P1358  Johann Marzelly
G 1764
Taf. I-1-55

P1359  Johann Marzelly
G 1764
Taf. II-1-25

P1360  Josef Mareck
B 1838
Taf. VI-6-32a

P1361  Josef Merck
G 1812
Taf. III-3-17

### Anmerkung zur Punze IM von Johann Mayerhofer (P1362-1372)

Johann Mayerhofer (Meisterrecht 1812) ist von 1813 bis 1830 in Adreßbüchern bzw. Innungslisten genannt.

Im selben Jahr wie Mayerhofer (P1362) hatte auch Joseph Merck sein Meisterrecht erhalten; dessen Punze (P1361) ist ebenfalls herzförmig (Merck ist von 1813 bis 1848 in den Innungslisten erwähnt, sodaß sich auch hier eine Überschneidung von nahezu zwei Jahrzehnten ergibt).

Drei Punzen Mayerhofers sind auf Punzentafeln eingeschlagen (P1362-1364); achtet man genau auf die Details, sind doch Unterschiede zur Merck-Punze erkennbar: das unten stark einschwingende Herz (P1362) bzw. der Punkt zwischen I und M (P1364). Bei der Punze von Merck ist außerdem der Abstand der Initialen von der unten spitz zulaufenden Punzenrahmung (P1361) im Verhältnis größer als bei den Mayerhofer-Punzen, die auf erhaltenen Objekten von 1813 bis 1826 reichen (P1365-1372).

P1362  Johann Mayerhofer
G 1812
Taf. III-3-9a

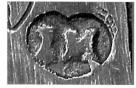

P1363  Johann Mayerhofer
G 1812
Taf. VI-1-26

### Remarks on the mark IM of Johann Mayerhofer (P1362-1372)

Johann Mayerhofer (master's title: 1812) is entered in address books and guild lists from 1813 to 1830.

Joseph Merck got his master's title in the same year as Mayerhofer (P1362), and his mark (P1361) is also heart shaped (Merck is found in the guild lists from 1813 to 1848 thus documenting an overlap of nearly two decades).

Three marks of Mayerhofer are embossed on marks tablets (P1362-1364). Some details are quite different from the mark of Merck: the distinct curves of the heart (P1362) and the dot between I and M (P1364). Merck's mark shows a clearly pointed frame below; moreover, the distance of the initials to the frame in Merck's mark (P1361) is much larger than in the marks of Mayerhofer preserved from 1813 to 1826 (P1365-1372).

P1364  Johann Mayerhofer
G 1812
Taf. III-3-9b

P1365  J. Mayerhofer?
1813
Budapest, IM 52.1311

P1366  J. Mayerhofer?
1820
Wien, S. Reisch

P1367  J. Mayerhofer?
1821
Brünn, MG 26.544

P1368  J. Mayerhofer?
1820
Budapest, IM 63.568.2

P1369  J. Mayerhofer?
182?
Wien, S. Reisch

P1370  J. Mayerhofer?
1824
Budapest, IM 53.4151

P1371  J. Mayerhofer?
1824
Budapest, IM 53.4151

P1372  J. Mayerhofer?
1826
Wien, Dorotheum 1926/107

P1373  Johann Michael
Bittner, G 1744
Taf. I-1-6

P1374  Josef M. A. Hueber
G 1777
Taf. I-2-55

P1375  Josef M. A. Hueber
G 1777
Taf. II-2-15

### Anmerkung zur Punze IMK von Johann Matthias (Bernhard) Kiermayer (P1376-1388)

Johann Matthias Kiermayer (1766 Aufnahme ins Gremium, gest. 1807) ist von 1801 bis 1807 in den Innungslisten nachweisbar. Steuerleistungen sind von 1767 bis 1808 dokumentiert: zwischen 8 und 20 Gulden jährlich (20 Gulden im Jahre 1784).

In den Innungslisten wird 1808 seine Witwe Anna (Maria Anna) Kiermayr (geb. Würth) genannt.

Schon auf Punzentafel I war die Punze nicht sehr deutlich (P1376); das M auf Tafel II wird noch unklarer (P1377).

Aus den Jahren 1775 bis 1796 haben sich Objekte mit Punzen von Kiermayer erhalten (P1378-1388). Das Punzenbild ist manchmal so undeutlich, daß man nur aufgrund des Herzschildes und des untenstehenden charakteristischen K eine Zuordnung treffen kann. Die unterschiedlichen Oberflächen der Silbergegenstände bewirken ebenfalls Variationen im Punzenbild.

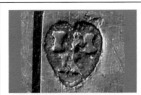

P1376  Johann Matthias Kiermayer, G 1766
Taf. I-2-6

P1377  Johann Matthias Kiermayer, G 1766
Taf. II-1-31

### Remarks on the mark IMK of Johann Matthias (Bernhard) Kiermayer (P1376-1388)

Johann Matthias Kiermayer (guild entry: 1766, died in 1807) is entered in the guild lists from 1801 to 1807. His tax payments are documented from 1767 to 1808: between 8 and 20 Guilders annually (20 Guilders in the year 1784).

His widow Anna (Maria Anna) Kiermayr (geb. Würth) is entered in 1808 in the guild lists.

Already on marks tablet I the mark is not very clear (P1376); on tablet II the M is even more vague (P1377).

Objects with Kiermayer's mark are preserved from 1775 to 1796 (P1378-1388). Sometimes the image is so difficult to read that an attribution is only possible because of the heart shaped shield and the characteristic form of the letter K. Different surfaces also cause variations in the mark's shape.

P1378  Johann Matthias Kiermayer, 1775
Budapest, IM 52.981

P1379  Johann Matthias Kiermayer, 1779
Wien, Dorotheum 1944/12

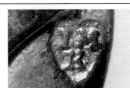

P1380  Johann Matthias Kiermayer, 1780
Wien, Dorotheum 1962/31

P1381  Johann Matthias Kiermayer, 1794
Budapest, IM 32.1527

P1382  Johann Matthias Kiermayer, 1794
Budapest, IM 32.1527

P1383  Johann Matthias Kiermayer, 1794
Budapest, IM 69.1052

P1384  Johann Matthias Kiermayer, 1794
Budapest, IM 69.1053

P1385  Johann Matthias Kiermayer, 1794
Budapest, IM 69.1054

P1386  Johann Matthias Kiermayer, 1794
Budapest, IM 69.1054

P1387  Johann Matthias Kiermayer, 1796
Budapest, IM 52.1303

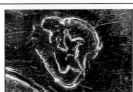

P1388  Johann Matthias Kiermayer, 1796
Budapest, IM 52.1526

P1389  Johann Michael Ney, G 1786
Taf. I-3-51

P1390  Johann Michael Ney, G 1786
Taf. II-3-7

P1391  Johann Michael Walter, G 1772
Taf. I-2-39

P1392  Josef Neudhart
B 1817 (L 1841: 1832)
Taf. VI-1-22d

P1393  Josef Neudhart
B 1817 (L 1841: 1832)
Taf. VI-1-22a

P1394  Josef Neudhart
B 1817 (L 1841: 1832)
Taf. VI-1-22b

P1395  Josef Neudhart
B 1817 (L 1841: 1832)
Taf. VI-1-22e

P1396  Josef Nagele
B 1831
Taf. VI-5-14

### Anmerkung zur Punze IN von Johann Niemetz (P1397)

Johann Niemetz (Befugnis: 1842) ist in den Innungslisten von 1843 bis 1890 erwähnt.

Firmengeschichte:
1852 Protokollierung der Firma „Johann Niemetz & S. Rosenberg" (Salomon Rosenberg = Inhaber eines Fabriksbefugnisses in Prag).
1853 Löschung dieser Firma.
(MerkG Prot. Bd 8, N 9)

P1397  Johann Niemetz
B 1842
Taf. VI-7-38

### Remarks on the mark IN of Johann Niemetz (P1397)

Johann Niemetz (authorization: 1842) is entered in the guild lists from 1843 to 1890.

Company history:
1852 registration of the company "Johann Niemetz & S. Rosenberg" (Salomon Rosenberg = owner of a factory authorization in Prague).
1853 Dissolution of the company.
(MerkG Prot. Bd 8, N 9)

P1398  Johann Nitsche
G 1822
Taf. III-4-46

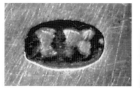

P1399  Johann Nitsche?
1815
Privatbesitz (BI)

P1400  Josef Nazowsky
M 1843
Taf. VI-8-2

P1401  Josef Ott
B 1847
Taf. VII-1-40

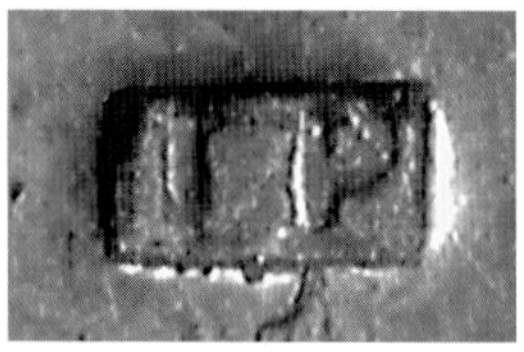

P1402  Josef Papisch
G 1817
Taf. III-4-10a

P1403  Josef Papisch
G 1817
Taf. III-4-10b

P1404  Josef Papisch
G 1817
Taf. III-4-10c

P1405  Josef Papisch
G 1817
Taf. III-4-10d

P1406  Josef Packeny
G 1812
Taf. III-3-20

P1407  Ignaz Prückner
B 1817
Taf. VI-3-4a

P1408  Josef Presina
B 1828
Taf. VI-4-32

P1409  Johann Planding
M 1822
Taf. III-4-48

P1410  Johann Planding
M 1822
Taf. IV-1-21a

P1411  Johann Planding
M 1822
Taf. IV-1-21b

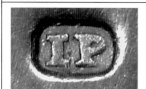

P1412  Josef Polandt
G 1790
Taf. II-3-36a

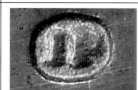

P1413  Josef Polandt
G 1790
Taf. II-3-36b

P1414  Ignaz Poppe
M 1833
Taf. IV-2-48

P1415  Johann Pundschuh
GV vor 1808
Taf. VI-2-20

P1416  Jakob Moses
Probstein, GV 1860
Taf. VIII-2-15

P1417  Josef Peindinger
G 1780
Taf. I-3-11

P1418  Johann Pretsch
G 1802
Taf. III-2-5a

P1419  Johann Pretsch
1804
Budapest, IM 53.2007

P1420  Johann Petrasches
G 1817
Taf. III-4-15

P1421  Johann Pruschka
B 1830
Taf. VI-5-3b

P1422  Ignaz Poppe
B 1833
Taf. VIII-3-46

P1423  Josef Pollmann
B 1845, M 1855
Taf. VI-8-22

P1424  Josef Philipp
Lechner, G 1761
Taf. I-1-47

## Anmerkung zur Punze IR mit Krone (P1425)

Die Krone (als Zeichen eines hofbefreiten Gold- oder Silberschmieds) steht über den durch einen Punkt getrennten Initialen IR (= J. M. Ricker ?).
Auf der Tafel I ist die Punze am unteren Rand neben anderen Punzen eingeschlagen, die ebenfalls ohne Namensangabe geblieben sind.

P1425  Punze / mark IR
Taf. I-3-60i

## Remarks on the mark IR with a crown (P1425)

The crown (sign for a gold or silversmith of the court) is placed above the initials IR separated by a dot (= J. M. Ricker ?).
On the bottom edge of marks tablet I we find this mark embossed next to others, also without names.

P1426  Josef Reiner
B 1822, M 1826
Taf. VI-1-9d

P1427  Josef Reiner
B 1822, M 1826
Taf. VI-1-9e

P1428  Josef Reiner
B 1822, M 1826
Taf. VI-1-9b

P1429  Josef Reiner
B 1822, M 1826
Taf. IV-1-36c

## Anmerkung zur Punze IR von Josef Reiner (P1426-1429)

Josef Reiner führte mehrere Punzen; er erhielt das Befugnis 1822, das Meisterrecht 1826; in den Innungslisten ist er von 1826-1867) verzeichnet (gest. 1867).

Firmengeschichte:

1861 Protokollierung der Firma „Josef Reiner".
1863 Übertragung der Firma ins Register für „Einzelnfirmen", 1867 über „Geschäftsaufgebung" gelöscht; Protokollierung der Firma „Josef Reiner's Erben" (Gesellschafter: Johann Kaltenböck, Goldarbeiter, und Carl Kaltenböck).
1876 Johann Kaltenböck „über Ableben gelöscht"; Josef Kaltenböck als Gesellschafter eingetragen.
1892 Löschung über Geschäftszurücklegung und „Ableben" des Gesellschafters Carl Kaltenböck.

weitere Punzen: JREINER, JR, REINER, s. S. 203, 226.

*(Merk Prot. Bd 12, R 229; HG E 1/490; HG E 27/34)*

## Remarks on the mark IR of Josef Reiner (P1426-1429)

Josef Reiner (authorization: 1822, master's title: 1826; used several marks) is entered in the guild lists from 1826-1867 (died in 1867).

Company history:

1861 registration of the company "Josef Reiner".
1863 transfer of the company into the register for single firms, in 1867 dissolved due to end of trade; registration of the company "Josef Reiner's Erben" (partners: Johann Kaltenböck, goldsmith, and Carl Kaltenböck).
1876 Johann Kaltenböck deleted due to death; Josef Kaltenböck entered as partner.
1892 dissolution due to end of trade and death of the partner Carl Kaltenböck.

further marks: JREINER, JR, REINER, see pp. 203, 226.

*(Merk Prot. Bd 12, R 229; HG E 1/490; HG E 27/34)*

P1430  Johann Resch
G 1755
Taf. II-1-16

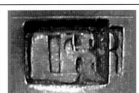

P1431  Josef Raimund
B 1845
Taf. VI-8-20b

P1432  Johann Rudolf
M 1857
Taf. VII-4-41

P1433  Josef Rupkau
M 1822
Taf. IV-1-2a

P1434  Josef Rupkau
M 1822
Taf. IV-1-2b

P1435  Punze / mark IR
Taf. I-3-60a

P1436  Johann Renner
G 1792
Taf. II-4-24

P1437  Jacob Carl
Ruhmann, M 1857
Taf. VII-5-18

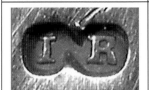

P1438  Johann Rudolf
M 1857
Taf. VII-5-15

P1439  Josef Rumpler
G 1788
Taf. I-3-58

P1440  Josef Rumpler
G 1788
Taf. II-3-15

P1441  I. Reihl?
18?3
Brünn, MG 11074

P1442  I. Reihl?
18?3
Brünn, MG 11074

**Anmerkung zur Punze IRS (P1441, 1442)**
Das IRS der Punze trägt alle Charakteristika einer Schwertfegerpunze: typisch ist neben der Umrahmung auch das untenstehende S für Schwertfeger.
Aus zeitgenössischen Listen vom Beginn des 19. Jahrhunderts kann vermutet werden, daß es sich wohl um den Schwertfeger I. Reihl handelt.

**Remarks on the mark IRS (P1441, 1442)**
The IRS of the mark shows all characteristics of a hilt maker's mark. Typical are both the frame and the S below: for "Schwertfeger" (= hilt maker).
From contemporary lists of the beginning of the 19th century we may assume that the hilt maker I. Reihl is meant.

P1443  Johannes Springer
G 1783
Taf. I-3-41

P1444  Josef Strauss
G 1796
Taf. III-1-10

P1445  Johann Seboth
G 1809
Taf. III-3-1

P1446  Johann Steindl
G 1821
Taf. III-4-41a

P1447  Johann Steindl
G 1821
Taf. III-4-41b

P1448  Josef Seidl
B 1835
Taf. IV-3-8

P1449  Johann Schmidt
B 1812
Taf. VI-3-2

P1450  Johann Schenk
B 1819
Taf. VI-3-12

P1451  Johann Schiessler
B 1825, M 1836
Taf. VI-3-36

P1452  Jakob Schleicher
B 1817
Taf. VI-4-13

P1453  Johann Studnitzka
B 1837, M 1851
Taf. VI-6-41

P1454  Johann Stud-
nitzka(?), 1837?
Budapest, IM 76.253.1

P1455  Josef Schmidt
M 1852
Taf. VII-2-27

**Anmerkung zur Punze IS von Johann Stettinger (P1456)**
Johann Stettinger (auch als Optiker erwähnt, in den Innungslisten 1837-1851 genannt) erhielt 1834 ein Befugnis „auf die Erzeugung der Augengläser-Gestelle aus Gold und Silber".
Firmengeschichte:
1851 Protokollierung der Firma „Stettinger & Comp." (Johann Stettinger und Jakob Wälsch v. Pernstein) als Einzelfirma, 1865 als Gesellschaft; 1878 Tod von Stettinger, Eintragung von Agnes Stettinger (gest. 1894, Firmenlöschung).
(MerkG Prot. Bd 8, S 28; HG E 7/432; HG Ges 3/220)

P1456  Johann Stettinger
B 1834
Taf. VI-5-32

**Remarks on the mark IS of Johann Stettinger (P1456)**
Johann Stettinger (also mentioned as optician, entered in the guild lists from 1837-1851) got an authorization in 1834 to make spectacle frames of gold and silver.
Company history:
1851 registration of the company "Stettinger & Comp." (Johann Stettinger and Jakob Wälsch v. Pernstein) as single firm, 1865 as partnership company; 1878 death of Stettinger, entry of Agnes Stettinger (died 1894; company dissolution).
(MerkG Prot. Bd 8, S 28; HG E 7/432; HG Ges 3/220)

P1457  Johann Schäffer
M 1847
Taf. IV-5-14

P1458  Jakob Schraft
B 1812
Taf. VI-2-2

P1459  Johann Schemitz
B 1823
Taf. VI-3-20

P1460  Josef Schub
B 1837
Taf. VI-6-26b

P1461  Josef Stadelmayer
B 1846
Taf. VII-3-16

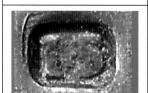

P1462  Johann Jakob
Späth, M 1838
Taf. IV-4-9a

P1463  Johann Jakob
Späth, M 1838
Taf. IV-4-9b

P1464  Johann Michael
Schelnberger, G 1780
Taf. I-3-15

P1465  Johann Michael
Schelnberger, G 1780
Taf. II-2-31

P1466  Punze / mark IS
1846
Wien, Dorotheum 1909/143

P1467 J. (Josef?) Suther
(Sutter), G 1788 (?)
Taf. I-4-1

P1468 Johann Seidl
M 1833
Taf. IV-2-39

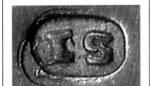

P1469 Josef Schilling
B 1811
Taf. VI-2-27

P1470 Johann Samos
B vor 1811
Taf. VI-3-10

P1471 Josef Schub
B 1837
Taf. VI-6-26d

P1472 Ignaz Schubert
G 1779
Taf. I-3-3

P1473 Ignaz Schubert
G 1779
Taf. II-2-21

P1474 Ignaz Schubert (?)
1789
Budapest, IM 59.1874

P1475 Josef Schneider
G 1779
Taf. I-3-2b

P1476 Josef Schneider (?)
177?
Budapest, NM 53.401

P1477 Ignaz Steinbühler
G 1807
Taf. III-2-40a

P1478 Ignaz Steinbühler
G 1807
III-2-40b

P14879 Ignaz Steinbühler
G 1807
Taf. III-2-41d

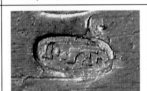

P1480 Ignaz Steinbühler
G 1807
Taf. III-2-41e

P1481 Ignaz Steinbühler
G 1807
Taf. III-2-41f

P1482 Punze / mark IST
Taf. I-4-59

### Anmerkung zur Punze IST von Josef Stelzer (P1483-1489)

Josef Stelzer (Aufnahme ins Gremium: 1783) ist von 1801 bis 1823 in den Innungslisten genannt (gest. 1830). Von 1784 bis 1812 sind unterschiedliche Steuerleistungen zu finden (bis 15 Gulden im Jahre 1810).

Zwei nahezu identische Punzen sind auf den Tafeln I und II eingeschlagen (P1483, 1484); auf Objekten findet sich der charakteristische Dreipaß mit den Initialen IST in unterschiedlichem Erhaltungszustand aus den Jahren 1787 bis 1802 (P1485-1489).

Bei undeutlichem Punzenbild besteht eine gewisse Verwechslungsgefahr mit dem LST von Leopold Stelzer (s. S. 213).

P1483 Josef Stelzer
G 1783
Taf. I-3-44

P1484 Josef Stelzer
G 1783
Taf. II-2-42

### Remarks on the mark IST of Josef Stelzer (P1483-1489)

Josef Stelzer (guild entry: 1783) is entered in the guild lists from 1801 to 1823 (died in 1830). Different tax payments are found from 1784 to 1812 (up to 15 Guilders in 1810).

On marks tablet I and II two nearly identical marks are embossed (P1483, 1484). On objects dated from 1787 to 1802 (P1485-1489) we find the typical trefoil with the initials IST in varying conditions.

If the image of the mark is rather vague a certain danger confusing the mark with the LST of Leopold Stelzer (see p. 213) cannot be excluded.

P1485 Josef Stelzer
1787
Budapest, IM 52.1515.2

P1486 Josef Stelzer
1788
Budapest, IM 52.1515.3

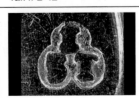

P1487 Josef Stelzer
1792
Budapest, IM 62.2018

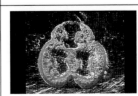

P1488 Josef Stelzer
1802
Budapest, IM 68.283

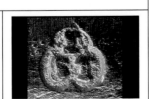

P1489 Josef Stelzer
1802
Budapest, IM 68.283

## Anmerkung zu Punze ISW von Ignaz Sebastian Wirth (Würth) (P1490-1507)

Ignaz Sebastian Würth (1747-1834, Vater: Caspar Würth; Aufnahme ins Gremium: 1768, 1827 Adelstitel, Hofsilberarbeiter) wird von 1780 bis 1832 in Adreßbüchern bzw. Innungslisten genannt (zeitweiser Nichtbetrieb: 1816-1825; 1816 Zurücklegung des Gewerbes).

Aus den Steuerleistungen (ab 1770-1805: 12-30 Gulden jährlich) läßt sich eine beträchtliche Produktion ablesen. Dementsprechend ist auch eine Reihe von Punzen erhalten.

Auf den Tafeln sind drei hochovale Punzen von Ignaz Sebastian Wirth eingeschlagen (P1490-1492), wobei die spätere (P1492) gedrungener erscheint; die älteren Punzen (P1490, 1491) haben dünnere Buchstaben. Interessant ist, daß die Punzen von 1777 (also vor der Punzentafel I, die 1781 angelegt wurde) auffallend breite Buchstaben zeigen (P1493, 1494).

Je nach Oberfläche des Gegenstandes kann das Erscheinungsbild der Punzen variieren; besonders auffällig ist dies bei gepunztem Silber (P1496, 1498).

Bei unvollständig erhaltenen Punzen (P1500, 1501) ist darauf zu achten, ob der zweite Buchstabe ein I oder ein S darstellt, weil es sonst zu Verwechslungen mit der Punze von Ignaz Josef Wirth (s. S. 183, P1270-1273) kommen könnte.

P1490 Ignaz Sebastian Wirth, G 1768
Taf. I-2-21a

P1491 Ignaz Sebastian Wirth, G 1768
Taf. I-2-21b

P1492 Ignaz Sebastian Wirth, G 1768
Taf. II-1-40

## Anmerkung zu Punze ISW of Ignaz Sebastian Wirth (Würth) (P1490-1507)

Ignaz Sebastian Würth (1747-1834, father: Caspar Würth; guild entry: 1768, title of nobility: 1827, court silversmith) is entered in address books and guild lists from 1780 to 1832 (temporary non-work: 1816-1825; end of trade: 1816).

From the height of tax payments (from 1770 until 1805: 12-30 Guilders annually) a considerable production is conclusive. It follows that quite many marks are preserved.

On the marks tablets three upright oval marks of Ignaz Sebastian Wirth are embossed (P1490-1492). The later one (P1492) is rather squat, the earlier ones (P1490, 1491) have thinner letters.

It is interesting that the marks of 1777 (before marks tablet I dated 1781) show remarkably large letters (P1493, 1494).

The image of the marks can vary according to the texture of the object's surface, especially chased silver (P1496, 1498).

Marks in fragmentary condition (P1500, 1501) are to be analyzed painstakingly especially with regard to the second letter (I or S) otherwise they could be taken for the mark of Ignaz Josef Wirth (see p. 183, P1270-1273).

P1493 Ignaz Sebastian Wirth, 1777
Wien, Dorotheum 1892/21

P1494 Ignaz Sebastian Wirth, 1777
Wien, Dorotheum 1892/24

P1495 Ignaz Sebastian Wirth, 1784
Wien, Dorotheum 1926/30

P1496 Ignaz Sebastian Wirth, 1784
Wien, DM L-96

P1497 Ignaz Sebastian Wirth, 1784
Wien, DM L-96

P1498 Ignaz Sebastian Wirth, 1784
Wien, Dorotheum 1962/53

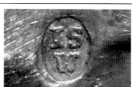

P1499 Ignaz Sebastian Wirth, 1784
Wien, Dorotheum 1962/50

P1500 Ignaz Sebastian Wirth, 1799
Wien, HM 40.475/2

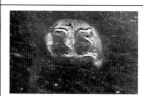

P1501 Ignaz Sebastian Wirth, 1801
Budapest, NM 1954.185

P1502 Ignaz Sebastian Wirth, 1805
Privatbesitz (EJ)

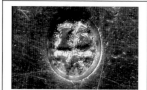

P1503 Ignaz Sebastian Wirth, 1807 (= 1807-1809)
Wien, Dorotheum (2001)

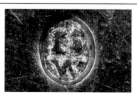

P1504 Ignaz Sebastian Wirth, 1807 (= 1807-1809)
Wien, Dorotheum (2001)

P1505 Ignaz Sebastian Wirth, 1807 (= 1807-1809)
Privatbesitz (BJ)

P1506 Ignaz Sebastian Wirth, 1807 (= 1807-1809)
Wien, Dorotheum 1926/45

P1507 Ignaz Sebastian Wirth, 1807 (= 1807-1809)
Wien, Dorotheum 1926/45

P1508 Johann Simon Wagner, B 1780, G 1792
Taf. II-4-12

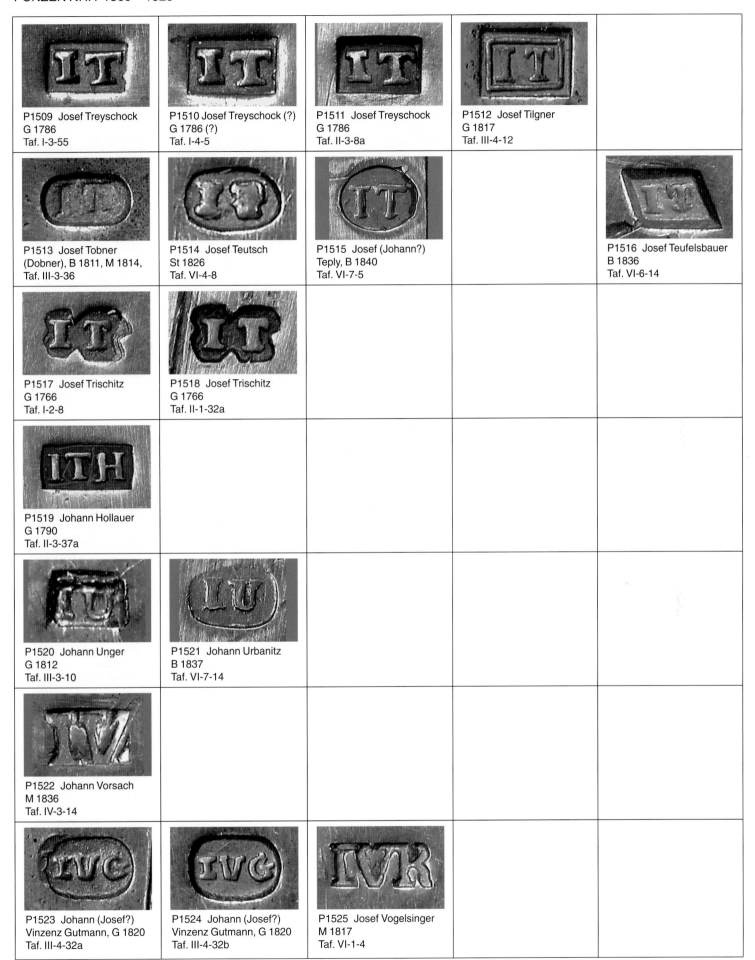

P1509  Josef Treyschock
G 1786
Taf. I-3-55

P1510 Josef Treyschock (?)
G 1786 (?)
Taf. I-4-5

P1511  Josef Treyschock
G 1786
Taf. II-3-8a

P1512  Josef Tilgner
G 1817
Taf. III-4-12

P1513  Josef Tobner
(Dobner), B 1811, M 1814,
Taf. III-3-36

P1514  Josef Teutsch
St 1826
Taf. VI-4-8

P1515  Josef (Johann?)
Teply, B 1840
Taf. VI-7-5

P1516  Josef Teufelsbauer
B 1836
Taf. VI-6-14

P1517  Josef Trischitz
G 1766
Taf. I-2-8

P1518  Josef Trischitz
G 1766
Taf. II-1-32a

P1519  Johann Hollauer
G 1790
Taf. II-3-37a

P1520  Johann Unger
G 1812
Taf. III-3-10

P1521  Johann Urbanitz
B 1837
Taf. VI-7-14

P1522  Johann Vorsach
M 1836
Taf. IV-3-14

P1523  Johann (Josef?)
Vinzenz Gutmann, G 1820
Taf. III-4-32a

P1524  Johann (Josef?)
Vinzenz Gutmann, G 1820
Taf. III-4-32b

P1525  Josef Vogelsinger
M 1817
Taf. VI-1-4

| | | | | |
|---|---|---|---|---|
| <br>P1526  Josef Wichtel<br>M 1837<br>Taf. IV-3-25 | <br>P1527  Josef Wallnöfer<br>M 1828<br>Taf. IV-1-49 | <br>P1528  Josef Weiß<br>M 1828<br>Taf. IV-2-4 | <br>P1529  Josef Wayand<br>B 1822<br>Taf. VI-1-19b | <br>P1530  Josef Witek<br>B 1831<br>Taf. VI-5-17b |
| <br>P1531  Johann Wondra-<br>schek, M 1856<br>Taf. VIII-4-32 | <br>P1532  Josef Weilgassner<br>G 1801<br>Taf. III-1-41a | | <br>P1533  Johann Wastel<br>M 1837<br>Taf. IV-3-28a | 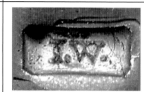<br>P1534  Johann Wastel<br>M 1837<br>Taf. IV-3-28b |
| <br>P1535  Johann Würth<br>G 1809<br>Taf. III-2-45 | <br>P1536  Johann Würth<br>G 1809<br>Taf. III-2-46 | <br>P1537  Johann Würth<br>1810 (= 1810-1812)<br>Privatbesitz (EJ) | <br>P1538  Johann Würth<br>1816<br>Wien, S. Reisch | <br>P1539  Johann Würth<br>1817<br>Budapest, IM 73.57 |

**Anmerkung zur Punze IW von Johann Würth (P1535-1539)**

Johann Würth (1778-1828, Meisterrecht: 1809, Anheimsagung 1828) ist von 1810 bis 1828 in den Innungslisten verzeichnet. Steuerleistungen sind aus den Jahren 1810-1812 überliefert (höchste Einstufung 1810: 20 Gulden). Der charakteristische Punzentypus im Achteck, mit Punkten nach den Initialen I und W, ist relativ leicht zuzuordnen: Objekte aus den Jahren 1810-1817 sind erhalten (P1537-1539).

**Remarks on the mark IW of Johann Würth (P1535-1539)**

Johann Würth (1778-1828, master's title: 1809, end of trade: 1828) is entered in the guild lists from 1810 to 1828: His tax payments are documented from 1810 to 1812 (highest assessment in 1810: 20 Guilders).
The typical mark in an octagon with dots after the initials I and W is relatively simple to attribute: several objects from the years 1810 to 1817 are preserved (P1537-1539).

| | | | | |
|---|---|---|---|---|
| 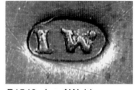<br>P1540  Josef Wahl<br>G 1780<br>Taf. I-3-6 | <br>P1541  Josef Wahl<br>G 1780<br>Taf. II-2-23 | <br>P1542  Ignaz Wall<br>G 1812<br>Taf. III-3-19 | | |
| <br>P1543  Josef Wagner<br>B 1790, G 1792<br>Taf. II-4-41c | <br>P1544  Josef Warmberger<br>B 1838<br>Taf. VIII-2-49 | <br>P1545  Punze / mark IW?<br>1807 (= 1807-1809)<br>Budapest, IM 69.1063 | | |
| <br>P1546  Josef Worll<br>G 1789<br>Taf. I-4-12 | <br>P1547  Josef Wiederspeck<br>B 1822<br>Taf. VI-3-13a | <br>P1548  Josef Wiederspeck<br>1848<br>Wien, Dorotheum 1944/105 | <br>P1549  Josef Wagner<br>B 1833, M 1851<br>Taf. VI-5-28a | <br>P1550  Josef Wieninger<br>M 1852<br>Taf. VII-2-11 |

P1551  Josef Warenberg
B 1838
Taf. VI-6-36

P1552  Josef Worll
G 1789
Taf. II-3-29

P1553  Josef Winkler
G 1791
Taf. II-3-40

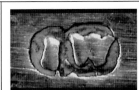

P1554  Josef Winkler
1801
Brünn, MG 18.630/01

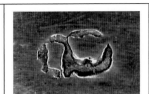

P1555  Josef Winkler
1804
Wien, Dorotheum 1944/42

P1556  Josef Wagner
B 1833, M 1851
Taf. VI-5-28b

P1557  Josef Wagner
B 1833, M 1851
Taf. VI-5-28c

### Anmerkung zur Punze IW von Josef Wiederspeck (P1558-1561)

Josef Wiederspöck (Wiederspeck; Befugnis: 1822) ist von 1837-1856 in den Innungslisten zu finden (Anheimsagung und Steuerabmeldung 1858).
Seine Punzen sind um 1839/1840 auch auf Objekten erhalten (P1559-1561). Die charakteristische Schildform mit den Initialen IW erlaubt eine eindeutige Identifizierung.

P1558  Josef Wiederspeck
B 1822
Taf. VI-3-13b

### Remarks on the mark IW of Josef Wiederspeck (P1558-1561)

Josef Wiederspöck (Wiederspeck; authorization: 1822) is entered in the guild lists from 1837 to 1856 (end of trade and of tax: 1858).
His marks are also to be found on objects dated about 1839/1840 (P1559-1561). The typical shield mark with the initials IW is easily identified.

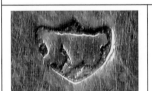

P1559  Josef Wiederspeck
1839
Privatbesitz (BJ)

P1560  Josef Wiederspeck
183?
Budapest, IM 52.3268a

P1561  Josef Wiederspeck
1840 (= 1840-1842)
Budapest, IM 59.2000.1

P1562  Josef Weyrich
B 1834
Taf. VI-5-36

P1563  Josef Wilhelm Riedl
G 1751
Taf. I-1-19

P1564  Johann Wastel
M 1837
Taf. IV-3-28c

P1565  Josef Wolfgang
Schmidt, G 1769
Taf. I-2-22

P1566  Josef Wolfgang
Schmidt, G 1769
Taf. II-1-41

P1567  Johann Zöllner
B 1848
Taf. VI-3-45a

P1568  Johann Zöllner
B 1848
Taf. VI-3-45b

P1569  Julius Archié
B 1844
Taf. VI-7-45

P1570  Josef Augustin
B 1861
Taf. VIII-1-38

P1571  Johann Abel
M 1830
Taf. IV-2-21

P1572  Johann Abel
1831
Budapest, IM 54.1571.1

P1573  Josef Andacher
B 1846, M 1852
Taf. VII-2-5

P1574  Josef Angellechner
M 1855
Taf. VII-4-6

### Anmerkung zur Punze JA von Johann Abel (P1571, 1572)

Johann Abel (Meisterrecht 1830) ist in den Innungslisten von 1831 bis 1865 genannt (gest. 1865).

Trotz Beeinträchtigung im linken oberen Bereich kann eine Punze (P1572) aufgrund der typischen Form des A (P1571) Johann Abel zugeordnet werden.

### Remarks on the mark JA of Johann Abel (P1571, 1572)

Johann Abel (master's title: 1830) is entered in the guild lists from 1831 to 1865 (died in 1865).

Although the frame is damaged on the top left side the mark (P1572) can be attributed to Johann Abel due to the typical shape of the letter A (P1571).

P1575  Johann Bader
B 1843
Taf. VII-1-36

P1576  Johann Bannert
GV 1863
Taf. VIII-2-10

P1577  Josef Bachmann
M 1857
Taf. VII-5-6

P1578  Josef Bachmann
B 1860
Taf. VIII-1-39

P1579  Josef Bobies
B 1831
Taf. VI-5-1c

P1580  Ignaz Binder
B 1813, M 1818
Taf. III-4-21a

P1581  Johann Daniel
Collier, GV 1867
Taf. VIII-4-2

P1582  Johann Czerno-
witzka, GV 1867
Taf. VIII-3-51

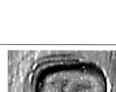

P1583  Johann Czerno-
witzka, GV 1867
Taf. VIII-4-35

P1584  Ignaz Czerofsky
B 1842
Taf. VI-8-23

**Anmerkung zur Punze J. C. W. von J. C. Weikert (P1585)**

J. C. Weikert wird in den Innungslisten nicht genannt (ob es ein Verwandtschaftsverhältnis zu Robert Weikert gibt, ist unbekannt).
Seine Steueranmeldung im Jahre 1862 ist der einzige Hinweis auf eine Firma dieses Namens.

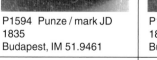

P1585  J. C. Weikert
StA 1862
Taf. VIII-2-16

**Remarks on the mark J. C. W. of J. C. Weikert (P1585)**

J. C. Weikert cannot be found in the guild lists (a relationship to Robert Weikert remains unproven).
His tax entry in 1862 is the only hint to a company of this name.

P1586  Josef Dütmar
B 1862
Taf. VIII-2-5b

P1587  Josef Dütmar
B 1862
Taf. VIII-2-5a

P1588  Josef Deiner
M 1840
Taf. IV-4-20

P1589  Julius Dietrich
M 1848
Taf. IV-5-33

P1590  Johann Detter
(Detler), B 1838
Taf. VI-6-30b

P1591  Josef Detter
1. B 1810, 2. B 1816
Taf. VI-2-18

P1592  Johann Dietrich
B 1824
Taf. VI-3-28

P1593  J.(Johann?) Dietrich
B 1824 (?)
Taf. VI-5-29

P1594  Punze / mark JD
1835
Budapest, IM 51.9461

P1595  Punze / mark JD
184?
Budapest, IM 51.1722.1

P1596  JD (Josef Detler?)
1816
Privatbesitz (FL)

P1597  JD (Josef Detler?)
1816
Privatbesitz (FL)

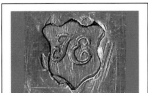

**P1598  Johann Eder**
B 1821
Taf. VI-1-41a

**P1599  Johann Finsterlein**
M 1836
Taf. IV-3-13a

**P1600  Johann Fleischer**
M 1833
Taf. IV-2-40

**P1601  Josef Fleischer**
M 1853
Taf. VII-3-1

**P1602  Johann Ficker**
B 1839
Taf. VI-7-4a

**P1603  Johann Ficker**
B 1839
Taf. VI-7-4b

**P1604  Johann Ficker**
B 1839
Taf. VI-7-4d

**P1605  Josef Gedlitzka**
M 1857
Taf. VII-3-40b

**P1606  Josef Gmeiner**
M 1857
Taf. VII-4-38

**P1607 Josef Carl Gross (?)**
B 1842 ?, M 1860 ?
Taf. VIII-2-23a

**P1608  Josef Gross**
B 1831
Taf. VI-5-8a

**P1609  Josef Gedlitzka**
M 1857
Taf. VIII-4-5

**Anmerkung zur Punze JG von Josef Glanz (P1610)**

Josef Glanz (Lemberg 1795 - Wien 1866) studierte 1814-1818 an der Wiener Kunstakademie, war ab 1819 in Berlin und ab 1831 in Wien tätig (Gründung der k. k. landesprivilegierter Bronce- und Eisengußwarenfabrik).
1845 erhielt er das Goldarbeiter-Befugnis (1861 Anheimsagung). In den Innungslisten wird er von 1846-1860 genannt.
Die Initialen JG sind im Punzenbild nur mehr undeutlich zu sehen.

*(Firmengeschichte in: Helmut Ferner – Elfriede Genée, Kleinkunst in Eisenguss, Brünn 1992, S. 71-79)*

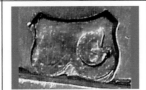

**P1610  Josef Glanz**
B 1845
Taf. VI-8-24

**Remarks on the mark JG of Josef Glanz (P1610)**

Josef Glanz (Lemberg 1795 - Vienna 1866) studied in 1814-1818 at the Academy of Arts in Vienna. From 1819 he worked in Berlin, from 1831 in Vienna (founding of the imperial royal bronze and cast-iron factory with national factory authorization).
1845 he got the goldsmith authorization (1861 end of trade). From 1846 to 1860 he is entered in the guild lists.
In the image of his mark the initials JG are nearly undistinguishable.

*(Company history in: Helmut Ferner – Elfriede Genée, Kleinkunst in Eisenguss, Brünn 1992, S. 71-79)*

**P1611  Johann Georg**
Andorffer, G 1802
Taf. III-2-9a

**P1612  Johann Georg**
Andorffer, G 1802
Taf. III-2-9b

**P1613  Johann Georg**
Andorffer, 1821
Wien, Dorotheum 1926/95

**P1614  Punze / mark JGR**
Taf. I-3-60h

P1615  Johann Hlawicka
GV 1867
Taf. VIII-4-18a

P1616  Johann Hlawicka
GV 1867
Taf. VIII-4-18b

P1617  Johann Hauber
B 1817, M 1829
Taf. VI-2-43a

P1618  Josef Huber
M 1848
Taf. IV-5-34

P1619  Josef Hiess
B 1848, M 1853
Taf. VII-3-4

P1620  Johann Hueber
(Huber?), B 1823?
Taf. VI-4-15c

P1621  Josef Hulwa
B 1852
Taf. VII-1-45

P1622  Johann Harrich
B 1860
Taf. VIII-1-44

P1623  Johann Baptist
Hellmer, M 1823
Taf. IV-1-9b

P1624  Johann Baptist
Hellmer, M 1823
Taf. IV-1-9c

P1625  Johann Hoser
B 1807, G 1815
Taf. III-3-48

P1626  Johann Harrich
B 1860
Taf. VIII-3-41

P1627  Josef Hulwa
B 1852
Taf. VIII-3-32

P1628  Johann Hauser
M 1854
Taf. VII-3-35

P1629  Johann Hindel
St 1829
Taf. IV-2-12

P1630  Johann Havranke
M 1858
Taf. VIII-3-24

P1631  Johann Hueber
(Huber?), B 1823?
Taf. VI-4-15a

P1632  Jakob Jäck
GV vor 1829
Taf. VI-3-21b

P1633  Johann Janke
B 1843
Taf. VI-7-43

P1634  Josef Gedlitzka
(Jedlitzka), M 1857
Taf. VII-3-40a

P1635  Johann Ignatz
Fautz, G 1813
Taf. III-3-23

P1636  Punze / mark JJM
Taf. I-4-60g

P1637  Josef Karner
GA 1849
Taf. VII-1-5

P1638  Johann Keil
M 1858
Taf. VII-5-38

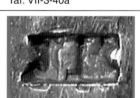

P1639  Josef Karl
B 1848 oder/or M 1855
Taf. VII-4-9

P1640  Johann Konrad
M 1857
Taf. VII-5-12

P1641  Josef Krämer
B 1844
Taf. VI-8-4

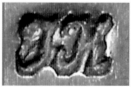

P1642  Johann Killian
B 1844
Taf. VI-8-10

P1643  Josef Kobek
M 1837
Taf. IV-3-27

P1644  Josef Köpf
M 1841
Taf. IV-4-12

### Anmerkung zur Punze  JK von Johann Krämer (P1645)

Johann Krämer (Meisterrecht 1842) ist in den Innungslisten 1843-1882 genannt (1849-50 „abwesend", von 1854-1863 „Nichtbetrieb").

Firmengeschichte:
1847 Protokollierung der Firma „Joh. Krämer"; 1852 Löschung, weil er sein Gewerberecht „seit dem Jahr 1848 nicht mehr ausübe".
(MerkG Prot. Bd 7, K 28)

P1645  Johann Krämer
M 1842
Taf. VII-1-26

### Remarks on the mark JK of Johann Krämer (P1645)

Johann Krämer (master's title: 1842) is entered in the guild lists from 1843-1882 (1849-50 "absent", 1854-1863 "no business").

Company history:
1847 registration of the company "Joh. Krämer," 1852 dissolution due to the fact that he ceased to use his trade authorisation in 1848.
(MerkG Prot. Bd 7, K 28)

P1646 Josef Karl
B 1848, M 1855
Taf. VI-6-45a

P1647 Josef König
B 1847, M 1851
Taf. VI-8-43b

P1648 Josef (Johann?)
Koch, B 1833
Taf. VI-5-40b

P1649 Josef Krieger
B 1844, M 1851
Taf. VI-8-13

P1650 Josef Klemm
St 1829
Taf. IV-2-5

P1651 Johann Klima
B 1812, G 1816
Taf. III-4-7b

P1652 Johann Klima
B 1812, G 1816
Taf. VI-1-10a

P1653 Johann Klima
181?
Brünn, MG 19.622

P1654 Johann Klima
1820?
Budapest, IM 58.243

P1655 Johann Klima
1821
Wien, S. Reisch

P1656 Josef Lorenz
B 1846, M 1851
Taf. VIII-5-1

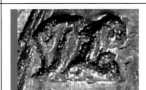

P1657 Josef Leipold
B 1827, M 1840
Taf. IV-4-36

P1658 Josef Leipold
B 1827, M 1840
Taf. VI-4-19

P1659 Josef Leipold
1837
Wien, DM L-98

### Anmerkung zur Punze JLH von Johann Leonhard Herrmann (P1660, 1661)

J. L. Herrmann (Befugnis: 1846) wird in den Innungslisten: 1856-1867 genannt (gest. 1867).

Firmengeschichte
**„Fr. Machts & J. Herrmann & Co.", „J. L. Herrmann"**

Franz Machts (aus Prag, geb. um 1799), Privilegium: 1822, Befugnis „auf plattirte Waren": 1825, Landesfabriksbefugnis: 1843.
In zeitgenössischen Adreßbüchern 1829-1839 genannt (1833: **F. Machts & Co.**)
1851 Landesfabriksbefugnis „zur Erzeugung von Gold und Silber-Plattir-Waaren"; Protokollierung der durch J. L. Herrmann allein zu führende Firma „**Fr. Machts & J. Herrmann & Co.**" (Franz Machts, Johann Herrmann, Aloisia Herrmann, Franz und Klara Hajek, Ferdinand und Theresia Haeckl).
1853 Erweiterung des Landesfabriksbefugnisses „auf die Erzeugung von China Silber und Packfong-Waaren", 1855 Erweiterung des Befugnisses „auf echte Silber-Waaren".
1856 Löschung der Firma „Fr. Machts & J. Herrmann & Co.".
1856 Protokollierung der Firma „**J. L. Herrmann**"; Verzichtleistung des Franz Machts auf das nunmehr J. L. Herrmann allein übertragene Landesfabriksbefugnis „zur Erzeugung von Silber und Gold plattirten dann Pakfong-Chinasilber und echten Silberwaaren".
1863 Übertragung der Firma „J. L. Herrmann" in das Register für „Einzelnfirmen".
1867 nach dem Tod von Herrmann: Fortführung auf Rechnung der hinterbliebenen acht minderjährigen Kinder; Prokurist Josef Stietowsky.
1873 Prokura des Josef Stietowsky erloschen, Prokurist Julius Herrmann.
1879 Übertragung der Firma ins Register für Gesellschaftsfirmen (offene Gesellschafter: Richard Herrmann, Metallwarenerzeuger, und Julius Herrmann; Vertretungsrecht für beide).
1882 Übertragung ins Register für „Einzelnfirmen".
*(MerkG Prot. Bd 8, M 11; MerkG Prot. Bd 9, H 198; HG E 2/174; HG Ges 23/154; HG E 18/148; HR 295/1825, fol. 39 v°)*

P1660 Johann Leonhard
Herrmann, B 1846,
pFa 1856, Taf. VII-5-32a

P1661 Johann Leonhard
Herrmann, B 1846,
pFa 1856, Taf. VII-5-32b

### Remarks on the mark JLH of Johann Leonhard Herrmann (P1660, 1661)

J. L. Herrmann (authorization: 1846) is entered in the guild lists from 1856-1867 (died in 1867).

Company history
**"Fr. Machts & J. Herrmann & Co.," "J. L. Herrmann"**

Franz Machts (from Prague, born about 1799), privilege: 1822; authorization for plated wares: 1825, national factory authorization: 1843.
From 1829 to 1839 mentioned in contemporary address books (1833: **F. Machts & Co.**)
1851 national factory authorization for the production of gold and silver plated wares; registration of the company **"Fr. Machts & J. Herrmann & Co."** (Franz Machts, Johann Herrmann, Aloisia Herrmann, Franz und Klara Hajek, Ferdinand and Theresia Haeckl), directed by J. L. Herrmann alone
1853 Extension of the national factory authorization for the production of China silver and packfong wares.; in 1855 extension of the authorization for genuine silver wares; in1856 dissolution of the company "Fr. Machts & J. Herrmann & Co."
1856 registration of the company **"J. L. Herrmann;"** renunciation of Franz Machts concerning the national factory authorization now transferred to J. L. Herrmann alone to produce silver and gold plated also packfong China silver and genuine silver wares.
1863 transfer of the company "J. L. Herrmann" into the register of single firms.
1867 after the death of Herrmann: continuation on account of the surviving eight minor children; power of attorney: Josef Stietowsky.
1873 dissolution of Josef Stietowsky's power of attorney, now in the same function: Julius Herrmann.
1879 transfer of the company into the register of partnership companies (partners: Richard Herrmann, metal wares manufacturer, and Julius Herrmann; both with representation rights).
1882 transfer into the register of single firms.
*(MerkG Prot. Bd 8, M 11; MerkG Prot. Bd 9, H 198; HG E 2/174; HG Ges 23/154; HG E 18/148; HR 295/1825, fol. 39 v°)*

### Anmerkung zur Punze JM von Josef Mayer (P1662, 1663)

Die Häufigkeit des Familiennamens Mayer sowie der Vornamen Johann und Josef (Gold- und Silberschmiede, Pfeifenbeschläger etc.) kann zu Verwechslungen führen.

Josef Mayer (Befugnis 1811, Aufnahme ins Gremium 1814) ist in den Innungslisten 1815 - 1858 genannt (Anheimsagung 1858, gest. 1858, Steuerabmeldung 1859).

Die Punze von Josef Mayer besteht aus den Initialen JM im Querrechteck (P1662). In einer auf einem Objekt erhaltenen Punze JM ist zwar die Rechteckrahmung vorhanden, die Buchstaben sind jedoch in Schräglage angeordnet (P1663). Dies entspräche eher der Punze von Johann Mayer (P1666), der aber erst 1831 sein Befugnis erhielt, und die Rahmung mit den abgerundeten Ecken stimmt ebenfalls nicht überein.

Ein jüngerer Josef Mayer ist als Sohn von Vinzenz Mayer in dessen Firma „Vinzenz Mayer's Söhne" zu finden (s. S. 235).

P1662  Josef Mayer
B 1811, G 1814
Taf. III-3-38

P1663  Josef Mayer (?)
182?
Wien, Dorotheum 1909/71

### Remarks on the mark JM of Josef Mayer (P1662, 1663)

The frequent occurrences of the family name Mayer combined with the first name Johann or Josef (gold and silversmith, pipe mount makers etc.) can lead to confusion.

Josef Mayer (authorization: 1811, guild entry: 1814) is entered in the guild lists from 1815 - 1858; end of trade: 1858, died in 1858, tax end: 1859.

Josef Mayer's mark consists of the initials JM in a horizontal rectangle (P1662).
The mark JM preserved on an object shows the rectangular frame but the letters are slanted (P1663). This corresponds rather to the shape of Johann Mayer's mark (P1666) who got his authorization only in 1831. The frame with the rounded corners also does not fit.

A later Josef Mayer is found as son of Vinzenz Mayer in the company "Vinzenz Mayer's Söhne" (see p. 235).

P1664  Johann Milvius
M 1850
Taf. VII-1-12

P1665  Johann Josef
Matzenauer, M 1858
Taf. VII-5-40b

P1666  Johann Mayer
B 1831
Taf. VI-5-5

P1667  Jakob Müller
(Müllner)
M 1817, Taf. VI-4-4

P1668  Jakob Meyler
B 1825
Taf. VI-5-41

P1669  Johann Mergenthal
GV 1864
Taf. VIII-3-36

P1670  Johann Josef
Matzenauer, M 1858
Taf. VII-5-40a

P1671  Johann Mickl
M 1846
Taf. IV-5-8b

P1672  Johann Ortner
B 1860
Taf. VIII-1-43a

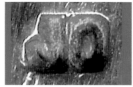

P1673  Johann Ortner
B 1860
Taf. VIII-1-43b

P1674  Johann Osterer
B 1824
Taf. VI-3-33

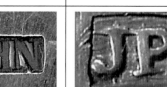

P1675  Wenzel John
B 1841, M 1850
Taf. VIII-1-5

P1676  Josef Pfann
GV vor 1854
Taf. VI-7-20

P1677  Josef Vinzenz
Patzinger, B 1860
Taf. VIII-1-26

P1678  Johann Philipp
M 1848
Taf. IV-5-31

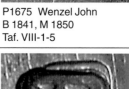

P1679  Johann Petronin
M 1831
Taf. IV-2-24

P1680  Johann Petrowitz
B 1862
Taf. VIII-4-26

P1681  Johann Pruschka
B 1830
Taf. VI-5-3a

P1682  Josef Pfann
E 1862
Taf. VIII-4-45

P1683  Johann Radda
M 1850
Taf. VII-4-35

P1684  Johann Radda
M 1850
Taf. VII-5-24

P1685  Josef Raimund
B 1845
Taf. VI-8-20a

P1686  Punze / mark JR
1847
Wien, Dorotheum 1944/105

### Anmerkung zur Punze JR, J.REINER von Josef Reiner (P1687-1691)

Josef Reiner (Befugnis 1822, Meisterrecht 1826) führte mehrere Punzen (s. auch IR, REINER, S. 191, P1426-1429); in den Innungslisten ist er von 1826-1867 verzeichnet (gest. 1867).

Während die Punze JR (P1687) auf Tafel IV eingeschlagen wurde, ist die Punze J. REINER (P1689-1691) auf Objekten zu finden. Das JRE (P1688) steht für „Josef Reiner's Erben".

Firmengeschichte:

1861 Protokollierung der Firma „**Josef Reiner**".
1863 Übertragung der Firma ins Register für „Einzelnfirmen",
1867 über „Geschäftsaufgabe" gelöscht; Protokollierung der Firma „**Josef Reiner's Erben**" (Gesellschafter: Johann und Carl Kaltenböck).
1876 Johann Kaltenböck „über Ableben gelöscht"; Josef Kaltenböck als Gesellschafter eingetragen.
1892 Löschung über Geschäftszurücklegung und „Ableben" des Gesellschafters Carl Kaltenböck.

*(Merk Prot. Bd 12, R 229; HG E 1/490; HG Ges 6/234; HG E 27/34)*

P1687 Josef Reiner
B 1822, M 1826
Taf. IV-1-36b

P1688 Josef Reiner's Erben,
nach / after 1867
Wien, Dorotheum 1962/161

### Remarks on the marks JR, J.REINER of Josef Reiner (P1687-1691)

Josef Reiner (authorization: 1822, master's title: 1826) used several marks (see also IR, REINER, p. 191, P1426-1429); he is entered in the guild lists from 1826 to 1867 and died in in 1867.

The mark JR (P1687) is found on marks tablet IV, the mark J. REINER only on objects (P1689-1691). JRE (P1688) means "Josef Reiner's Erben".

Company history:

1861 registration of the company "**Josef Reiner**".
1863 transfer of the company into the register of single firms,
1867 dissolution due to end of trade; registration of the company "**Josef Reiner's Erben**" (partner: Johann and Carl Kaltenböck).
1876 Johann Kaltenböck deleted due of death; Josef Kaltenböck entered as partner.
1892 dissolution due to end of trade and death of the partner Carl Kaltenböck.

*(Merk Prot. Bd 12, R 229; HG E 1/490; HG Ges 6/234; HG E 27/34)*

P1689 Josef Reiner
1840 (= 1840-1842)
Wien, Dorotheum 1944/107

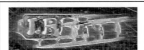

P1690 Josef Reiner
1840 (= 1840-1842)
Wien, Dorotheum 1944/107

P1691 Josef Reiner
1848
Wien, Dorotheum 1962/95

### Anmerkung zur Punze JS von Johann Scheiringer (P1692)

Johann Scheiringer (Meisterrecht 1851, gest. 1880) ist in den Innungslisten von 1852-1873 genannt (ab 1865 in Zusammenhang mit Firma Scheiringer & Bacher, ab 1874: J. Bacher allein angeführt).

Firmengeschichte:
1851 Protokollierung der Firma „J. Scheiringer & J. Bacher"

*(MerkG Prot. Bd 8, S 37)*

P1692 Johann Scheiringer
M 1851
Taf. VII-2-33

### Remarks on the mark JS of Johann Scheiringer (P1692)

Johann Scheiringer (master's title: 1851, died in 1880) is entered in the guild lists from 1852-1873 (from 1865 in connection with the company Scheiringer & Bacher, from 1874 J. Bacher alone)

Company history:

1851 registration of the company "J. Scheiringer & J. Bacher"

*(MerkG Prot. Bd 8, S 37)*

P1693 Josef Schweitzer
M 1855
Taf. VII-4-5

P1694 Johann Schubert
B 1844, M 1851
Taf. VI-8-8b

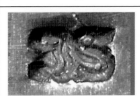

P1695 Johann Schubert
B 1844, M 1851
Taf. VI-8-8f

P1696 Johann Schubert
B 1844, M 1851
Taf. VI-8-8c

P1697 Ignaz Schmidt
M 1848
Taf. IV-5-32

P1698 Johann Schärl
M 1851
Taf. VII-2-31

P1699 Josef Solterer
M 1857
Taf. VII-5-4

P1700 Josef Studnitzka
M 1858
Taf. VII-5-42

P1701 J. Schipka
unbekannt / unknown
Taf. VIII-4-1

P1702 Johann Schwarz
M 1856
Taf. VII-4-16

P1703 Josef Satory
G 1820
Taf. III-4-35

P1704 Josef Schliessmann
B 1811
Taf. VI-2-39a

P1705 Johann Sitte
G 1789
Taf. II-3-21b

P1706 Johann Sitte
182?
Wien, Dorotheum 1962/105

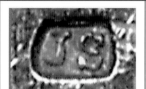

P1707  Johann Schärl
M 1851
Taf. VIII-3-23

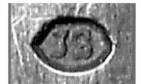

P1708  Johann Paul Sattler
GV 1868
Taf. VIII-4-36a

P1709  Johann Paul Sattler
GV 1868
Taf. VIII-4-36b

P1710  Josef Schub
B 1837
Taf. VI-6-26c

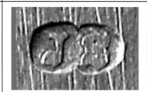

P1711  Johann Schwarz
M 1856
Taf. VIII-4-14

P1712  Jakob Schröder
B 1807
Taf. VI-1-28

P1713  Josef Schlosko
GV 1863
Taf. VIII-3-3

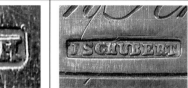

P1714  Johann Schubert
B 1844, M 1851
Taf. VI-8-8d

P1715  Josef Truska
B 1860
Taf. VIII-1-31

P1716  Johann Tiepoly
GV 1868
Taf. VIII-5-9

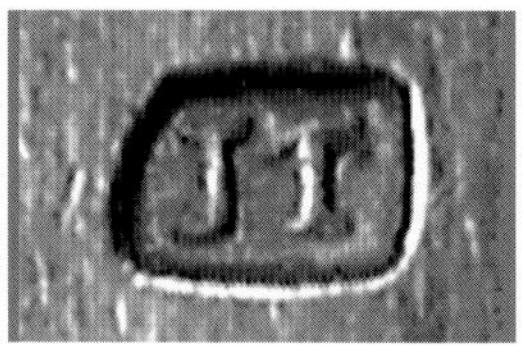

P1717  Josef Trabauer
B 1862
Taf. VIII-3-10

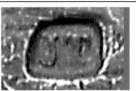

P1718  Josef Trabauer
B 1862
Taf. VIII-3-50

**Anmerkung zur Punze JT von Josef Türck (P1719, 1720)**

Firmengeschichte:

1852 Protokollierung der Firma „Joseph Türck & Sohn" sowie des „Galanterie-Waaren Handlungs-Befugniß".
1863 Übertragung in das Register für „Einzelnfirmen" (Inhaber: Josef Türck, Galanteriewarenhändler und kk Hof-Juwelier in Wien).
1866 Anheimsagung.
1867 „über Geschäftsaufgebung gelöscht".

*(MerkG Prot. Bd 8, T 8; HG E 5/552)*

P1719  Josef Türk
B 1852
Taf. VII-4-13a

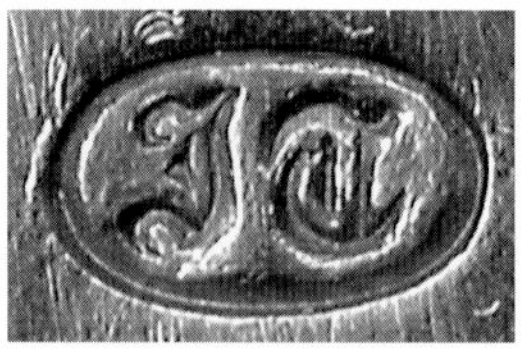

P1720  Josef Türk
B 1852
Taf. VII-4-13b

**Remarks on the mark JT of Josef Türck (P1719, 1720)**

Company history:

1852 registration of the company "Joseph Türck & Sohn" and the authorization for trading fancy goods.
1863 transfer into the register for single firms (owner: Josef Türck, trader of fancy goods and imperial royal court jeweller in Vienna).
1866 end of trade
1867 dissolution due to end of trade.

*(MerkG Prot. Bd 8, T 8; HG E 5/552)*

P1721  Jakob Veter
B 1861
Taf. VIII-1-37

P1722  Josef Vogl
GV 1864
Taf. VIII-2-13a

P1723  Josef Vogl
GV 1864
Taf. VIII-2-13b

P1724  Johann Wiesner
M 1854
Taf. VII-3-36

P1725  Jakob Wondrak
M 1853
Taf. VII-3-23a

P1726  Josef Wayand
B 1822
Taf. VI-1-19a

P1727  Josef Wayand
B 1822
Taf. VI-1-19c

P1728 Johann Wondraschek
M 1856
Taf. VII-4-22

P1729 Johann Wondraschek
M 1856
Taf. VIII-4-32

**Anmerkung zur Punze JW von Josef Wiedemann (P1730)**

Josef Wiedemann (Befugnis: 1846, Meisterrecht 1852) ist in den Innungslisten von 1847-75 verzeichnet.

Firmengeschichte:
1853 Protokollierung und Löschung der Gesellschaftsfirma „Josef Wiedemann & Kohn" (Josef Wiedemann und Alois Kohn), Eintragung der Firma „Josef Wiedemann".

*(MerkG Prot. Bd 8, W 38)*

P1730 Josef Wiedemann
B 1846, M 1852
Taf. VI-8-38

**Remarks on the mark JW of Josef Wiedemann (P1730)**

Josef Wiedemann (authorization: 1846, master's title: 1852) is entered in the guild lists from 1847-75.

Company history:
1853 registration and dissolution of the partnership company "Josef Wiedemann & Kohn" (Josef Wiedemann and Alois Kohn), registration of the company "Josef Wiedemann".

*(MerkG Prot. Bd 8, W 38)*

---

**Anmerkung zur Punze IW von Josef Weichberger (P1731)**

Josef Weichberger (Befugnis: 1845) ist in den Innungslisten 1846-81 verzeichnet (gest. 1881).

Firmengeschichte:
1863 Protokollierung der Firma Josef Weichberger.
1881 Löschung von Josef Weichberger als Firmeninhaber, Eintragung von Josef Hufnagl als Firmeninhaber.
1892 Löschung über Steuerabschreibung.

*(HG E 1/496)*

P1731 Josef Weichberger
B 1845
Taf. VI-8-41

**Remarks on the mark IW of Josef Weichberger (P1731)**

Josef Weichberger (authorization: 1845) is entered in the guild lists from 1846-81 (died in 1881)

Company history:
1863 registration of the company Josef Weichberger.
1881 dissolution of Josef Weichberger as owner, entry of Josef Hufnagl in this position.
1892 dissolution due to tax end.

*(HG E 1/496)*

---

**Anmerkung zur Punze JW von Josef Wairinger (P1732)**

Josef Wairinger (Meisterrecht 1852, gest. 1877) ist in den Innungslisten von 1853-1867 genannt.

Firmengeschichte:
1854 Protokollierung der Gesellschaft „Wairinger & Löwenstein" (Gesellschafter: Josef Wairinger, Seligman Löwenstein).
1857 Löschung der Firma, „weil Löwenstein verschollen ist und das protok. Gesellschaftsverhältniß mit Jos. Wairinger niemals faktisch bestanden hat".

*(MerkG Prot. Bd 8, W 60)*

P1732 Josef Wairinger
M 1852
Taf. VII-2-26

**Remarks on the mark JW of Josef Wairinger (P1732)**

Josef Wairinger (master's title: 1852, died in 1877) is entered in the guild lists from 1853-1867.

Company history:
1854 registration of the partnership company "Wairinger & Löwenstein" (partners: Josef Wairinger, Seligman Löwenstein).
1857 dissolution of the company due to Löwenstein missing and because the registered partnership with Jos. Wairinger never really existed.

*(MerkG Prot. Bd 8, W 60)*

---

P1733 Josef Wieninger
B 1821
Taf. VI-2-19a

P1734 Ignaz Witek
M 1856
Taf. VII-4-15

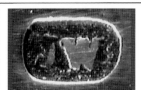

P1735 Punze / mark JW
1848
Privatbesitz (SA)

P1736 Johann Wappler
M 1852
Taf. VII-2-1a

P1737 Johann Wappler
M 1852
Taf. VII-2-1b

---

P1738 Jakob Wondrak
M 1853
Taf. VII-3-23b

P1739 Johann Walchensteiner, B 1846
Taf. VIII-4-42

P1740 Josef Wieninger
B 1821
Taf. VI-2-19c

P1741 Josef Wieninger
B 1821
Taf. VI-2-19d

P1742 Josef Wieninger
B 1821
Taf. VI-2-19f

---

P1743 Josef Wieninger
B 1821
Taf. VI-8-14

P1744 Josef Wieninger
1830
Budapest, 52.3267.1

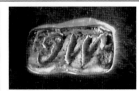

P1745 Josef Wieninger
1837
Wien, Dorotheum 1926/93

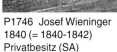

P1746 Josef Wieninger
1840 (= 1840-1842)
Privatbesitz (SA)

**P1747** Josef Wiedermann
B 1846, M 1852
Taf. VIII-3-15

**P1748** Josef Werich
B 1862
Taf. VIII-3-16

**P1749** Josef Wiedermann
B 1846, M 1852
Taf. VIII-3-17

**P1750** Josef Witek
B 1831
Taf. VI-5-17c

**P1751** Josef Witek
B 1831
Taf. VI-5-17d

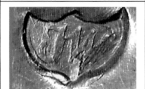

**P1752** Josef Wieninger
B 1821
Taf. VI-2-19b

**P1753** Josef Wieninger
B 1821
Taf. VI-2-19e

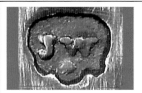

**P1754** Josef Witek
B 1831
Taf. VI-5-17a

**P1755** Josef Zima
M 1856
Taf. VII-4-12

**P1756** Josef Zima
M 1856
Taf. VII-4-17

**P1757** Josef Zauza
B 1862
Taf. VIII-2-48

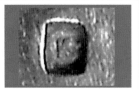

**P1758** Josef Klauda
GV 1863
Taf. VIII-3-38

**P1759** Karl Adam
B 1860
Taf. VIII-1-30

**P1760** Punze (mark) KB
1807 (= 1807-1809)
Privatbesitz ( EJ)

**P1761** Punze (mark) KB
1807 (= 1807-1809)
Privatbesitz ( EJ)

**P1762** H. (Johann) Karl
Frohriep, B 1847
Taf. VI-8-27

**P1763** Eugen Keim
M 1856
Taf. VII-4-28a

**P1764** Eugen Keim
M 1856
Taf. VII-4-28b

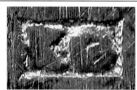

**P1765** Punze / mark KG
1805
Budapest, IM 76.252

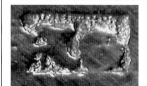

**P1766** Punze / mark KG
1806
Wien, Dorotheum 1892/57

**P1767** Karl Gollasch
M 1855
Taf. VII-4-1

**P1768** Karl Gießwein
G 1792
Taf. II-4-38b

**P1769** Karl Gießwein
G 1792
Taf. II-4-44

**P1770** Karl Gießwein
1802
Wien, S. Reisch

---

**Anmerkung zur Punze K & M (P1771)**

Bei den zahlreichen Punzen, die für Jakob Martin May auf der Tafel VI eingeschlagen sind, befindet sich auch die querrechteckig gerahmte Punze K & M. Es könnte sich dabei um eine Firmenpunze handeln, bei der das M für May stünde; wessen Initiale das K darstellt, war bisher nicht feststellbar.

Zu Jakob Martin May: siehe S. 248

**P1771** K & M (Jak. Mart.
May: Priv. 1825, M 1833)
Taf. VI-3-8a

**Remarks on the mark K & M (P1771)**

One of the numerous marks embossed on marks tablet VI for Jakob Martin May is the mark K & M in a horizontal frame. This could be a company mark the letter M meaning May. The meaning of the letter K still is not clear.

Jakob Martin May see p. 248

---

**P1772** Johann Klima
B 1812, G 1816
Taf. III-4-7a

**P1773** Johann Klima
B 1812, G 1816
Taf. IV-1-23

**P1774** Johann Klima
B 1812, G 1816
Taf. VI-1-10b

**P1775** Karl Millöcker
M 1852
Taf. VII-2-36

**P1776** Kajetan Nus
G 1809
Taf. III-2-47a

| P1777 Josef (Johann?) Koch, B 1833 Taf. VI-5-40a | P1778 Heinrich Köchert B 1826, M 1832 Taf. IV-2-26a | P1779 Josef (Johann?) Köpler, B 1819 Taf. VI-2-36 | P1780 Karl Paltscho B 1845 Taf. VI-8-21 |

### Anmerkung zur Punze KÖCHERT von Heinrich Köchert (P1778)

Auf Tafel IV sind neben dem Namen „Eman. Pioti" (= Pioté) mehrere Punzen eingeschlagen, darunter die Punze KÖCHERT, die sich wohl auf Heinrich Köchert bezieht. Heinrich Köchert (1795-1869, Befugnis 1826, Meisterrecht 1832), ist von 1833 bis 1869 in den Innungslisten genannt.

Firmengeschichte:

1831 Gründung der Firma „**Pioté & Köchert**" (Gesellschafter: Emanuel Pioté und Heinrich Köchert), siehe S. 147.
1851 Protokollierung der Firma „**Köchert & Sohn**" (öffentliche Gesellschaft; Gesellschafter: Heinrich Köchert und sein Sohn Alexander Köchert); 1858 Prokollierung einer Nachtragserklärung; 1863 Übertragung ins Register für Gesellschaftsfirmen unter dem Namen „Köchert & Sohn", Gesellschafter: Heinrich Köchert und Alexander Köchert.
1869 „über Ableben" des Jakob Heinrich Köchert gelöscht; Protokollierung der Firma „**A. E. Köchert**".

*(MerkG Prot. Bd 8, K 17; HG Ges 1/238; HG E 10/110)*

### Remarks on the mark KÖCHERT of Heinrich Köchert (P1778)

On marks tablet IV several marks are embossed next to the name "Eman. Pioti" (=Pioté). One of them is the mark KÖCHERT obviously related to Heinrich Köchert (1795-1869, authorization: 1826, master's title: 1832). He is entered in the guild lists from 1833 to 1869.

Company history:

1831 foundation of the company "**Pioté & Köchert**" (partners: Emanuel Pioté and Heinrich Köchert), see p. 147.
1851 registration of the company "**Köchert & Sohn**" (general partnership; partners: Heinrich Köchert and his son Alexander Köchert); in 1858 registration of an addition; in 1863 transfer into the register of partnership companies with the company name "Köchert & Sohn," partners: Heinrich Köchert and Alexander Köchert.
1869 dissolution due to the death of Jakob Heinrich Köchert; registration of the company "**A. E. Köchert**".

*(MerkG Prot. Bd 8, K 17; HG Ges 1/238; HG E 10/110)*

| P1781 Jakob Krautauer 1818 Wien, S. Reisch | P1782 Jakob Krautauer 1818 Budapest, IM 52.983 | P1783 Jakob Krautauer 1818 Privatbesitz (SR) |

| P1784 Jakob Krautauer 1819 Wien, Dorotheum 1926/38a | P1785 Jakob Krautauer 1819 Wien, Dorotheum 1926/38a | P1786 Jakob Krautauer 1819 Privatbesitz (FL) |

| P1787 Jakob Krautauer 1821? Wien, Dorotheum 1892/98 | P1788 Jakob Krautauer 182? Dorotheum, Wien, 1909/133 |

### Anmerkung zur Punze „Krautauer" von Jakob Krautauer (P1781-1788)

Die Punze „Krautauer" ist auf den Punzentafeln nicht vertreten. Sie kommt allerdings relativ häufig auf Objekten vor (1818 und 1819) und zwar in der Regel bei 15 lötigem Silber (siehe S. 12, 13). Aufgrund dieser Jahreszahlen kann es sich nur um eine Punze von Jakob Krautauer handeln (1795 Aufnahme ins Gremium, in den Innungslisten 1801-1845 genannt, 1836-1844: zeitweiser Nichtbetrieb; gest. 1845). Seine Steuerleistungen ab 1796 sind in beträchtlicher Höhe nachweisbar, was auf einen bedeutenden Betrieb schließen läßt. Siehe S. 261, Monogramm JK.

### Remarks on the mark "Krautauer" of Jakob Krautauer (P1781-1788)

The mark "Krautauer" is not embossed on the marks tablets although it is found quite frequently on objects (dated 1818 and 1819) usually made of 15-lot silver (see pp. 12, 13).
Considering these years it can only be the mark of Jakob Krautauer (guild entry: 1795, entered in the guild lists from 1801-1845, 1836-1844 no business, died in 1845). His tax payments from 1796 are quite high proving an important enterprise.

See p. 261, monogram JK.

### Anmerkung zur Punze KS von Karl Sedelmayer (P1789-1803)

Karl Sedelmayer (Aufnahme ins Gremium 1797, gest. 1840) ist von 1801 bis 1828 in den Innungslisten nachweisbar. Seine Steuerleistungen von 1798 bis 1812 belaufen sich auf 5 - 10 Gulden jährlich.

Die Punze KS im Queroval ist in zwei Varianten auf den Tafeln erhalten: einmal mit Punkt (P1790), einmal ohne Punkt (P1789).

Unter den zahlreichen Objekten aus der Zeit von 1801 bis 1818 (?) sind jene mit der Marke mit Punkt eher der späteren Schaffensperiode zuzuordnen (P1802: 1810-1812, P1803: 1818?).

Die anderen auf Objekten erhaltenen Punzen sind bisher alle in die Jahre 1801-1809 datiert (wie bekannt, ist die 1807 datierte Wiener Punze von 1807 bis 1809 gültig, da es keine eigenen Jahrespunzen für die Jahre 1808 und 1809 gibt und eine neue Feingehaltspunze erst ab dem Jahre 1810 verwendet wurde).

P1789 Karl Sedelmayer
G 1797
Taf. III-1-16b

P1790 Karl Sedelmayer
G 1797
Taf. III-1-16a

### Remarks on the mark KS of Karl Sedelmayer (P1789-1803)

Karl Sedelmayer (guild entry: 1797, died in 1840) is entered in the guild lists from 1801 to 1828. His tax payments are documented from 1798 to 1812 (5 - 10 Guilders annually).

Two variations of the mark KS in a horizontal oval are found on the marks tablets: once with a dot (P1790), once without a dot (P1789).

Among the numerous objects from 1801 to 1818 (?) those bearing a mark with dot are rather dated into the later period (P1802: 1810-1812, P1803: 1818?).

All other marks on objects are to be dated from 1801-1809 (it is common knowledge that the Viennese mark dated 1807 is valid from 1807 to 1809; there are no hallmarks dated 1808 and 1809. A new type of hallmark was used from 1810).

P1791 Karl Sedelmayer
1801
Wien, Dorotheum 1892/26

P1792 Karl Sedelmayer
1804
Privatbesitz ( EJ)

P1793 Karl Sedelmayer
1804
Privatbesitz ( EJ)

P1794 Karl Sedelmayer
1804
Privatbesitz ( EJ)

P1795 Karl Sedelmayer
1804
Privatbesitz ( EJ)

P1796 Karl Sedelmayer
1807 (= 1807-1809)
Budapest, NM 52.137

P1797 Karl Sedelmayer
1807 (= 1807-1809)
Budapest, NM 52.137

P1798 Karl Sedelmayer
1807 (= 1807-1809)
Budapest, NM 52.137

P1799 Karl Sedelmayer
1807 (= 1807-1809)
Budapest, IM 64.194

P1800 Karl Sedelmayer
1807 (= 1807-1809)
Budapest, IM 64.194

P1801 Karl Sedelmayer
18??
Wien, Dorotheum 1926/57a

P1802 Karl Sedelmayer?,
1810 (= 1810-1812)
Budapest, IM 63.564

P1803 Karl Sedelmayer,
1818?
Budapest, IM 69.1072

P1804 Karl Friedrich
Sudhof, GV 1867
Taf. VIII-4-15

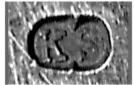

P1805 Karl Seiler. B 1846,
Karl August Seiler: B 1844
Taf. VIII-3-5

P1806 Kaspar Zauner
B 1852
Taf. VII-3-2

### Anmerkung zur Punze K. WENISCH (P1807)

Die Punze „K. WENISCH WIEN" wird auf der Punzentafel von dem – unrichtig geschriebenen – Namen „Weinisch K." begleitet.

Ein K. Wenisch ist in den Innungslisten und anderen Unterlagen der Innung nicht zu finden; seine Gewerbsanmeldung („Gürtlergewerb") ist für das Jahr 1861 überliefert.

*(HR 711/1861, fol. 81)*

P1807 Karl Wenisch
GA 1861
Taf. VIII-2-18

### Remarks on the mark K. WENISCH (P1807)

The mark "K. WENISCH WIEN" on the marks tablet is accompanied by the wrong writing of the name "Weinisch K."

No K. Wenisch is found in the guild lists or other documents; his assessment of trade (for "gürtler") is known for the year 1861.

*(HR 711/1861, fol. 81)*

P1808  Lorenz Albert
M 1853
Taf. VIII-4-27

P1809  Lorenz Albert
M 1853
Taf. VII-3-8

P1810  Leopold Blum
M 1837
Taf. VI-4-22

P1811  Ludwig Bock
B 1811, M 1817
Taf. III-4-16a

P1812  Ludwig Bock
B 1811, M 1817
Taf. III-4-16b

P1813  Leopold Bösenbeck
B 1818
Taf. VI-2-6

P1814  Ludwig Becker
M 1851
Taf. VII-2-20

P1815  Ludwig Chevalier
B 1840
Taf. VI-8-7

**Anmerkung zur Punze LE von Ludwig Eberhard (P1816)**

Ludwig Eberhard (Meisterrecht 1859) wird in den Innungslisten 1860-1887 genannt.

Firmengeschichte:

1863 Eintragung der Firma „Ludwig Eberhard" ins Register der „Einzelnfirmen".
1888 Löschung über „Geschäftszurücklegung".

*(HG E 5/266)*

P1816  Ludwig Eberhard
M 1859
Taf. VIII-1-10

**Remarks on the mark LE of Ludwig Eberhard (P1816)**

Ludwig Eberhard (master's title: 1859) is entered in the guild lists from 1860-1887.

Company history:

1863 entry of the company "Ludwig Eberhard" into the register of the single firms.
1888 dissolution due to end of trade.

*(HG E 5/266)*

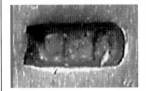

P1817  Josef Leo
B 1844
Taf. VI-8-35a

P1818  Josef Leo
B 1844
Taf. VI-8-35b

P1819  Ludwig Fargel
B 1826
Taf. VI-4-9

P1820  Ludwig Fabricius
B 1844
Taf. VI-8-6

P1821  Ludwig Flach
E 1862
Taf. VII-4-37

P1822  Lorenz Frank
B 1816
Taf. VI-3-6

P1823  Lorenz Frank
B 1816
Budapest, IM 53.2680-1

P1824  Ludwig Fritzl
M 1851
Taf. VII-2-9

P1825  Leopold Fux
G 1795
Taf. III-1-7

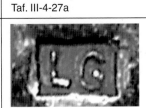

P1826  Leopold Friedl
M 1819
Taf. III-4-27a

P1827  Leopold Friedl
M 1819
Taf. III-4-27b

P1828  Leopold Friedl
M 1819
Taf. IV-1-27

P1829  Franz Lorenz
B 1831
Taf. VI-4-44a

P1830  Ludwig Gelder
G 1821
Taf. III-4-43

P1831  Ludwig Grünwald
B 1836
Taf. VIII-3-26

P1832  Ludwig Gossmann
M 1836
Taf. IV-3-18

P1833  Ludwig Grünwald
B 1836
Taf. VI-6-24

### Anmerkung zur Punze LH von Leonhard Höfer (P1834-1836)

Leonhard Höfer (Befugnis: 1844, Meisterrecht 1855) wird in den Innungslisten 1845-1874 genannt (gest. 1873).

Firmengeschichte:

1860 Protokollierung der Gesellschaftsfirma „**L. Hoefer & M. Metzner**" (Gesellschafter: Leonhard Höfer und Moritz Metzner), im selben Jahr Löschung der Firma.
1861 Protokollierung der Firma „**L. Höfer**"; im selben Jahr Protokollierung der stillen Gesellschaft „L. Höfer" (Leonhard Höfer und Karl Schmidt).
1863 Übertragung der Firma „**L. Höfer**" ins Register für „Einzelnfirmen" (Inhaber: Leonhard Höfer, Prokurist: Karl Schmidt).
1864 Löschung der Prokura des Karl Schmidt, Protokollierung der Prokura des Wilhelm Tennemann.
1869 Übertragung in das Register für Gesellschaftsfirmen.

*(HG E 2/136; HG Ges 9/98)*

P1834  Leonhard Höfer
B 1844, M 1855
Taf. VI-8-12a

P1835  Leonhard Höfer
B 1844, M 1855
Taf. VI-8-12b

P1836  Leonhard Höfer
B 1844, M 1855
Taf. VIII-2-24

### Remarks on the mark LH of Leonhard Höfer (P1834-1836)

Leonhard Höfer (authorization: 1844, master's title: 1855) is entered in the guild lists from 1845-1874 (died in 1873).

Company history:

1860 registration of the partnership company "**L. Hoefer & M. Metzner**" (partners: Leonhard Höfer and Moritz Metzner), dissolution of the company in the same year.
1861 registration of the company "**L. Höfer;**" the same year registration of the silent partnership "L. Höfer" (Leonhard Höfer and Karl Schmidt).
1863 transfer of the company "**L. Höfer**" into the register for single firms (owners: Leonhard Höfer, power of attorney: Karl Schmidt).
1864 dissolution of Karl Schmidt's power of attorney, registration of Wilhelm Tennemann's power of attorney.
1869 transfer into the registration of partnership companies.

*(HG E 2/136; HG Ges 9/98)*

P1837  Leopold Hummel
B 1821
Taf. VI-5-4b

P1838  Leopold Hummel
B 1821
Taf. VI-5-4a

P1839  Punze / mark LH
1827
Budapest, IM 63.580

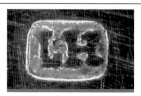

P1840  Punze / mark LH
1825?
Wien, S. Reisch

P1841  Punze / mark LH
1821
Wien, S. Reisch

P1842  Lorenz Halick
B 1835
Taf. VI-6-6

P1843  Lorenz Höbert
G 1765
Taf. I-2-2

P1844  Lorenz Höbert
G 1765
Taf. II-1-28

P1845  Josef Lorenz
B 1846, M 1851
Taf. VII-3-18

P1846  Leopold Kuhn
G 1818
Taf. III-4-17a

P1847  Leopold Kuhn
G 1818
Taf. III-4-17b

P1848  Lorenz Kronaweter
M 1834
Taf. IV-3-4

P1849  Ludwig Kess
B 1840
Taf. VI-7-11

P1850  Ludwig Kell(n)er
G 1768
Taf. I-2-16

P1851  L. Kellner
177?
Wien, Dorotheum 1981/20

P1852  L. Kellner(in?)
17??
Wien, Dorotheum 1909/41

P1853  L. Kellnerin (Witwe
von Ludwig Kellner
Taf. II-4-32

### Anmerkung zu Punze LK von Ludwig Keller (Kellner) (P1850-1853)

Ludwig Kell(n)er (Aufnahme ins Gremium: 1768, gest. 1791) ist von 1770 bis 1791 in den Steuerlisten verzeichnet (1770: 10 Gulden). Im Jahr 1792 ist „Ludwig Kellner sel. Witwe" genannt (Katharina Kellner?). Auf den Tafeln I und II ist die charakteristische Punze mit den Initialen LK im Vierpaß eingeschlagen; zwei auf Objekten erhaltene Punzen sind leider mit undeutlicher Jahresangabe der Wiener Punze kombiniert (P1851, P1852).

### Remarks on the mark LK of Ludwig Keller (Kellner) (P1850-1853)

Ludwig Kell(n)er (guild entry: 1768, died in 1791) is entered from 1770 to 1791 in the guild lists (1770: 10 Guilders). In 1792 "Ludwig Kellner sel. Witwe" (widow of Ludwig Kellner deceased) is mentioned (Katharina Kellner?). On the marks tablets I and II the typical mark with the initials LK in a quatrefoil is embossed. Two marks on objects unfortunately are combined with an illegible year in the Viennese hallmark (P1851, P1852).

P1854  Leopold Laufer
G 1819
Taf. III-4-29a

P1855  Leopold Laufer
G 1819
Taf. III-4-29b

P1856  Leopold Laufer
G 1819
Taf. IV-2-30

P1857  Leopold Laufer
1828
Privatbesitz (EJ)

P1858  Leopold Ludl
B 1845
Taf. VI-8-29

P1859  Ludwig Liermann
B 1842
Taf. IV-4-19

P1860  Punze / Mark LL
1821
Privatbesitz (EJ)

P1861  Punze / Mark LL
1821
Privatbesitz (EJ)

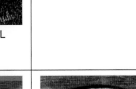

P1862  Leonhart Messner
G 1787
Taf. I-3-53

P1863  Leonhart Messner
G 1787
Taf. II-3-11

P1864  Leonhart Messner?
1807 (= 1807-1809)
Wien, Dorotheum 1892/75

P1865  Punze / mark LM
1829
Wien, Dorotheum 1859/96

**Anmerkung zu Punze LM von Leonhard Messner
(P1862-1864)**

Leonhard Messner (1787 Aufnahme ins Gremium) ist von
1801-1813 in den Innungslisten genannt (gest. 1812). In den
Steuerlisten sind jährliche Leistungen für den Zeitraum von
1788 bis 1812 genannt. In diese Zeit fällt auch die fragmen-
tarische Punze (P1864). Die zugehörige Wiener Punze trägt
die Jahreszahl 1807, somit ist sie von 1807-1809 datierbar.

**Remarks on the mark LM of Leonhard Messner
(P1862-1864)**

Leonhard Messner (guild entry: 1787) is entered in the guild
lists from 1801-1813 (died in 1812). Annual tax payments are
documented for the time span from 1788 to 1812. The fragmentary mark (P1864) belongs to this period because the
corresponding Viennese hallmark shows the year 1807
(therefore to be dated from 1807 to 1809).

**Anmerkung zu Punze LM von Ludwig Motié (P1866)**
Der Uhrgehäusemacher Ludwig Motié (Matta, Motu, Motta,
Mottä; Gewerbsverleihung 1803) suchte 1797 um eine „fa-
briksmäßige Befugnis zur Verfertigung der Uhrgehäuser" an.
Er ist in den Innungslisten nicht vertreten, aber in zeitgenössischen Adreßbüchern genannt (1808 ff.). Im Hauptregistratur-Index wird seine Gewerbszurücklegung im Jahr 1834 no-
tiert. Seine queroval gerahmte Punze mit den Initialen L M ist
durch Punkte nach den Buchstaben charakterisiert.
*(HR 37/1797, fol. 16 r°; HR 429/1834).*

P1866  Ludwig Motié
FB 1797, GV 1803
Taf. VI-2-35

**Remarks on the mark LM of Ludwig Motié (P1866)**
The watch case maker Ludwig Motié ((Matta, Motu, Motta;
Mottä; bestowal of trade: 1803) applied for a factory authorization for the production of watch cases in 1797.
He is not found in the guild lists but in contemporary address
books (1808 et seq.). In the index of the main registry his end
of trade is noted for 1834. His mark with the initials L M in a
horizontal frame is characterized by dots after the letters.
*(HR 37/1797, fol. 16 r°; HR 429/1834).*

P1867  Laurenz Nabholz
G 1803
Taf. III-2-22

P1868  Leopold Nussbeck
G 1791
Taf. II-3-39a

P1869  Leopold Nussbeck
G 1791
Taf. II-3-39b

P1870  Leopold Pekaschy
M 1853
Taf. VII-3-22

P1871  Lorenz Pfalzer
B 1817
Taf. VI-1-27

P1872  Lorenz Pfalzer
B 1817
Taf. VI-7-42

| | | | | |
|---|---|---|---|---|
| P1873 Leopold Rolletzek B 1847, M 1851 Taf. VII-2-7a | P1874 Leopold Rolletzek B 1847, M 1851 Taf. VII-2-7b | P1875 Lorenz Riedlechner G 1796 Taf. III-1-12 | P1876 Ludwig Roth M 1827 Taf. IV-1-41a | P1877 Ludwig Roth M 1827 Taf. IV-1-41b |

**Anmerkung zu Punze LR von Lorenz Reinhard (P1878-1883)**

Lorenz Reinhard (Gewerbsverleihung: 1753) ist bis zu seinem Tod 1793 in den Steuerlisten verzeichnet (jährliche Leistungen: 2-7 Gulden). Die charakteristische Kontur der Punze mit den Initialen LR (P1878) erlaubt auch dann eine Zuordnung, wenn die Erhaltung nur fragmentarisch ist (P1879-1883). Vor allem in der Sammlung des Budapester Museums sind Objekte von L. Reinhard vertreten.

P1878 Lorenz Reinhard
G 1753
Taf. I-1-26

**Remarks on the mark LR of Lorenz Reinhard (P1878-1883)**

Lorenz Reinhard (bestowal of trade: 1753, died in 1793) is found in the tax lists until 1793 (annual payments: 2-7 Guilders). The typical contour of the mark with the initials LR (P1878) enables an identification even in case of a fragmentary image (P1879-1883). L. Reinhard's objects are to be found especially in the collection of the Budapest Museum of Applied Arts.

| | | | | |
|---|---|---|---|---|
| 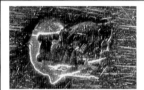P1879 Lorenz Reinhard 1761 Budapest, IM 69.400 | P1880 Lorenz Reinhard 1767 Budapest, IM 51.932 | P1881 Lorenz Reinhard 1767? Budapest, IM 51.932 | P1882 Lorenz Reinhard 1785 Budapest, NM Ö/1.93.3 | P1883 Lorenz Reinhard 1785 Budapest, NM Ö/1.93.3 |

**Anmerkung zur Punze LS von Ludwig Schill (P1884)**

Ludwig Schill (Befugnis: 1844, Meisterrecht: 1845) ist in den Innungslisten 1846-1862 vertreten.

Firmengeschichte:

1852 Protokollierung der öffentlichen Gesellschaft „**Ludwig Schill & Jacob Matzner**" (Führung durch Jakob Matzner allein).

*(MerkG Prot. Bd 8, S 55)*

P1884 Ludwig Schill
B 1844, M 1845
Taf. IV-4-46

**Remarks on the mark LS of Ludwig Schill (P1884)**

Ludwig Schill (authorization: 1844, master's title: 1845) is entered in the guild lists from 1846-1862.

Company history:

1852 registration of the partnershp company "**Ludwig Schill & Jacob Matzner**" (directed by Jacob Matzner alone).

*(MerkG Prot. Bd 8, S 55)*

| | |
|---|---|
| P1885 Leopold Schnaus G 1813 Taf. III-3-27 | 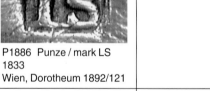P1886 Punze / mark LS 1833 Wien, Dorotheum 1892/121 |

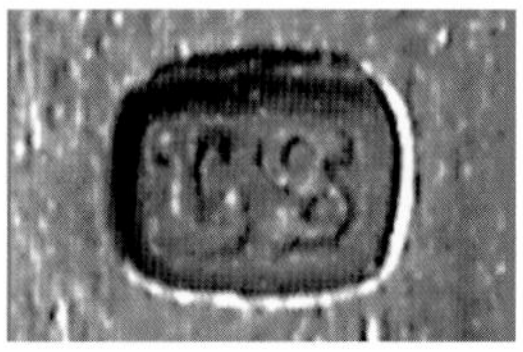

| | | |
|---|---|---|
| 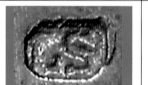P1887 Leopold Singer GV 1868 Taf. VIII-5-11 | 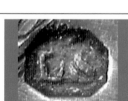P1888 Ludwig Sonn M 1823 Taf. IV-1-15 | 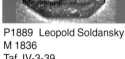P1889 Leopold Soldansky M 1836 Taf. IV-3-39 |

P1890 Laurenz Stieff
G 1803
Taf. III-2-20

| | |
|---|---|
| **Anmerkung zur Punze LST von Leopold Stelzer und seiner Witwe Catharina Stelzer (P 1891-1895)**<br><br>Leopold Stelzer (Bürgereid 1747, gest. 1780) ist in den Innungslisten von 1748 bis 1780 vertreten. Seine jährlichen Steuerzahlungen sind ab 1749 nachweisbar.<br>„Leopold Stelzer seel.: Wittib" (wohl Catharina Stelzer, gest. 1798) ist 1782 und 1783 mit 4 Gulden jährlich genannt. | **Remarks on the mark LST of Leopold Stelzer and his widow Catharina Stelzer (P 1891-1895)**<br><br>Leopold Stelzer (freeman's oath: 1747, died in 1780) is entered in the guild lists from 1748 to 1780. His annual tax payments are documented from 1749.<br>"Leopold Stelzer seel.: Wittib" (widow of Leopold Stelzer deceased; probably Catharina Stelzer, died in 1798) is documented with 4 Gulden annually for 1782 and 1783. |

P1891 Leopold Stelzer
(Witwe/widow), G 1747
Taf. I-3-30

P1892 Leopold Stelzer
1766
Wien, Dorotheum 1944/89

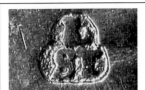

P1893 Leopold Stelzer
177?
Budapest, IM 66.221

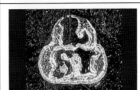

P1894 Leopold Stelzer
(Witwe/widow), 1782
Budapest, IM 59.2005

P1895 Leopold Stelzer
(Witwe), 1782
Budapest, IM 59.2005

| | |
|---|---|
| **Anmerkung zur Punze LST von Leopold Ferdinand Stelzer (P1896-1898)**<br>Leopold Ferdinand Stelzer (Aufnahme ins Gremium: 1789) wird mit jährlichen Steuerleistungen von 1790-1795 genannt. Seine Punze besteht aus den Initialen LST im Dreipaß und unterscheidet sich von jener des Leopold Stelzer nur durch die andere Rahmung (dort gerader unterer Abschluß, P1891-1895). Bei unvollständigem Erhaltungszustand könnte sie auch mit jener von Josef Stelzer verwechselt werden (S. 193, P1483-1489). | **Remarks on the mark LST of Leopold Ferdinand Stelzer (P1896-1898)**<br>Leopold Ferdinand Stelzer (guild entry: 1789) is documented with annual tax paments from 1790 to 1795. His mark consists of the initials LST in a trefoil and differs from Leopold Stelzer's mark only by another frame (the latter with horizontal lower edge, P1891-1895). In incomplete condition it could easily be mistaken for the mark of Josef Stelzer (p. 193, P1483-1489). |

P1896 Leopold Ferdinand
Stelzer, G 1789
Taf. I-4-6

P1897 Leopold Ferdinand
Stelzer, G 1789
Taf. II-3-23

P1898 Leopold Ferdinand
Stelzer, 1792
Budapest, IM 63.720

P1899 Leonhard Tomasini
B 1819
Taf. VI-1-7a

P1900 Leonhard Tomasini
B 1819
Taf. VI-1-7c

P1901 Leonhard Tomasini
B 1819
Taf. VI-1-7d

P1902 Leonhard Tomasini
1825
Budapest, IM 53.2673.1

P1903 Leonhard Tomasini
1827
Wien, WKA 28/659

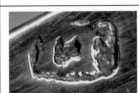

P1904 Leonhard Tomasini?
1830
Privatbesitz (EJ)

P1905 Leonhard Tomasini
B 1819
Taf. VI-1-7b

P1906 Punze / mark LT
1822
Wien, Dorotheum 1926/61

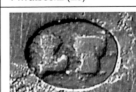

P1907 Leopold Toch
GV 1963
Taf. VIII-2-9

P1908 Martin Lutz
B 1824
Taf. VI-3-37a

## Anmerkung zur Punze LV von Louis Vaugoin (P1909-1910)

Louis Vaugoin (Meisterrecht: 1847) ist von 1848 bis 1889 in den Innungslisten genannt.

Firmengeschichte:
1855: Offene Gesellschaft; 1856 Protokollierung der Gesellschaftsfirma „Gebr. Vaugoin" (Karl Vaugoin und Ludwig Vaugoin); Carl Vaugoin s. S. 142.
1863 Übertragung ins Register für Gesellschaftsfirmen; Firma „Gebr. Vaugoin", Gesellschafter: Louis Vaugoin, Carl Vaugoin; 1867 Löschung der Firma, Eintragung der Firma „Louis Vaugoin" ins Register für Einzelfirmen.
1885 Löschung von Louis Vaugoin als Firmeninhaber, Eintragung von Margarethe Vaugoin als Firmeninhaberin, Prokurist: Johann Anderle; 1889 Löschung von Margarathe Vaugoin als Firmeninhaberin, Eintragung von Johann Anderle als Firmeninhaber; 1892 Löschung der Firma; Eintragung als Gesellschaftsfirma.
*(MerkG Prot. Bd 9, V 117; HG Ges. 1/242; HG E 8/236; HG Ges 38/232)*

P1909  Louis Vaugoin
M 1847
Taf. IV-5-21

P1910  Louis Vaugoin
M 1847
Taf. VIII-4-16

## Remarks on the mark LV of Louis Vaugoin (P1909-1910)

Louis Vaugoin (master's title: 1847) is entered in the guild lists from 1848 to 1889.

Company history:
1855 general partnership
1856 registration of the partnership company "Gebr. Vaugoin" (Karl Vaugoin and Ludwig Vaugoin); Carl Vaugoin see p. 142.
1863 transfer into the register for partnership companies; company "Gebr. Vaugoin," partners: Louis Vaugoin, Carl Vaugoin; 1867, dissolution of the company, entry of the company "Louis Vaugoin" into the register of single firms.
1885 dissolution of Louis Vaugoin as owner, entry of Margarethe Vaugoin as owner, power of attorney: Johann Anderle; 1889 dissolution of Margarathe Vaugoin as owner; entry of Johann Anderle as owner; 1892, dissolution of the company; entry as partnership company.
*(MerkG Prot. Bd 9, V 117; HG Ges. 1/242; HG E 8/236; HG Ges 38/232)*

## Anmerkung zu Punze LW von Ludwig Werscher (P1911)

Zu Ludwig Werscher (Vercher, Verchet) gibt es nur wenige Angaben (Steuerbemessung 1828).
In Adreßbüchern wird Ludwig **Werchet** von 1813 bis 1817 als Uhrgehäusefabrikant genannt. Im Jahre 1816 wird einem Ludwig **Verscher** das Bürgerrecht und Uhrgehäusemachergewerbe verliehen.

P1911  Ludwig Werscher
Adr 1813; GV 1816
Taf. VI-2-21

## Remarks on the mark LW of Ludwig Werscher (P1911)

Only very few data are known of Ludwig Werscher (Vercher, Verchet); tax assessment in 1828.
Ludwig **Werchet** is found as watch case maker in address books from 1813 to 1817. In 1816 Ludwig **Vercher** was awarded the citizenship as well as the watch case maker trade.

## Anmerkung zu Punze LW von Lorenz Wieninger (P1912-1919)

Lorenz Wieninger (Aufnahme ins Gremium: 1798, gest. 1828) ist in den Innungslisten 1801 bis 1828 genannt (Steuerleistungen 1800 bis 1812: zwischen 8 und 40 Gulden jährlich).
Eine Punze (P1913) ist ihm eindeutig zuzuordnen, eine zweite bezieht sich mit großer Wahrscheinlichkeit auf ihn (P1912), obwohl sie in der falschen Zeile der Markentafel eingeschlagen wurde. Sollte sich aus dem Achteck ein Oval entwickelt haben, wären ihm auch weitere Punzen zuzuordnen (P1914-1919).
Eine gewisse Verwechslungsgefahr besteht mit der Punze von Josef Wieninger, bei dem das I mit nachfolgendem Punkt als L gelesen werden könnte (s. S. 196, P1550).

P1912  Lorenz Wieninger
G 1798
Taf. III-1-24

P1913  Lorenz Wieninger
G 1798
Taf. III-1-25b

## Remarks on the mark LW of Lorenz Wieninger (P1912-1919)

Lorenz Wieninger (guild entry: 1798, died in 1828) is entered in the guild lists from 1801 to 1828 (tax payments from 1800-1812: 8-40 Guilders annually).
One mark (P1913) can definitely be attributed to him, probably also another mark although it is embossed in the wrong line of the marks tablet (P1912).
Several other marks could also be attributed to Lorenz Wieninger if the octagon later became an oval (P1914-1919).
There is a certain danger of confusing the mark with that of Josef Wieninger, where the I with following dot could erroneously be interpreted as an L (see p. 196, P1550).

P1914 Lorenz Wieninger (?)
1816
Privatbesitz (EJ)

P1915 Lorenz Wieninger (?)
1821
Wien, Dorotheum 1909/103

P1916 Lorenz Wieninger (?)
1821
Wien, S. Reisch

P1917 Lorenz Wieninger (?)
1821
Budapest, IM 53.4146

P1918 Lorenz Wieninger (?)
1814
Privatbesitz (FL)

P1919 Lorenz Wieninger (?)
18?0
Budapest, IM 50.35.1

P1920  Leopold Wanko
G 1846, M 1847
Taf. IV-5-18

P1921  Ludwig Wastl
M 1850
Taf. VII-1-3

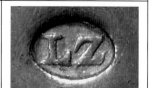

P1922  Leopold Zimmermann, G 1802
Taf. III-2-10a

P1923  Leopold Zimmermann, G 1802
Taf. III-2-10b

**P1924** Friedrich Mottel
G 1867
Taf. VIII-4-6

**P1925** Matthäus Aigner
B 1820
Taf. VI-1-43c

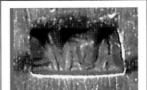

**P1926** Michael Andra-
schek, B 1863
Taf. VIII-2-19

**P1927** Mathias Augenstein
G 1780
Taf. I-3-12a

**P1928** Mathias Augenstein
G 1780
Taf. II-2-28

**P1929** Mathias Augenstein
G 1780
Taf. I-3-12b

**P1930** Matthäus Aigner
B 1820
Taf. VI-1-43a

**P1931** Mathias Adler
B 1790, G 1792
Taf. II-4-41a

**P1932** Mathias Adler
B 1790, G 1792
Taf. II-4-41b

**P1933** Matthäus Aigner
B 1820
Taf. VI-1-43b

**P1934** Josef Marek
B 1838
Taf. VI-6-32b

**P1935** Josef Matsch
B 1834
Taf. VI-6-15b

**P1936** Jakob Martin May
M 1833, P 1825
Taf. IV-3-1a

**P1937** Jakob Martin May
M 1833, P 1825
Taf. IV-3-1b

**P1938** Jakob Martin May
M 1833, P 1825
Taf. IV-3-1c

**P1939** Jakob Martin May
M 1833, P 1825
Taf. VI-3-8b

**P1940** Mayerhofer & Klinkosch
HG pFa 1851
Taf. VII-5-26

**P1941** Mayerhofer & Klinkosch
18?8
Wien, S. Reisch

---

**Anmerkung zur Punze MAYERHOFER & KLINKOSCH
von Stephan Mayerhofer und Carl Klinkosch (P1940, 1941)**

Stephan Mayerhofer und Carl Klinkosch (s. S. 14) schlossen sich 1831 zu einem gemeinsamen Unternehmen zusammen, das später von ihren Söhnen übernommen wurde. Die Punze mit den Nachnamen (P1940) könnte sich auf die Firma der zweiten Generation beziehen. Sie ist selten auf Objekten zu finden (P1941; ein weiteres Beispiel in Prag, NM H2-193.499/59, wohl um 1867-1869).

Firmengeschichte:
1831 Beginn der Zusammenarbeit von St. Mayerhofer und C. Klinkosch.
1836 Gesellschaftsvertrag zwischen Mayerhofer und Klinkosch auf 3 Jahre.
1837 Gesellschaftsvertrag auf Lebenszeit (bis 1837 wird In den zeitgenössischen Adreßbüchern die Firma „Stephan Mayerhofer" genannt, von 1837-1844 die Firma „Stephan Mayerhofer & Comp.", 1845 erstmals „Mayerhofer & Klinkosch" obwohl relevante Marken schon früher verwendet wurden.
1844 Stephan Mayerhofer bestimmt seinen Sohn Stephan Mayerhofer zum Bevollmächtigten.
1847 C. Klinkosch übergibt seinem Sohn Josef Carl Klinkosch seine Agenden
1851 Löschung der bisherigen Firma „Mayerhofer & Klinkosch"; Protokollierung der Firma „Mayerhofer et Klinkosch K. K. Hof und Landespriv: Gold, Silber- et Plattirwaaren-Fabrikanten" (Zeichnung: Stefan Mayerhofer: „Mayerhofer et", Karl Klinkosch „Klinkosch", Nachsatz von Mayerhofer); gleichzeitig Löschung der Firma „Mayerhofer et Klinkosch".
1853 Löschung der Firma (s. oben); Protokollierung der Firma „Mayerhofer & Klinkosch" (Stephan Mayerhofer Sohn und Josef Klinkosch), offene Gesellschaft seit 1. 2. 1852; Zeichnung: Stephan Mayerhofer: „Mayerhofer", Josef Klinkosch: „& Klinkosch".
1863 Eintragung im Register für Gesellschaftsfirmen (1869 Löschung).
1869 Eintragung der Firma „J. C. Klinkosch" ins Register für „Einzelfirmen"

*(MerkG Prot. Bd 8, M 6; HG Ges 3/570; HG E 10/78)*

**Remarks on the mark MAYERHOFER & KLINKOSCH
of Stephan Mayerhofer and Carl Klinkosch (P1940, 1941)**

Stephan Mayerhofer and Carl Klinkosch (see p. 15) started their cooperation about 1831. The mark with the family names (P1940) could be attributed to the company run by the second generation. It is rarely found on objects (P1941, another example in Prague, NM H2-193.499/59, probably about 1867-1869).

Company history:
1831 Stephan Mayerhofer and Carl Klinkosch begin to cooperate.
1836 partnership contract concluded for three years between Mayerhofer and Klinkosch.
1837 partnership contract concluded for lifetime (in contemporary address books until 1837 the company is called **"Stephan Mayerhofer"**, from 1837 to 1844 **"Stephan Mayerhofer & Comp.,"** in 1845 for the first time **"Mayerhofer & Klinkosch"** although relevant marks were already used earlier).
1844 Stephan Mayerhofer nominates his son Stephan Mayerhofer as authorized person.
1847 Carl Klinkosch turns over his rights to Josef Carl Klinkosch.
1851 dissolution of the company **"Mayerhofer & Klinkosch"**; registration of the company **"Mayerhofer et Klinkosch K. K. Hof und Landespriv: Gold, Silber- et Plattirwaaren-Fabrikanten"** (right to sign: Stefan Mayerhofer: "Mayerhofer et," Karl Klinkosch "Klinkosch", rest signed by Mayerhofer); simultaneously dissolution of the company "Mayerhofer et Klinkosch".
1853 dissolution of the company (see above); registration of the company **"Mayerhofer & Klinkosch"** (Stephan Mayerhofer Son and Josef Klinkosch), general partnership since 1 February 1852; right to sign: Stephan Mayerhofer: "Mayerhofer," Josef Klinkosch: "& Klinkosch."
1863 entry into the register of partnership companies (1869 dissolution).
1869 entry of the company **"J. C. Klinkosch"** into the register of single firms.

*(MerkG Prot. Bd 8, M 6; HG Ges 3/570; HG E 10/78)*

P1942 Martin Binder
M 1850
Taf. VII-1-13

P1943 Martin Binder
M 1850
Taf. VIII-3-4

P1944 Michael Berger
M 1829
Taf. IV-2-9

P1945 Mathias Berzar
St 1828
Taf. VI-4-36

P1946 Michael Bauer
M 1855
Taf. VII-4-3

**Anmerkung zu den Punzen MB von Martin Binder (P1942, 1943)**

Martin Binder (Befugnis 1850, gest. 1875) wird in den Innungslisten 1851-1875 genannt.

Firmengeschichte:

1852 Protokollierung der Gesellschaftsfirma „**Binder & Comp.**" (Martin Binder und Gustav Merkt) (von Gustav Merkt allein zu führen); im selben Jahr Löschung der Firma Binder & Co.

*(MerkG Prot. Bd 8, B 33)*

**Remarks on the marks MB of Martin Binder (P1942, 1943)**

Martin Binder (authorization: 1850, died in 1875) is entered in the guild lists from 1851-1875.

Company history:

1852 registration of the company "**Binder & Comp.**" (Martin Binder and Gustav Merkt) (directed by Gustav Merkt alone); the same year dissolution of the company Binder & Co.

*(MerkG Prot. Bd 8, B 33)*

P1947 Mathias Buchalek
B 1772, G 1792
Taf. II-4-3

P1948 Mathias Berner
G 1750
Taf. I-1-16

P1949 Carl Mahatsek
M 1851
Taf. VII-2-29

**Anmerkung zu Punze MCD von Michael Carl Dörfer (P1950-1959)**

Michael Carl Dörfer (Befugnis 1821, Meisterrecht 1822, Anheimsagung 1830) wird von 1823 bis 1830 in den Innungslisten genannt.
Seine Punze MCD ist auf Tafel IV eingeschlagen; auf Objekten war sie bisher von 1821 bis 1829 zu finden (die früheren Punzen (P1951-1956), zeigen unten eine kleine Beschädigung, die sich auf jener der Tafel bereits andeutet (P1950).

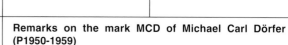

P1950 Michael Carl Dörfer
B 1821, M 1822
Taf. IV-1-1

**Remarks on the mark MCD of Michael Carl Dörfer (P1950-1959)**

Michael Carl Dörfer (authorization: 1821, master's title: 1822, end of trade: 1830) is entered in the guild lists from 1823 to 1830.
His mark MCD is embossed on marks tablet IV. From 1821 to 1829 it is found on objects. The small damage on the bottom of the earlier marks (P1951-1956) can already be seen on the mark embossed on the tablet (P1950).

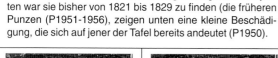

P1951 Michael Carl Dörfer
1821
Budapest, IM 61.566

P1952 Michael Carl Dörfer
1821
Budapest, IM 61.566

P1953 Michael Carl Dörfer
1821
Privatbesitz (EJ)

P1954 Michael Carl Dörfer
1821
Wien, WKA 28/639

P1955 Michael Carl Dörfer
vor / before 1824
Wien, Dorotheum 1962/116

P1956 Michael Carl Dörfer
vor / before 1824
Wien, Dorotheum 1962/116

P1957 Michael Carl Dörfer
1829
Budapest, NM 54.170

P1958 Michael Carl Dörfer
1829
Budapest, NM 54.170

P1959 Michael Carl Dörfer
1829
Budapest, NM 54.170

P1960 Michael Dirnbach
M 1828
Taf. IV-1-46

P1961 Michael Endler
M 1830
Taf. IV-2-16

P1962 Eduard Reihl
B 1843, M 1851
Taf. VIII-3-35b

P1963 Michael Fabricius
B 1814, M 1822
Taf. IV-1-5

P1964 Max Fleckles
B 1844
Taf. VI-8-42

### Anmerkung zur Punze M. FLECKLES (P1964)

Max Fleckles (Flekeles) (Befugnis 1844, Nichtbetrieb 1860, Anheimsagung 1865) wird von 1846-1863 in den Innungslisten genannt.

Firmengeschichte:

1839 Protokollierung der Firma „**Franz Amors Wittwe**".
1840 Löschung dieser Firma und Protokollierung der Firma „**Franz Amors Wittwe et comp**" (Gesellschafter: Katharina Amor und Max Flekeles/Fleckles), Löschung 1845 (1851 Protokollierung der Sozietätsfirma „Katharina Amor & Stepinger" (öffentliche Gesellschaft) auf Antrag von Katharina Amor und Philipp Stepinger, 1858 Auflösung).
1850 Protokollierung der Firma „**Max. Fleckles & Sohn**" (Max Fleckles und sein Sohn Karl Flekles).
1858 Eröffnung des Konkurses und Löschung der Firma.

*(MerkG Prot. Bd 7, F 30)*

siehe S. 148 (Amor)

### Remarks on the mark M. FLECKLES (P1964)

Max Fleckles (Flekeles) (authorization: 1844, no business: 1860, end of trade: 1865) is entered in the guild lists from 1846 to 1863.

Company history:

1839 registration of the company "**Franz Amors Wittwe**".
1840 dissolution of this company and registration of the company "**Franz Amors Wittwe et comp**" (partners: Katharina Amor and Max Flekeles/Fleckles), dissolution in 1845 (1851, registration of the partnership company "Katharina Amor & Stepinger" (general partnership) on application of Katharina Amor and Philipp Stepinger, dissolution in 1858).
1850 registration of the company "**Max. Fleckles & Sohn**" (Max Fleckles and his son Karl Flekles).
1858 Opening of bankruptcy proceedings and dissolution of the company.

*(MerkG Prot. Bd 7, F 30)*

see p. 148 (Amor)

### Anmerkung zu Punze MGS von „Michael Goldschmidt Söhne" (P1965, 1966)

Neben der Punze MGSᵉ ist auf der Tafel VIII irrtümlich die Bezeichnung „Gorisch M. Söhne" angegeben. Aus der folgenden Firmengeschichte geht hervor, daß es sich dabei um die Firma „**Michael Goldschmidt Söhne**" handeln muß; ob die Punze auch für die vorangegangenen Firmen („**Michael Goldschmidt & Söhne**") gültig war, wird sich erst aufgrund erhaltener datierter Objekte klären lassen.

Firmengeschichte:

1841 Protokollierung des 1840 verliehenen Landesfabriksbefugnisses sowie der Firma „**Michael Goldschmidt**", Bewilligung zur Eröffnung einer Niederlage.
1852 Löschung der alten Firma und Protokollierung der Firma „**Michael Goldschmidt & Söhne**" (Teilnehmer: Michael Goldschmidt und seine Schwiegersöhne Maximilian Mauthner und Josef Singer).
1857 Protokollierung der Gesellschaftsfirma „**Michael Goldschmidt Söhne**" aufgrund des „Kollektiv Landesfabriks Befugnißes zur Erzeugung von Gold, Silber und Galanteriewaaren in Prag" sowie des Vertrags vom 12. Dezember 1856 zwischen Josef Singer und Maximilian Mauthner.
1863 Eintragung ins Register für Gesellschaftsfirmen (Gesellschafter: Josef Singer, Prag, Maximilian Mauthner, Wien); Hauptniederlassung Prag (1860 Eintragung im Register für Gesellschaftsfirmen Prag, Bd I, fol. 126 N. 101).
1873 Emil Mauthner und Siegfried Mauthner neu eingetreten (1878 Vertretungsrechte eingetragen).
1879 Josef Singer und Siegfried Mauthner über Ableben gelöscht; Philipp Mauthner eingetragen.
1893 Maximilian Mauthner gelöscht (Austritt)
1894 Prokura Otto Mauthner.
1897 Löschung der Hauptniederlassung in Prag; Wien ist nunmehr selbständige Niederlassung.
1900 Löschung der Firma, Eintragung im Register der „Einzelnfirmen" B 34/48.

*(MerkG Prot. Bd 6, G 35; MerkG Prot. Bd 9, G 305; HG Ges 3/340; HG E 34/48; HR 505(605)/1852)*

P1965 M. Goldschmidt
Söhne Prag-Wien
Taf. VIII-2-28

P1966 M. Goldschmidt
Söhne, nach 1867
Prag, NM H2-157.393

### Remarks on the mark MGS of "Michael Goldschmidt Söhne" (P1965, 1966)

On marks tablet VIII we find next to the mark MGSᵉ the wrong name "Gorisch M. Söhne". Considering the following company history the company "**Michael Goldschmidt Söhne**" must be meant. If the mark was also used by the predecessor ("**Michael Goldschmidt & Söhne**") has to be ascertained by dated objects.

Company history:

1841 registration of the national factory authorization of 1840 and of the company "**Michael Goldschmidt,**" authorization for opening a subsidiary branch.
1852 dissolution of the old company and registration of the company "**Michael Goldschmidt & Söhne**" (partners: Michael Goldschmidt and his sons-in-law Maximilian Mauthner and Josef Singer).
1857 registration of the partnership company "**Michael Goldschmidt Söhne**" basing on the collective national factory authorization for the production of gold silver and fancy good wares in Prague and of the contract of 12 December 1856 between Josef Singer and Maximilian Mauthner.
1863 entry into the register of partnership companies (partners: Josef Singer, Prague, Maximilian Mauthner, Vienna); main branch Prague (1860 entry in the register for partnership companies, Prague, Vol. I, fol. 126 N. 101).
1873 new entry of Emil Mauthner and Siegfried Mauthner (1878 representation rights entered).
1879 Josef Singer and Siegfried Mauthner dissolved due to death; entry of Philipp Mauthner.
1893 Maximilian Mauthner dissolved (leaving the firm).
1894 power of attorney: Otto Mauthner.
1897 dissolution of the main branch in Prague; independence of the Viennese branch.
1900 dissolution of the company, entry in the register of single companies.

*(MerkG Prot. Bd 6, G 35; MerkG Prot. Bd 9, G 305; HG Ges 3/340; HG E 34/48; HR 505(605)/1852)*

P1967 Mathias Hornung
unbekannt / unknown
Taf. VI-2-12

P1968 Moritz Hablin
M 1833
Taf. IV-2-44a

P1969 Mathias Hofbauer
M 1837
Taf. IV-3-31

P1970 Joh. Martin Heidel
B 1822
Taf. VI-3-42

**Anmerkung zur Punze MH von Marcus Heitner (P1971)**

Marcus Heitner (Gewerbsverleihung 1851) wird in den Innungslisten 1852-1879 genannt (Anheimsagung 1879).

Firmengeschichte:

1852 Protokollierung der Gesellschaftsfirma **„Markus Heitner & Alois Kohn";** im selben Jahr Löschung dieser Firma und Protokollierung der Firma **„M. Heitner"** (von Markus Heitner allein geführt).
1855 Löschung der Firma „M. Heitner", Errichtung der Firma **„Gebrüder Heitner"** (Markus und Wolf Heitner).
1863 Eintragung ins Register für Gesellschaftsfirmen.
1870 Löschung, Eintragung der Firma „M. Heitner" ins Register für Einzelfirmen.
1881 Protokollierung der Firma **„Wiener Cassen-Fabriks Niederlage M. Heitner"** (Ein- und Verkauf von feuerfesten Cassen); 1882 Löschung über Ableben des Firmeninhabers Markus Heitner und Geschäftszurücklegung.

*(MerkG Prot. Bd 8, H 37; HG Ges 3/388; HG E 10/222)*

P1971 Markus Heitner
M 1851
Taf. VII-2-10

**Remarks on the mark MH of Marcus Heitner (P1971)**

Marcus Heitner (authorization: 1851), is entered in the guild lists from 1852-1879 (end of trade: 1879).

Company history:

1852 registration of the company **"Markus Heitner & Alois Kohn;"** the same year dissolution of this company and registration of the company **"M. Heitner"** (directed by Markus Heitner alone).
1855 dissolution of the company "M. Heitner," founding of the company **"Gebrüder Heitner"** (Markus and Wolf Heitner), 1863 entry into the register of partnership firms; 1870 dissolution, entry of the company "M. Heitner" into the register of single firms.
1881 registration of the company **„Wiener Cassen-Fabriks Niederlage M. Heitner"** (buyers and sellers of fireproof cash boxes); 1882 dissolution due to the death of the owner Markus Heitner and end of trade.

*(MerkG Prot. Bd 8, H 37; HG Ges 3/388; HG E 10/222)*

P1972 Michael Hess
B 1846, M 1851
Taf. VII-2-12

P1973 Punze / mark MH
1833
Wien, Dorotheum 1826/86

P1974 Matthäus Hasenbauer, M 1822
Taf. IV-1-4

P1975 M. Hasenbauer
1828
Privatbesitz (EJ)

P1976 Mathias Harnisch
B 1778, G 1792
Taf. II-4-9

P1977 Michael Hollauer
B 1825, M 1830
Taf. IV-2-18

P1978 Michael Hutschenreiter, B 1788, G 1792
Taf. II-4-28a

P1979 Michael Hutschenreiter, B 1788, G 1792
Taf. II-4-28b

P1980 Martin Huber
St 1830
Taf. VI-4-39

P1981 Matthias Isack
M 1834
Taf. IV-3-24a

P1982 Matthias Isack
M 1834
Taf. IV-3-24b

P1983 Michael Illisch
M 1857
Taf. VII-5-14

P1984 Joh. Michael Krothmayer (Krothmar), G 1772
Taf. I-2-42

P1985 Joh. Michael Krothmayer (Krothmar), G 1772
Taf. II-2-7a

P1986 Mathias Kaltseis
M 1847
Taf. IV-5-15

P1987 Michael Klinger
B 1835
Taf. VI-5-42

P1988 Matthias Kanzler
B 1770, G 1792
Taf. II-4-2

P1989 Michael Klama
G 1815
Taf. III-3-45

P1990 Michael Klama
1814 (!)
Privatbesitz (FL)

|  |  |  |  |  |
|---|---|---|---|---|
| P1991 Mayerhofer & Klinkosch<br>Taf. VI-1-12e | P1992 Mayerhofer & Klinkosch, 1844<br>Privatbesitz (SA) | P1993 Mayerhofer & Klinkosch, 1845<br>Wien, HM 118001/2 | P1994 Mayerhofer & Klinkosch, 1845<br>Budapest, IM 53.3549.1 | P1995 Mayerhofer & Klinkosch, 1845<br>Wien, HM 118.001/6 |

**Anmerkung zur Punze M & K von Mayerhofer & Klinkosch (P1991-2017)**

Die Punze M & K ist auf der Tafel VI einmal eingeschlagen (P1991). Auf Objekten finden wir sie von 1844 bis 1864 (P1992-2017); vermutlich ging die Verwendung bis zum Jahr 1869, als die Firma in „J. C. Klinkosch" umgewandelt wurde. Bei der Beurteilung der Punze ist Vorsicht geboten, da sie inzwischen auch für Fälscher interessant geworden ist. Zur Geschichte der Firma Mayerhofer & Klinkosch siehe S. 215.

**Remarks on the mark M & K of Mayerhofer & Klinkosch (P1991-2017)**

On tablet VI the mark M & K is embossed once (P1991). We find it on objects from 1844 until 1864 (P1992-2017); it was probably used until 1869 when the company was transformed into "J. C. Klinkosch". The mark meanwhile is appreciated by fakers and should therefore be attributed with caution.
As to the company history of Mayerhofer & Klinkosch see p. 215.

P1996 Mayerhofer & Klinkosch, 1846<br>Wien, Dorotheum 1926/89a

|  |  |  |  |  |
|---|---|---|---|---|
| P1997 Mayerhofer & Klinkosch, 1846<br>Wien, Dorotheum 1926/87a | P1998 Mayerhofer & Klinkosch, 1846<br>Wien, Dorotheum 1926/87a | P1999 Mayerhofer & Klinkosch, 1846<br>Wien, Dorotheum 1926/89b | P2000 Mayerhofer & Klinkosch, 1846<br>Wien, Dorotheum 1926/89b | P2001 Mayerhofer & Klinkosch, 1846<br>Wien, Dorotheum 1926/89a |
|  |  |  | |  |
| P2002 Mayerhofer & Klinkosch, 1847<br>Wien, WKA 28/648h | P2003 Mayerhofer & Klinkosch, 1847<br>Wien, WKA 28/648a | P2004 Mayerhofer & Klinkosch, 1852<br>Wien, Dorotheum 1944/122 | | P2005 Mayerhofer & Klinkosch, 1857?<br>Wien, WKA 28/648e |
|  |  |  |  |  |
| P2006 Mayerhofer & Klinkosch, 1857<br>Budapest, IM 53.3433.1 | P2007 Mayerhofer & Klinkosch, 1857<br>Wien, WKA 28/648b | P2008 Mayerhofer & Klinkosch, 1857<br>Wien, WKA 28/648c | P2009 Mayerhofer & Klinkosch, 1857<br>Wien, WKA 28/648d | P2010 Mayerhofer & Klinkosch, 1857<br>Wien, WKA 28/648f |
|  |  |  | 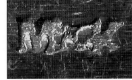 |  |
| P2011 Mayerhofer & Klinkosch, 1857<br>Wien, WKA 28/648g | P2012 Mayerhofer & Klinkosch, 1858<br>Privatbesitz (BJ) | P2013 Mayerhofer & Klinkosch, 18??<br>Privatbesitz (BU) | P2014 Mayerhofer & Klinkosch, 1858<br>Wien, S. Reisch | P2015 Mayerhofer & Klinkosch, 1858<br>Privatbesitz (BJ) |
|  |  | | | |
| P2016 Mayerhofer & Klinkosch, 1864<br>Privatbesitz (SA) | P2017 Mayerhofer & Klinkosch, 1864<br>Wien, Dorotheum 1944/92 | | | |

**P2018** Michael Lorenz
E 1862
Taf. VIII-4-20

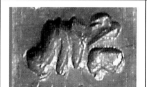

**P2019** Matthäus Leitner
M 1837
Taf. IV-3-36

**P2020** Martin Lutz
B 1824
Taf. VI-3-37c

**P2021** Matthias Likam
B 1839
Taf. VI-6-7

**P2022** Martin Lerch
B 1860
Taf. VIII-1-42

**P2023** Michael Lorenz
B 1838
Taf. VI-6-29b

**P2024** Michael Lorenz
B 1838
Taf. VI-6-29a

**P2025** Michael Lorenz
B 1838
Taf. VI-6-29c

**P2026** Martin Lutz
B 1824
Taf. VI-3-37b

**P2027** M. Lutz?
1826
Budapest, IM 51.1182

**P2028** Mathias Leopold
Haas, G 1751
Taf. I-1-17

**P2029** Moritz Metzner
B 1840
Taf. VI-7-6

**P2030** Matthias Müssbren-
ner, B 1822
Taf. VI-1-34

**P2031** Michael Niederleitner
M 1833
Taf. IV-2-41

**P2032** Matthias North
E (G-P) 1854
Taf. VII-5-27

### Anmerkung zur Punze MM von Michael Markowitsch (P2033)

Michael Markowitsch (Meisterrecht 1850) ist ab 1851 in den Innungslisten vertreten (allein bis 1864; Markowitsch & Scheid 1865-1881; Markowitsch & Sohn ab 1882).

Firmengeschichte:

1862 Protokollierung der Firma „**Markowitsch & Scheid**" (Michael Markowitsch und Georg Adam Scheid).
1863 Eintragung im Register für Gesellschaftsfirmen.
1875 Eintragung von Adolf Markowitsch als Gesellschafter.
1879 Löschung von Michael Markowitsch („über Austritt").
1882 Firma in Liquidation.
1885 „**Markowitsch & Scheid**", Inhaber: Adolf Marko-witsch; Konkurseröffnung.
1898 Löschung „über Steuerabschreibung".
Firma **Markowitsch & Sohn** (ab 1882 in den Innungslisten genannt).

*(MerkG Prot. Bd 13, M 416; HG Ges 2/486; HG Ges 26/162; HG E 20/195)*

**P2033** Michael Marko-
witsch, M 1850
Taf. VII-1-11

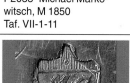

**P2034** Matthias Ollinek
B 1811
Taf. VI-2-16

### Remarks on the mark MM of Michael Markowitsch (P2033)

Michael Markowitsch (master's title: 1850) is entered in the guild lists from 1851 (alone until 1864; Markowitsch & Scheid: 1865-1881; Markowitsch & Sohn: from 1882).

Company history:

1862 registration of the company "**Markowitsch & Scheid**" (Michael Markowitsch and Georg Adam Scheid).
1863 entry in the register for partnership companies.
1875 entry of Adolf Markowitsch as partner.
1879 dissolution of Michael Markowitsch (left the firm).
1882 company in liquidation.
1885 "**Markowitsch & Scheid**", owner: Adolf Markowitsch; bankruptcy proceedings opened.
1898 dissolution due to tax end.
company **Markowitsch & Sohn** (entered in the guild lists from 1882).

*(MerkG Prot. Bd 13, M 416; HG Ges 2/486; HG Ges 26/162; HG E 20/195)*

**P2035** Matthias Oberhauser, B 1812, M 1827
Taf. VI-3-5a

**P2036** Matthias Oberhauser, B 1812, M 1827
Taf. VI-3-5b

**P2037** Matthias Oberhauser, B 1812, M 1827
Taf. VI-4-18a

### Anmerkung zu Punze MO von Matthias Oberhauser (P2035-2040)

Matthias Oberhauser (Befugnis 1812, Meisterrecht 1827) wird in Wiener Adreßbüchern ab 1813 genannt und ist von 1828-1849 in den Innungslisten vertreten (Anheimsagung 1849).
Firmengeschichte Oberhauser s. S. 125, Anton Oberhauser).

**P2038** Matthias Oberhauser, B 1812, M 1827
Taf. VI-4-18b

**P2039** Matthias Oberhauser, B 1812, M 1827
Taf. VI-4-18c

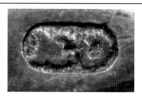

**P2040** Matthias Oberhauser
1833?
Privatbesitz (KJ)

### Remarks on the mark MO of Matthias Oberhauser (P2035-2040)

Matthias Oberhauser (authorization: 1812, master's title: 1827) is mentioned in Viennese address books from 1813 and is entered in the guild lists from 1828-1849 (end of trade: 1849).

Company history Oberhauser see p. 125, Anton Oberhauser).

| | | | | |
|---|---|---|---|---|
|  |  |  |  |  |
| P2041 Punze / mark MP<br>Taf. I-3-60e | P2042 Markus Petrowitsch<br>B 1839, M 1846<br>Taf. IV-5-10 | P2043 Martin Peinkofer<br>G 1799<br>Taf. III-1-33a | P2044 Martin Peinkofer<br>G 1799<br>Taf. III-1-33c | P2045 Markus Petrowitsch<br>B 1839, M 1846<br>Taf. VI-7-12 |
|  | | |  |  |
| P2046 Martin Peinkofer<br>G 1799<br>Taf. III-1-33b | | | P2047 Matthias Ruprecht<br>M 1832<br>Taf. IV-3-2 | P2048 Punze / mark MR<br>Taf. I-3-59 |
|  |  | 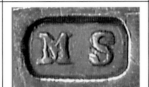 |  |  |
| P2049 Michael Sitte<br>B 1829<br>Taf. VI-4-40 | P2050 Michael Sitte<br>1832<br>Wien, HM 34.139 | P2051 Martin Schneider<br>B 1839<br>Taf. VI-7-2 | P2052 Johann Michael<br>Schwäger, G 1785<br>Taf. II-3-4 | P2053 Matthias Sonnleitner<br>M 1826<br>Taf. IV-3-3 |

| | | | |
|---|---|---|---|
|  |  |  | **Anmerkung zu Punze MS von Matthias Schön (P2054-2059)** |
| P2054 Matthias Schön<br>G 1794<br>Taf. II-3-4(3) | P2055 Matthias Schön<br>G 1794<br>Taf. III-1-4 | P2056 Matthias Schön<br>1802<br>Budapest, NM 1954.183 | Matthias Schön (Aufnahme ins Gremium 1794) ist von 1801 bis 1823 in den Innungslisten nachweisbar (gest. 1836); Steuerzahlungen sind von 1795 bis 1812 überliefert (jährlich von 5-36 Gulden). Seine Punze ist in zwei Varianten erhalten: die ältere zeigt das MS in einem Queroval (P2054), das bei der späteren Punze (P2055) etwas höher wird. Die Punze von Martin Sander ist zwar ähnlich, unterscheidet sich aber deutlich durch die kreisförmige Rahmung (P2061). |
|  | 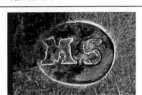 |  | **Remarks on the mark MS of Matthias Schön (P2054-2059)** |
| P2057 Matthias Schön<br>1802<br>Budapest, NM 1954.183 | P2058 Matthias Schön<br>1807 (= 1807-1809)<br>Privatbesitz (EJ) | P2059 Matthias Schön<br>18??<br>Privatbesitz (EJ) | Matthias Schön (guild entry: 1794) is entered in the guild lists from 1801-1823 (died in 1836); tax payments are documented from 1795 to 1812 (5 - 36 Guilders annually). His mark is preserved in two variations: the earlier one shows the letters MS in a horizontal oval (P2054) becoming slightly higher with the later mark (P2055). Martin Sander's mark is comparable but is characterized by a circular frame (P2061). |
| 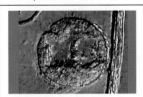 |  |  | 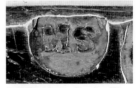 |
| P2060 Martin Sander<br>G 1816<br>Taf. III-4-4a | P2061 Martin Sander<br>G 1816<br>Taf. III-4-4b | P2062 Martin Sander<br>1821<br>Budapest, IM 69.86 | P2063 Martin Sander (?)<br>18??<br>Wien, S. Reisch |

| | | |
|---|---|---|
| **Anmerkung zu Punze MS von Martin Sander (P2060-2063)**<br><br>Martin Sander (Meisterrecht 1816) ist von 1817 bis 1821 in den Innungslisten vertreten (gest. 1821).<br>Seine Punze besteht aus den Initialen MS in kreisförmiger Rahmung. Die Verwechslungsmöglichkeit mit der Punze von Matthias Schön (P2057-2059) besteht zwar grundsätzlich, wird aber durch die etwas andere Form der Umrahmung (Queroval bzw. Kreis) und den kurzen Tätigkeitszeitraum des Martin Sander (1816-1821) relativiert. | **Remarks on the mark MS of Martin Sander (P2060-2063)**<br><br>Martin Sander (master's title: 1816) is entered in the guild lists from 1817 to 1821 (died in 1821).<br>His mark consists of the initials MS in circular frame. A confusion with the mark of Matthias Schön (P2057-2059) is possible but unnecessary considering the different shape of frame (oblong oval here, circle there) and the brief business activities of Martin Sander (1816-1821). | <br>P2064 Maximilian Turner<br>GV 1867<br>Taf. VIII-4-30 |

P2065  Michael Ulrich
B 1825
Taf. VI-4-2b

P2066  Michael Ulrich
B 1825
Taf. VI-4-2a

P2067  Michael Ulrich
B 1825
Taf. VI-4-2c

**Anmerkung zu Punze MU von Michael Ulrich (P2065-2067)**

Michael Ulrich (Befugnis 1825, Anheimsagung durch Theresia Ulrich 1844). Sein Todesdatum ist nicht bekannt.
Sein Betrieb wurde durch seine Witwe Theresia Ulrich fortgeführt (in den Innungslisten 1837-1844 genannt); sie hat wohl auch seine Punze, die in drei Varianten auf den Tafeln zu finden ist, weiterverwendet.

P2068  Wilhelm Meth
B 1832, M 1850
Taf. VII-1-9

P2069  Matthias Walaschek, GV 1867
Taf. VIII-4-39

**Remarks on the mark MU of Michael Ulrich (P2065-2067)**

Michael Ulrich (authorization: 1825, end of trade reported by Theresia Ulrich 1844). His year of death is unknown.
His business was taken over by his widow Theresia Ulrich (mentioned in the guild lists from 1837-1844); she probably also used his mark, found in three variations on the marks tablets.

P2070  Michael Wiener
G 1784
Taf. I-3-47

P2071  Michael Wiener
G 1784
Taf. II-2-44b

P2072  Michael Wiener
1793
Wien, Dorotheum 1926/35

P2073  Michael Wiener
1794
Budapest, IM 69.421

P2074  Michael Wiener
G 1817
Taf. III-4-13a

P2075  Michael Wiener
G 1817
Taf. III-4-13aa

P2076  Matthias Wagner
B 1846
Taf. IV-5-7a

P2077  Michael Wastl
M 1853
Taf. VII-3-12

P2078  Matthias Wessely
G 1776
Taf. I-2-50

**Anmerkung zu Punze MW von Michael Wiener (P2074, 2075, 2079, 2082), s. auch S. 269**
Punzen mit den Initialen MW im Schild ist zwei Silberschmieden gleichen Namens – Michael Wiener – zuzuordnen. Die Punzen des älteren Wiener (Gremium 1784) sind rechteckig oder schildförmig (P2070, 2071, 2079), die des jüngeren zeigen Buchstaben in ovaler oder schildförmiger Umrahmung (P2074, 2075, 2082). Der letztgenannte Michael Wiener (Meisterrecht 1817) ist von 1818 bis 1853 in den Innungslisten genannt (1853 Anheimsagung, gest.1863).

P2079  Michael Wiener
G 1784
Taf. II-2-44a

**Remarks on the mark MW of Michael Wiener (P2074, 2075, 2079, 2082), see also p. 269**
Marks with the initials MW can be attributed to two silversmiths of the same name, Michael Wiener. The marks of the earlier Wiener are rectangular or shield like (P2070, 2071, 2079), those of the younger Wiener show two letters in an oval or shield-like frame (P2074, 2075, 2082). The latter Michael Wiener (master's title: 1817) is found in the guild lists from 1818-1853 (end of trade: 1853, died in 1863).

P2080  Punze / mark MW
1807 (= 1807-1809)
Wien, Dorotheum 1892/65

P2081  Punze / mark MW
1807 (= 1807-1809)
Wien, Dorotheum 1909/67

P2082  Michael Wiener
G 1817
Taf. III-4-13c

P2083  Matthias Winckler
G 1754
Taf. I-1-31

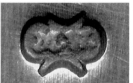

P2084  Matthias Winckler
G 1754
Taf. II-1-11

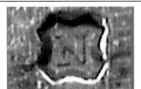

P2085  Anton Nauthe
M 1849
Taf. VIII-2-37

P2086  Hermann Nölken
GV 1862
Taf. VIII-4-25

| | | | | |
|---|---|---|---|---|
|  |  |  |  |  |
| P2087 Nikolaus Möller<br>M 1828<br>Taf. IV-2-2 | P2088 Nikolaus Möller<br>1831<br>Prag, MhMP 51.587/1 | P2089 Nikolaus Möller?<br>1833<br>Wien, HM 71.087/2 | P2090 Nikolaus Möller?<br>1833<br>Wien, HM 71.087/1 | P2091 Nikolaus Möller?<br>1835<br>Budapest, IM 54.731.1 |
|  |  |  | |  |
| P2092 Nikolaus Möller?<br>1833<br>Budapest, IM 63.594.2 | P2093 Nikolaus Möller?<br>1837<br>Wien, Dorotheum 1926/85 | P2094 Nikolaus Möller?<br>1837<br>Wien, Dorotheum 1926/85 | | P2095 Nathaniel Mandl<br>GV 1864<br>Taf. VIII-2-33 |

| | | | |
|---|---|---|---|
|  |  |  | **Anmerkung zu Punze NW von Nikolaus Wiener (P2096-2101)** |
| P2096 Nikolaus Wiener<br>G 1784<br>Taf. II-3-2 | P2097 Nikolaus Wiener<br>1793<br>Wien, Dorotheum 1926/58a | P2098 Nikolaus Wiener<br>1793<br>Wien, Dorotheum 1926/58a | Nikolaus Wiener (Aufnahme ins Gremium: 1784, gest. 1839) ist von 1785 bis 1831 in Adreßbüchern und Innungslisten nachweisbar; seine Steuerleistungen sind von 1786 bis 1812 in jährlichen Beträgen von 6 bis 20 Gulden überliefert.<br>Seine Punze mit den Intialen NW im Queroval auf Tafel II (P2096) zeigt bereits bei datierten Objekten von 1793 eine Beschädigung in der oberen Umrahmung, die auch bei weiteren Punzen sichtbar ist (P2097-2101). |
|  |  | 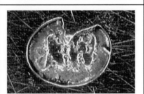 | **Remarks on the mark NW of Nikolaus Wiener (P2096-2101)** |
| P2099 Nikolaus Wiener<br>1793<br>Wien, Dorotheum 1892/56 | P2100 Nikolaus Wiener<br>1794<br>Wien, Dorotheum 1844/24 | P2101 Nikolaus Wiener<br>1798?<br>Budapest, IM 61.547.1 | Nikolaus Wiener (guild entry: 1784, died in 1839) is entered in address books and guild lists from 1785 to 1831. His tax payments are documented from 1786 to 1812 (annual amounts of 6-20 Guilders). His mark with the initials NW in a horizontal oval on marks tablet II (P2096) on dated objects of 1793 is already damaged on the upper frame visible also on further marks (P2097-2101). |

| | | | | |
|---|---|---|---|---|
|  |  |  |  |  |
| P2102 Otto Holm<br>M 1850<br>Taf. VII-1-1a | P2103 Otto Holm<br>M 1850<br>Taf. VII-1-1b | P2104 Otto Holm<br>1850<br>Budapest, IM 51.1176 | P2105 Otto Holm<br>1850<br>Budapest, IM 51.1176 | P2106 Otto Holm?<br>1850<br>Privatbesitz (AA) |

| | | |
|---|---|---|
| **Anmerkung zur Punze O-H von Ohligs-Hausmann (P2107)**<br><br>Bernhard Wilhelm Ohligs, der in die Familie Hausmann einheiratete (Anna Ohligs, geb. Hausmann, s. Punze IHHS, S. 182, P 1263), war vor 1851 als „Vermischtwarenhändler, nun Hutstepperwarenhändler" geführt worden.<br><br>Firmengeschichte:<br>1851 Verleihung des einfachen Fabriksbefugnisses auf die Erzeugung von allen Gattungen Schwertfeger-Arbeiten an Bernhard Wilhelm Ohligs und Protokollierung der Firma „B. W. Ohligs-Haussmann" (Prokura: Gattin Anna Ohligs). 1863 Eintragung im Register für Einzelfirmen; Inhaber: Bernhard Wilhelm Ohligs, kk Hof-Waffenfabrikant, Prokura: Anna Ohligs; 1869 Eintragung der Firma „B . W. Ohligs-Haussmann" als Gesellschaft im Register für Gesellschaftsfirmen (Anna Ohligs, gest. 1886) und Sohn Bernhard Ohligs.<br>1886 „k. k. Hofwaffenfabrikanten B. W. Ohligs & Söhne" (Inhaber: Bernhard Ohligs); 1910 Löschung.<br>(MerkG Prot. Bd 8, O 6; HG E 4/100; HG Ges 6/316; HG Ges 8/60, HG E 22/23) | <br><br>P2107 B. W. Ohligs & Hausmann, FB 1851<br>Taf. VIII-4-40 | **Remarks on the mark O-H of Ohligs-Hausmann (P2107)**<br><br>Bernhard Wilhelm Ohligs marrying into the Hausmann family (Anna Ohligs, née Hausmann, see mark IHHS, P1263, p. 182) was trader in general goods before 1851, then in "Hutstepperwaren" ("hat sticher's wares").<br><br>Company history:<br>1851 common factory authorization for the production of all sorts of hilt maker work awarded to Bernhard Wilhelm Ohligs, registration of the company **"B. W. Ohligs-Haussmann"** (power of attorney: his wife Anna Ohligs); in 1863 entry into the register for single firms; owner: Bernhard Wilhelm Ohligs, imperial royal court arms manufacturer, power of attorney: Anna Ohligs; 1869 entry of the partnership company "B . W. Ohligs-Haussmann" in the register of partnership firms (Anna Ohligs, died in 1886) and son Bernh. Ohligs.<br>1886 **k. k. Hofwaffenfabrikanten B. W. Ohligs & Söhne"** (owner: Bernhard Ohligs); in 1910 dissolution.<br>(MerkG Prot. Bd 8, O 6; HG E 4/100; HG Ges 6/316; HG Ges 8/60, HG E 22/23) |

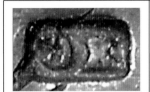

**P2108** Otto Köhler
M 1846
Taf. IV-5-13

**P2109** Otto Striebeck
M 1851
Taf. VII-2-24

**P2110** Punze / mark P
Taf. I-4-60e

**P2111** Anton Pittner
B 1842, M 1850
Taf. VI-7-33b

**P2112** Paul Braun
B 1841
Taf. VI-7-25

**P2113** Paul Bösenböck
B 1848, M 1855
Taf. VII-1-31

**P2114** Peter Buchmeyer
B 1811
Taf. VI-2-10

**P2115** Philipp Demel
B 1818
Taf. VI-1-16

**Anmerkung zur Punze PD von Philipp Demel (P2115)**

Philipp Demel, Pfeifenbeschläger (Befugnis: 1818) führte die Punze PD im Rechteck; seine Witwe Magdalena ist von 1837 bis 1841 in den Innungslisten genannt.

**Remarks on the mark PD of Philipp Demel (P2115)**

Philipp Demel, pipe mount maker (authorization: 1818) used the mark PD in a rectangle; his widow Magdalena is entered in the guild lists from 1837-1841.

**P2116** Friedrich Dorschel
M 1851
Taf. VII-1-32d

**P2117** Friedrich Dorschel
1861
Prag MhMP D 1825/1

**P2118** Franz Pelikan
B 1847, M 1856
Taf. VI-8-45

**P2119** Otto Pfuhl
B 1816
Taf. VI-1-18

**P2120** Peter Gärtner
B 1820
Taf. VI-5-13

**P2121** Johann Peter
Hauptmann, G 1739
Taf. I-1-1

**P2122** Peter Höck
G 1806
Taf. III-2-32b

**P2123** Paul Hofer
B 1840, M 1850
Taf. VII-2-16

**Anmerkung zur Punze PH von Paul Hofer (P2123)**

Paul Hofer (Befugnis: 1840, Meisterrecht: 1850) ist von 1841-1867 in den Innungslisten zu finden.

Firmengeschichte:

1863 Eintragung ins Register für „Einzelnfirmen".
1867 Ableben des Paul Hofer; Zeichnung nunmehr durch Witwe Marie Hofer, Löschung der Firma 1868.

*(HG E 5/160 )*

**P2124** Peter Höck
G 1806
Taf. III-2-31

**P2125** Peter Höck
1806
Budapest, NM 1954.97

**Remarks on the mark PH of Paul Hofer (P2123)**

Paul Hofer (authorization: 1840, master's title: 1850) is entered in the guild lists from 1841 to 1867.

Company history:

1863 entry into the register of single firms.
1867 death of Paul Hofer; right to sign now with the widow Marie Hofer, dissolution of the company, 1868.

*(HG E 5/160 )*

**P2126** Punze / mark PH
Taf. I-4-60a

**P2127** Philipp Scheidel
M 1850
Taf. IV-5-48

**P2128** Johann Pickel
B 1841
Taf. VI-7-31

**P2129** Pedaser Kalmus
M 1859
Taf. VIII-1-17

**Anmerkung zur Punze PIOTÉ von Emanuel Pioté (P2130)**

Emanuel Pioté erhielt sein Befugnis im Jahre 1812 und das Meisterrecht 1831 (Anheimsagung 1848). Er ist von 1813 bis 1850 in den Adreßbüchern bzw. Innungslisten verzeichnet. Die Punze von Pioté besteht aus seinen Initialen EP (S. 147, P624), die auch in der Firmenpunze enthalten sind: EP HK (S. 147, P625), sowie aus seinem vollen Namen PIOTÉ (P2130).
Zur Firmengeschichte Pioté & Köchert siehe S. 120, 147.

*(MerkG Prot. Bd 8, K 17)*

**P2130** Emanuel Pioté
B 1812, M 1831
Taf. IV-2-26c

**Remarks on the mark PIOTÉ of Emanuel Pioté (P2130)**

Emanuel Pioté (authorization: 1812, master's title: 1831, end of trade: 1848) is entered in address books and guild lists from 1813 to 1850. The mark of Pioté consists of his initials EP (p. 147, P624) also to be found in the company mark EP HK (p. 147, P625), another mark shows the whole name PIOTÉ (P2130).
Company history Pioté & Köchert see pp. 120, 147.

*(MerkG Prot. Bd 8, K 17)*

P2131　Joh. Peter Nickel
B 1783, G 1792
Taf. III-1-25a

P2132　Joh. Peter Nickel
B 1783, G 1792
Taf. III-1-26

P2133　Franz Rudolf
GV 1865
Taf. VIII-4-41

P2134　Ignaz Prückner
B 1817
Taf. VI-3-4b

P2135　Philipp Schill
B 1810
Taf. IV-1-26

P2136　Peter Schröder
B 1827
Taf. VI-5-26

### Anmerkung zur Punze PS von Philipp Stepinger (P2137)

Philipp Stepinger (Meisterrecht 1856, Anheimsagung 1862) wird von 1857-1863 in den Innungslisten genannt.

Firmengeschichte:

1839 Protokollierung der Firma „Franz Amors Wittwe".

1840 Löschung dieser Firma und die Protokollierung der Firma „Franz Amors Wittwe et comp" (Gesellschafter: Katharina Amor und Max Flekeles/Fleckles), Löschung 1845.

1851 Protokollierung der Sozietätsfirma „Katharina Amor & Stepinger" (öffentliche Gesellschaft) auf Antrag von Katharina Amor und Philipp Stepinger, 1858 Auflösung.

(MerkG Prot. Bd 8, A 7)

siehe auch S. 148, 217.

P2137　Philipp Stepinger
M 1856
Taf. VII-4-26

### Remarks on the mark PS of Philipp Stepinger (P2137)

Philipp Stepinger (masters's title: 1856, end of trade: 1862) is entered in the guild lists from 1857-1863.

Company history:

1839 registration of the company "Franz Amors Wittwe".

1840 dissolution of the company and registration of the company "Franz Amors Wittwe et comp" (partners: Katharina Amor and Max Flekeles/Fleckles), dissolution: 1845.

1851 registration of the partnership company "Katharina Amor & Stepinger" (general partnership) on application of Katharina Amor and Philipp Stepinger, dissolution: 1858

(MerkG Prot. Bd 8, A 7)

Also see pp. 148, 217.

P2138　Peter Stubenrauch
M 1833, Priv. 1826
Taf. IV-2-47b

P2139　Peter Stubenrauch
M 1833, Priv. 1826
Taf. VI-4-24d

P2140　Peter Seitz
B 1828
Taf. VI-4-31

P2141　Peter Schima
B 1845
Taf. VI-8-8a

P2142　Peter Schima
B 1845
Taf. VI-8-26

P2143　Franz Paul Thürman
G 1760
Taf. II-1-18

P2144　Franz Paul Thürman
G 1760
Taf. II-1-20

P2145　Paul Viegener
M 1859
Taf. VIII-1-6

P2146　Wilhelm Pittner
M 1857
Taf. VII-5-11

P2147　Peter Waller
M 1832
Taf. IV-2-33

P2148　Peter Wurian
B 1834
Taf. VI-5-37a

P2149　Peter Wurian
B 1834
Taf. VI-5-37b

P2150　Peter Wurian
B 1834
Taf. VIII-4-11

P2151　Richard Rabatsch
GV 1867
Taf. VIII-3-39

P2152　Anton Rasek
GV 1868
Taf. VIII-4-37

**Anmerkung zur Punze REINER von Josef Reiner (P2153-2158)**

Josef Reiner (Befugnis 1822, das Meisterrecht 1826) führte mehrere Punzen (IR, J. REINER, S. 191, 203); in den Innungslisten wird er von 1826-1867 genannt (gest. 1867). Die Punze REINER ist auf Tafel IV und VI (dort in zwei Varianten) eingeschlagen P2153-2155). Unklar ist, ob es sich bei Punze P2156-2158 um REINER oder J. REINER handelt.

Firmengeschichte:
1861 Protokollierung der Firma **„Josef Reiner"**.
1863 Übertragung der Firma ins Register für „Einzelnfirmen",
1867 über „Geschäftsaufgabung" gelöscht; Protokollierung der Firma **„Josef Reiner's Erben"** (Gesellschafter: Johann und Carl Kaltenböck).
1876 Johann Kaltenböck „über Ableben gelöscht"; Josef Kaltenböck als Gesellschafter eingetragen.
1892 Löschung über Geschäftszurücklegung und „Ableben" des Gesellschafters Carl Kaltenböck.
*(Merk Prot. Bd 12, R 229; HG E 1/490; HG Ges 6/234; HG E 27/34)*

P2153 Josef Reiner
B 1822, M 1826
Taf. IV-1-36a

P2154 Josef Reiner
B 1822, M 1826
Taf. VI-1-9a

P2155 Josef Reiner
B 1822, M 1826
Taf. VI-1-9c

**Remarks on the mark REINER of Josef Reiner (P2153-2158)**

Josef Reiner (authorization: 1822, master's title: 1826) used several marks (see also IR, J. REINER, pp. 191, 203); he is entered in the guild lists from 1826 to 1867 and died in 1867. The mark REINER (P2153-2155) is embossed on marks tablet IV and VI (in two variations). If the marks P2156-2158 are to be read REINER or J. REINER is not yet ascertained.

Company history:
1861 registration of the company **"Josef Reiner"**.
1863 transfer of the company into the register of single firms,
1867 dissolution due to end of trade; registration of the company **"Josef Reiner's Erben"** (partners: Johann and Carl Kaltenböck).
1876 Johann Kaltenböck deleted due to death; Josef Kaltenböck entered as partner; 1892, dissolution due to end of trade and death of the partner Carl Kaltenböck.
*(Merk Prot. Bd 12, R 229; HG E 1/490; HG Ges 6/234; HG E 27/34)*

P2156 Josef Reiner
1864
Wien, Dorotheum 1926/86

P2157 Josef Reiner
1864
Wien, Dorotheum 1926/86

P2158 Josef Reiner
1864
Wien, Dorotheum 1926/86

P2159 Rudolf Gerhard
B 1845, M 1851
Taf. VII-1-24

P2160 Rudolf Hoffmann
M 1859
Taf. VIII-1-15

P2161 Rudolf Klieber
M 1851
Taf. VII-2-34

P2162 Rudolf Lichtblau
M 1858
Taf. VII-5-37

P2163 Richard Niessen
E 1853
Taf. VII-3-6a

P2164 Richard Niessen
E 1853
Taf. VII-3-6b

**Anmerkung zur Punze RN von Richard Niessen (P2163, 2164)**

Richard Niessen ist in den Innungslisten nicht genannt; er wird im Index der Hauptregistratur in den Jahren 1853 und 1854 erwähnt (Übertretung der Punzierungsvorschriften).

**Remarks on the mark RN of Richard Niessen (P2163, 2164)**

Richard Niessen is not entered in the guild lists; he is mentioned in 1853 and 1854 in the index of the main registry (violation of marking regulations).

*(HR 515(615)/1853; HR 525(626)/1854)*

**Anmerkung zur Punze ROZET von Nikolaus Rozet (P2165)**

Nikolaus Rozet (Meisterrecht 1842, Anheimsagung 1850) ist in den Innungslisten von 1843-1850 verzeichnet.
1860 Protokollierung der Firma **„Rozet & Fischmeister"** (Ignaz Franz Rozet, Hof-Galanterie- und Juwelenhändler, Johanna Rozet und Karl Fischmeister).

*(MerkG Prot. Bd 11, R 371)*

P2165 Nikolaus Rozet
M 1842
Taf. IV-4-32

**Remarks on the mark ROZET of Nikolaus Rozet (P2165)**

Nikolaus Rozet (master's title: 1842, end of trade: 1850) is entered in the guild lists from 1843-1850.
1860 registration of the company **"Rozet & Fischmeister"** (Ignaz Franz Rozet, court fancy goods and jewelry trader, Johanna Rozet and Karl Fischmeister).

*(MerkG Prot. Bd 11, R 371)*

P2166 Signatur von Anton Rossi / signature of Anton Rossi
Budapest, IM E.60.23 (Degen aus der Sammlung Esterházy / sword of the Esterházy collection); siehe Punze IAH von 1807=1807-1809 (S. 61) / see mark IAH of 1807=1807-1809 (p. 61)

P2167 Rudolf Schill
M 1840
Taf. VI-7-17

**Anmerkung zur Punze RW von Robert Weickert (P2168, 2169)**

Robert Weikert (Befugnis 1847, Meisterrecht 1850) ist von 1848-1878 in den Innungslisten genannt. Firmengeschichte: 1863 Eintragung der Firma „R. Weickert" im Register für „Einzelnfirmen"; 1877 Konkurseröffnung, 1878 Konkursaufhebung, 1878 Löschung über „Geschäftsaufgebung" *(HG E 2/258).*

**Remarks on the mark RW of Robert Weickert (P2168, 2169)**

Robert Weikert (authoriztion: 1847, master's title: 1850) is entered in the guild lists from 1848-1878. Company history: 1863 entry of the company "R. Weickert" into the register of single firms; 1877, opening of bankruptcy proceedings; 1878, suspension of these proceedings; 1878, dissolution due to end of trade *(HG E 2/258).*

P2168  Robert Weikert
B 1847, M 1850
Taf. VII-1-20

P2169  Robert Weikert
B 1847, M 1850
Taf. VIII-2-44

P2170  Peter Stubenrauch
M 1833, Priv. 1826
Taf. VI-4-24e

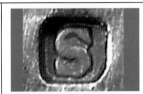

P2171  Josef Siess
M 1858
Taf. VII-5-43a

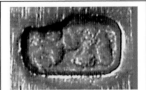

P2172  Sebastian Amann
B 1811
Taf. VI-3-7b

P2173  Sebastian Amann
1826
Budapest, IM 2599

P2174  Christian Sander
sen.? B 1819
Taf. VI-1-41b

P2175  Samuel Baumhorn
E 1862
Taf. VIII-4-10

P2176  Sebastian Bender
M 1854
Taf. VII-3-38

P2177  Santi Ponti (Witwe /
widow Eleonora)
Taf. I-3-29

**Anmerkung zur Punze SB von Santi Ponti (P2177)**

Der Betrieb des Santi Ponti (1754 Aufnahme ins Gremium, gest. 1778) wurde von seiner Witwe Eleonora Ponti weitergeführt. Für Santi Ponti seel: Wittib wurden von 1780 bis 1788 jährlich 2, 3 bzw. 4 Gulden Steuer vermerkt.

**Remarks on the mark SB of Santi Ponti (P2177)**

The business of Santi Ponti (guild entry: 1754, died in 1778) was continued by his widow Eleonora Ponti. Tax payments for "Santi Ponti seel: Wittib" (widow) are documented from 1780-1788 (2, 3 or 4 Guilders annually).

**Anmerkung zur Punze Schiffer sowie S & D von Schiffer & Dub (P2178-2188)**

Der Namenszug „Schiffer" ist auf Tafel VII für **Eduard Schiffer** (Meisterrecht 1856, siehe S. 147) eingeschlagen (P2185). Die Firma **Schiffer & Dub** wurde 1858 protokolliert und bereits 1860 von der Firma **Eduard Schiffer** abgelöst (Löschung 1862, siehe auch Firma „**Schiffer & Theuer**", S. 230).

Auf Objekten finden wir die Punze „Schiffer" mit schräg gestellten Buchstaben von 1847 bis 1857 (P2178-2184). Dabei handelt es sich um die Punze von **Franz Schiffer** bzw. seiner Firma **Franz Schiffer & Sohn** (siehe S. 158).

Im Nationalmuseum Prag hat sich ein Objekt aus dem Jahr 1852 erhalten, das die Punze „Schiffer" (P2180) in Kombination mit einer Namenspunze mit den Initialen WJ (= Wenzel John, siehe S. 239, P2390) trägt.

P2178  Franz Schiffer(?)
1847
Budapest, IM 24.382

P2179  Franz Schiffer(?)
1847
Budapest, IM 24.382

P2180  Firma Franz Schiffer
& Sohn(?), 1852
Prag, NM H2-159.196

P2181  Franz Schiffer(?)
1854
Privatbesitz (SA)

P2182  Firma Franz Schiffer
& Sohn(?), 1855
Wien, Dorotheum 1962/99

P2183  Firma Franz Schiffer
& Sohn(?), 1855
Wien, HM 94.361

**Remarks on the mark Schiffer and S & D for Schiffer & Dub (P2178-2188)**

The name "Schiffer" is embossed on marks tablet VII for **Eduard Schiffer** (master's title: 1856, see p. 147) (P2185). The company "**Schiffer & Dub**" was registered in 1858 and followed in 1860 already by the company "**Eduard Schiffer**" (dissolution: 1862, see also company "**Schiffer & Theuer**," p. 230).

On objects we find the mark "Schiffer" with slanted letters from 1847 to 1857 (P2178-2184). This is the mark of **Franz Schiffer** or his company "**Franz Schiffer & Sohn**" (see p. 158).

In the National Museum in Prague an object dated 1852 shows the mark "Schiffer" (P2180) in combination with a maker's mark WJ (= Wenzel John, see p. 239, P2390).

P2184  Firma Franz Schiffer
& Sohn(?), 1857
Budapest, IM 64.193.1

P2185  Eduard Schiffer
M 1856
Taf. VII-4-32a

P2186  Schiffer & Dub
pFa 1858
Taf. VII-5-33a

P2187  Schiffer & Dub
pFa 1858
Taf. VII-5-33b

P2188  Schiffer & Dub
pFa 1858
Taf. VII-5-33c

| | | | | |
|---|---|---|---|---|
| P2189 Franz Schub (?) BE 1811, St vor / before 1829, Taf. IV-1-20c | P2190 Josef Schub B 1837 Taf. VI-6-26a | P2191 Johann Schubert B 1844, M 1851 Taf. VI-8-8e | P2192 Stephan Eduard Starckloff, B 1811, G 1815 Taf. III-3-47b | P2193 Stephan Eduard Starckloff, B 1811, G 1815 Taf. III-3-47c |

**Anmerkung zu den Punzen SES von Stephan Eduard Starckloff (P2192-2198)**

Stephan Eduard Starckloff, „Galanterie-Waaren-Fabrikant von Gold und Silber" und Privilegiumsinhaber (Befugnis: 1811, Meisterrecht 1815, Spezialität: Tabaksdosen in „Tula"-Arbeit), ist in Adreßbüchern und Innungslisten von 1812-1844 genannt.

Auf Tafel III finden wir die Punze SES in ovaler Rahmung in Verbindung mit dem Doppeladler (P2192; zum Doppeladler siehe S. 249) sowie das SES in anderer Umrahmung (P2193).

Auf Objekten ist vor allem das SES ohne Rahmung zu finden. Meist auf der Bodeninnenseite von Tabaksdosen eingeschlagen, ist die Punze oft nur mehr undeutlich oder fragmentarisch erhalten (P2194-2198).

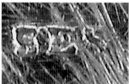

P2194 Stephan Eduard Starckloff, 1816? Wien, Dorotheum 1859/54

P2195 Stephan Eduard Starckloff, 1819 Privatbesitz (EJ)

**Remarks on the SES marks of Stephan Eduard Starckloff (P2192-2198)**

Stephan Eduard Starckloff, fancy goods manufacturer of gold and silver and privilege owner (authorization: 1811, master's title: 1815, speciality: snuff boxes in "Tula" technique) is found in address books and guild lists from 1812 to 1844.

On marks tablet III we find the mark SES in an oval frame connected with the double eagle (P2192; double eagles see p. 249) and the SES in another frame (P2193).

On objects the free standing SES is found especially. The mark usually embossed on the bottom inside of snuff boxes is preserved in most cases only in a vague or fragmentary condition (P2194-2198).

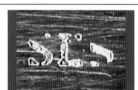

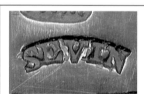

| | | | | |
|---|---|---|---|---|
| P2196 Stephan Eduard Starckloff, 1830 Wien, HM 116.290/1 | P2197 Stephan Eduard Starckloff, 1830 Privatbesitz (EJ) | P2198 Stephan Eduard Starckloff, 18?2 Wien, Dorotheum 1909/141 | P2199 Christoph Sevin B 1825 Taf. VI-3-38a | P2200 Christoph Sevin B 1825 Taf. VI-3-38b |

| | | | |
|---|---|---|---|
| P2201 Franz Samuel Fischer, M 1851 Taf. VII-3-15 | P2202 Franz Samuel Fischer, M 1851 Taf. VIII-2-47 | | P2204 Samuel Goldschmidt B 1839, M 1853 Taf. VII-3-7a |

**Anmerkung zur Punze SG und S. GOLDSCHMIDT von Samuel Goldschmidt (P2203, 2204)**

Samuel Goldschmidt war tolerierter Juwelenhändler, befugter Edelsteinschneiderei-Fabrikant und hatte ein Befugnis als Gold- und Juwelenarbeiter (Befugnis 1839, Meisterrecht 1853), er wird in den Innungslisten von 1840-1871 genannt (gest. 1871).

Firmengeschichte:

1839, 16. Oktober: Protokollierung der Toleranz und des Befugnisses als Gold- und Juwelenarbeiter sowie der Firma „**S. Goldschmidt**".
1839, 9. Dezember: Protokollierung der Gesellschaftsfirma „**S. & W. Goldschmidt**" (Samuel und Wilhelm Goldschmidt).
1841 Löschung dieser Firma und Protokollierung der Firma „**S. Goldschmidt**".

*(MerkG Prot. Bd 7 G 38)*

P2203 Samuel Goldschmidt, B 1839, M 1853 Taf. VII-3-7b

**Remarks on the marks SG and S. GOLDSCHMIDT of Samuel Goldschmidt (P2203, 2204)**

Samuel Goldschmidt was a tolerated jewellery trader, authorized stone cutting manufactorer and owned an authorization as goldsmith and jeweller (authorization: 1839, maker's mark: 1853) is found in the guild lists from 1840-1871 (died in 1871).

Company history:

1839, October 16th: registration of the tolerance and the authorization as goldsmith and jeweller and of the company "**S. Goldschmidt**".
1839, December 9th: registration of the partnership company "**S. & W. Goldschmidt**" (Samuel and Wilhelm Goldschmidt).
1841 dissolution of this company and registration of the company "**S. Goldschmidt**".

*(MerkG Prot. Bd 7 G 38)*

P2205 Stanislaus Kain
M 1840
Taf. IV-4-8

P2206 Simon Kofler
B 1815
Taf. VI-2-7

### Anmerkung zur Punze SL von Saboi & Lachmann (P2207)

Die offensichtlich nicht protokollierte Firma Saboi & Lachmann geht wohl auf Johann Saboi und Anton Lachmann zurück. Johann Saboi (Gewerbsverleihung 1864) wird in den Innungslisten 1865-1877 genannt.
Anton Lachmann (Gewerbsverleihung 1865) wird 1866-1912 in den Innungslisten genannt.

P2207 Saboi & Lachmann
Taf. VIII-3-21

P2208 Sternegger & Pichelmayer, pFa 1860
Taf. VIII-2-39c

P2209 Sternegger & Pichelmayer, pFa 1860
Taf. VIII-2-39a

P2210 Sternegger & Pichelmayer, pFa 1860
Taf. VIII-2-39b

### Remarks on the mark SL of Saboi & Lachmann (P2207)

The company Saboi & Lachmann obviously was not registered and is obviously connected with Johann Saboi and Anton Lachmann. Johann Saboi (bestowal of trade: 1864) is entered in the guild lists from 1865-1877.
Anton Lachmann (bestowal of trade: 1865) is found in the guild lists from 1866-1912).

### Anmerkung zur Punze SP und St B von Sternegger & Pichelmayr (P2208-2210)

Arnold Sternegger (Gewerbsverleihung 1859) wird von 1860-1902 in den Innungslisten genannt.
Georg Pichelmayr (Gewerbsverleihung 1859, gest. 1887) wird von 1860-1887 in den Innungslisten genannt.
Als Firmenpunzen sind auf Tafel VIII vier Punzen eingeschlagen: drei Varianten mit den Initialen SP (P2208-2210), eine mit den Buchstaben StB (Bichelmayr, S. 230, P2218).

Firmengeschichte:

1860 Protokollierung der Firma „**Sternegger & Pichelmayr**" (Gesellschafter: Georg Pichelmayr und Arnold Sternegger).
1863 Eintragung der Firma „Sternegger & Pichelmayr" in das Register für Gesellschaftsfirmen.
1888 Löschung „über Ableben des Georg Pichelmayr".

*(MerkG Prot. Bd 2, S 148; HG Ges 2/288)*

### Remarks on the marks SP and St B of Sternegger & Pichelmayr (P2208-2210)

Arnold Sternegger (bestowal of trade: 1859) is entered in the guild lists from 1860-1902.
Georg Pichelmayr (bestowal of trade: 1859, died in 1887) is found in the guild lists from 1860-1887.
Four marks are embossed on marks tablet VIII as company marks: three variations consisting of the initials SP (P2208-2210), and with the letters StB (Bichelmayr!, P2218, p. 230).

Company history:

1860 registration of the company **"Sternegger & Pichelmayr"** (partners: Georg Pichelmayr and Arnold Sternegger).
1863 entry of the company "Sternegger & Pichelmayr" into the register for parthership firms.
1888 dissolution due to the death of Georg Pichelmayr.

*(MerkG Prot. Bd 2, S 148; HG Ges 2/288)*

P2211 Samuel Polnisch
FB 1807
Taf. VI-2-26

P2212 Sebastian Peinkofer
B 1826
Taf. VI-4-14

### Anmerkung zur Punze SR von Stephan Roschi und seiner Witwe (P2213)

Für „S. Roschin" (= Catharina Roschin), die Witwe von Stephan Roschi (Meisterrecht 1752, gest. 1774) wurde auf Tafel I die Punze SR eingeschlagen.
Die Steuerleistungen von Stephan Roschi betrugen bis 1774 jährlich 8-10 Gulden, die der Witwe („Stephan Roschi sel. Witwe") sind von 1775-1789 nachweisbar (anfangs jährlich 4, dann 3 bzw. 2 Gulden). Sie starb 1803.

P2213 S. Roschin (Witwe von / widow of Stephan Roschi, G 1752), Taf. I-3-21

### Remarks on the mark SR of Stephan Roschi and his widow (P2213)

On marks tablet I the mark SR was embossed for "S. Roschin" (= Catharina Roschin), widow of Stephan Roschi (master's title: 1752, died in 1774). The tax payments of Stephan Roschi ran to 8-10 Guilders annually until 1774, those of his widow ("Stephan Roschi sel. Witwe") are documented from 1775-1789 (first 4 Guilders annually, then 3 and 2). She died in 1803.

P2214 Salomon Rosenberg, M 1853, pFA 1853
Taf. VII-3-13a

P2215 Salomon Rosenberg, M 1853, pFA 1853
Taf. VII-3-13b

### Anmerkung zur Punze SR von Salomon Rosenberg (P2214, 2215)

Salomon Rosenberg (Goldarbeiter; Meisterrecht 1853) wird 1854-1881 in den Innungslisten genannt.

Firmengeschichte:

1853 Protokollierung der von Salomon Rosenberg allein zu führenden Firma „**S. Rosenberg**".
1863 Übertragung der Firma ins Register für „Einzelnfirmen".
1882 über Ableben des Firmeninhabers und Geschäftszurücklegung gelöscht.

*(MerkG Prot. Bd 8, R 42; HG E 1/60)*

P2216 Sigmund Scharf
GV 1866
Taf. VIII-3-18a

P2217 Sigmund Scharf
GV 1866
Taf. VIII-3-18b

### Remarks on the mark SR of Salomon Rosenberg (P2214, 2215)

Salomon Rosenberg (goldsmith; master's title: 1853) is entered in the guild lists from 1854-1881.

Company history:

1853 registration of the company **"S. Rosenberg"** directed by Salomon Rosenberg alone.
1863 transfer of the company into the register of single firms.
1882 dissolution due to the death of the owner and end of trade.

*(MerkG Prot. Bd 8, R 42; HG E 1/60)*

P2218  Sternegger &
Pichelmayer, pFa 1860
Taf. VIII-1-11

P2219  Stephan Corron
G 1797
Taf. III-1-15

P2220  Stephan Fränzl
B 1837
Taf. VI-6-27a

P2221  Stephan Fränzl
B 1837
Taf. VI-6-27b

P2222  Stephan Fränzl
B 1837
Taf. VI-6-27c

P2223  Stephan Fränzl
B 1837
Taf. VI-6-27d

P2224  Stephan Fränzl
B 1837
Taf. VI-6-27e

**Anmerkung zur Punze S. & Th. von Schiffer & Theuer (P2225-2227)**

Auf Tafel VIII ist die Punze S. & Th. für die Firma Schiffer & Theuer eingeschlagen. Wie aus der Firmengeschichte hervorgeht, war die Zusammenarbeit von Eduard Schiffer und Johann Theuer nur von kurzer Dauer (1862-1863). Dem entspricht auch die 1863 datierte Punze auf einem Objekt (P2227).

Firmengeschichte:

1863, 29. September: Protokollierung der Firma „Eduard Schiffer & Theuer" (Offene Gesellschaft seit 1. 1. 1862). Gesellschafter: Eduard Schiffer, k. k. Hof- und landesbef. Gold- und Silberwarenfabrikant und Johann Theuer, Privatingenieur und Bauunternehmer.
1863 16. Oktober: Löschung der Firma.

1863 Protokollierung der Firma „Jg. Theuer & Sohn" (siehe S. 180).

*(HG Ges 3/12)*

P2225  Schiffer & Theuer
pFa 1862
Taf. VIII-2-3b

P2226  Schiffer & Theuer
pFa 1862
Taf. VIII-2-3d

P2227  Schiffer & Theuer
1863
Wien, HM 118.001/1

**Remarks on the mark S. & Th. of Schiffer & Theuer (P2225-2227)**

The mark S. & Th. for the company Schiffer & Theuer is embossed on marks tablet VIII. According to the company history the cooperation of Eduard Schiffer and Johann Theuer was very short (1862-1863).
The mark (P2227) on an object of 1863 corresponds to this fact.

Company history:

1863 September 29th: registration of the company "Eduard Schiffer & Theuer" (general partnership from 1 January 1862). Partners: Eduard Schiffer, imperial royal court and national privileged gold and silver wares manufacturer and Johann Theuer, private engineer and building contractor.
1863 October 16th: dissolution of the company.

1863 registration of the company "Jg. Theuer & Sohn" (see p. 180).

*(HG Ges 3/12)*

**zu S. 231:**

**Anmerkung zu den Punzen ST.M, STM und ST. MAYERHOFER von Stephan Mayerhofer (P2228-2246)**

Auf die vielfältigen Punzen von Stephan Mayerhofer, Carl Klinkosch sowie Mayerhofer & Klinkosch wird auf S. 17 eingegangen. Bisher sind folgende Punzenbilder bekannt:
STM (S. 231, P2228-2243), CK (S. 138; P478), M&K (S. 219), Monogrammpunze STM CK(S. 270, P2746-2749), MAYERHOFER & KLINKOSCH (S. 215, P1940, 1941).

Die Punze ST.M (mit Punkt) ist von 1821-1825 auf Objekten nachweisbar (P2228-2232), die Punze STM ohne Punkt von 1832 bis 1838 (P2233-2243). Beide finden sich auf Tafel VI (P2228, 2233); dort ist auch der Name „ST. MAYERHOFER" als Punze zu finden (P2244-2246). Sie ist auf Objekten relativ selten und dort 1828 (?) und 1830 datierbar.

**see p. 231:**

**Remarks on the marks ST.M, STM and ST. MAYERHOFER of Stephan Mayerhofer (P2228-2246)**

The various marks of Stephan Mayerhofer, Carl Klinkosch and Mayerhofer& Klinkosch are discussed on p. 17. The following marks images are known:

STM (p. 231, P2228-2243), CK (p. 138, P478), M&K (p. 219), the monogram STM CK (p. 270, P2746-2749), MAYERHOFER & KLINKOSCH (p. 215, P1940, 1941).

The mark ST.M (with a dot) is documented on objects from 1821-1825 (P2228-2232), the mark STM without a dot from 1832 to 1838 (P2233-2243). Both are embossed on marks tablet VI (P2228, 2233). The name "ST. MAYERHOFER" is also to be found there as a mark (P2244-2246). It is relatively seldom seen on objects and is to be dated 1828 (?) and 1830.

P2228 Stephan Mayerhofer
B 1825, Priv. 1822, 1823
Taf. VI-1-12f

P2229 Stephan Mayerhofer
1821
Privatbesitz (EJ)

P2230 Stephan Mayerhofer
1824
Privatbesitz (EJ)

P2231 Stephan Mayerhofer
1825
Privatbesitz (EJ)

P2232 Stephan Mayerhofer
1825
Privatbesitz (EJ)

P2233 Stephan Mayerhofer
B 1825, Priv. 1822, 1823
Taf. VI-1-12b

P2234 Stephan Mayerhofer
1832
Wien, Dorotheum 1892/87

P2235 Stephan Mayerhofer
1832
Wien, Dorotheum 1909/128

P2236 Stephan Mayerhofer
1832
Prag, MhMP 51.591/1

P2237 Stephan Mayerhofer
1834
Privatbesitz (EJ)

P2238 Stephan Mayerhofer
1835
Wien, Dorotheum 1962/125

P2239 Stephan Mayerhofer
1836
Wien, Dorotheum 1926/66

P2240 Stephan Mayerhofer
1836
Wien, Dorotheum 1926/66

P2241 Stephan Mayerhofer
1836
Wien, Dorotheum 1926/66

P2242 Stephan Mayerhofer
1836
Wien, Dorotheum 1926/66

P2243 Stephan Mayerhofer
1838
Wien, S. Reisch

P2244  Stephan Mayerhofer
B 1825, Priv. 1822, 1823
Taf. VI-1-12g

P2245  Stephan Mayerhofer
18?0 (1828?)
Wien, Dorotheum 1959/31

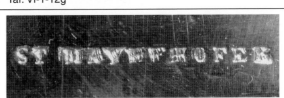

P2246  Stephan Mayerhofer
1830
Budapest, IM 64.187.1

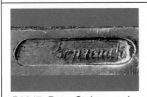

P2247  Peter Stubenrauch
M 1833, Priv. 1826
Taf. IV-2-47a

P2248  Peter Stubenrauch
M 1833, Priv. 1826
Taf. VI-4-24a

P2249  Peter Stubenrauch
18?0 (1840?)
Wien, Dorotheum 1962/132

P2250  Punze / mark SW
Taf. I-3-60g

P2251 Wilhelm Suntheimer
GV 1868
Taf. VIII-5-4

**Anmerkung zur Punze „Stubenrauch" von Peter Stubenrauch (P2247-2249)**

Peter Stubenrauch (Meisterrecht: 1833, Privilegiumsinhaber 1826) ist von 1834-1836 in den Innungslisten nachweisbar.
Seine Punze besteht aus dem Namen „Stubenrauch" und ist auf zwei Tafeln (IV und VI, P2247, 2248) zu finden. Auf einem undeutlich datierten Objekt ist auch die Punze nur fragmentarisch erhalten (P2249).

**Remarks on the mark "Stubenrauch" of Peter Stubenrauch (P2247-2249)**

Peter Stubenrauch (master's title: 1833, owner of a privilege: 1826) is entered in the guild lists from 1834-1836.
His mark consists of his family name "Stubenrauch" and is embossed on two marks tablets (IV and VI, P2247, 2248). A fragmentary mark is found on an object with an unclear date (P2249).

**Anmerkung zur Punze SW (P2250)**
Die Punze SW mit Krone auf Tafel I konnte bisher noch nicht identifiziert werden. Aufgrund der Krone könnte es sich um einen sogenannten „hofbefreiten" Goldschmied handeln

**Remarks on the mark SW (P2250)**
The mark SW with a crown on marks tablet I could not yet been identified. Due to the crown it could be that of a court goldsmith.

P2252　Josef Treischock
G 1786
Taf. II-3-8b

P2253　Thomas Albrecht
B 1810
Taf. VI-2-33

P2254　Thomas Albrecht
1821
Budapest, IM 53.943

P2255　Thomas Albrecht
1821
Privatbesitz (BJ)

P2256　Theodor Bittner
M 1857
Taf. VII-5-10

### Anmerkung zur Punze T & Co. von Triesch & Co. (P2257-2267)

Für Friedrich Georg Triesch (im Firmennamen die wechselnden Besitzverhältnisse mit verschiedenen Partnern widerspiegelnd) sind zahlreiche Punzen auf den Punzentafeln und auf Objekten zu finden: das Monogramm FT im Rechteck und im Achteck, F Triesch, T & Cᵒ, T & Z (s. S. 19).
Friedrich Georg Triesch (Befugnis: 1835) wird in den Innungslisten von 1837 bis 1868 genannt (gest. 1868).

Firmengeschichte:

1854 Protokollierung der Gesellschaft „**Fr. Triesch & Comp.**" (Georg Friedrich Triesch, Theodor Brezina; von Brezina allein zu führende Sozietätsfirma).
1859 Löschung des Gold- und Silberarbeiterbefugnisses, Steuerabmeldung; Protokollierung des Landesfabriksbefugnisses und der Gesellschaftsfirma „**Fr. Triesch & Cie.**"
1860 Protokollierung: Nachtrag zum Gesellschaftsvertrag zwischen Theodor Brezina, Friedrich Triesch & Maria Brezina; nur Maria Brezina zeichnet obige Firma; Löschung der Firma „Fr. Triesch & Comp."
1860 Protokollierung der Firma „**Fr. Triesch & Ziegler**", Zeichnung durch Friedrich Triesch und Mathias Ziegler selbständig, 1861 Zeichnung durch Triesch: „Fr. Triesch", durch Ziegler: „& Ziegler".
1861 Löschung der Firma „Fr. Triesch & Ziegler", Protokollierung der Firma „**Fr. Triesch, Ziegler & Comp**" (mit Maria Brezina).

*(MerkG Prot. Bd 8, T 23, T 43)*

Die Punze T & Co. ist auf Tafel VI in drei Varianten eingeschlagen (P2257-2259); auf Objekten überwiegt die häufig 1856 datierte Variante mit den breiteren Buchstaben (P2261-2267). Schmälere Buchstaben finden sich auf einem Objekt von 1854 (P2260).
Die oben genannte Firma ist nicht zu verwechseln mit der Gesellschaftsfirma „Triesch Stern & Duschnitz" (Filipp Duschnitz, Josef Triesch und Michael Stern): Errichtung 1857, Löschung 1862

*(MerkG Prot. Bd 10, T 125)*

P2257　Triesch & Co.
pFa 1854
Taf. VI-5-43a

P2258　Triesch & Co.
pFa 1854
Taf. VI-5-43b

P2259　Triesch & Co.
pFa 1854
Taf. VI-5-43c

P2260　Triesch & Co.
1854
Budapest, IM 51.941.1

### Remarks on the mark T & Co. of Triesch & Co. (P2257-2267)

Several marks for Friedrich Georg Triesch are embossed on marks tablets and on objects; the company names reflect different ownerships and changing partners:
A monogram FT in a rectangle or octagon, F Triesch, T & Cᵒ, T & Z (see p. 19).
Friedrich Georg Triesch (authorization: 1835) is entered in the guild lists from 1837 to 1868 (died in 1868).

Company history:

1854 registration of the partnership company „**Fr. Triesch & Comp.**" (Georg Friedrich Triesch, Theodor Brezina; partnership company directed by Brezina alone).
1859 dissolution of the gold and silver authorization, tax end; registration of the national factory authorization and the partnership company "**Fr. Triesch & Cie.**"
1860 registration: addition to the company contract between Theodor Brezina, Friedrich Triesch & Maria Brezina; only Maria Brezina had the right to sign; dissolution of the company "Fr. Triesch & Comp."
1860 registration of the company "**Fr. Triesch & Ziegler,**" signatories: Friedrich Triesch and Mathias Ziegler independently; 1861, Triesch signing: "Fr. Triesch", Ziegler signing: "& Ziegler".
1861 dissolution of the company "Fr. Triesch & Ziegler," registration of the company "**Fr. Triesch, Ziegler & Comp**" (with Maria Brezina).

*(MerkG Prot. Bd 8, T 23, T 43)*

On marks tablet VI the mark T & Co. is embossed in three variations (P2257-2259); on objects the variation with the larger letters, often dated 1856, dominates (P2261-2267). Narrower letters are seen on an object of 1854 (P2260).

The company mentioned above must not be confused with the partnership company "Triesch Stern & Duschnitz" (Filipp Duschnitz, Josef Triesch and Michael Stern; founding in 1857, dissolution in 1862.

*(MerkG Prot. Bd 10, T 125)*

P2261　Triesch & Co.
1856
Wien, Dorotheum 1926/101

P2262　Triesch & Co.
1856
Privatbesitz (SA)

P2263　Triesch & Co.
1856
Wien, Dorotheum 1926/101

P2264　Triesch & Co.
1856
Prag, NM H2-193.585

P2265　Triesch & Co.
1860
Privatbesitz (KJ)

P2266　Triesch & Co.
1860
Privatbesitz (KJ)

P2267　Triesch & Co.
18??
Wien, Dorotheum 1962/115

P2268 Thomas Dub
B 1839, M 1851
Taf. VI-6-39

P2269 Thomas Dub
1854
Wien, DM L-232

P2270 Thomas Dub
1854
Wien, DM L 232

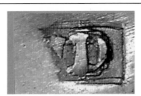

P2271 Thomas Dub
1857
Budapest, IM 52.1545.1

P2272 Thaddäus Henschel
B 1823
Taf. VI-4-11

### Anmerkung zur Punze TD von Thomas Dub (P2268-2271)

Thomas Dub (Befugnis 1839, Meisterrecht 1851, Anheimsagung 1859, Fabriksbefugnis 1859) ist von 1840 bis 1889 in den Innungslisten genannt.

Firmengeschichte:
1863 Eintragung der Firma „**Thomas Dub**" ins Register für „Einzelnfirmen".
1887 Dub wird unter Kuratel gestellt; die Firma zeichnet Dr. Victor Fuchs als Kurator; 1889 Löschung der Firma über Ableben des Firmeninhabers und Geschäftszurücklegung.
*(HG E 5/222; s. Einzelnfirmen Bd. 24/153 (Firma **V. C. Dub**)*

### Remarks on the mark TD of Thomas Dub (P2268-2271)

Thomas Dub (authorization: 1839, master's title: 1851, end of trade: 1859, factory authorization: 1859) is mentioned in the guild lists from 1840 to 1889.

Company history:
1863 entry of the company "**Thomas Dub**" into the register of single firms.
1887 Dub is put under charge of a guardian; signatory: Dr. Victor Fuchs as curator. In 1889 dissolution of the company due to the death of the owner and end of trade.
*(HG E 5/222; see single firms Bd. 24/153 (company **V. C. Dub**)*

### Anmerkung zur Punze Theuer von Jg. Theuer & Sohn (P2273)

Ignaz Theuer (Gewerbsverleihung: 1863) ist von 1864 bis 1866 in den Innungslisten verzeichnet (gest. 1865).

Firmengeschichte:

1863 Protokollierung der Firma „Jg. Theuer & Sohn" im Register für Gesellschaftsfirmen (Gesellschafter: Ignaz Theuer, Metallwarenerzeuger, Johann Theuer, Privat-Ingenieur und Bauunternehmer, Prokurist: Adalbert Richter); über Ableben des Ignaz Theuer (gest. 1865) gelöscht.
1865 „Ign. Theuer & Sohn", Inhaber: Johann Theuer.
1866 Protokollierung der Firma „Jg. Theuer & Sohn Nachfolger A. Richter" (Inhaber: Adalbert Richter, Gold-, Silber- und Juwelenhändler in Wien).
1874 Konkurseröffnung, 1875 Konkurs aufgehoben.
1875 über Geschäftsaufgebung gelöscht.
*(HG Ges 3/500; HG E 7/354; HG E 8/170)*
siehe auch Schiffer & Theuer (S. 230), Jg. Theuer & Sohn (S. 180, 230, 245).

P2273 Jg. Theuer & Sohn
pFa 1863
Taf. VIII-2-12b

### Remarks on the mark Theuer of Jg. Theuer & Sohn (P2273)

Ignaz Theuer (bestowal of trade: 1863) is entered in the guild lists from 1864 to 1866 (died in 1865).

Company history:
1863 registration of the company "Jg. Theuer & Sohn" in the register for partnership companies (partners: Ignaz Theuer, metal wares manufacturer, Johann Theuer, private engineer and building contractor, authorized signatory: Adalbert Richter); dissolution due to the death of Ignaz Theuer (died in 1865).
1865 "Ign. Theuer & Sohn", owner: Johann Theuer.
1866 registration of the company "Jg. Theuer & Sohn Nachfolger A. Richter" (owner: Adalbert Richter, gold silver and jewelry dealer in Vienna).
1874 bankruptcy proceedings opened, suspended in 1875.
1875 dissolution due to end of trade.
*(HG Ges 3/500; HG E 7/354; HG E 8/170)*
see also Schiffer & Theuer (p. 230), Ign. Theuer & Sohn (pp. 180, 230, 245).

P2274 Thaddäus Kinzel
B 1789, G 1792
Taf. II-4-40a

P2275 Thaddäus Kinzel
B 1789, G 1792
Taf. II-4-40b

P2276 Theophil Leutner
B 1846
Taf. VII-1-29

### Anmerkung zur Punze TL von Theophil Franz Leuttner (P2276)

T. F. Leutner (Befugnis 1846, Anheimsagung 1853) ist in den Innungslisten 1847-1853 genannt.
Firmengeschichte:
1852 Protokollierung der Firma „Th. Leuttner".
1856 Löschung der Firma, „da Leuttner bereits 1853 nach Hanau in Hessen ausgewandert ist".
*(MerkG Prot. Bd 8, L 17)*

### Remarks on the mark TL of Theophil Franz Leuttner (P2276)

T. F. Leutner (authorization: 1846, end of trade: 1853) is entered in the guild lists from 1847-1853.
Company history:
1852 registration of the company "Th. Leuttner".
1856 dissolution of the company due to the emigration of Leutner to Hanau in Hessen in 1853.

*(MerkG Prot. Bd 8, L 17)*

P2277 Thomas Mayerhofer
B 1831, M 1835
Taf. VI-5-16

P2278 Thomas Müller
(sen.?), B 1820
Taf. VI-2-8d

P2279 Thomas Mayerhofer
B 1831, M 1835
Taf. IV-3-9

P2280 Thomas Müller
(sen.?), B 1820
Taf. VI-2-8a

P2281 Thomas Müller
(sen.?), B 1820
Taf. VI-2-8b

P2282 Thomas Müller
(sen.?), B 1820
Taf. VI-2-8c

P2283 Thomas Müller
(jun.?), B 1839
Taf. VI-6-44a

P2284 Tobias Mengetti
B 1828
Taf. VI-4-26a

P2285 Tobias Mengetti
B 1828
Taf. VI-4-26b

P2286 Thomas Müller
(jun.?), B 1839
Taf. VI-6-44b

P2287 Thomas Nemet-
schek, B 1841
Taf. VI-8-34

**Anmerkung zur Punze TM von Mengetti und Müller (P2284-2286)**

Die Punze TM im Oval in sehr ähnlicher Gestaltung wurde von Mengetti und Müller verwendet (P2285, 2286, s. auch Monogramme, S. 270). Die Punze von Mengetti (P2285) unterscheidet sich von jener Müllers (P2286) durch ein ausgeprägteres Oval und die untere Überschneidung der Buchstaben T und M. Außerdem kann das Jahr der Befugnisverleihung zur Unterscheidung herangezogen werden (Objekte vor 1839 sind daher Mengetti zuzuordnen, s. S. 270).

**Remarks on the mark TM of Mengetti and Müller (P2284-2286)**

Both Mengetti and Müller used a mark TM in an oval of a very similar image (P2285, 2286, see also monograms p. 270). Mengetti's mark (P2285) shows a very clear oval and an overlapping of the letters T and M thus being different from the mark of Müller (P2286). The year of authorization may also be important for an attribution (objects before 1839 can be attributed to Mengetti, see p. 270).

P2288 Thomas Regscheck
B 1844
Taf. VI-8-9a

P2289 Thomas Regscheck
B 1844
Taf. VI-8-9b

P2290 Thomas Regscheck
1849
Wien, Dorotheum 1909-144

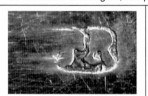

P2291 Thomas Regscheck
1849
Wien, Dorotheum 1926/73

P2292 Thomas Regscheck
1857
Wien, Dorotheum 1962/122

P2293 Triesch (G. F. Triesch oder Firma? / or company?)
Taf. V-5-43f

P2294 Triesch (G. F. Triesch oder Firma? / or company?)
Taf. IV-3-20b

P2295 Triesch & Co.
pFa 1854
Taf. VI-5-43h

P2296 Triesch & Co.
pFa 1854
Taf. VI-5-43i

**Anmerkung zur Punze Triesch sowie TRIESCH & Co (P2293-2296)**

Die Punzen **Triesch, TRIESCH, TRIESCH & Co** können sich auf F. G. Triesch oder Firmen beziehen, an denen er beteiligt war (1854 Protokollierung der Firma **Fr. Triesch & Comp.**, 1859 **Fr. Triesch & Cie.**, 1860 Löschung der Firma, Protokollierung von **Fr. Triesch & Ziegler**, 1861 Löschung der Firma, Protokollierung der Firma **Fr. Triesch, Ziegler & Comp.** (Genaue Firmengeschichte siehe S. 232).

**Remarks on the mark Triesch and TRIESCH & Co (P2293-2296)**

The marks **Triesch, TRIESCH, TRIESCH & Co** could be attributed to F. G. Triesch or companies where he participated. (1854: registration of the company **Fr. Triesch & Comp.**, 1859: **Fr. Triesch & Cie.**, 1860: dissolution of the company, registration of **Fr. Triesch & Ziegler**, 1861: dissolution of this company, registration of the company **Fr. Triesch, Ziegler & Comp.** (detailed company history see p. 232).

P2297 Theodor Schill
M 1857
Taf. VII-5-20

**Anmerkung zur Punze TS von Thomas Scheidl (P2298-2301)**

Thomas Scheidl (Befugnis 1843) ist von 1844-1879 in den Innungslisten genannt (1880: Schikinger Adolf, Thomas Scheidl's Sohn).

Firmengeschichte:
1853 Protokollierung der Firma „Gebr. Scheidl" (Thomas und Philipp Scheidl); 1856 Löschung der Gesellschaft.
*(MerkG Prot. Bd 8, S 96)*

P2298 Thomas Scheidl
B 1843
Taf. VI-7-41a

**Remarks on the mark TS of Thomas Scheidl (P2298-2301)**

Thomas Scheidl (authorization: 1843) is mentioned in the guild lists from 1844-1879 (from 1880 mention of "Schikinger Adolf, Thomas Scheidl's Sohn").

Company history:

1853 registration of the company "Gebr. Scheidl" (Thomas and Philipp Scheidl); 1856 dissolution of the company.
*(MerkG Prot. Bd 8, S 96)*

P2299 Thomas Scheidl
B 1843
Taf. VI-7-41b

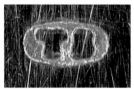

P2300 Thomas Scheidl (?)
1846(?)
Wien, Dorotheum 1909/154

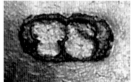

P2301 Thomas Scheidl(?)
1861
Prag, NM H2-2146b

P2302  Josef Tschopp
B 1832
Taf. VI-5-19

P2303  Theodor Zitterhofer
GV 1867
Taf. VIII-4-17

### Anmerkung zur Punze T & Z von Triesch & Ziegler (P2304)

Die Punze T & Z wird auf Punzentafel VIII von dem falsch geschriebenen Firmennamen „Tauch & Ziegler" begleitet.
Die Firma **Triesch & Ziegler** wurde 1860 protokolliert, bereits 1861 wieder gelöscht und von der Firma **Triesch, Ziegler & Comp.** abgelöst (Vorgängerfirmen: siehe S. 232).

*(MerkG Prot. Bd 8, T 23, T 43)*

P2304  Triesch & Ziegler
pFa 1860
Taf. VIII-1-23

### Remarks on the mark T & Z of Triesch & Ziegler (P2304)

The mark T & Z on marks tablet VIII is accompanied by the wrong company name "Tauch & Ziegler".
The company **"Triesch & Ziegler"** was registered in 1860, dissolved already in 1861 and followed by the company **"Triesch, Ziegler & Comp."** (predecessors: see p. 232).

*(MerkG Prot. Bd 8, T 23, T 43)*

P2305  Carl Uhl
M 1836
Taf. IV-3-21

P2306  Vincenz Blasowitz
B 1841, M 1851
Taf. VI-8-5a

P2307  Vincenz Blasowitz
B 1841, M 1851
Taf. VI-8-5b

P2308  Vincenz Czokally
GV 1864
Taf. VIII-2-25

P2309  Vincenz Czokally
GV 1864
Taf. VIII-4-4

P2310  Karl August von der Heiden, M 1844
Taf. IV-4-40

P2311  Vincenz Flach
B 1841, M 1857
Taf. IV-4-18

P2312  Vincenz Gfrerer
B 1862
Taf. VIII-1-53

P2313  Valentin Hausmann
G 1820
Taf. III-4-37

P2314  Punze / mark VH
(Tafel: E Hanel !)
Taf. VIII-4-44

P2315  Vincenz Kuttenauer
G 1818
Taf. III-4-22

P2316  Vincenz Kramar (?)
GV 1867
Taf. VIII-4-46

P2317  Vincenz Mayer
B 1812, G 1822
Taf. III-4-44

### Remarks on the mark V. MAYER of Vincenz Mayer (P2317)

Vincenz Mayer (authorization: 1812, master's title: 1822, end of trade: 1856, died in 1856) is entered in address books and guild lists from 1813 to 1856. Better known than his mark V. MAYER (P2317) is the mark VMS for the company "Vincenz Mayer's Söhne".

Company history (Vincenz Mayer's Söhne):

1856 registration of the gold authorization of Josef Mayer and of the partnership company **Vinzenz Mayer's Söhne** (Josef and Ludwig Mayer), mark VMS.
1860 registration of an addition to the contract.
1868 registration of the company **Vinzenz Mayer's Söhne** (owner Ludwig Mayer) in the register of single firms, dissolution of the general partnership between Josef and Ludwig Mayer. 1873, transfer to the register of partnership companies.
1876 registration of the company **V. Mayer's Sohn & Comp.** (owner: Ludwig Mayer) in the register of single firms, dissolution of the company of the same name in the register of partnership companies.
1882 dissolution of the company due to tax end.

*(MerkG Prot. Bd 9, M 80; HG E 9/38; HG E 14/234; HG Ges 7/32; HG Ges 16/174)*

### Anmerkung zur Punze V. MAYER von Vincenz Mayer (P2317)

Vincenz Mayer (Befugnis 1812, Meisterrecht 1822, Anheimsagung 1856, gest. 1856) ist von 1813 bis 1856 in Adreßbüchern und Innungslisten verzeichnet. Bekannter als seine Punze V. MAYER (P2317) ist das VMS für die Firma Vincenz Mayer's Söhne.

Firmengeschichte (Vincenz Mayer's Söhne):

1856 Protokollierung des Goldarbeiterbefugnisses von Josef Mayer und der Gesellschaftsfirma **Vinzenz Mayer's Söhne** (Josef und Ludwig Mayer), Punze VMS.
1860 Protokollierung des Vertragsnachtrags.
1868 Protokollierung der Firma **Vinzenz Mayer's Söhne** (Inhaber Ludwig Mayer) im Register für „Einzelnfirmen", Löschung der zwischen Josef und Ludwig Mayer bestandenen offenen Gesellschaft; 1873 Übertragung ins Register für Gesellschaftsfirmen.
1876 Protokollierung der Firma **V. Mayer's Sohn & Comp.** (Inhaber: Ludwig Mayer) ins Register für „Einzelnfirmen"; Löschung der gleichlautenden Firma im Register für Gesellschaftsfirmen.
1882 Firma über Steuerabschreibung gelöscht.

*(MerkG Prot. Bd 9, M 80; HG E 9/38; HG E 14/234; HG Ges 7/32; HG Ges 16/174)*

P2318 Vincenz Schader-
beck, G 1793
Taf. III-1-3a

P2319 Vincenz Schader-
beck, G 1793
Taf. VI-4-16

P2320 Vincenz Schader-
beck, G 1793
Taf. III-1-3b

P2321 August Edler von
Weisskirch, M 1834
Taf. IV-3-7

P2322 Vincenz Wetz-
meyer, B 1828
Taf. VI-4-27a

P2323 Vincenz Wetz-
meyer, B 1828
Taf. VI-4-27b

P2324 Christoph Weid-
mann, B 1812
Taf. VI-2-4

P2325 Wilhelm Wolf
B 1846
Taf. VIII-3-33b

P2326 Michael Wiener
G 1817
Taf. III-4-13b

P2327 Michael Wiener (?)
1817
Budapest, IM-57.625

P2328 Michael Wiener (?)
1817
Budapest, IM-57.625

P2329 Michael Wiener (?)
1821
Budapest, NM1954.181

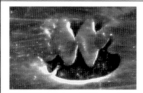

P2330 Michael Wiener (?)
1820
Wien, S. Reisch

P2331 Michael Wiener (?)
18??
Privatbesitz (KJ)

P2332 Matthias Wagner
B 1846
Taf. IV-5-7b

P2333 Wenzel Anton
Ludwig, B 1860
Taf. VIII-1-36

P2334 Wilhelm Adolf
Zempliner, M 1850
Taf. VII-2-13

---

**Anmerkung zur Punze Wallnöfer (P2335 – 2352), siehe S. 237**

Mehrere Generationen der Familie Wallnöfer sind uns als Silberarbeiter bekannt: **Franz Walnefer sen.** (1800 Meister; Landesfabriksbefugnis) gab dem Merkantilgericht im Jahre 1820 seine Namensänderung von „Walnefer" auf „Wallnöfer" bekannt; sein Sohn **Karl Wallnöfer jun.** (1820 Aufnahme ins Gremium) ließ den vollen Schriftzug Wallnöfer auf einer Punzentafel einschlagen (S. 237, P2335). **Franz Walnefer (Wallnöfer) sen.** führte mit seinen Söhnen **Franz Wallnöfer jun.** (1822 Aufnahme ins Gremium) und **Karl Wallnöfer** (s. oben) die Firma „**Franz Wallnöfer & Söhne**", die dann durch die Söhne Franz und Karl als „**Gebr. Carl und Franz Wallnöfer jun.**" weitergeführt wurde (s. unten).

Firmengeschichte:

1828 Protokollierung der Firma „**Franz Wallnöfer & Söhne**" mit Franz Wallnöfer jun. und Karl Wallnöfer.
1838 Umwandlung in Firma „**Gebr. Carl und Franz Wallnöfer jun.**"
1856 Löschung der Firma und Eintragung der Firma „**Carl Wallnöfer**" („**Karl Wallnöfer**"); 1857 Löschung der Firma „**Karl Wallnöfer**".

Die Punze mit dem Schriftzug „Wallnöfer" ist auf Tafel III eingeschlagen (P2335). Auf den erhaltenen Objekten fallen zwei Versionen mit verschieden geschriebenem „r" am Ende des Namens auf: 1821-1824 entspricht dieser Buchstabe dem Punzenbild auf Tafel III, von 1829-1833 wird ein anderes „r" verwendet (P2343 ff.). Da der Name erst 1820 von **Walnefer** auf **Wallnöfer** geändert wurde, sind vor 1820 datierte Objekte mit dem Schriftzug „Wallnöfer" wohl Fälschungen.
Weitere Punzenbilder der Familie Wallnöfer (siehe auch S. 19): CW (S. 142), FW (S. 161, P906-910), Wallnöfer (S. 237), W & S (S. 241, P2438) sowie Doppeladler (S. 249, P2500).

*(MerkG Prot. Akt F3 / W / 125, MerkG Prot. Bd 6, W 20)*

**Remarks on the mark Wallnöfer (P2335-2352), see p. 237**

Several generations of the Wallnöfer silversmith dynasty are known:
**Franz Walnefer Sr.** (master's title: 1800; national factory authorization informed the Mercantile Court in 1820 of the alteration concerning his family name from "Walnefer" to "Wallnöfer". His son **Karl Wallnöfer** (1820 guild entry) had the whole writing of the name Wallnöfer embossed on a marks tablet (p. 237, P2335). The company "Franz Wallnöfer & Söhne" was run by **Franz Walnefer (Wallnöfer), Sr.** and his sons **Franz Wallnöfer, Jr.** (guild entry: 1822) and **Karl Wallnöfer** (see above). The company was taken over by the sons Franz und Karl and named "**Gebr. Carl und Franz Wallnöfer jun.**"

Company history:

1828 registration of the company "**Franz Wallnöfer & Söhne**" with Franz Wallnöfer, Jr. and Karl Wallnöfer.
1838 changed into the company "**Gebr. Carl und Franz Wallnöfer jun.**"
1856 Dissolution of the company and entry of the company "**Carl Wallnöfer**" ("**Karl Wallnöfer**"); 1857 dissolution of the company "**Karl Wallnöfer**".

The mark consisting of the name "Wallnöfer" is embossed on marks tablet III (P2335). Two versions with differently written "r" at the end of the name are known: this letter corresponds to that on the image on the marks tablet III and is found on objects from 1821 to 1824. Another type of "r" is used from 1829-1833 (P2343 et seq.). Objects with the writing "Wallnöfer" before 1820 are most obviously fakes considering that the name was altered from **Walnefer** to **Wallnöfer** in 1820 only.
Other marks of the Wallnöfer family (see also p. 19): CW (p. 142), FW (p. 161, P906-910), Wallnöfer (p. 237), W & S (p. 241, P2438) and double eagle (p. 249, P2500).

*(MerkG Prot. Akt F3 / W / 125, MerkG Prot. Bd 6, W 20)*

P2335  Karl Wallnöfer
G 1820
Taf. III-4-39c

P2336  K. Wallnöfer
1821
Wien, S. Reisch

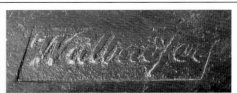

P2337  K. Wallnöfer
1821
Wien, S. Reisch

P2338  Karl Wallnöfer
1821
Wien, HM 49.702

P2339  Karl Wallnöfer
1822?
Budapest, IM 64.222.1.1

P2340  Karl Wallnöfer
1822?
Budapest, IM 64.222.1.2

P2341  Karl Wallnöfer
1824
Wien, Dorotheum 1981/157

P2342  Karl Wallnöfer
1825
Privatbesitz (BJ)

P2343  Karl Wallnöfer
1829
Wien, Dorotheum 1926/72a

P2344  Karl Wallnöfer
1829
Wien, Dorotheum 1926/72b

P2345  Karl Wallnöfer
1829
Wien, HM 49.747

P2346  Karl Wallnöfer
1829
Wien, Dorotheum 1944/96

P2347  Karl Wallnöfer
1829
Wien, HM 49747

P2348  Karl Wallnöfer
1829?
Wien, Dorotheum 1981/115

P2349  Karl Wallnöfer
1830
Privatbesitz (HH)

P2350  Karl Wallnöfer
1830
Wien, Dorotheum 1892/112

P2351  Karl Wallnöfer
1832
Wien, S. Reisch

P2352  Karl Wallnöfer
1833
Wien, Dorotheum 1981/148

P2353 Wenzel Blaschka
G 1790
Taf. I-4-19

P2354 Wenzel Blaschka
G 1790
Taf. II-3-35

P2355 Wilhelm Bitterlich
B 1836, M 1845
Taf. IV-4-49

P2356 Wilhelm Bitterlich
B 1836, M 1845
Taf. VI-8-3a

P2357 Wilhelm Bitterlich
B 1836, M 1845
Taf. VI-8-3b

P2358 Wenzel Babka (?),
(Taf: J. Babka!), B 1837
Taf. VIII-4-22

P2359 Wilhelm Berghaus
B 1812
Taf. VI-1-5

P2360 Wilhelm Berghaus
1821
Wien, Dorotheum 1926/47

P2361 Wilhelm Berghaus
1819
Privatbesitz (EJ)

**Anmerkung zur Punze WB von Wilhelm Berghaus (P2359-2362)**

Wilhelm Berghaus (Befugnis 1812, Anheimsagung 1848) ist von 1813 bis 1844 in Adreßbüchern und Innungslisten genannt. Seine Punze besteht aus den Initialen WB in einem Schild mit horizontal schraffiertem Hintergrund (P2359). Eine Punze von 1821 zeigt diesen Typus noch deutlich (P2360), weitere Beispiele sind nur mehr fragmentarisch erhalten (P2361, 2362).

P2362 Wilhelm Berghaus
18?? (1824?)
Privatbesitz (EJ)

**Remarks on the mark WB of Wilhelm Berghaus (P2359-2362)**

Wilhelm Berghaus (authorization: 1812, end of trade: 1848) is entered in address books and guild lists from 1813 to 1844. His mark consists of the initials WB in a shield with horizontally hatched background (P2359). Whereas a mark of 1821 shows a clear image of this type (P2360) other marks are only preserved as fragments (P2361, 2362).

P2363 Wenzel Chalupetzky
B 1788, G 1792
Taf. II-4-27a

P2364 Wenzel Chalupetzky
B 1788, G 1792
Taf. II-4-27b

P2365 Wenzel Chalupetzky
B 1788, G 1792
Taf. III-3-33b

P2366 Wenzel Chalupetzky?
1821
Budapest, IM 68.282

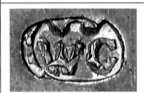

P2367 Wenzel Chalupetzky
B 1788, G 1792
Taf. IV-1-17a

P2368 Wenzel Chalupetzky
B 1788, G 1792
Taf. IV-1-17b

P2369 Wenzel Chalupetzky
B 1788, G 1792
Taf. IV-1-17c

**Anmerkung zur Punze WC von Wenzel Chalupetzky (P2363-2372)**

Wenzel Chalupetzky (geb. Prag, Befugnis Wien 1788, Aufnahme ins Wiener Gremium 1792, gest. 1838 Wien) ist 1792 und von 1801 bis 1835 in den Innungslisten genannt. Seine Steuerleistungen sind von 1789 bis 1812 dokumentiert (von 4 bis 50 Gulden jährlich); nachher Steuerbemessung in Triennien.
Auf den Tafeln sind zahlreiche seiner Punzen zu finden, davon einige verschlagen. Ein Typus zeigt das WC im Querrechteck (P2363-2365), beim anderen Typus stehen die Initialen in einer schildförmigen Umrahmung (P2367-2371). Diese Punzenform ist auch auf einem undeutlich datierten Objekt erhalten (P2372).

P2370 Wenzel Chalupetzky
B 1788, G 1792
Taf. IV-1-17d

P2371 Wenzel Chalupetzky
B 1788, G 1792
Taf. IV-1-17e

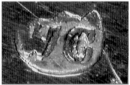

P2372 Wenzel Chalupetzky
18??
Budapest, IM 61.538.1

**Remarks on the mark WC of Wenzel Chalupetzky (P2363-2372)**

Wenzel Chalupetzky (born in Prague, authorization in Vienna: 1788, guild entry in Vienna: 1792, died in 1838 Vienna) is entered in the guild lists of 1792 and from 1801-1835. His tax payments are documented from 1789 to 1812 (4-50 Guilders annually); later assessments in spans of three years.
Many of his marks are embossed on the marks tablets, some of them badly punched. One type shows the WC in a rectangle (P2363-2365), another one puts the initials in a shield shaped frame (P2367-2371). This image is also to be found on an object with an unclear dated hallmark (P2372).

P2373 Wilhelm Christen
B 1846
Taf. VI-8-31

P2374 Wenzel Chott
B 1860
Taf. VIII-1-50

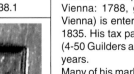

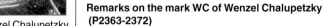

P2375 Wenzel Chott
B 1860
Taf. VIII-2-50

**P2376  Wilhelm Gendle**
B 1844, M 1850
Taf. VII-1-4

**P2377  Wenzel Gutmann**
G 1780
Taf. I-3-38a

**P2378  Wilhelm Grebner**
B 1824, M 1851
Taf. VI-3-41

**Anmerkung zur Punze WG von Wilhelm Grebner sen. (P2378)**

Wilhelm Grebner (Befugnis: 1824, Meisterrecht: 1851) wird in den Innungslisten 1837-1875 genannt.
Firmengeschichte:
1863 Eintragung der Firma „**W. Grebner**" ins Register für „Einzelnfirmen".
1876 Löschung über Ableben des Firmeninhabers und Geschäftszurücklegung.
*(HG E 5/270)*

**P2379  Wenzel Hajek**
GV 1850
Taf. VII-1-25

**P2380  Wilhelm Haarstrick**
M 1851
Taf. VII-2-19

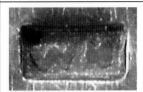

**P2381  Wilhelm Hirschberger, B 1847**
Taf. VII-2-44

**Remarks on the mark WG of Wilhelm Grebner Sr. (P2378)**

Wilhelm Grebner (authorization: 1824, master's title: 1851) is entered in the guild lists from 1837-1875.

Company history:
1863 entry of the company "**W. Grebner**" into the register of single firms.
1876 dissolution due to the owner's death and end of trade.
*(HG E 5/270)*

**P2382  Wolf Heitner**
M 1859
Taf. VIII-1-13

**P2383  Wenzel Huschak**
G 1783
Taf. I-3-43

**P2384  Wolf Heinrich Ranninger, M 1836**
Taf. IV-3-26

**P2385  Eduard Wilken**
M 1837
Taf. VII-3-32a

**P2386  Eduard Wilken**
M 1837
Taf. VII-3-32b

**Anmerkung zu den Punzen WIS von Wenzel Johann Swoboda und Wilhelm Josef Swoboda (P2387-2388)**

**Wenzel Johann Swoboda** (Meisterrecht 1823, gest. 1860) ist von 1824 bis 1860 in den Innungslisten genannt; er ist der Vater von **Wilhelm Josef Swoboda** (Meisterrecht 1859), der von 1862-1866 in den Innungslisten genannt wird.

Firmengeschichte:

1860 Protokollierung der Firma „**W. J. Swoboda & Sohn**" (Wenzel Johann Swoboda und Wilhelm Josef Swoboda), Löschung im selben Jahr; Protokollierung der Firma „**W. J. Swoboda**".
1863 Übertragung der Firma „**W. J. Swoboda**" ins Register für „Einzelnfirmen"
1866 Löschung über Geschäftsaufgabe.

Die Punzen WIS von Vater und Sohn unterscheiden sich vor allem durch die Rahmung.

*(MerkG Prot. Bd 12, S 129; MerkG Prot. Bd 12, S 190; HG E 4/126)*

**P2387  Wenzel Johann Swoboda; M 1823**
Taf. IV-1-13

**P2388  Wilhelm Josef Swoboda; M 1859**
Taf. VIII-1-14

**Remarks on the mark WIS of Wenzel Johann Swoboda and Wilhelm Josef Swoboda (P2387-2388)**

**Wenzel Johann Swoboda** (master's title: 1823, died in 1860) is entered in the guild lists from 1824 to 1860. He is the father of **Wilhelm Josef Swoboda** (master's title: 1859), who is found in the guild lists from 1862-1866.

Company history:

1860 registration of the company "**W. J. Swoboda & Sohn**" (Wenzel Johann Swoboda and Wilhelm Josef Swoboda), dissolution in the same year; registration ot the company "**W. J. Swoboda**".
1863 transfer of the company "**W. J. Swoboda**" into the register of single firms
1866 dissolution due to end of trade.

The marks WIS of Swoboda father and son are distinguished especially by the frame.

*(MerkG Prot. Bd 12, S 129, MerkG Prof. Bd 12, S 190; HG E 4/126)*

**P2389  Wenzel John**
B 1841, M 1850
Taf. VI-7-24a

**P2390  Wenzel John / Franz Schiffer & Sohn, 1852**
Prag, NM H2-159.196

**P2391  Wenzel John**
B 1841, M 1850
Taf. VI-7-24c

**P2392  Wenzel John**
B 1841, M 1850
Taf. VI-7-24b

**P2393  Peter Wilhelm Kremmer, M 1837**
Taf. IV-3-34

**P2394  Wenzel Klug**
M 1851
Taf. VII-3-10

**Anmerkung zur Punze W & K von Walaschek & Kämpf (P2395)**

Mathias Walaschek und Georg Kämpf erhielten 1867 die Gewerbsverleihung. Walaschek ist von 1868-1870 in den Innungslisten vertreten, Kämpf von 1868-1898 (ab 1895: Nichtbetrieb). Sie führten jeder eine eigene Punze (MW = P2069, S. 222; GK = P991, S. 166). Wann sie sich zu einer – offensichtlich nicht protokollierten – Firma zusammenschlossen, ist unbekannt. Die Punze W & K (P2395) ist auf Punzentafel VIII nur mehr fragmentarisch erhalten.

P2395  Wallaschek &
Kämpf, GV 1867
Taf. VIII-4-7

**Remarks on the mark W & K of Walaschek & Kämpf (P2395)**

Mathias Walaschek and Georg Kämpf got their bestowal of trade in 1867. Walaschek is entered in the guild lists from 1868-1870, Kämpf from 1868-1898 (1895: no business) They used their own separate marks (MW = P2069, p. 222, GK = P991, p. 166). The start of their cooperation is as unknown as the registration of a company.
The mark W & K (P2395) on marks tablet VIII is badly damaged.

| | | | | |
|---|---|---|---|---|
| <br>P2396  Wenzel Massebost<br>B 1790, G 1792<br>Taf. II-4-43a | <br>P2397  Wenzel Massebost<br>B 1790, G 1792<br>Taf. II-4-43b | <br>P2398  Wenzel Massebost<br>1803<br>Privatbesitz (EJ) | | <br>P2399  Wilhelm Meth<br>B 1832, M 1850<br>Taf. VI-5-18 |
| <br>P2400  Wenzel Mayer<br>B 1826<br>Taf. VI-4-6b | <br>P2401  Wenzel Mayer<br>B 1826<br>Taf. VI-4-6a | <br>P2402  Wenzel Mayer<br>18??<br>Wien, HM 71.089/2 | | 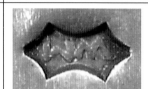<br>P2403  Wilhelm Ferdinand<br>Mierke, B 1844<br>Taf. VI-8-16 |
| <br>P2404  Wenzel Nachtmann<br>G 1798<br>Taf. III-1-27 | <br>P2405  Wenzel Nacht-<br>mann?, 1816<br>Privatbesitz (EJ) | <br>P2406  Wilhelm Pöller?<br>1821 (B 1821)<br>Wien, Dorotheum 1944/99 | <br>P2407  Wilhelm Pöller?<br>1821 (B 1821)<br>Wien, Dorotheum 1944/99 | <br>P2408  Wilhelm Pöller?<br>1821 (B 1821)<br>Wien, HM 49.704/1 |
| <br>P2409  Wenzel Pospischil<br>B 1861<br>Taf. VIII-1-25a | <br>P2410  Wenzel Pospischil<br>B 1861<br>Taf. VIII-1-25b | <br>P2411  Punze / mark WR<br>(Wilhelm Ramsch? B 1839)<br>Taf. VI-2-0 | 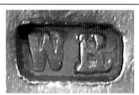<br>P2412  Wilhelm Rüdorf<br>M 1858<br>Taf. VII-5-36 | <br>P2413  Wilhelm Schill<br>M 1845<br>Taf. IV-4-47 |
| <br>P2414  Wilhelm Streithoff<br>G 1801<br>Taf. III-1-45 | <br>P2415  Wilhelm Steinbach<br>B 1843<br>Taf. VI-8-39 | <br>P2416  Wenzel Schindler<br>M 1853<br>Taf. VII-3-27 | 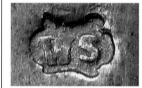<br>P2417  Wilhelm Schwegerl<br>G 1772<br>Taf. I-2-41 | <br>P2418  Punze / mark WS?<br>181?<br>Wien, S. Reisch |
| 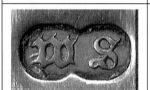<br>P2419  Wilhelm Siebmann<br>B 1841<br>Taf. VI-7-28 | <br>P2420  Wenzel Schliss<br>B 1827<br>Taf. VI-2-29a | <br>P2421  Wenzel Schliss<br>B 1827<br>Taf. VI-2-29b | <br>P2422  Wilhelm Skaupy<br>M 1857<br>Taf. VII-5-16a | <br>P2423  Wilhelm Skaupy<br>M 1857<br>Taf. VII-5-16b |

### Anmerkung zur Punze WS von Wilhelm Schwegerl (P2417, 2424-2437)

Wilhelm Schwegerl (1772 Aufnahme ins Gremium) ist bis 1827 in den Innungslisten zu finden. Von 1774 bis 1812 betrugen seine Steuerleistungen zwischen 2 und 30 Gulden jährlich. Das Queroval seiner Punze mit den Initialen WS ist oben und unten leicht eingeschwungen (P2424); bisher konnte ich seine Punze auf Objekten finden, die 1780-96 und 1821 datiert sind. Die zweite Punze (P2417, S. 240) von Tafel I ist die ältere und zeigt eine aufwendigere Umrahmung.

P2424 Wilhelm Schwegerl
G 1772
Taf. II-2-6

### Remarks on the mark WS of Wilhelm Schwegerl (P2417, 2424-2437)

Wilhelm Schwegerl (guild entry: 1772) is entered in the guild lists until 1827. His tax payments are documented from 1774 to 1812 (annually 2-30 Guilders). The horizontal oval of his mark with the initials WS is slightly curved on top and bottom (P2424). So far I found his marks on objects dated 1780-1796 and 1821. The second mark (P2417, p. 240) on marks tablet I is the earlier one and shows a more complicated frame.

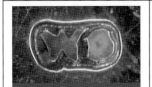

P2425 Wilhelm Schwegerl
1780
Privatbesitz (KG)

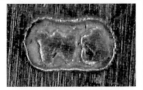

P2426 Wilhelm Schwegerl
1796
Wien, Dorotheum 1909/62

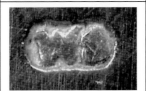

P2427 Wilhelm Schwegerl
1796
Wien, Dorotheum 1909/62

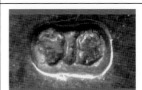

P2428 Wilhelm Schwegerl
1796
Privatbesitz (BK)

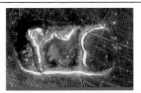

P2429 Wilhelm Schwegerl
1796
Privatbesitz (BK)

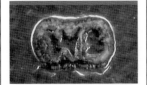

P2430 Wilhelm Schwegerl
1796
Privatbesitz (BA)

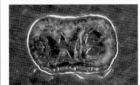

P2431 Wilhelm Schwegerl
1796
Privatbesitz (BA)

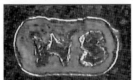

P2432 Wilhelm Schwegerl
1796
Privatbesitz (BA)

P2433 Wilhelm Schwegerl
1797
Budapest, IM 69.1045

P2434 Wilhelm Schwegerl
1797
Budapest, IM 69.1047

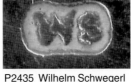

P2435 Wilhelm Schwegerl
1796
Privatbesitz (BA)

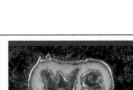

P2436 Wilhelm Schwegerl
1796
Privatbesitz (BA)

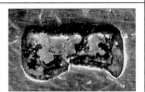

P2437 Wilhelm Schwegerl
1821
Budapest, NM 55.138

### Anmerkung zur Punze W & S: Wallnöfer & Söhne (P2438)

Auf der Punzentafel III steht der Name K. Wallnöfer neben der Punze W & S. Aus der Firmengeschichte ist zu entnehmen, daß es sich bei der Punze wohl um die Firma „Wallnöfer & Söhne" handelt, die 1828 für Karl Wallnöfer und Franz Wallnöfer jun. protokolliert wurde (1838 Umwandlung in die Firma „Gebr. Carl und Franz Wallnöfer jun.", Löschung 1857); s. CW (S. 142, P549) sowie „Wallnöfer" (S. 237).
*(MerkG Prot. Akt F3 / W / 125)*

P2438 Wallnöfer & Söhne
pFa 1828
Taf. III-4-39d

### Remarks on the mark W & S: Wallnöfer & Söhne (P2438)

Next to the mark W & S on marks tablet III the name "K. Wallnöfer" is embossed. Considering the company history this is obviously the mark of the company "Wallnöfer & Söhne" registered in 1828 for Karl Wallnöfer and Franz Wallnöfer, Jr. (1838: transformation into the company "Gebr. Carl und Franz Wallnöfer jun.," dissolution in 1857); see also mark CW (p. 142, P549) and "Wallnöfer" (p. 237).
*(MerkG Prot. Akt F3 / W / 125)*

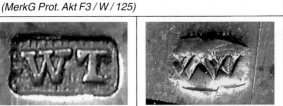

P2439 Wilhelm Tennemann, B 1841
Taf. VII-3-39

P2440 Willibald Weitzmann, G 1755
Taf. I-1-37

P2441 Wilhelm Wolf
B 1846
Taf. VIII-3-33a

P2442 Wenzel Winter
B 1839
Taf. VI-6-43

P2443 Franz Xaver Storr
G 1785
Taf. II-3-6b

P2444 Franz Xaver Storr
G 1785
Taf. I-3-49a

P2445 Franz Xaver Storr
G 1785
Taf. II-3-6a

### Anmerkung zur Punze AIW im Doppeladler von Alois Johann Nepomuk Würth (P2446)

Von Alois Johann Nepomuk Würth aus der Gold- und Silberschmiede-Dynastie Würth (Wirth) sind auf der Punzentafel III mehrere Punzen verschiedener Form überliefert (siehe S. 119). Würth erhielt 1804 das Meisterrecht, ist bis 1831 in den Innungslisten genannt und starb 1833.
Der auf der Punzentafel III eingeschlagene Doppeladler ist oben durch die vertiefte Unterteilung der Tafel beschädigt; deutlich zu erkennen sind aber die Initialen AIW sowie Szepter und Flügel des zweiköpfigen Adlers.

P2446 Alois Johann Nepomuk Würth, G 1804
Taf. III-2-27c

### Remarks on the mark AIW in a double eagle of Alois Johann Nepomuk Würth (P2446)

On marks tablet III several marks of different shapes are embossed for Alois Johann Nepomuk Würth from the well-known gold and silversmith dynasty Würth (Wirth), see p. 119. A. J. N. Würth (master's title: 1804) is entered in the guild lists until 1831. He died in 1833.
The double eagle on marks tablet III is damaged by the indentation of the tablet's subdivision. Nevertheless we clearly distinguish the initials AIW, the scepter and the wings of the double headed eagle.

### Anmerkung zur Punze BNR WR im Doppeladler von Benedikt Nikolaus und Wolf Heinrich Ranninger (P2447)

Mehrere Punzentypen kennzeichnen die Objekte von **Benedikt Nikolaus Ranninger:** die Punze mit zwei Initialen (BR, s. S. 134, P393, 394) sowie drei Initialen (BNR, S. 133), und eine Doppeladler-Punze, die er offensichtlich mit seinem Neffen Wolf Heinrich Ranninger führte (s. P2447).
Benedikt Nikolaus Ranninger war Galanterie-Waaren-Fabrikant von Gold und Silber und erhielt 1814 sein Befugnis. Von 1814 bis 1845 ist er in den Adreßbüchern bzw. Innungslisten verzeichnet. 1845 erfolgte die Anheimsagung.
Die Zahl der erhaltenen Objekte läßt auf eine umfangreiche Produktion schließen, ebenso die Punzen, die offenbar in schneller Folge ersetzt werden mußten.
**Wolf Heinrich Ranninger** (Meisterrecht 1836) ist ab 1837 in den Innungslisten genannt, 1840-1850 als „abwesend" bezeichnet, 1839, 1847-1849 wird „zeitweiser Nichtbetrieb" vermerkt.
Die Initialen (BNR WR) der Punze mit dem Doppeladler deuten auf eine enge Zusammenarbeit von Benedikt Ranninger und seinem Neffen Wolf Heinrich; auf der Tafel ist neben der Punze der Name „Bene. Ranninger" angegeben. Wenn man die Zeiten des „Nichtbetriebs" bzw. der Abwesenheit von Wolf Heinrich berücksichtigt, so war die Punze wohl nicht allzulange in Gebrauch.

P2447 Benedikt Nikolaus und / and Wolf Heinrich Ranninger
Taf. VI-1-25a

### Remarks on the mark BNR WR in the double eagle of Benedikt Nikolaus Ranninger and Wulf Heinrich Ranninger (P2447)

Objects of **Benedikt Nikolaus Ranninger** can be identified by different types of marks: one mark consists of the two initials (BR, see p. 134, P393, 394), another of three initials (BNR, p. 133). A double eagle mark with the letters BNR WR obviously documents the co-operation with his nephew Wulf Heinrich Ranninger (P2447).
Benedikt Nikolaus Ranninger was a fancy goods manufacturer of gold and silver and got his authorization in 1814. He is entered in address books and guild lists from 1814 to 1845 (end of trade: 1845).
Numerous surviving objects are the evidence of an extensive production and of a considerable quantity of marks obviously replaced quite often.
**Wolf Heinrich Ranninger** (master's title: 1836) is entered in the guild lists from 1837; from 1840-1850 he is mentioned as "absent". "No business" is noted for 1839 and 1847-1849.
The initials BNR WR of the double eagle mark obviously prove a close cooperation of Benedikt Ranninger with his nephew Wolf Heinrich although on the marks tablet only the name "Bene. Ranninger" is found next to the mark.
Considering the times of no business or the absence of Wolf Heinrich we may conclude that the mark was only used for a short time.

### Anmerkung zur Punze IS im Doppeladler von Ignaz Josef Schmidt (P2448, 2449)

Der k. k. Hof-Goldgalanteriearbeiter Ignaz Josef Schmidt (Meisterrecht: 1802, gest. 1836) ist von 1803 bis 1836 in den Innungslisten verzeichnet. Von 1803 bis 1812 sind jährliche Steuerzahlungen von 3 bis 25 Gulden angegeben.
An Punzen führte er die Initialen IIS (siehe S. 183, P1269), die sich durch den Punkt nach dem S vom IIS des Josef Siess (S. 183, P1266-1268) unterscheiden.
Der Doppeladler (P2448, 2449) mit den Initialen IS ist aufgrund seiner Sechseckrahmung unverkennbar.

P2448 Ignaz Josef Schmidt, G 1802
Taf. III-2-13aa

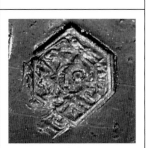

P2449 Ignaz Josef Schmidt, G 1802
Taf. III-2-13ab

### Remarks on the mark IS in the double eagle of Ignaz Josef Schmidt (P2448, 2449)

Ignaz Josef Schmidt, imperial royal court gold fancy goods manufacturer (master's title: 1802, died in 1836) is entered in the guild lists from 1803 to 1836. His annual tax payments are documented from 1803 - 1812 (3 - 25 Guilders).
He used the initials IIS as a mark (see p. 183, P1269) distinguishable from the IIS mark of Josef Siess (p. 183, P1266-1268) by a dot after the S.
The double eagle mark of Schmidt (P2448, 2449) is unmistakable because of its hexagonal frame.

### Anmerkung zur Punze IW im Doppeladler von Jakob Weiss (P2450-2463)

Jakob Weiß (Befugnis 1833) ist von 1837 bis 1847 in den Innungslisten verzeichnet.
1833 wurde der „bgl. Gürtler u Broncearbeiter" wegen Verkaufs von unpunziertem Silber angezeigt (HR 421/1833).

Firmengeschichte:

1844 Zurücklegung des einfachen Fabriksbefugnisses (HR 528/1844) und Protokollierung der „Landesfabriksbefugniß zur Erzeugung von Gold- u. Silberwaaren".
1845 Weisung über das Gesuch um Firma- und Prokura-Protokollierung.
1848 Protokollierung der Firma **„Jakob Weiß seel Wittwe"** nach dem Tod von Jakob Weiß.

Die Doppeladler-Punze von Jakob Weiß ist durch das IW deutlich gekennzeichnet; während die Punze auf Tafel VI (P2450) keine geschlossene Kontur zeigt, sind die auf Objekten erhaltenen Punzen (1833? bis 1840) hochoval gerahmt (P2451-2463).

(HR 528/1844; MerkG Prot. Bd 6, W 65 )

P2450  Jakob Weiss
B 1833
Taf. VI-5-24

### Remarks on the mark IW in a double eagle of Jakob Weiss (P2450-2463)

Jakob Weiß (authorization: 1833) is entered in the guild lists from 1837 to 1847.
Mentioned in 1833 as a "bgl. Gürtler u Broncearbeiter" ("gürtler" and bronze worker) he was accused of selling unmarked silver (HR 421/1833).

Company history:

1844 surrender of the common factory authorization (HR 528/1844) and registration of the national factory authorization for the production of gold and silver wares.
1845 instruction concerning the application for registration of the company and the power of attorney.
1848 registration of the company "**Jakob Weiß seel Wittwe**" after the death of Jakob Weiß.

The double eagle mark of Jakob Weiß is clearly characterized by the IW. Although the mark on marks tablet VI shows an irregular contour (P2450) the oval shape of the marks on objects (1833? until 1840) is quite clear (P2451-2463).

(HR 528/1844; MerkG Prot. Bd 6, W 65 )

P2451  Jakob Weiss
1833?
Wien, WKA, 21/368

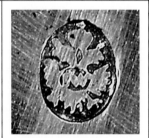

P2452  Jakob Weiss
1833?
Wien, WKA, 21/368

P2453  Jakob Weiss
1838
Wien, Dorotheum 1909/120

P2454  Jakob Weiss
1838
Privatbesitz (FL)

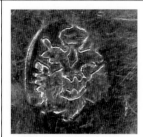

P2455  Jakob Weiss
18?9
Privatbesitz (KJ)

P2456  Jakob Weiss?
1840 (= 1840-1842)
Wien, Dorotheum 1892/78

P2457  Jakob Weiss
1840 (= 1840-1842)
Prag, MhMP 51.590

P2458  Jakob Weiss
1840 (= 1840-1842)
Privatbesitz (KJ)

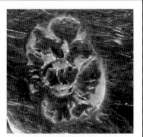

P2459  Jakob Weiss
18??
Privatbesitz (KJ)

P2460  Jakob Weiss
18??
Privatbesitz (KF)

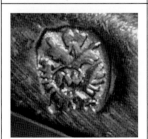

P2461  Jakob Weiss
1840 (= 1840-1842)
Wien, Dorotheum 1962/98

P2462  Jakob Weiss
1840 (= 1840-1842)
Wien, Dorotheum 1962/98

P2463  Jakob Weiss
1840 (= 1840-1842)
Wien, Dorotheum 1962/98

### Anmerkung zur Doppeladler-Punze von Franz Schiffer (P2464-2568)

Franz Schiffer (geb. 1800 Essen, gest. 1854) erhielt sein Befugnis 1827, das Meisterrecht 1832; in den Innungslisten ist er von 1833-1854 vertreten; 1846 wurde ihm der Titel eines „k. k. Hof-Gold und Silberarbeiters" verliehen. Die Steuerabmeldung erfolgte 1855.

Die in drei Varianten auf Tafel IV eingeschlagene Doppeladler-Punze zeigt den Adler in hochovaler Rahmung. Auffallend ist das Fehlen von Initialen im Brustschild des Adlers (im Gegensatz zu den Punzen anderer Firmen auf S. 242, 243). Zwei auf Objekten erhaltene Doppeladler-Punzen lassen sich wegen der Datierung ins Jahr 1855 der Firma „Franz Schiffer & Sohn" (Fortführung durch die Witwe, Franz Schiffer war 1854 verstorben) zuschreiben.

Firmengeschichte:

1851 Protokollierung der Firma **„Franz Schiffer und Sohn k. k. Hof- und bürgl. Gold und Silberarbeiter"** (Franz Schiffer und Sohn Eduard Schiffer).

1855 Löschung der früheren Verträge und Errichtung einer öffentlichen Gesellschaft zwischen der Witwe Franziska Schiffer und Eduard Schiffer zur Fortführung der Firma „Franz Schiffer und Sohn k. k. Hof- und bürgl. Gold und Silberarbeiter".

1860 Löschung der Sozietätsfirma „Franz Schiffer & Sohn".

*(MerkG Prot. Bd 8, S 46)*

P2464  Franz Schiffer
B 1827, M 1832
Taf. IV-2-43a

P2465  Franz Schiffer
B 1827, M 1832
Taf. IV-2-43b

### Remarks on the double eagle mark of Franz Schiffer (P2464-2468)

Franz Schiffer (born 1800 Essen, died in 1854, authorization: 1827, master's title: 1832) is entered in the guild lists from 1833-1854; 1846, award of the title "royal imperial court gold and silversmith"; tax end: 1855.

The double eagle mark (an eagle in an upright oval frame) is embossed on marks tablet IV in three variations. The missing of initials in the shield of the eagle is remarkable (contrary to the marks of other companies, see pp. 242, 243).

Two double eagle marks on objects dated 1855 can therefore be attributed to the company "Franz Schiffer & Sohn" (continued by the widow; Franz Schiffer died in 1854).

Company history:

1851 registration of the company **"Franz Schiffer und Sohn k. k. Hof- und bürgl. Gold und Silberarbeiter"** (Franz Schiffer and son Eduard Schiffer).

1855 dissolution of earlier contracts and founding of a general partnership between the widow Franziska Schiffer and Eduard Schiffer to continue the company "Franz Schiffer und Sohn k. k. Hof- und bürgl. Gold und Silberarbeiter".

1860 dissolution of the partnership company **"Franz Schiffer & Sohn"**.

*(MerkG Prot. Bd 8, S 46)*

P2466  Franz Schiffer &
Sohn, 1855
Wien, Dorotheum 1962/99

P2467  Franz Schiffer &
Sohn, 1855
Wien, HM 94.361

P2468  Franz Schiffer
B 1827, M 1832
Taf. IV-2-43c

### Anmerkung zur Doppeladler-Punze von Eduard Schiffer (P2469-2470)

Eduard Schiffer (Meisterrecht 1856) ist in den Innungslisten 1857-1867 vertreten. Charakteristisch ist die Vierpaßform seiner Doppeladlerpunze (P2469), s. auch ein Objekt von 1857 (P2470).

Firmengeschichte:
1851 Protokollierung der Firma **„Franz Schiffer & Sohn"**, auch Witwenfortbetrieb, s. Franz Schiffer, Löschung 1860
1858 Protokollierung der Firma **„Schiffer & Dub"** (siehe Punze S & D, S. 227, P2186-2188), Gesellschafter: Eduard Schiffer (Meisterrecht 1856) und Thomas Dub (Befugnis 1839, Meisterrecht 1851).
1860 Protokollierung der Firma **„Eduard Schiffer"**, Löschung 1862.
1863, 29. September: Protokollierung der Firma **„Eduard Schiffer & Theuer"** (Offene Gesellschaft seit 1. 1. 1862). Gesellschafter: Eduard Schiffer, k. k. Hof- und landesbef. Gold- und Silberwarenfabrikant und Johann Theuer, Privatingenieur und Bauunternehmer; Löschung der Firma am 16. Oktober 1863.
1863 Eintragung der Firma **„Eduard Schiffer"** ins Register für „Einzelnfirmen".
1865 Eröffnung des Konkurses, der 1870 wieder aufgehoben wurde.
1888 Löschung der Firma „über Steuerabschreibung".

*(HG Ges 3/12)*

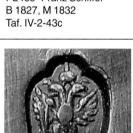

P2469  Eduard Schiffer
M 1856
Taf. VII-4-32b

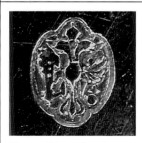

P2470  Eduard Schiffer
1857
Budapest, IM 64.193.1

### Remarks on the double eagle mark of Eduard Schiffer (P2469-2470)

Eduard Schiffer (master's title: 1856) is entered in the guild lists from 1857-1867. The quatrefoil frame of his double eagle mark is very typical (P2469), also on an object of 1857 (P2470).

Company history:

1851 registration of the company **"Franz Schiffer & Sohn"**, also continuation by the widow, see Franz Schiffer, dissolution 1860.
1858 registration of the company **"Schiffer & Dub"** (see mark S & D, p. 227, P2186-2188), partners: Eduard Schiffer und Thomas Dub (authorization: 1839, master's title: 1851).
1860 registration of the company **"Eduard Schiffer,"** dissolution: 1862.
1863, 29 September: registration of the company **"Eduard Schiffer & Theuer"** (general partnership since 1 January 1862, partners: Eduard Schiffer, imperial royal court gold and silver manufacturer with national factory authorization and Johann Theuer, private engineer and building constructor, dissolution of the company 16th October 1863.
1863 entry of the company **"Eduard Schiffer"** into the register for single firms.
1865 bankruptcy proceedings were opened and suspended in 1870.
1888 dissolution of the company due to tax end.

*(HG Ges 3/12)*

## Anmerkung zur Doppeladler-Punze von Schiffer & Theuer (P2471-2474)

Für die von Eduard Schiffer und Johann Theuer geleitete Firma sind mehrere Punzen auf Tafel VIII eingeschlagen (P2471, 2472, siehe auch S. 230, P2225-2227); die Form des Doppeladlers ist ungewöhnlich breit; die Verbindung mit den Buchstaben S. & Th. war offenbar obligatorisch, was auch aus einer Punze auf einem Objekt von 1863 ersichtlich ist (P2473).

Den Handelsregister-Eintragungen zufolge existierte diese Firma nur 1862 und 1863; dies erleichtert die Zuordnung von Objekten mit undeutlicher Jahreszahl in der Wiener Punze.

Firmengeschichte:

1863, 29. September: Protokollierung der Firma „**Eduard Schiffer & Theuer**" (Offene Gesellschaft seit 1. 1. 1862). Gesellschafter: Eduard Schiffer, k. k. Hof- und landesbef. Gold- und Silberwarenfabrikant und Johann Theuer, Privatingenieur und Bauunternehmer.
1863, 16. Oktober: Löschung der Firma.

*(HG Ges 3/12)*

P2471  Schiffer & Theuer
pFa 1862
Taf. VIII-2-3a

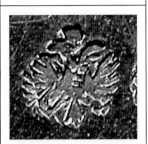

P2472  Schiffer & Theuer
pFa 1862
Taf. VIII-2-3c

## Remarks on the double eagle mark of Schiffer & Theuer (P2471-2474)

Several marks are embossed on marks tablet VIII for the company directed by Eduard Schiffer and Johann Theuer (P2471, 2472, see also p. 230, P2225-2227); the shape of the double eagle is remarkably large. The combination with the letters S. & Th. obviously was obligatory considering the mark on an object of 1863 (P2473).
Due to the entries in the register of commerce the company only existed 1862 and 1863. Therefore the attribution of objects with unclear year date in the Viennese hallmark is quite easy.

Company history:

1863 29 September: registration of the company "**Eduard Schiffer & Theuer**" (general partnership since 1 January 1862, partners: Eduard Schiffer, imperial royal court gold and silver manufacturer with national factory authorization and Johann Theuer, private ingeneer and building constructor. 1863, 16 October: dissolution of the company.

*(HG Ges 3/12)*

P2473  Schiffer & Theuer
1863
Wien, HM 118.001/1

P2474  Schiffer & Theuer
1863
Wien, HM 118.001/1

## Anmerkung zur Doppeladler-Punze der Firma Jg. Theuer & Sohn (P2475)

Ignaz Theuer (Befugnis: 1863) ist von 1864 bis 1866 in den Innungslisten verzeichnet (gest. 1865).

Firmengeschichte:

1863: Protokollierung der Firma „**Jg. Theuer & Sohn**" im Register für Gesellschaftsfirmen (Gesellschafter: Ignaz Theuer, Metallwarenerzeuger, Johann Theuer, Privat-Ingenieur und Bauunternehmer, Prokurist: Adalbert Richter); über Ableben des Ignaz Theuer (gest. 1865) gelöscht.

1865 „Ign. Theuer & Sohn", Inhaber: Johann Theuer.

1866: Protokollierung der Firma „**Jg. Theuer & Sohn Nachfolger A. Richter**" (Inhaber: Adalbert Richter, Gold-, Silber- und Juwelenhändler in Wien).

1874 Konkurseröffnung, 1875 Konkurs aufgehoben.

1875 über Geschäftsaufgabe gelöscht.

Neben der Doppeladler-Punze (P2475) wurde auch die Punze „Ig. Th. & S." von der Firma „Ig. Theuer & Sohn" verwendet (S. 180, P1224, 1225).

*(HG Ges 3/500; HG E 7/354; HG E 8/170)*

P2475  Jg. Theuer & Sohn
pFa 1863
Taf. VIII-2-12c

## Remarks on the double eagle mark of the company Jg. Theuer & Sohn (P2475)

Ignaz Theuer (authorization: 1863) is entered in the guild lists from 1864 to 1866 (died in 1865).

Company history:

1863 Registration of the company "**Jg. Theuer & Sohn**" in the register for partnership companies (partners: Ignaz Theuer, metal wares manufacturer, Johann Theuer, private engineer and building contractor, authorized signatory: Adalbert Richter); dissolution due to the death of Ignaz Theuer (1865).

1865 "Ign. Theuer & Sohn", owner: Johann Theuer.

1866 registration of the company "**Jg. Theuer & Sohn Nachfolger A. Richter**" (owner: Adalbert Richter; gold, silver and jewelry dealer in Vienna).

1874 bankruptcy proceedings opened, suspended 1875 .

1875 dissolution due to end of trade.

The company "Ig. Theuer & Sohn" used the double eagle mark (P2475) as well as the mark "Ig. Th. & S." (p. 180, P1224, 1225).

*(HG Ges 3/500; HG E 7/354; HG E 8/170)*

# CIRCULARE

## vom k. k. Kreisamte

## des V. U. M. B.

Ueber die Fälle, in welchen den Inhabern von Erfindungsprivilegien die Führung des kaiserlichen Adlers zu gestatten ist.

Ueber die Beschwerde mehrerer Inhaber von Erfindungsprivilegien gegen die Entscheidung der hohen Landesstelle: daß ihnen die Führung des kaiserlichen Adlers auf den Aushängtafeln bey ihren Verschleißörtern und Niederlagen nicht zustehe, hat die hohe Commerzhofcommißion unterm 27. v. M. folgende Weisung erlassen:

Die Führung des kaiserlichen Adlers sey ein Vorrecht der Inhaber von Landesfabriks=Befugnißen.

Landesfabriks=Befugniße werden nur nach vorläufiger genauen Erhebung eines bedeutenden Umfanges der Fabrikation, einer großen Anzahl der dabey beschäftigten Arbeiter, eines beträchtlichen Betriebs=Capitals, und einer entsprechenden Qualität der Erzeugniße verliehen.

Diese bedingte Verleihungsart erlaube es auch der Staatsverwaltung, die sohinnigen Etablissements durch die Bewilligung zur Führung des kaiserlichen Adlers dem Publikum gleichsam zu empfehlen.

Dagegen gehe der Verleihung von Privilegien, keine ämtliche Untersuchung über den Werth der betreffenden Erfindungen, Entdeckungen und Verbesserungen, oder über die Verhältniße ihrer Ausführung voraus, sondern die Verleihung erfolgt lediglich auf Gefahr und Verantwortung der Parteyen. Rücksichtlich der privilegirten Unternehmungen erhalte also die Staatsverwaltung, aus dem Acte der Verleihung nicht diejenige Beruhigung, welche erfordert wird, um ihnen eine öffentliche, auf die Meinung des Publikums einwirkende Auszeichnung zu gewähren.

Den Privilegien=Inhabern könne daher das auch in dem allerhöchsten Patente vom 8. December 1820 nicht erwähnte

Recht zur Führung des kaiserlichen Adlers auf den Aushängtafeln an und für sich keineswegs zugestanden werden.

Insoferne jedoch einzelne Privilegien=Inhaber dem Betriebe ihrer Unternehmungen, die, der fraglichen Auszeichnung würdige Ausdehnung und Solidität zu verschaffen bedacht waren, oder noch seyn werden; bleibe es ihnen unbenommen, um eine besondere Bewilligung zur Führung des kaiserlichen Adlers einzuschreiten, worauf von Fall zu Fall die nöthige Erhebung eingeleitet, und bey einem befriedigenden Resultate die angesuchte Bewilligung nicht versagt werden wird.

Hiervon werden die Dominien in Folge des hohen Regierungs=Dekretes vom 11. December d. J. mit dem Auftrage in die Kenntniß gesetzt, daß sie hiernach alle Anmaßungen, welche sich ein Privilegirter gegen diese Vorschrift erlauben sollte, gehörig abzustellen haben.

Kreisamt Kornneuburg den 28. Dezember 1823.

Czech,
Kreishauptmann.

Grabmayer,
Kreiscommißär.

Abb. 844 „Circular" über die Führung des kaiserlichen Adlers (ein Vorrecht der Inhaber von Landesfabriksbefugnissen; solche Befugnisse werden nur bei bedeutendem Umfang der Fabrikation, großer Zahl von Arbeitern, beträchtlichem Betriebskapital und entsprechender Qualität der Erzeugnisse verliehen. Privilegieninhaber können ebenfalls um die Bewilligung zur Führung des kaiserlichen Adlers ansuchen).

Ill. 844 "Circular" about bearing the imperial eagle (a honor awarded to holders of national factory authorization; such authorization is only awarded to companies with an important volume of production, large number of workers, considerable capital and corresponding quality. Privilege holders can also apply for a permit to bear the imperial eagle).

**Anmerkung zur Doppeladler-Punze
von Stefan Mayerhofer (P2476-2486)**

Auf die Tafel VI sind sieben Punzen eingeschlagen, die mit Stephan Mayerhofer bzw. Mayerhofer & Klinkosch in Verbindung zu bringen sind (siehe S. 15-17). Diese sieben Punzen (VI-1-12a-g) sind nicht in der Chronologie ihrer Verwendung eingeschlagen, wie wir aus der Kennzeichnung von Objekten ersehen (S. 16, Abb. 86).

Der **Doppeladler** mit dem M im Zentrum ist auf Objekten von 1821 bis 1832 zu finden; Mayerhofer hatte bereits 1804 für eine Vorgängerfirma die Erlaubnis zur Führung des kaiserlichen Adlers erhalten. 1805 erhielt er (als Plattierer) das „förmliche Landesfabriks-Befugniß mit allen Vorzügen".

P2476 Stephan Mayerhofer, B 1825, Priv. 1822, 1823, Taf. VI-1-12c

**Remarks on the double eagle mark of
Stefan Mayerhofer (P2476-2486)**

On marks tablet VI seven marks are embossed which can be connected with Stephan Mayerhofer or Mayerhofer & Klinkosch (see pp. 15-17). Regarding the marking of objects we learn that these seven marks (VI-1-12a-g) were not entered in the chronology of their use (p. 16, ill. 86).

The **double eagle** with the central letter M is documented on objects from 1821 to 1832. For an earlier business Mayerhofer already was awarded the right to use the imperial eagle. In 1805 he got the formal national factory authorization with all advantages (as manufacturer of plated goods).

P2477 Stephan Mayerhofer, B 1825, Priv. 1822, 1823, Taf. VI-1-12d

Abb. 845 Siegel der Firma von Stephan Mayerhofer WSTLA, Merkantil- und Wechselgericht, F3 / M / 91, Nr. 4306/1808

III. 845 Seal of Stephan Mayerhofer's company WSTLA, Merkantil- und Wechselgericht, F3 / M / 91, Nr. 4306/1808

P2478 Stephan Mayerhofer 1821 Privatbesitz (EJ)

P2479 Stephan Mayerhofer? 1821 Wien, Dorotheum 1909/116

P2480 Stephan Mayerhofer 1824 Privatbesitz (EJ)

P2481 Stephan Mayerhofer 1825 Privatbesitz (EJ)

P2482 Stephan Mayerhofer 1825 Privatbesitz (EJ)

P2483 Stephan Mayerhofer 18?8 (= 1828?) Wien, Dorotheum 1959/31

P2484 Stephan Mayerhofer 1830 Budapest IM 64.187.1

P2485 Stephan Mayerhofer 1832 Prag, MhMP 51.591/1

P2486 Stephan Mayerhofer 1832 Wien, Dorotheum 1892/87

### Anmerkung zur Doppeladler-Punze von Jakob Martin May (P2487-2490)

Jakob Martin May (Meisterrecht 1833, gest. 1852, Anheimsagung 1857) ist 1835 bis 1852 in den Innungslisten vertreten, ebenso in zeitgenössischen Adreßbüchern.
Eine Privilegiumsverleihung ist bereits aus dem Jahr 1825 bekannt. Seine Doppeladler-Punze ist in drei Varianten auf der Tafel VI eingeschlagen (P2487). Der Brustschild der größeren Punze ähnelt jenem vom Doppeladler Starckloffs; dieser trägt jedoch Szepter und Reichsapfel in den Klauen.

P2487 Jakob Martin May
M1833, Priv. 1825
Taf. VI-3-8

### Remarks on the double eagle mark of Jakob Martin May (P2487-2490)

Jakob Martin May (master's title: 1833, died in 1852, end of trade: 1857) is entered in the guild lists from 1835 to 1852 and also in contemporary address books.
He was awarded a privilege already in 1825. His double eagle mark is embossed on marks tablet VI in three variations. The shield of the larger mark resembles that of Starckloff's double eagle although the latter bears the scepter and the imperial orb in the claws.

P2488 Jakob Martin May
M 1833, Priv. 1825
Taf. VI-3-8c

P2489 Jakob Martin May
M 1833, Priv. 1825
Taf. VI-3-8d

P2490 Jakob Martin May
M 1833, Priv. 1825
Taf. VI-3-8e

P2491 Herrmann Ratzersdorfer, B 1843
Taf. IV-4-41

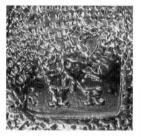

P2492 Herrmann Ratzersdorfer, 1847
Budapest, IM 53.2194

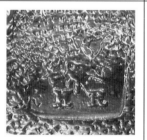

P2493 Herrmann Ratzersdorfer, 1847
Budapest IM 53.2194

P2494 Herrmann Ratzersdorfer, 1847
Budapest, IM 53.2194

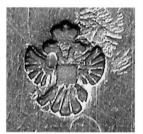

P2495 Herrmann Ratzersdorfer, B 1843
Taf. VIII-3-45a

### Anmerkung zur Doppeladler-Punze von Herrmann Ratzersdorfer (P2491-2495)

Herrmann Ratzersdorfer (1815-1891, Landesfabriksbefugnis: 1843, Fabriksbefugnis für Wien: 1852) wird in den Innungslisten 1845-1881 genannt. Zwei Doppeladler-Punzen sind bekannt: die ältere (P2491) ist auf Objekten von 1847 erhalten, die jüngere auf Tafel VIII ist wohl ab etwa 1860 gültig (P2495).

Firmengeschichte:
1843 Protokollierung des Landesfabriksbefugnisses „auf die Erzeugung von Rococo Galanterie Waaren" und der Firma **„H. Ratzersdorfer".**
1845 Bewilligung der Übertragung seiner Fabrik von Ober Meidling nach Fünfhaus.
1846 Ausdehnung des Landesfabriksbefugnisses auch auf die Erzeugung „aller andern Gattungen von Gold- u. Silber-Waaren".
1852 Protokollierung der Übertragung des Fabriksbefugnisses von Fünfhaus nach Wien; 1860 Berichtigung der 1843 mit „H. Ratzesdorfer" falsch eingetragenen Firma in „H. Ratzersdorfer".
1863 Übertragung der Firma „H. Ratzersdorfer" ins Register der „Einzelnfirmen" (Inhaber: Hermann Ratzersdorfer, kk landespriv. Silber- und Goldwarenfabrikant und Geldwechsler; letzteres später gestrichen).
1864 Eintragung von Julius Ratzersdorfer (Prokura; 1874 erloschen).
1869 Übertragung der Firma für „Geldverwechslung" ins Register für Gesellschaftsfirmen, Firma **„H. Ratzersdorfer"** nur mehr Gold- und Silberwarenfabrikation; Protokollierung der Geldwechsler-Firma **„H. Ratzersdorfer & Sohn"** (Herrmann und sein Sohn Julius).
1881 Löschung von Hermann Ratzersdorfer als Firmeninhaber, Eintragung von Julius Ratzersdorfer in dieser Funktion *(Fortsetzung HG E 22/119).*

*(MerkG Prot. Bd 6, R 49; HG E 3/42; HG Ges 8/62)*

### Remarks on the double eagle mark of Herrmann Ratzersdorfer (P2491-2495)

Herrmann Ratzersdorfer (1815-1891, national factory authorization: 1843, factory authorization for Vienna: 1852) is entered in the guild lists from 1845-1881. Two types of double eagle marks are known: the earler (P2491) is also to be found on objects of 1847, the later embossed on marks tablet VIII probably was used from about 1860 (P2495).

Company history:
1843 registration of the national factory authorization for the production of Rococo fancy goods and of the company **"H. Ratzersdorfer".**
1845 Permit to transfer his factory from Ober Meidling to Fünfhaus.
1846 extension of the national factory authorization also on the production of all other sorts of gold and silver wares.
1852 registration of the transfer of the factory authorization from Fünfhaus to Vienna; 1860, correction of the wrong entry of the company "H. Ratzersdorfer" (1843) to "H. Ratzersdorfer"; 1863, transfer of the company "H. Ratzersdorfer" into the register of single firms (owner: Hermann Ratzersdorfer, imperial royal silver and gold wares producer with national factory authorization and money changer (erased later).
1864 entry of Julius Ratzersdorfer (power of attorney; cancelled in 1874).
1869 transfer of the company for money changing into the register of partnership companies, the company **"H. Ratzersdorfer"** only remaining one for gold and silver production; registration of the money changing company **"H. Ratzersdorfer & Sohn"** (Herrmann and his son Julius).
1881 dissolution of Herrmann Ratzersdorfer as company owner, entry of Julius Ratzersdorfer in the same position *(continuation: HG E 22/119).*

*(MerkG Prot. Bd 6, R 49; HG E 3/42; HG Ges 8/62)*

P2496  Stephan Eduard
Starckloff, B 1811, G 1815
Taf. III-3-47b

P2497  Stephan Eduard
Starckloff, 1830
Wien, HM 116.290/1

### Anmerkung zur Doppeladler-Punze von Stephan Eduard Starckloff (P2496, 2497)

Stephan Eduard Starckloff (Befugnis 1811, Meisterrecht 1815), ist in Adreßbüchern und Innungslisten von 1812 bis 1844 nachweisbar (Privilegium 1825, Führung des Adlers 1832 erwähnt); Starckloff hatte sich auf Tabaksdosen spezialisiert; im Inneren dieser Dosen sind seine Doppeladler-Punzen manchmal nur sehr fragmentarisch erhalten (P2497) und häufig nur durch den Zusatz SES identifizierbar (s. auch S. 228).

### Remarks on the double eagle mark of Stephan Eduard Starckloff (P2496, 2497)

Stephan Eduard Starckloff (authorization: 1811, master's title: 1815), is entered in address books and guild lists from 1812 to 1844 (privilege: 1825, use of the eagle mentioned in 1832). Starckloff was specialized in snuff boxes. Inside these boxes his double eagle mark is sometimes only vaguely discernible (P2497) and can mostly only be identified by the accompagnying letters SES (see also p. 228).

P2498  Peter Stubenrauch
M 1833, Priv. 1826
Taf. VI-4-24c

P2499  Peter Stubenrauch
M 1833, Priv. 1826
Taf. VI-4-24b

### Anmerkungen zur Doppeladler-Punze mit S von Peter Stubenrauch (P2498, 2499)

Peter Stubenrauch (Privilegium 1826, Meisterrecht 1833) ist von 1834 bis 1836 in den zeitgenössischen Adreßbüchern und Innungslisten verzeichnet.
Seine Doppeladler-Punze ist sowohl mit seinen Initialen PS (P2498) als auch nur mit dem Buchstaben S im Brustschild (P2499) bezeichnet. Der Namenszug „Stubenrauch" ist als Punze ebenfalls überliefert (S. 231, P2247-2249).

### Remarks on the double eagle mark with S of Peter Stubenrauch (P2498, 2499)

Peter Stubenrauch (privilege: 1826, master's title: 1833) is entered in contemporary address books and guild lists from 1834 to 1836.
His double eagle mark contains either his initials PS (P2498) or only the letter S in the shield (P2499). The name "Stubenrauch" as mark is also known (see p. 231, P2247-2249).

### Anmerkung zur Doppeladler-Punze von Karl Wallnöfer (P2500)

Carl Wallnöfer (Sohn von Franz Wallnöfer sen., geb. um 1798, gest. 1872) erhielt 1820 das Meisterrecht und wird in den Innungslisten 1821-1857 genannt. Zusammen mit seinem Bruder Franz Wallnöfer gründete er die Firma „Gebrüder Wallnöfer", die später in die Firma „Karl Wallnöfer" überging.
Die Doppeladler-Punze ist relativ undeutlich (so ist nicht genau zu sehen, ob sich im Brustschild des Adlers ein W befindet). Eine Reihe nur fragmentarisch oder schlecht erhaltener Punzen ist vermutlich teilweise Wallnöfer zuzuschreiben (P2503 ff.).
*(Firmengeschichte Wallnöfer siehe S. 161).*

P2500  Karl Wallnöfer
G 1820
Taf. III-4-39a

### Remarks on the double eagle mark of Karl Wallnöfer (P2500)

Carl Wallnöfer (son of Franz Wallnöfer, Sr., born about 1798, died in 1872, master's title: 1820) is entered in the guild lists from 1821-1857. Together with his brother Franz Wallnöfer he established the company "Gebrüder Wallnöfer," later continued as company "Karl Wallnöfer".
The double eagle mark is relatively unclear (a W in the shield of the eagle is not discernible). Obviously some marks with only fragmentary or damaged shapes can be attributed partly to Wallnöfer (P2503 et seq.).

*(Company history Wallnöfer see p. 160).*

P2501  Triesch & Co.
1860
Privatbesitz (KJ)

P2502  Triesch & Co.
1860
Privatbesitz (KJ)

### Anmerkung zu Doppeladler-Punzen von Triesch & Co. und anderen (P2501-2507)

Viele Doppeladler-Punzen, vor allem solche auf der Innenseite von Tabaksdosen, sind nur mehr undeutlich oder fragmentarisch erhalten. In seltenen Fällen sind sie durch eine zusätzliche Namenspunze identifizierbar (P2501, 2502), meist ist ihre Zuordnung jedoch schwierig, wenn nicht unmöglich. Solche Punzen kann man in die Nähe der Firma Starckloff rücken, wenn sie sich auf Tabaksdosen befinden. Man weiß, daß Dosen im Produktionsprogramm dieser Firma einen besonderen Schwerpunkt bilden.

### Remarks on the double eagle marks of Triesch & Co. and others (P2501-2507)

Many double eagle marks especially those inside of snuff boxes are only vaguely legible. In exceptional cases, they can be identified by an additional maker's mark (P2501, 2502) but mostly identification is difficult if not impossible. Such marks embossed on snuff boxes may be seen as those of the Starckloff company considering the production of boxes as a main task of this company.

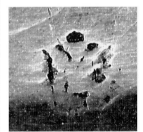
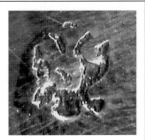

P2503 Doppeladler / double eagle, Wallnöfer?, 1824, Budapest, NM 1954.182

P2504 Doppeladler / double eagle, Wallnöfer?, 18??, Budapest, NM 55.107

P2505 Doppeladler / double eagle, Wallnöfer?, 1827 Wien, S. Reisch

P2506 Doppeladler / double eagle, Wallnöfer?, 1827 Wien, S. Reisch

P2507 Doppeladler / double eagle, S.. E. Starckloff? 1830; Privatbesitz (EJ)

P2508 Anton Fuchs
B 1783, G 1792
Taf. II-4-19

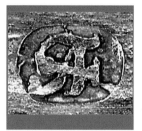

P2509 Anton Fuchs
1799
Budapest, IM 52.1302

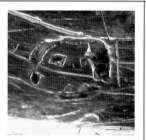

P2510 Anton Fuchs Witwe
/ widow, 1800
Wien, Dorotheum 1909/46

### Anmerkung zur Monogrammpunze AF von Anton Fuchs (2508-2510)

Anton Fuchs (Befugnis: 1783, Aufnahme ins Gremium 1792) ist 1792 in den Innungslisten genannt (in Adreßbüchern 1788 und 1789); seine Steuerleistungen sind aus den Jahren von 1785 bis 1799 überliefert; im Jahr 1800 wird bei der Steuer „Anton Fux sel. Witwe" genannt.

### Remarks on the monogram mark AF of Anton Fuchs (2508-2510)

Anton Fuchs (authorization: 1783, guild entry: 1792) is entered in the guild list of 1792 (in address books in 1788 and 1789); his tax payments are documented from 1785-1799; in 1800 "Anton Fux sel. Witwe" is found in the tax lists.

P2511 Andreas Hellmeyer
G 1762
Taf. I-1-52a

P2512 Andreas Hellmeyer
G 1762
Taf. I-1-52b

P2513 Andreas Hellmeyer
1768
Wien, Dorotheum 1962/32

### Anmerkung zur Monogrammpunze AH von Andreas Hellmeyer (P2511-2513)

Andreas Hellmeyer (Meisterrecht 1762, gest. 1811) ist bis 1781 in den Innungslisten, 1780-89 in Adreßbüchern nachweisbar. Seine Steuerleistungen sind ab 1763 (20 Gulden) überliefert.

### Remarks on the monogram mark AH of Andreas Hellmeyer (P2511-2513)

Andreas Hellmeyer (master's title: 1762, died in 1811) is found in the guild lists until 1781, in address books from 1780-1789. His tax payments are documented from 1763 (20 Guilders).

P2514 Punze / mark AJH(?)
1831
Privatbesitz (HH)

P2515 Punze / mark AJH(?)
183?
Wien, HM 71.089/1

### Anmerkung zur Monogrammpunze AH (AJH) eines unbekannten Silberschmieds (P2514, 2515)

Zwei in die dreißiger Jahre des 19. Jahrhunderts datierte Objekte tragen ein Monogramm (AH oder AJH?), das bisher keinem bestimmten Silberschmied zugeordnet werden konnte.

### Remarks on the monogram mark AH (AJH) of an unknown silversmith (P2514, 2515)

Two objects with a monogram (AH or AJH?) obviously made in the 1930s can not yet be attributed to a certain silversmith.

### Anmerkung zur Monogrammpunze AM von Anton Meixner (P2516)

Anton Meixner (Befugnis 1785, Aufnahme ins Gremium 1792) ist bis 1789 in Adreßbüchern, 1792 in den Innungslisten verzeichnet; seine Steuerleistungen sind von 1786 bis 1799 nachweisbar.

P2516 Anton Meixner
B 1785, G 1792
Taf. II-4-22

### Remarks on the monogram mark AM of Anton Meixner (P2516)

Anton Meixner (authorization: 1785, guild entry: 1792) is entered in address books until 1789, in guild lists in 1792. His tax payments are documented from 1786 to 1799.

P2517 Albrecht Metzer
B 1838
Taf. VI-6-33

P2518 Anton Münzberg
B 1832
Taf. VI-5-21b

P2519 Anton Wittmann
G 1775
Taf. I-2-45

Abb. 846 Punzen von Alexander Schoeller bzw. der Berndorfer Metallwarenfabrik Taf. VI-8-18

Ill. 846 Marks of Alexander Schoeller and the Berndorf Metal Wares Factory Tablet VI-8-18

P2520 Berndorfer Metallwarenfabrik (A. Schoeller) 1843), Taf. VI-8-18a

P2521 Berndorfer Metallwarenfabrik (A. Schoeller) 1843), Taf. VI-8-18b

## Anmerkung zur Monogrammpunze BMF der Berndorfer Metallwarenfabrik (P2520-2524)

Die Initialen AS sowie BMF wurden für Alexander Schoeller in die Punzentafel VI eingeschlagen (AS = Alexander Schoeller, BMF = Berndorfer Metallwarenfabrik; Punze AS siehe S. 127, P255, 256).

Das Monogramm BMF ist als Punze auf Tafel VI in zwei Varianten eingeschlagen; ich konnte es bisher auf drei Silberobjekten finden (P2522-2524). Als eigenständige Marke oder Teil einer Marke ist es von der Berndorfer Fabrik lange verwendet worden (Neuwirth 1991, s. unten).

Firmengeschichte:

1843 Gründung der „**Berndorfer Metallwarenfabrik A. Schoeller**" (Gründungsvertrag zwischen Alexander Schoeller aus Wien und der Firma Friedrich Krupp aus Essen).

Die Produktion umfaßte anfangs neben Erzeugnissen aus Alpaka und Packfong auch Bestecke aus Silber.

1844 Errichtung einer Niederlage in Wien, Wollzeile.

1849 Gesellschaftsvertrag zwischen Hermann Krupp und der Firma Alexander Schoeller.

1855 Offene Gesellschaft (Alexander und Paul Schöller); Firmierung: „**K. K. Berndorfer und Triestinghofer Metallwaarenfabrik Alex. Schoeller**".

1858 Errichtung einer Niederlage in Wien (am Graben).

1863 Eintragung ins Register für Gesellschaftsfirmen.

1868 Änderung des Firmennamens in „**Berndorfer Metallwaarenfabrik Schoeller & Co, Wien**".

1873 Auflösung der Werkstätte in Wien.

1879 Eintragung im Handelsregister Wien (Zweigniederlassungen in Berndorf sowie Triestinghof).

1888 Zweigniederlassung in Traisen.

1890 Eintragung des Firmenwortlautes „**Berndorfer Metallwaarenfabrik, A. Krupp**".

*(HG Ges 2/328, Ges 23/232, Ges 36/68, E 25/113, E 29/157, E 36/148, E 41/33, B 6/62, B 4313, B 12855)*
*(Ingrid Haslinger, Tafelkultur Marke Berndorf, Wien 1998; Waltraud Neuwirth, Blühender Jugendstil II, Wien 1991, S. 147-222; dort weitere Firmen- und Markengeschichte der Berndorfer Metallwarenfabrik))*

P2522 Berndorfer Metallwarenfabrik, 1846 Wien, Dorotheum 1926/74a

P2523 Berndorfer Metallwarenfabrik, 1846 Wien, Dorotheum 1981/117

P2524 Berndorfer Metallwarenfabrik, 1846 Wien, Dorotheum 1909/138

## Remarks on the monogram mark BMF of the Berndorf metal wares factory (P2520-2524)

On marks tablet VI the initials AS and BMF were embossed for Alexander Schoeller (AS = Alexander Schoeller, BMF = Berndorfer Metallwarenfabrik = Berndorf metal wares factory); mark AS see p. 127).

Two variations of the monogram mark BMF are embossed on marks tablet VI. I could identify it on three silver objects (P2522-2524). It was used by the Berndorf factory either as independent mark or part of a mark (Neuwirth 1991, see bottom lines).

Company history:

1843 founding of the "**Berndorfer Metallwarenfabrik A. Schoeller**" (foundation contract between Alexander Schoeller from Vienna and the company Friedrich Krupp from Essen).

At the beginning the production included objects made of alpaca and packfong as well as silver cutlery.

1844 founding of a subsidiary branch in Vienna, Wollzeile.

1849 Company contract between Hermann Krupp and the company Alexander Schoeller.

1855 general partnership (Alexander und Paul Schöller); company name "**K. K. Berndorfer und Triestinghofer Metallwaarenfabrik Alex. Schoeller**".

1858 founding of a subsidiary branch in Vienna (Graben).

1863 entry in the register of partnership companies.

1868 alteration of the company name into "**Berndorfer Metallwaarenfabrik Schoeller & Co, Wien**".

1873 dissolution of the Viennese workshop.

1879 entry in the Register of Commerce in Vienna (subsidiary branches in Berndorf and Triestinghof).

1888 subsidiary branch in Traisen.

1890 entry of the company name "**Berndorfer Metallwaarenfabrik, A. Krupp**".

*(HG Ges 2/328, Ges 23/232, Ges 36/68, E 25/113, E 29/157, E 36/148, E 41/33, B 6/62, B 4313, B 12855)*
*(Ingrid Haslinger, Tafelkultur Marke Berndorf, Wien 1998; Waltraud Neuwirth, Blühender Jugendstil II, Wien 1991, pp. 147-222; there further information on the company and mark history of the Berndorf metal wares factory)*

### Anmerkung zur Monogrammpunze CH von Caspar Haas (P2525-2531)

Caspar Haas (um 1764-1840, Meisterrecht 1801, Anheimsagung 1836) ist von 1803-1836 in den Innungslisten verzeichnet; seine jährlichen Steuerleistungen sind von 1802 bis 1812 überliefert (zwischen 6 und 55 Gulden, letztere im Jahre 1810).
Seine Monogrammpunze CH im Schild ist auf Tafel III eingeschlagen (P2525). Silberobjekte mit diesem Monogramm sind aus den Jahren 1803-1810 (=1810-1812) erhalten; die jüngsten Punzen (P2530, 2531) zeigen in der Umrahmung rechts unten eine Beschädigung.

P2525　Caspar Haas
G 1801
Taf. III-1-46

### Remarks on the monogram mark CH of Caspar Haas (P2525-2531)

Caspar Haas (about 1764-1840, master's title: 1801, end of trade: 1836) is entered in the guild lists from 1803-1836. His annual tax payments are documented from 1802 to 1812 (6-55 Guilders, the latter in 1810).
His monogram mark CH in a shield is embossed on marks tablet III (P2525). Silver objects with this monogram are preserved from the years 1803-1810 (= 1810-1812). The later marks (P2530, 2531) are damaged on the lower right side of the frame.

P2526　Caspar Haas
1803
Wien, Dorotheum 1859/36

P2527　Caspar Haas
1803
Wien, Dorotheum 1859/36

P2528　Caspar Haas
1803
Wien, S. Reisch

P2529　Caspar Haas
1806
Budapest, IM 53.3540

P2530　Caspar Haas
1807 (= 1807-1809)
Privatbesitz (EJ)

P2531　Caspar Haas
1810 (= 1810-1812)
Wien, S. Reisch

P2532　Octavian Cocksel
G 1752
Taf. I-1-24

P2533　Octavian Cocksel
1786
Wien, HM 71.480/2

P2534　Octavian Cocksel
1786
Wien, HM 71.480/3

### Anmerkung zur Monogrammpunze OC von Octavian Cocksel (P2532-2537)

Octavian Cocksell (um 1722-1795, Aufnahme ins Gremium: 1752) ist von 1766 bis 1789 in Adreßbüchern bzw. Innungslisten verzeichnet; seine Steuerleistungen sind von 1753 bis 1794 überliefert (jährlich 2 - 8 Gulden).
Von Cocksel sind zwei Punzentypen auf den Tafeln I und II bekannt (P2532, 2536, 2537). Der ältere Typus besteht aus den Initialen O und dem spiegelbildlich verdoppelten C (P2532). Er findet sich auf Objekten von 1786 und 1788 wieder (P2533-2535). Der jüngere Typus ist von einfacherer Monogramm-Form im Queroval (P2536, 2537).

P2535　Octavian Cocksel
1788
Prag, NM H2-2000a

P2536　Octavian Cocksel
G 1752
Taf. II-1-9

P2537　Octavian Cocksel
G 1752
Taf. II-1-10

### Remarks on the monogram mark OC of Octavian Cocksel (P2532-2537)

Octavian Cocksell (about 1722-1795, guild entry: 1752) is entered in address books and guild lists from 1766 to 1789. His tax payments are documented 1753 to 1794 (2-8 Guilders annually).
Two types of marks belonging to Cocksel are embossed on the marks tablets I and II (P2532, 2536, 2537). The earlier type consists of the initials O and C (the latter doubled mirrorwise, P2532) and is found also on obects dated 1786 and 1788 (P2533-2535). The later type shows a simplified monogram in a horizontal oval (P2536, 2537).

### Anmerkung zur Monogrammpunze CS von Carl Scheiger (P2538-2541)

Carl Scheiger (geb. um 1760, gest. 1820, Anheimsagung 1819) ist von 1803 bis 1820 in den Innungslisten verzeichnet; seine Steuerleistungen sind von 1803 bis 1812 nachweisbar (jährlich 4 - 15 Gulden).
Seine charakteristische Monogrammpunze im Achteck ist auf Tafel III eingeschlagen (P2538).
Sie war bisher auf Objekten mit der Wiener Punze von 1807 (= 1807-1809) zu finden (P2539-2541) und zeigt in der Rahmung leicht abgerundete Ecken bzw. eine Beeinträchtigung der Kontur.

P2538  Carl Scheiger
G 1802
Taf. III-2-11

### Remarks on the monogram mark CS of Carl Scheiger (P2538-2541)

Carl Scheiger (born about 1760, died in 1820, master's title: 1802, end of trade: 1819) is entered in the guild lists from 1803 to 1820. His tax payments are documented from 1803 to 1812 (4 - 15 Guilders annually).
His typical monogram mark in an octagon is embossed on marks tablet III (P2538) and was found on objects with the Viennese mark of 1807 (= 1807-1809) (P2539-2541) there showing slightly rounded corners or a damaged contour.

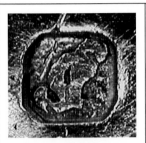

P2539  Carl Scheiger
1807 (= 1807-1809)
Wien, S. Reisch

P2540  Carl Scheiger
1807 (= 1807-1809)
Wien, S. Reisch

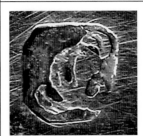

P2541  Carl Scheiger
1807 (= 1807-1809)
Wien, S. Reisch

### Anmerkung zur Monogrammpunze CS der Firma Christian Sander jun. (P2542)

Die Monogrammpunze CS (P2542) bezieht sich mit großer Wahrscheinlichkeit auf die Firma „Christian Sander jun.". Diese Firma wurde 1863 gegründet und 1864 ins Register für „Einzelnfirmen" eingetragen (1869 Konkurseröffnung, 1870 Aufhebung des Konkurses, 1872 Übertragung ins Register für Gesellschaftsfirmen).

Zur Geschichte der Firma Sander sowie von Christian Sander sen. und jun und Eduard Sander siehe S. 140.

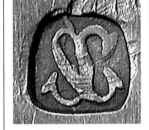

P2542  C. Sander jun.
pFa 1863
Taf. VIII-4-19

### Remarks on the monogram mark CS of the company Christian Sander, Jr. (P2542)

The monogram mark CS (P2542) is obviously connected to the company "Christian Sander jun." This company was founded in 1863 and entered in 1864 into the register of single firms (1869, opening of bankruptcy proceedings; 1870, suspension of these proceedings; 1872, transfer into the register of partnership companies).

For the history of the Sander company, Christian Sander, Sr. and Jr. and Eduard Sander see p. 140.

P2543  Carl Wiener
B 1825
Taf. VI-3-40

P2544  Elias Eduard Klein
B 1846
Taf. VI-8-32a

P2545  Elias Eduard Klein
B 1846
Taf. VI-8-32b

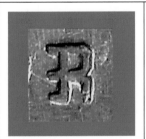

P2546 Eduard Rohrwasser,
M 1839
Taf. VIII-2-53

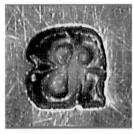

P2547  Ernst Rothe
M 1857
Taf. VII-5-19

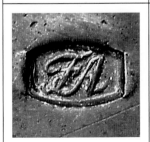

P2548  Franz Xaver Adler
G 1807
Taf. III-2-35

P2549  Franz Gerl
B 1781, G 1792
Taf. II-4-14

P2550  Franz Hauf
G 1792
Taf. II-4-18

### Anmerkung zur Monogrammpunze FH von Franz Hellmayer (P2551-2566)

Franz Hellmayer (um 1763-1832; Aufnahme ins Gremium 1788) ist von 1801 bis 1819 in den Innungslisten verzeichnet. Seine Steuerleistungen sind von 1789 bis 1812 überliefert und betrugen jährlich zwischen 8 und 55 Gulden).
Auf den Tafeln I und II sind drei Punzen einzuschlagen, wovon eine mit Sicherheit, zwei mit großer Wahrscheinlichkeit Franz Hellmayer zuzuordnen sind (P2551, 2552, 2554). Einmal wird kein Name angegeben (P2551), einmal der Name A. Hellmeyer (P2552), wobei es sich wohl um einen Irrtum handelt. Auf Objekten sind Punzen von 1801 bis 1813 überliefert (P2553, 2555-2566).

P2551 Franz Hellmayer (?)
G 1788 (?)
Taf. I-1-52b

### Remarks on the monogram mark of Franz Hellmayer (P2551-2566)

Franz Hellmayer (about 1763-1832, guild entry: 1788) is found in the guild lists from 1801 to 1819. His tax payments are documented from 1789 to 1812 and ran to 8-55 Guilders annually.
Three marks are embossed on the marks tablets I and II. One most certainly belongs to Franz Hellmayer, two can probably be attributed to him although no name is given on the tablet (P2551, 2552, 2554). Once he is confused with the name A. Hellmeyer on the tablet (P2552). Marks from 1801 to 1813 are found on several objects (P2553, 2555-2566).

P2552  Franz Hellmayer
G 1788
Taf. II-1-23

P2553  Franz Hellmayer
1813
Wien, HM 49.706

P2554  Franz Hellmayer
G 1788
Taf. II-3-16

P2555  Franz Hellmayer
1801
Brünn, MG 18.630/11

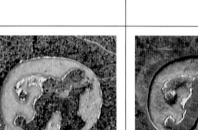

P2556  Franz Hellmayer
1801
Brünn, MG 18.630/12

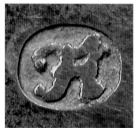

P2557  Franz Hellmayer
1801
Brünn, MG 18.630/2

P2558  Franz Hellmayer
1802
Budapest, IM 53.3490

P2559  Franz Hellmayer
1802
Budapest, IM 53.3490

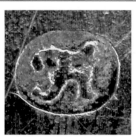

P2560  Franz Hellmayer
1804
Wien, Dorotheum 1926/27

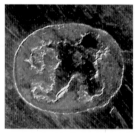

P2561  Franz Hellmayer
1806
Wien, Dorotheum 1844/72

P2562  Franz Hellmayer
1805
Brünn, MG 18630/14

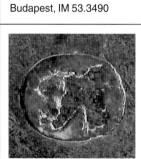

P2563  Franz Hellmayer
1805
Brünn, MG 18.630/15

P2564  Franz Hellmayer
1805
Brünn, MG 18.630/8

P2565  Franz Hellmayer
1805
Brünn, MG 18.630/8

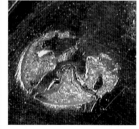

P2566  Franz Hellmayer (?)
1810 (= 1810-1812)
Budapest, IM 61.545

**Anmerkung zur Monogrammpunze FLT
von Franz Lorenz Turinsky (P2567-2569)**

Franz Lorenz Turinsky (um 1757-1829; Aufnahme ins Gremium 1789) wird von 1789 bis 1828 in Adreßbüchern und Innungslisten genannt. Steuerleistungen sind von 1790 bis 1812 nachweisbar (später wurden die Steuerschätzungen in Dreijahresperioden vorgenommen).
Seine Monogrammpunze FLT ist auf Tafel II sehr klar erkennbar (P2567); dies gilt weniger für die auf Objekten erhaltenen Punzen (P2568, 2569), die oft nur fragmentarisch erhalten sind. Eine Identifizierung ist aber aufgrund der charakteristischen Gestaltung der Buchstaben meist möglich.

P2567  Franz Lorenz
Turinsky, G 1789
Taf. II-3-26b

**Remarks on the monogram mark FLT of Franz Lorenz Turinsky (P2567-2569)**

Franz Lorenz Turinsky (about 1757-1829; guild entry: 1789) is entered in address books and guild lists from 1789 to 1828. Tax payments are documented from 1790 to 1812 (later tax assessments in periods of three years).
His monogram FLT is embossed very clearly on marks tablet II (P2567). On the objects his marks very often are only vaguely distinguishable (P2568, 2569). The typical shape of the letters nevertheless enables an identification in most cases.

P2568  Franz Lorenz
Turinsky, 1793
Privatbesitz (EJ)

P2569  Franz Lorenz
Turinsky, 1796
Privatbesitz (EJ)

**Anmerkung zur Monogrammpunze FT
von Ferdinand Tobner (P2570, 2571)**

Ferdinand Tobner (Meisterrecht 1812) ist von 1813 bis 1829 in den Innungslisten nachweisbar (1829 mit dem Vermerk „unbekannt" beim Aufenthaltsort).
Seine Punze besteht aus den Initialen FT im Schild und wurde auf Tafel III eingeschlagen (P2570). Auf einem Objekt ist zwar nur mehr die obere Hälfte dieser Punze erhalten, aufgrund der charakteristischen Rahmung aber dennoch identifizierbar (P2571).

P2570  Ferdinand Tobner
G 1812
Taf. III-3-15

**Remarks on the monogram mark FT
of Ferdinand Tobner (P2570, 2571)**

Ferdinand Tobner (master's title: 1812) is entered in the guild lists from 1813 to 1829 (in 1829 the note "unknown" is entered in the column: place of living).
His mark consists of the initials FT in a shield and was embossed on marks tablet III (P2570). On an object only the upper half of this mark is found but nevertheless it can be identified (P2571) due to the typical frame.

P2571  Ferdinand Tobner
1815
Budapest, IM 53.2612

P2572  Friedrich Wayand
M 1843
Taf. VII-5-30

P2573  Punze / mark FW
18??
Brünn, MG 21.676

P2574  Punze / mark FW
18??
Brünn, MG 21.676

P2575  Punze / mark FW
18??
Brünn, MG 21.676

### Anmerkung zur Monogrammpunze GF von Georg Forgatsch (P2576-2581)

Georg Forgatsch (Meisterrecht 1807) ist von 1808 bis 1832 in den Innungslisten nachweisbar. Seine Steuerleistungen sind von 1807 bis 1812 überliefert (6-25 Gulden jährlich). Seine Punze besteht aus dem Monogramm GF im Spitzoval und ist auf Tafel III in mehreren Varianten eingeschlagen (P2576, 2580, 2581).
Auf Objekten ist eine zwischen 1807-1809 datierbere Punze erhalten (P2577-2579, 2582). Die Umrahmung zeigt bei drei Punzen eine Beschädigung am linken unteren Rand, bei zwei Beispielen auch links oben.

P2576  Georg Forgatsch
G 1807
Taf. III-2-34

### Remarks on the monogram mark GF of Georg Forgatsch (P2576-2581)

Georg Forgatsch (master's title: 1807) is entered in the guild lists from 1808 to 1832. His tax payments are documented from 1807 to 1812 (6-25 Guilders annually).
His mark consists of the monogram GF in a pointed oval and is embossed on marks tablet III in several variations (P2576, 2580, 2581).
On objects a mark datable between 1807-1809 is preserved (P2577-2579, 2582). The frame of three marks is damaged on the bottom left, twice also on the upper left side.

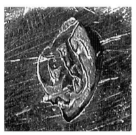

P2577  Georg Forgatsch
1807 (= 1807-1809)
Budapest, IM 63.569

P2578  Georg Forgatsch
1807 (= 1807-1809)
Wien, S. Reisch

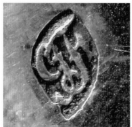

P2579  Georg Forgatsch
1807 (= 1807-1809)
Wien, Dorotheum 1909/45

P2580  Georg Forgatsch
G 1807
Taf. III-2-39a-1

P2581  Georg Forgatsch
G 1807
Taf. III-2-39a-2

P2582  Georg Forgatsch
1807 (= 1807-1809)
Prag, NM H2-193.578

P2583  Gottfried Holbein
B 1839
Taf. VI-6-38

P2584  Johann Georg
Nußböck, G 1770
Taf. II-1-44

P2585  Hector Numa Villars
B 1834 (s. S. / see p. 171)
Taf. VI-6-2

P2586  Punze / mark HS
Taf. I-4-60f

### Anmerkung zur Monogrammpunze HR von Herrmann Ratzersdorfer (P2587)

Herrmann Ratzersdorfer (1815-1891, Landesfabriksbefugnis: 1843, Fabriksbefugnis für Wien: 1852) wird in den Innungslisten 1845-1881 genannt. Zwei Doppeladler-Punzen sind bekannt: die ältere ist auch auf Objekten von 1847 erhalten, die Monogrammpunze auf Tafel VIII (P2587) ist wohl etwa ab 1860 gültig (s. auch S. 248, P2491-2495).

Firmengeschichte von Ratzersdorfer (hier nur auszugsweise ab 1860, sonst siehe S. 248).

1860 Berichtigung der 1843 mit „H. Ratzesdorfer" falsch eingetragenen Firma in „H. Ratzersdorfer".
1863 Übertragung der Firma **„H. Ratzersdorfer"** ins Register der „Einzelnfirmen" (Inhaber: Hermann Ratzersdorfer, kk landespriv. Silber- und Goldwarenfabrikant und Geldwechsler; letzteres später gestrichen).
1864 Eintragung von Julius Ratzersdorfer (Prokura; 1874 erloschen).
1869 Übertragung der Firma für „Geldverwechslung" ins Register für Gesellschaftsfirmen (**„H. Ratzersdorfer & Sohn"**), Firma **„H. Ratzersdorfer"** nur mehr Gold- und Silberwarenfabrikation.
1881 Löschung von Hermann Ratzersdorfer als Firmeninhaber, Eintragung von Julius Ratzersdorfer in dieser Funktion.

*(MerkG Prot. Bd 6, R 49; HG E 3/42; HG Ges 8/62; Fortsetzung HG E 22/119)*

P2587  Herrmann Ratzersdorfer, B 1843
Taf. VIII-3-45b

### Remarks on the monogram mark HR of Herrmann Ratzersdorfer (P2587)

Herrmann Ratzersdorfer (1815-1891, national factory authorization: 1843, factory authorization for Vienna: 1852) is entered in the guild lists from 1845-1881. Two types of double eagle marks are known: the earlier is also to be found on objects of 1847, the monogram mark embossed on marks tablet VIII (P2587) probably was used from 1860 (see also p. 248, P2491-2495).

Company history of Ratzersdorfer (here from 1860 only, in detail see p. 248):

1860 correction of the wrong entry of the company "H. Ratzesdorfer" (1843) to "H. Ratzersdorfer"; 1863, transfer of the company "H. Ratzersdorfer" into the register of single firms (owner: Hermann Ratzersdorfer, imperial royal silver and gold wares producer with national factory authorization and money changer (later erased).
1864 entry of Julius Ratzersdorfer (power of attorney; cancelled in 1874).
1869 transfer of the company for money changing into the register of partnership companies, the company **"H. Ratzersdorfer"** only remaining one for gold and silver production; registration of the money changing company **"H. Ratzersdorfer & Sohn"** (Herrmann and his son Julius).
1881 dissolution of Herrmann Ratzersdorfer as company owner, entry of Julius Ratzersdorfer in the same position.
*(MerkG Prot. Bd 6, R 49; HG E 3/42; HG Ges 8/62; continuation HG E 22/119)*

P2588　Josef Auer
B 1811
Taf. VI-1-6b

P2589　Johann Abel
M 1830
Taf. VI-3-30

P2590　Johann Brandl
B 1838, M 1852
Taf. VI-6-37

---

**Anmerkung zur Monogrammpunze JB
von Josef Pokorny und Johann Braun (P2591, 2592)**

Das JB-Monogramm im Oval wurde von Josef Pokorny (Bokorny, P2591) und Johann Braun verwendet (P2592).

Josef Pokorny (Befugnis 1776, Aufnahme ins Gremium 1792, gest. 1809) wird von 1780 bis 1809 in Adreßbüchern und Innungslisten genannt. Seine Steuerleistungen sind von 1777 (4 Gulden) bis 1812 überliefert.

Johann Braun (Gewerbsverleihung vor 1837) wird von 1837 bis 1840 in den Innungslisten genannt.

P2591　Josef Pokorny
B 1776, G 1792
Taf. II-4-6

**Remarks on the monogram mark JB
of Josef Pokorny and Johann Braun (P2591, 2592)**

The oval JB monogram was used by Josef Pokorny (Bokorny, P2591) and Johann Braun (P2592).

Josef Pokorny (authorization: 1776, guild entry: 1792) is entered in address books and guild lists from 1780 to 1809. His tax payments are documented from 1777 (4 Guilders) to 1812.

Johann Braun (bestowal of trade: before 1837) is entered in the guild lists from 1837 to 1840.

---

P2592　Johann Braun
GV vor 1837
Taf. VI-1-36

---

**Anmerkung zur Monogrammpunze JB von Ignaz Binder (P2593-2596)**

Ignaz Binder (Befugnis 1813, Meisterrecht 1818) wird von 1814 bis 1835 in Adreßbüchern und Innungslisten genannt. Der Betrieb wurde offensichtlich von seiner Witwe Magdalena weitergeführt (Innungslisten 1836).
Seine Punze mit dem JB-Monogramm im Schild (P2593) ist auch auf Objekten überliefert (P2594, 2595).
Der jüngere Ignaz Binder (Befugnis 1837, gest. 1865) wird von 1838 bis 1865 in den Innungslisten genannt. Seine Punze besteht ebenfalls aus einem Schild mit dem Monogramm JB, diesmal vor schraffiertem Grund (P2596).

P2593　Ignaz Binder
B 1813, G 1818
Taf. III-4-21b

**Remarks on the monogram mark JB of Ignaz Binder (P2593-2596)**

Ignaz Binder (authorization: 1813, master's title: 1818) is entered from 1814 to 1835 in address books and guild lists. His business apparently was continued by his widow Magdalena (guild list: 1836).
His mark with the JB monogram in a shield (P2593) is also found on objects (P2594, 2595).
A later Ignaz Binder (authorization: 1837, died in 1865) is entered in the guild lists from 1838 to 1865. His mark also consists of a shield with the monogram JB but on a hatched background (P2596).

---

P2594　Ignaz Binder
18??
Wien, Dorotheum 1859/56

P2595　Ignaz Binder
1816
Wien, Dorotheum 1859/49

P2596　Ignaz Binder
B 1837
Taf. VI-6-28

P2597 Josef Kammerlander
G 1819
Taf. III-4-26a

P2598 Josef Kammerlander
G 1819
Taf. III-4-26b

P2599 Josef Ferdinand
Ewerth, G 1771
Taf. I-2-34

P2600 Johann Farkas
G 1803
Taf. III-2-16b

P2601 Johann Farkas
G 1803
Taf. III-2-16c

P2602 Johann Farkas?
1840 (= 1840-1842)
Wien, Dorotheum 1962/85

**Anmerkung zur Monogrammpunze JG von Johann Gutmann (P2603-2607)**

Johann Gutmann (Meisterrecht 1812, wird von 1813-1816 in den Innungslisten genannt.
Die Punze Gutmanns bestand aus dem Monogramm JG im Hochoval (P2603).
Die Punze JG in einem fast kreisförmigen Oval aus den Jahren 1820 bzw. 1826 (P2604-2607) könnte eventuell dem Witwenfortbetrieb zuzuschreiben sein (Anheimsagung des Gewerbes durch die Witwe im Jahre 1846).

P2603 Johann Gutmann
M 1812
Taf. III-3-11

**Remarks on the monogram mark JG of Johann Gutmann (P2603-2607)**

Johann Gutmann (master's title: 1812) is entered in the guild lists from 1813-1816.
Gutmann's mark consists of the monogram JG in a high oval (P2603).
A mark JG in a nearly circular oval from 1820 and 1826 (P2604-2607) could perhaps be attributed to the business continued by the widow (end of trade announced in 1846).

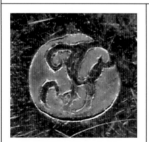

P2604 Johann Gutmann
Witwe / widow (?), 1826
Privatbesitz (BJ)

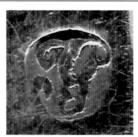

P2605 Johann Gutmann
Witwe / widow (?), 1826
Privatbesitz (BJ)

P2606 Johann Gutmann
Witwe / widow (?), 1820
Wien, Dorotheum 1844/91a

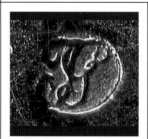

P2607 Johann Gutmann
Witwe / widow (?), 1820
Wien, Dorotheum 1844/91b

P2608 Josef Gregor
GV 1867
Taf. VIII-4-8a

P2609 Josef Gregor
GV 1867
Taf. VIII-4-8b

P2610 Johann Georg Lutz
B 1785, G 1792
Taf. II-4-23a

P2611 Johann Georg Lutz
B 1785, G 1792
Taf. II-4-23b

**Anmerkung zur Monogrammpunze JH von Josef Hosp (P2612-2616)**

Josef Hosp (Meisterrecht 1814, Anheimsagung 1832) wird von 1815-1832 in den Innungslisten genannt. Seine Punze ist auf Tafel III eingeschlagen und besteht aus dem Monogramm JH in einem Achteck (P2612). Diese Form mit den abgeschrägten Ecken ist in den älteren Punzen (P2613, 2614) noch gut ausgeprägt, wird aber bei späteren Beispielen so undeutlich, daß eine Zuschreibung an Hosp zwar wahrscheinlich, aber nicht gesichert ist (P2615, 2616).

P2612 Josef Hosp
G 1814
Taf. III-3-41b

**Remarks on the monogram mark JH of Josef Hosp (P2612-2616)**

Josef Hosp (master's title: 1814, end of trade: 1832) is entered in the guild lists from 1815-1832. His mark is embossed on marks tablet III and consists of a monogram JH in an octagon (P2612). This shape with slanted corners is clearly seen in the earlier marks (P2613, 2614). Later its image is so vague that an attribution to Hosp is probable but not certain (P2615, 2616).

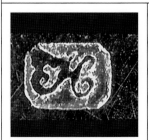

P2613 Josef Hosp
1814
Wien, S. Reisch

P2614 Josef Hosp
1819
Budapest, IM 53.1458

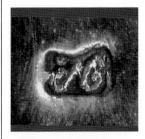

P2615 Josef Hosp (?)
1821
Wien, S. Reisch

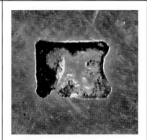

P2616 Josef Hosp (?)
1821
Wien, WKA 28/632

**Anmerkung zur Monogrammpunze JH von Josef Hauptmann (P2617-2619)**

Josef Hauptmann (1783 Aufnahme ins Gremium) ist von 1801 - 1812 in den Innungslisten genannt; seine Steuerleistungen sind von 1783 bis 1812 dokumentiert. Seine Witwe Theresia hat den Betrieb offensichtlich von 1813-1818 (Innungslisten) weitergeführt.
Die Punze mit dem Monogramm JH im Hochoval ist sowohl auf Tafel I als auch auf Tafel II vertreten (P2617, 2618).
Eine Punze von 1806 mit einem der Kreisform angenäherten Oval und einer etwas abweichenden Form des Monogramms (P2619) ist wahrscheinlich entweder Hauptmann oder Haller zuzuschreiben (P2620).

P2617 Josef Hauptmann
G 1783
Taf. I-3-39

**Remarks on the monogram mark JH of Josef Hauptmann (P2617-2619)**

Josef Hauptmann (guild entry: 1783) is entered in the guild lists from 1801 - 1812. His tax payments are documented from 1783 to 1812. The business obviously was continued by his widow (entered in the guild lists from 1813-1818).
The mark consisting of the monogram JH in an upright oval is embossed on marks tablets I and II (P2617, 2618).
A mark of 1806 shows a nearly circular oval and a slightly changed monogram shape (P2619). Probably it either belongs to Hauptmann or Haller (P2620).

P2618 Josef Hauptmann
G 1783
Taf. II-2-38a

P2619 Josef Hauptmann
oder Ignaz Haller (?), 1806
Budapest, IM 52.15

P2620 Ignaz Haller
G 1791
Taf. II-3-42b

**Anmerkung zur Monogrammpunze JH von Johann Michael Heinisch und Josef Heinisch (P2621-2629)**

**Johann Michael Heinisch** (1767 Aufnahme ins Gremium, gest. 1780) ist bis 1781 in den Innungslisten nachweisbar. Steuerleistungen sind von 1768 bis 1781 verzeichnet (1782 wird Johann Michael Heinisch sel. Witwe in einem Adreßbuch genannt).
**Josef Heinisch** (Aufnahme ins Gremium 1802, gest. 1834) wird in den Innungslisten von 1803-1828 genannt. Seine Steuerleistungen sind von 1803-1812 überliefert. Ob der Betrieb von seiner Witwe Rosa fortgeführt wurde, ist nicht bekannt.
Die Monogrammpunze JH von Josef Heinisch gibt es in mehreren Versionen: im **Queroval** (P2621) auf Tafel III und auf einem 1804 datierten Objekt (P2622, 2623) sowie im **Hochoval** auf Tafel III (P2625, 2626) und auf späteren Gegenständen von 1817 und 1821 (P2627-2629). Die Zuordnung der hochovalen Punze zu Johann Michael Heinisch (P2624) oder Josef Heinisch wäre wegen der starken Ähnlichkeit problematisch, ergibt sich aber aus ihren Lebensdaten.

**Remarks on the monogram mark JH of Johann Michael Heinisch and Josef Heinisch (P2621-2629)**

**Johann Michael Heinisch** (guild entry: 1767, died in 1780) is entered in the guild lists until 1781. Tax payments are documented from 1768 to 1781 (1782 "Johann Michael Heinisch sel. Witwe" is mentioned in an address book).
**Josef Heinisch** (guild entry: 1802, , died in 1834) is entered in the guild lists from 1803-1828. His tax payments are documented 1803-1812. It is not ascertained if his business was continued by his widow Rosa.
There are several variations of the monogram mark JH of Josef Heinisch: a **horizontal oval** (P2621) on marks tablet III and on an object dated 1804 (P2622, 2623) and an **upright oval** on marks tablet III (P2625, 2626) on later objects dated 1817 and 1821 (P2627-2629).
Although an attribution of the upright oval mark to Johann Michael Heinisch (P2624) or Josef Heinisch could be difficult it is possible considering their biographical data.

P2621  Josef Heinisch
G 1802
Taf. III-2-12a

P2622  Josef Heinisch
1804
Wien, WKA 21/326

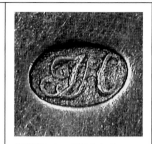

P2623  Josef Heinisch
1804
Wien, WKA 21/326

P2624  Johann Michael
Heinisch, G 1767
Taf. I-2-12

P2625  Josef Heinisch
G 1802
Taf. III-2-12b

P2626  Josef Heinisch
G 1802
Taf. III-2-12c

P2627  Josef Heinisch (?)
1817
Budapest, IM 52.1547

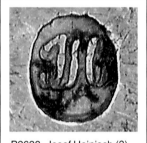

P2628  Josef Heinisch (?)
1821
Wien, Dorotheum 1859/55

P2629  Josef Heinisch (?)
1821
Wien, S. Reisch

**Anmerkung zur Monogrammpunze JJF von Josef Ignaz Fautz (P2630, 2631)**

Josef Ignaz Fautz (Aufnahme ins Gremium 1774, gest. 1812) wird in den Innungslisten bis 1812 genannt; seine Steuerleistungen sind von 1776 bis 1812 überliefert.
Seine Punze mit dem Monogram JJF ist in der älteren Version auf Tafel I wiedergegeben (P2630); die jüngere Version von Tafel II (P2631) zeigt eine Vereinfachung sowohl der Kontur als auch der Initialen.

P2630  Josef Ignaz Fautz
G 1774
Taf. I-2-43

**Remarks on the monogram mark JJF of Josef Ignaz Fautz (P2630, 2631)**

Josef Ignaz Fautz (guild entry: 1774, died in 1812) is entered in the guild lists until 1812. His tax payments are documented from 1776 to 1812.
An early type of his monogram mark JJF is embossed on marks tablet I (P2630); the later variation on marks tablet II (P2631) shows a simplification of the contour as well as of the initials.

P2631  Josef Ignaz Fautz
G 1774
Taf. II-2-8

**P2632** Johann Kobek
G 1797
Taf. III-1-14

**P2633** Josef Kogler
G 1818
Taf. III-4-23

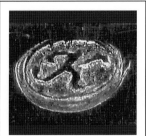

**P2634** Jakob Krautauer
1813
Budapest, IM 61.546

**P2635** Jakob Krautauer
1813
Budapest, IM 61.546

---

**Anmerkung zur Monogrammpunze JK von
Jakob Krautauer (P2634-2636)**

Jakob Krautauer (Aufnahme ins Gremium 1795, gest. 1845) wird von 1801-1845 in den Innungslisten genannt (zeitweiser Nichtbetrieb 1836-1844). Seine Steuerleistungen sind aus dem Zeitraum von 1796-1812 bekannt.
Das JK-Monogramm im Queroval (P2636) ist wesentlich seltener zu finden als das Monogramm Krautauers im Hochformat (siehe S. 262). Ein 1813 datiertes Objekt (P2634, 2635) ist der bisher einzige mir bekannte Anhaltspunkt für die Verwendung dieser Punze.

**P2636** Jakob Krautauer
G 1795
Taf. III-1-9b

**Remarks on the monogram mark JK of
Jakob Krautauer (P2634-2636)**

Jakob Krautauer (guild entry: 1795, died 1845) is entered in the guild lists from 1801-1845 (temporary no business: 1836-1844). His tax payments are documented from 1796-1812. The monogram JK in a horizontal oval (P2636) is rarer than Krautauer's monogram in an upright frame (see pp. 262). An object dated 1813 (P2634, 2635) is the only known proof for the use of this mark.

---

**P2637** Johann Georg
Kagerer, G 1766
Taf. II-1-32

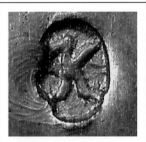

**P2638** Johann Kaba
G 1795
Taf. III-1-8

**P2639** Johann Kaba (?)
1807 (= 1807-1809)
Wien, Dorotheum 1926/43

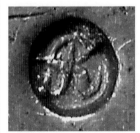

**P2640** Johann Kain
G 1813
Taf. III-3-25b

**P2641** Johann Kain
G 1813
Taf. III-3-26

---

**P2642** Josef Körzler (Kirzler) sen; B 1780, G 1792
Taf. II-4-11b

**P2643** Josef Körzler (Kirzler) sen., B 1780, G 1792
Taf. II-4-11c

**P2644** Josef Körzler (Kirzler) jun; G 1810
Taf. III-3-4b

**Anmerkung zur Monogrammpunze JK (P2642-2647)**

Das JK-Monogramm im Hochoval oder in einem Schild wurde von mehreren Silberschmieden verwendet.
**Johann (Josef) Georg Kagerer** (Aufnahme ins Gremium 1766) wird bis 1781 in den Innungslisten genannt; seine jährlichen Steuerleistungen sind von 1767-1798 überliefert (P2637).
**Johann Kaba** (Aufnahme ins Gremium 1795, gest. 1834) wird von 1801-1835 in den Innungslisten genannt; Steuerleistungen sind von 1796-1812 überliefert. **Johann Kain** (Meisterrecht 1813) ist von 1814-1840 in den Innungslisten genannt. Das JK im Schild von **Josef Körzler sen. und jun.** sowie von **Johann Kriebeth** ist unverwechselbar.

---

**P2645** Johann Kriebeth
G 1818
Taf. III-4-19a

**P2646** Johann Kriebeth
G 1818
Taf. III-4-19b

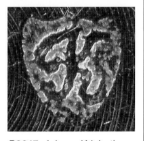

**P2647** Johann Kriebeth
1832
Wien, Dorotheum 1944/97

**Remarks on the monogram mark JK (P2642-2647)**

Several silversmiths used the JK monogram in an upright oval or in a shield.
**Johann (Josef) Georg Kagerer** (guild entry: 1766) is entered in the guild lists untill 1781. His annual tax payments are documented from 1767 to 1798 (P2637).
**Johann Kaba** (guild entry: 1795, died in 1834) is entered in the guild lists from 1801-1835. Tax payments are documented 1796-1812.
**Johann Kain** (master's title: 1813) is found in the guild lists from 1814-1840.
The mark of **Josef Körzler Sr. and Jr.** and of **Johann Kriebeth** – a JK in a shield – is unmistakable.

### Anmerkung zur Monogrammpunze JK von Krautauer (P2648-2661)

**Ignaz Krautauer** (Aufnahme ins Gremium 1771, gest. 1787) ist 1771-1782 in Adreßbüchern und Innungslisten genannt. Seine Steuerleistungen sind bis 1787 nachweisbar, für **„Ignatz Krauttauer seel. Wittib" (= Anna Krautauer)** von 1788 bis 1795.

**Jakob Krautauer** (1795 Aufnahme ins Gremium, 1836-1844 zeitweiser Nichtbetrieb; gest. 1845) wird in den Innungslisten 1801-1845 genannt. Seine Steuerleistungen ab 1796 (bis 1812) sind in beträchtlicher Höhe nachweisbar, was auf einen bedeutenden Betrieb schließen läßt.

Neben der Punze „Krautauer" (s. S. 207) ist vor allem das JK-Monogramm für die Familie Krautauer als Namenspunze bekannt. Je nach Datierung des Objekts in der Wiener Punze kann dieses JK (das J steht entweder für Ignaz oder für Jakob) Ignaz Krautauer (P2648), seiner Witwe Anna (P2650) oder Jakob Krautauer (P2651) zugeschrieben werden.

Für **Ignaz Krautauer** wurde das JK auf Tafel I eingeschlagen (P2648), für die Witwe („I. Krautauerin") auf Tafel II (P2650). Eine charakteristische Punze von Ignaz Krautauer ist 1785 datiert (P2649). Da Ignaz Krautauer 1787 starb, sind die Punzen der Folgejahre dem Witwenfortbetrieb zuzuschreiben, ab 1795 Jakob Krautauer.

Das JK für Jakob Krautauer findet sich auf Tafel III (P2651). Es zeigt eine bereits stark verunklärte Form, vor allem beim Monogramm, weniger in der Kontur. Sicher wurde in der Folge die Punze erneuert.

Auf die Monogrammpunze JK im Queroval, die auch auf einem Objekt von 1813 vorkommt, wurde bereits eingegangen (siehe S. 261, P2634, 2635).

Das JK-Monogramm von Jakob Krautauer kommt wegen der erheblichen Produktion seines Betriebes zwar häufig vor, wurde aber ebenfalls gerne gefälscht.

P2648  Ignaz Krautauer
G 1771
Taf. I-2-32

P2649  Ignaz Krautauer
1785
Budapest, IM 73.67

P2650  I. Krautauerin
(Witwe von Ignaz Krautauer)
Taf. II-4-34

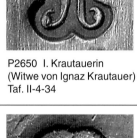

P2651  Jakob Krautauer
G 1795
Taf. III-1-9a

### Remarks on the monogram mark JK of Krautauer (P2648-2661)

**Ignaz Krautauer** (guild entry: 1771, died in 1787) is found in address books and guild lists from 1771 to 1782. His tax payments are documented until 1787, for **"Ignatz Krauttauer seel. Wittib"** (= Anna Krautauer) from 1788 to 1795.

**Jakob Krautauer** (guild entry: 1795, 1836-1844 temporary non-work, died in 1845) is entered in the guild lists from 1801-1845 his tax payments from 1796 (until 1812) ran to considerable sums proving a flourishing business. Besides the mark "Krautauer" (see p. 207) especially the monogram mark JK was well known. Considering the year date in the Viennese hallmark on objects we can attribute the JK monogram either to Ignaz Krautauer (P2648), his widow (P2650) or Jakob Krautauer (P2651). The JK for **Ignaz Krautauer** is embossed on marks tablet I (P2648), for the widow ("J. Krautauerin") on marks tablet II (P2650). A typical mark of Ignaz Krautauer is dated 1785 (P2649). Ignaz Krautauer died in 1787, therefore the marks of the following years are those of his widow (for Jakob Krautauer from 1795). The JK of **Jakob Krautauer** is embossed on marks tablet III (P2651) showing a deteriorating shape (especially the monogram) whereas the contour is quite clear. Obviously the mark was renewed from time to time. The monogram mark in a horizontal oval (to be found on an object of 1813) was discussed earlier (see p. 261, P2634, 2635). Although the JK monogram of Jakob Krautauer is quite frequent due to the importance of his business, it is also appreciated by forgers.

P2652  Jakob Krautauer
1796
Budapest, IM 63.563

P2653  Jakob Krautauer
1796
Wien, Dorotheum 1859/35

P2654  Jakob Krautauer
1797
Budapest, IM 73.60.1

P2655 Jakob Krautauer
1797
Budapest, IM 73.60.2

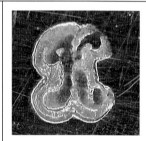

P2656  Jakob Krautauer
1803
Wien, S. Reisch

P2657  Jakob Krautauer
1804
Wien, Dorotheum 1859/61

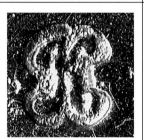

P2658  Jakob Krautauer
1804
Budapest, IM 63.572

P2659  Jakob Krautauer
1805
Wien, WKA 21/323

P2660  Jakob Krautauer
1805
Budapest, IM 61.537

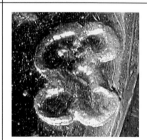

P2661  Jakob Krautauer
1806
Budapest, IM 61.537

P2662 Josef Kern
G 1812
Taf. III-3-12d

P2663 Josef Kern
G 1812
Taf. III-3-12e

P2664 Josef Kern
G 1812
Taf. III-3a-12b

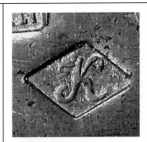

P2665 Josef Kern
G 1812
Taf. III-3-12c

**Anmerkung zur Monogrammpunze JK bzw. K
für Josef und Heinrich Kern (P2662-2671)**

**Josef Kern** (Meisterrecht 1812, gest. 1832) ist von 1813-1832 in den Innungslisten nachweisbar (Witwenfortbetrieb durch **Anna Kern** 1833-1846).
**Heinrich Kern** (Meisterrecht 1841, gest. 1850, Anheimsagung 1850) ist in den Innungslisten 1842-1850 nachweisbar. Die Punze JK in der Raute wurde von Josef Kern und dann sicher auch von Anna Kern verwendet. Nahezu identisch wurde sie von Heinrich Kern übernommen (bei ihm ist sie als K zu lesen, P2669). Vermutlich waren die Punzen (P2662, 2663) die älteren und P2664, 2665 die jüngeren (auf Objekten ab 1820 nachweisbar, s. P2666, 2667).

P2666 Josef Kern
1820
Wien, Dorotheum 1859/50

P2667 Josef Kern
1821; Pfarrkirche Lichten-
thal (Wien)

P2668 Josef Kern
18??
Budapest, IM 69.1965

**Remarks on the monogram mark JK or K
for Josef and Heinrich Kern (P2662-2671)**

**Josef Kern** (master's title: 1812, died in 1832) is entered in the guild lists from 1813-1832 (his widow **Anna Kern** continued the business from 1833-1846).
**Heinrich Kern** (master's title 1841, died in 1850, end of trade: 1850) is entered in the guild lists from 1842-1850. The mark JK in a rhombus was used by Josef Kern and obviously also by Anna Kern. It was taken over in nearly identical shape by Heinrich Kern where it is to be read as a K. We may assume that the marks P2662, 2663 were used earlier than the marks P2664, 2665 (embossed on objects from 1820, see P2666, 2667).

P2669 Heinrich Kern
M 1841
Taf. IV-4-10

P2670 Heinrich Kern (?)
1850?
Wien, Dorotheum 1962/100

P2671 Heinrich Kern (?)
1850?
Wien, Dorotheum 1962/100

### Anmerkung zur Monogrammpunze JL von Johann Leykauf (P2672, 2673)

Johann Leykauf (Aufnahme ins Gremium 1780, gest. 1788) ist in der Innungsliste von 1781 genannt, seine Steuerzahlungen sind von 1781-1788 nachweisbar (6 Gulden jährlich). Seine Monogrammpunze JL ist auf Tafel I in zwei Varianten eingeschlagen (P2672, 2673).

P2672  Johann Leykauf
G 1780
Taf. I-3-16a

### Remarks on the monogram mark JL of Johann Leykauf (P2672, 2673)

Johann Leykauf (guild entry: 1780, died in 1788) is entered in the guild list of 1781, his tax payments are documented from 1781 to 1788 (annually six Guilders).
His monogram mark JL is embossed on marks tablet I in two variations (P2672, 2673).

P2673  Johann Leykauf
G 1780
Taf. I-3-16b

### Anmerkung zur Monogrammpunze LM (JLM?) von Leopold Meixner (P2674-2681)

Leopold Meixner (Aufnahme ins Gremium 1800) wird von 1801 bis 1834 in den Innungslisten genannt. Seine jährlichen Steuerleistungen sind von 1800 bis 1812 dokumentiert. Nach seinem Tod fürte seine Witwe Anna Meixner den Betrieb weiter; sie ist in den Innungslisten von 1835-1844 angeführt. Das Monogramm LM (JLM?) ist auf Tafel III eingeschlagen (P2674) und dort deutlicher zu lesen als auf den meisten Punzen, die sich auf Objekten oft nur fragmentarisch erhalten haben (P2675-2681). Eine Zuordnung ist aufgrund der charakteristischen Form von Punze und Kontur jedoch zumeist möglich.

P2674  Leopold Meixner
G 1800
Taf. III-1-36

### Remarks on the monogram mark LM (JLM?) of Leopold Meixner (P2674-2681)

Leopold Meixner (guild entry: 1800) is entered in the guild lists from 1801 to 1834. His annual tax payments are documented from 1800 to 1812.
His widow Anna Meixner continued the business after his death. She is entered in the guild lists from 1835 to 1844.
The monogram LM (JLM?) is embossed on marks tablet III (P2674) where it shows a clearer image than most of the fragmentary marks on objects (P2675-2681).
Nevertheless an attribution is possible due to the typical shape of mark and contour.

P2675  Leopold Meixner
1802
Budapest, NM Ö/1.93.5.1

P2676  Leopold Meixner
1802
Budapest, NM Ö/1.93.5.1

P2677  Leopold Meixner
1802
Budapest, NM Ö/1.93.5.2

P2678  Leopold Meixner
1802
Budapest, NM Ö/1.93.5.2

P2679  Leopold Meixner
1802
Budapest, IM 52.1305

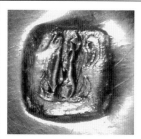

P2680  Leopold Meixner
1802
Budapest, IM 52.1305

P2681  Leopold Meixner
1804
Privatbesitz (EJ)

P2682　Ignaz Mauthner
M 1860
Taf. VIII-2-40a

P2683　Ignaz Mauthner
M 1860
Taf. VIII-2-40b

P2684　Josef Neidhart
B 1817
Taf. VI-1-22c

### Anmerkung zur Monogrammpunze JQ von Anton Josef Quitteiner (P2685-2687)

Anton Josef Quitteiner (Meisterrecht 1814) wird von 1815-1831 in den Innungslisten genannt. Von seiner Monogramm-Namenspunze gibt es zwei Varianten: das Monogramm JQ in schildförmiger (P2685) bzw. ovaler Rahmung (P2687).
Die Punze AIQ (siehe S. 119, P88-90) ist auf einem Objekt von 1821 nachweisbar, die Monogrammpunze JQ im Schild auf einem Objekt von 1816 (P2686). So kann folgende chronologische Reihung seiner Punzen angenommen werden: Monogramm JQ im Schild (P2685), Monogramm im Oval (P2687), Punze AIQ (S. 119, P88) im Schild.

P2685　Josef Quitteiner
G 1814
Taf. III-3-35c

### Remarks on the monogram mark JQ of Anton Josef Quitteiner (P2685-2687)

Anton Josef Quitteiner (master's title: 1814) is entered in the guild lists from 1815-1831. There are two variations of his monogram mark: the monogram JQ in a shield (P2685) or in an oval frame (P2687).
The mark AIQ (see p. 119, P88-90) is found on an object of 1821, the monogram mark JQ in a shield on an object of 1816 (P2686). Therefore the following chronological order may be assumed: first the monogram JQ in a shield (P2685), then the monogram in an oval frame (P2687), finally the mark AIQ in a shield (p. 119, P88).

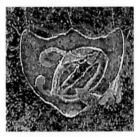

P2686　Josef Quitteiner
1816
Wien, S. Reisch

P2687　Josef Quitteiner
G 1814
Taf. III-3-35d

P2688　Josef Segatta
G 1777
Taf. I-2-54

P2689　Johann Sitte
G 1789
Taf. I-4-8

P2690　Johann Sitte
G 1789
Taf. II-3-21a

### Anmerkung zur Monogrammpunze JS von Johann Sitte (P2689, 2690)

Johann Sitte (Aufnahme ins Gremium 1789) wird in den Innungslisten von 1801-1832 genannt. Seine jährlichen Steuerleistungen sind von 1790 bis 1812 dokumentiert (später Steuerbemessung in Perioden von drei Jahren).
Der Typus seiner Punze (JS im Vierpaß) ist auf Tafel I (P2689) und Tafel II derselbe, auf letzterer in einem schon abgenützten Zustand (P2690).

P2691　Punze / mark JS
1807 (= 1807-1809)
Privatbesitz (EJ)

### Remarks on the monogram mark JS of Johann Sitte (P2689, 2690)

Johann Sitte (guild entry: 1789) is entered in the guild lists from 1801-1832. His annual tax payments are documented from 1790 to 1812 (later tax assessment in periods of three years).
The general type of his mark (JS in a quatrefoil) is principally the same on marks tablet I (P2689) and II, albeit the latter shows a deterioriated condition (P2690).

### Anmerkung zur Monogrammpunze JS von Josef Schneider (P2692-2699)

Josef Schneider (Aufnahme ins Gremium 1779) wird von 1780 bis 1835 in den Innungslisten genannt, 1801 als k. k. Hofsilberarbeiter; 1824 Gewerbszurücklegung, 1824-1835 in Währing). Seine jährlichen Steuerleistungen sind von 1782 bis 1812 nachweisbar (dann Steuerbemessung in dreijährigen Perioden).

Zwei typische Punzenformen sind von Schneider überliefert: auf Tafel I und II das JS-Monogramm in einer Kartusche mit geraden Vertikalen und Horizontalen (P2692, 2693), auf Tafel II das JS-Monogramm auch im Hochoval (P2697). Da es das JS-Monogramm im Hochoval als Punze mehrerer Silberschmiede gibt, muß auf die charakteristische Führung des J und S geachtet werden: bei Josef Schneider setzen sich im Monogramm die S-Kurve deutlich von der J-Kurve ab. Bei Ignaz Sedelmayer (P2700-2702) überschneidet die untere S-Kurve kaum die J-Kurve. Das JS von Jakob Schütz ist deshalb gut abzugrenzen, weil die obere Rundung des S deutlich unter der Spitze des J liegt (P2703) und nicht darüber wie bei Schneider oder Sedelmayer.

Auf einer Schreibgarnitur aus dem Budapester Kunstgewerbemuseum (siehe S. 35) ist die ältere Punze des Josef Schneider mehrfach vertreten (P2694-2696): zweimal ist die Form klar, einmal nur fragmentarisch erhalten (P2696).

P2692  Josef Schneider
G 1779
Taf. I-3-2a

P2693  Josef Schneider
G 1779
Taf. II-2-20a

### Remarks on the monogram mark JS of Josef Schneider (P2692-2699)

Josef Schneider (guild entry: 1779) is entered in the guild lists from 1780 to 1835; 1801 mentioned as imperial royal court silversmith; end of trade: 1824; 1824-1835 in Währing). His annual tax payments are documented from 1782 to 1812 (then tax assessment in a period of three years).

Schneider used two typical marks:

On marks tablets I and II there is a JS monogram in a cartouche (the frame with straight vertical and horizontal lines) (P2692, 2693), on marks tablet II the JS monogram also in an upright oval (P2697).

The latter frame including a monogram JS is used by several silversmiths so the typical characteristics of the J and S are to be considered in detail:

In the monogramm of Josef Schneider's mark the S-curve is clearly distinguished from the J-curve. In Ignaz Sedelmayer's mark (P2700-2702) the S and J-curve overlap on the bottom. The JS of Jakob Schütz differs from the others by the curve of the S situated clearly below the peak of the J (P2703) and not on top of it (marks of Schneider or Sedelmayer).

Several images of the earlier mark of Josef Schneider are found on an inkstand from the Budapest Museum of Applied Arts (see p. 35 and P2694-2696): twice the shape is preserved clearly, once damaged (P2696).

P2694  Josef Schneider
1787
Budapest, IM 52.1314

P2695  Josef Schneider
1787
Budapest, IM 52.1314

P2696  Josef Schneider
1787
Budapest, IM 52.1314

P2697  Josef Schneider
G 1779
Taf. II-2-20b

P2698  Josef Schneider
1805
Wien, Dorotheum 1892/67

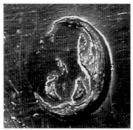

P2699  Josef Schneider
1807 (= 1807-1809)
Budapest, IM 69.1066

P2700  Ignaz Sedelmayr
G 1800
Taf. III-1-40

P2701  Ignaz Sedelmayr
1802
Budapest, IM 64.213

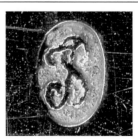

P2702  Ignaz Sedelmayr
1802
Budapest, IM 64.213

P2703  Jakob Schütz
G 1779
Taf. II-2-22

P2704  Josef Turmer
B 1806
Taf. VI-1-13

P2705  Josef Weitgassner
G 1801
Taf. III-1-41b

P2706  Josef Weitzmann
G 1802
Taf. III-2-8

**Anmerkung zu P2707**

Diese Punze kann als Monogramm LA oder als Buchstabe L gelesen werden. Der Silberschmied ist bisher unbekannt geblieben.

**Remarks on P2707**

This mark could be read as monogram LA or letter L. The silversmith is still unidentified.

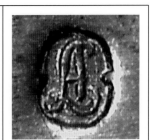

P2707  Punze / mark LA?
Taf. I-3-60b

**Anmerkung zur Punze Monogramm LB
von Louis (Ludwig Christian) Braun (P2708)**

Ludwig Christian Braun (Befugnis 1861, Anheimsagung 1882) wird in den Innungslisten von 1862-1880 genannt.

Firmengeschichte:
1859 Protokollierung der „Galanteriewarenhandlungs-Gerechtigkeit" und seiner Firma **„Louis Braun"**.
1861 Löschung der Firma „über Handlungsrücklegung".
1863 Protokollierung der Firma **„Louis Braun"** (Inhaber: Ludwig Christian Braun, Juwelier in Wien).
1888 „über Steuerabschreibung gelöscht".

*(MerkG Prot. Bd 10, B 382; HG E 3/280)*

P2708  Louis Braun
GV 1861
Taf. VIII-3-52

**Remarks on the monogram mark LB
of Louis (Ludwig Christian) Braun (P2708)**

Ludwig Christian Braun (authorization: 1861, end of trade: 1882) is entered in the guild lists from 1862-1880.

Company history:
1859 registration of the fancy goods business and his company **"Louis Braun"**.
1861 dissolution of the company due to end of trade.
1863 registration of the company **"Louis Braun"** (owner: Ludwig Christian Braun, jeweller in Vienna).
1888 dissolution due to tax end.

*(MerkG Prot. Bd 10, B 382; HG E 3/280)*

P2709  Ludwig Fortner, Prag
1837 (?)
Prag, NM H2-193.631

**Anmerkung zur Monogrammpunze LF
von Ludwig Fortner (P2709-2712)**

Ludwig Fortner (Prag 1797 – 1872 Wien) war bis 1856 als Silberschmied in Prag tätig, erhielt 1856 das Meisterrecht in Wien (zeitweiser Nichtbetrieb 1862). Er wird 1858-1862 in den Innungslisten genannt.
Seine Monogrammpunze LF verwendete er sowohl in Prag (P2709) als auch in Wien (P2710-2712). Die Prager Punze auf einem Objekt des Nationalmuseums Prag ist von einer undeutlich datierten Amtspunze begleitet (wohl 1837).
*(Für den Hinweis auf die Prager Punze danke ich Frau Dr. Dana Stehlíková, Nationalmuseum Prag).*

**Remarks on the monogram mark LF of Ludwig Fortner (P2709-2712)**

Ludwig Fortner (Prague 1797 – 1872 Vienna) worked as silversmith until 1856 in Prague (master's title in Vienna: 1856, temporary non-work: 1862). He is entered in the guild lists from 1858-1862.
He used his monogram mark LF in Prague (P2709) as well as in Vienna (P2710-2712). The Prague mark on an object of the National Museum in Prague is accompanied by an unclearly dated hallmark (probably 1837).
*(For the information concerning the Prague mark I am thankful to Dr. Dana Stehlíková, National Museum Prague).*

P2710  Ludwig Fortner,
Wien, M 1856
Taf. VII-4-29b

P2711  Ludwig Fortner,
Wien, M 1856
Taf. VII-4-29a

P2712  Ludwig Fortner,
Wien, M 1856
Taf. VII-4-29c

P2713  Leopold Kuhn
G 1818
Taf. III-4-18

P2714  Ludwig Wastl
M 1850
Taf. VII-1-3

P2715  Leopold Weber
M 1824
Taf. IV-1-30a

P2716  Leopold Weber
M 1824
Taf. IV-1-30b

P2717 Matthäus Tausch
(Dausch), G 1776
Taf. I-2-52

P2718 Matthias Ehren-
trauth, G 1765
Taf. I-1-57

P2719 Michael Freisinger
B 1785, G 1792
Taf. II-4-21

### Anmerkung zur Monogrammpunze MK von Martin Kern (P2720-2730)

Martin Kern (Aufnahme ins Gremium 1787, gest. 1818) wird von 1801-1818 in den Innungslisten genannt. Seine jährlichen Steuerleistungen sind ab 1789 bis 1812 überliefert (dann Steuerbemessung in Zeiträumen von je drei Jahren). Seine Witwe Helena Kern (gest. 1822) führte den Betrieb weiter (1819-1822 in den Innungslisten genannt).
Die Form der älteren Punze von Tafel I (P2720) ist – beschädigt – auf einem Objekt von 1790 zu finden (P2721).
Bei der jüngeren Punze (P2722, 2723) sind die Buchstaben gerader. Der Wechsel von einem Punzentypus zum andern dürfte 1790 stattgefunden haben, da uns aus diesem Jahr beide Formen auf Objekten überliefert sind (P2721, 2725, 2726). Die spätere Punze fand ich auf Gegenständen bis 1805 (P2725-2730), meist mit bereits sehr undeutlich gewordenen Initialen.

P2720 Martin Kern
G 1787
Taf. I-3-54

P2721 Martin Kern
1790
Wien, WKA 21/314

### Remarks on the monogram mark MK of Martin Kern (P2720-2730)

Martin Kern (guild entry: 1787, died in 1818) is entered in the guild lists from 1801-1818. His annual tax payments are documented from 1789 to 1812 (then tax assessment in periods of three years).
His widow Witwe Helena Kern (died in 1822) continued the business and is entered in the guild lists from 1819-1822.
The shape of the earler mark on marks tablet I (P2720) is found in damaged condition on an object of 1790 (P2721).
In the later mark (P2722, 2723) the letters are of a straighter shape. The change from one type of mark to the other must have taken place about 1790: both types are documented in this year (P2721, 2725, 2726). I found the latter mark on objects until 1805 (P2725-2730), the initials being mostly deteriorated.

P2722 Martin Kern
G 1787
Taf. II-3-12a

P2723 Martin Kern
G 1787
Taf. II-3-12b

P2724 Martin Kern
G 1787
Taf. II-3-12c

P2725 Martin Kern
1790
Wien, S. Reisch

P2726 Martin Kern
1790
Wien, S. Reisch

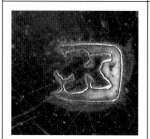

P2727 Martin Kern
1796
Wien, S. Reisch

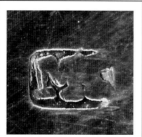

P2728 Martin Kern
1796
Wien, S. Reisch

P2729 Martin Kern
1800
Brünn, MG 21.528

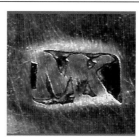

P2730 Martin Kern
1805
Privatbesitz

P2731 Matthias F. Müller
B 1838
Taf. VI-7-15

P2732 Michael Wein-
hackel. G 1782
Taf. I-3-36

P2733 Michael oder / or
Nikolaus Wiener, G 1784
Taf. I-3-48

### Anmerkung zur Monogrammpunze MW von Michael Wiener (P2734)

Zwei Silberschmiede mit Namen Michael Wiener könnten eine Monogrammpunze MW verwendet haben.
Michael Wiener (sen.) (1784 Aufnahme ins Gremium, gest. 1831) wird in den Innungslisten von 1801-1827 genannt; seine jährlichen Steuerleistungen sind von 1785 bis 1812 nachweisbar.
Sein Sohn Michael Wiener (jun.) (Meisterrecht 1817, An-heimsagung und Steuerabmeldung 1853) wird 1818 bis 1853 in den Innungslisten genannt.
Die Monogrammpunze MW im Schild findet sich auf Tafel II (P2734). Eine fragmentarisch erhaltene Punze (P2735) ent-spricht diesem Punzenbild. Drei Punzen aus dem Zeitraum von 1807-1813 zeigen ebenfalls die Initialen MW im Schild (P2736-2738).
Eine undeutliche Monogrammpunze könnte als MW (für Mi-chael Wiener) oder NW (für Nikolaus Wiener) gelesen wer-den (P2733).
Für Michael Wiener sen. und jun. sind auch einfache Na-menspunzen aus geraden Buchstaben überliefert.

(siehe S. 222, P2074, 2075, 2079, 2082)

P2734 Michael Wiener
G 1784
Taf. II-2-44a

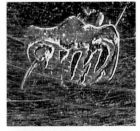

P2735 Michael Wiener
1820(?)
Wien, S. Reisch

P2736 Punze / mark MW
1807 (= 1807-1809)
Wien, S. Reisch

P2737 Punze / mark MW
1807 (= 1807-1809)
Wien, Dorotheum 1892/65

P2738 Punze / mark MW
1813
Privatbesitz (EJ)

P2739 Peter Höck
G 1806
Taf. III-2-32a

### Remarks on the monogram mark MW of Michael Wiener (P2734)

Two silversmiths named Michael Wiener could have used a monogram mark MW.
Michael Wiener, Sr. (guild entry: 1784, died in 1831) is en-tered in the guild lists from 1801-1827. His annual tax pay-ments are documented from 1785 to 1812.
His son Michael Wiener, Jr. (master's title: 1817, end of trade and of tax: 1853) is entered in the guild lists from 1818 to 1853.
The monogram mark MW in a shield is embossed on marks tablet II ((P2734). A fragmentary mark (P2735) corresponds to this image. Three marks dated from 1807-1813 also show the initials MW in a shield (P2736-2738).
An unclear monogram mark could be read as MW (for Mi-chael Wiener) or NW (for Nikolaus Wiener) (P2733).
Simple maker's mark with straight letters are known for Mi-chael Wiener, Sr. and Jr.

(see p. 222, P2074, 2075, 2079, 2082)

P2740 Paul Mayerhofer
B 1788, G 1792
Taf. II-4-25

P2741 Paul Mayerhofer
1804
Budapest, NM 1954.100

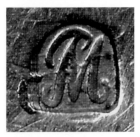

P2742 Paul Mayerhofer
1807 (= 1807-1809)
Privatbesitz (EJ)

P2743 Paul Mayerhofer
1807 (= 1807-1809)
Wien, S. Reisch

P2744 Paul Mayerhofer
1807 (= 1807-1809)
Wien, HM 96.416

### Anmerkung zur Monogrammpunze PM von Paul Mayerhofer (P2740-2744)

Paul Mayerhofer (Befugnis 1788, Aufnahme ins Gremium 1792, zeitweiser Nichtbetrieb ab 1813, gest. 1834) wird von 1801 bis 1830 in den Innungslisten genannt, Steuerzahlungen sind allerdings nur von 1789 bis 1811 nachweisbar.
Seine Monogrammpunze PM ist auf Tafel II eingeschlagen (P2740). Auf Objekten wird sie von der Wiener Punze von 1804 sowie von 1807 (gültig 1807-1809) begleitet (P2741-2744).

### Remarks on the monogram mark PM of Paul Mayerhofer (P2740-2744)

Paul Mayerhofer (authorization: 1788, guild entry: 1792, temporary non-work: 1813-1825, died in 1834) is entered in the guild lists from 1801 to 1830, but his tax payments are doc-umented only from 1789 to 1811. His monogram mark PM is embossed on marks tablet II (P2740). On several objects it is accompanied by the Viennese hallmark of 1804 and of 1807 (valid 1807-1809) (P2741-2744).

### Anmerkung zur Monogrammpunze SES von Stephan Eduard Starckloff (P2745)

Neben der Namenspunze SES und dem Doppeladler (siehe S. 228 und 249) verwendete Starckloff auch das Monogramm SES (P2745).

Stephan Eduard Starckloff (Befugnis 1811, Meisterrecht 1815), ist in Adreßbüchern und Innungslisten von 1812 bis 1844 nachweisbar (Privilegium 1825, Führung des Adlers 1832 genannt); Starckloff hatte sich auf Tabaksdosen spezialisiert; im Inneren dieser Dosen sind seine Doppeladler-Punzen manchmal nur sehr fragmentarisch erhalten und häufig nur durch den Zusatz SES identifizierbar.

P2745  Stephan Eduard Starckloff, B 1811, G 1815
Taf. III-3-47a

### Remarks on the monogram mark SES of Stephan Eduard Starckloff (P2745)

Starckloff used the maker's mark SES and the double eagle (see pp. 228, 249) but also the monogram mark SES (P2745).

Stephan Eduard Starckloff (authorization: 1811, master's title: 1815) is entered in address books and guild lists from 1812 to 1844 (privilege: 1825, double eagle mentioned in 1832); Starckloff was specialized in snuff boxes; his double eagle marks inside the boxes often are fragmentary and distinguishable only by the letters SES.

### Anmerkung zur Monogrammpunze STM CK von Stephan Mayerhofer und Carl Klinkosch (P2746-2749)

Stephan Mayerhofer und Carl Klinkosch hatten jeder für sich eine Namenspunze; vor allem das STM von Mayerhofer ist auf Objekten häufig zu finden (siehe S. 14-17).

Die Zusammenarbeit von Mayerhofer und Klinkosch wird in der Monogrammpunze (P2746) deutlich wiedergespiegelt. Aus dem Jahre 1838 ist die Kombination der aus den beiden Namens-Initialen zusammengesetzten Monogramme STM sowie CK nachweisbar (P2747).

Auch eine Punze **MAYERHOFER & KLINKOSCH** ist bekannt (S. 215, P1940, 1942).

Aus den Initialen der Nachnamen setzt sich die von 1844 - 1869 nachweisbare Punze **M & K** zusammen (S. 219), dann folgt das JCK bzw. die Helmpunze von Josef Carl Klinkosch.

*(MerkG Prot. Akt F3 / M / 91; MerkG Prot. Bd. 8, M 6; MerkG Prot. Bd 8, M 49; HG Ges 3/570; HG E 10/78)*

P2746  Mayerhofer & Klinkosch
Taf. VI-1-12a

P2747  Mayerhofer & Klinkosch, 1838
Privatbesitz (EJ)

### Remarks on the monogram mark STM CK of Stephan Mayerhofer and Carl Klinkosch (P2746-2749)

Both Stephan Mayerhofer and Carl Klinkosch had an individual maker's mark; especially well known is the STM of Mayerhofer, frequently embossed on objects (pp. 14-17).

The cooperation of Mayerhofer and Klinkosch is represented by the monogram mark (P2746).

A combination of the two monograms STM and CK (consisting of their initials) is documented for 1838 (P2747).

We also know the mark **MAYERHOFER & KLINKOSCH** (p. 215, P1940, 1941).

The mark **M & K** consisting of the initials of both family names is documented from 1844 to 1869 (p. 219), followed by the JCK and the helmet mark of Josef Carl Klinkosch.

*(MerkG Prot. Akt F3 / M / 91; MerkG Prot. Bd. 8, M 6; MerkG Prot. Bd 8, M 49; HG Ges 3/570; HG E 10/78)*

P2748  Mayerhofer & Klinkosch, 183?
Privatbesitz (KG)

P2749  Mayerhofer & Klinkosch, 183?
Privatbesitz (KG)

P2750  Punze / mark TM?
1819
Wien, Dorotheum 1926/44a

P2751  Tobias Mengetti
B 1828
Taf. VI-4-26b

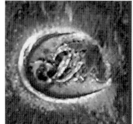

P2752  Tobias Mengetti
1832
Prag, MhMP 44.190

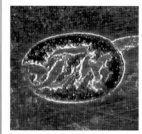

P2753  Tobias Mengetti
1832
Wien, HM 49.558

P2754  Tobias Mengetti
18?2
Wien, S. Reisch

**Anmerkung zur Monogrammpunze JS
von Tobias Schmidt (P2755-2759)**

Tobias Schmidt (Meisterrecht 1811, Anheimsagung 1820) wird von 1811 bis 1820 in den Innungslisten genannt. Seine Witwe Franziska Schmidt führte den Betrieb kurzzeitig weiter (in den Innungslisten 1821-1822 erwähnt). Sie hat sicher auch seine Punze weiter verwendet.

Die Monogrammpunze TS im Schild ist auf Tafel III eingeschlagen (P2755); auf Objekten fanden wir sie bisher von 1810 bis 1816 (P2756-2759). Im Historischen Museum der Stadt Wien gibt es einen Silbergegenstand mit der Wiener Punze 1810 (P2756). Dies stünde mit der Gewerbsverleihung Schmidts von 1811 im Widerspruch, wenn man nicht berücksichtigt, daß die Wiener Punze von 1810 bis 1812 gültig war.

Die Beschädigung der Punzen-Kontur rechts oben wird bis 1816 immer stärker (P2756-2759).

P2755 Tobias Schmidt
G 1811
Taf. III-3-7

**Remarks on the monogram mark JS
of Tobias Schmidt (P2755-2759)**

Tobias Schmidt (master's title: 1811, end of trade: 1820) is entered in the guild lists from 1811 to 1820. His widow Franziska Schmidt continued the business for a short time (entered in the guild lists from 1821 to 1822). Certainly she continued to use his mark.

The monogram mark TS in a shield is embossed on marks tablet III (P2755); on objects this mark is documented from 1810 to 1816 (P2756-2759). In the Historical Museum of the City of Vienna a silver object bears the Viennese hallmark dated 1810 (P2756). This would mean a contradiction to Schmidt's bestowal of trade (only 1811) but we have to bear in mind that the Viennese mark dated 1810 was valid until 1812.

The damage in the mark's frame on top of the right side increases until 1816 (P2756-2759).

P2756 Tobias Schmidt
1810 (= 1810-1812)
Wien, HM 71.475/1

P2757 Tobias Schmidt
181?
Wien, Dorotheum 1926/48

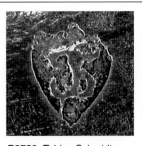

P2758 Tobias Schmidt
181?
Wien, Dorotheum 1859/57

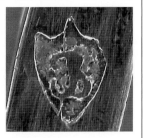

P2759 Tobias Schmidt
1816
Privatbesitz (KJ)

P2760 Franz Xaver Storr
G 1785
Taf. I-3-49b

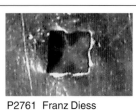

P2761 Franz Diess
M 1858
Taf. VIII-1-4a

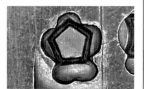

P2762 Bolzani & Füssl
pFa 1852
Taf. VIII-3-12a

P2763 Bolzani & Füssl
pFa 1852
Taf. VIII-3-12b

P400 Carl Abele
B 1850, Taf. VII-1-27a

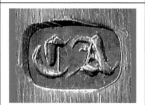

P401 Carl Abele
B 1850, Taf. VII-1-27a

P692 Franz Fischer
M 1849, Taf. IV-5-39

P873 Ferdinand Stengl
GA 1858, Taf. VII-5-31

P1021 Gottlieb Rohn
B 1844, Taf. VI-8-11b

P1082 Heinrich Müller
B 1840, Taf. VI-7-13b

P1590 Johann Detter (Det-
ler), B 1838, Taf. VI-6-30b

P1645 Johann Krämer
M 1842, Taf. VII-1-26

P1685 Josef Raimund
B 1845, Taf. VI-8-20a

P1710 Josef Schub
B 1837, Taf. VI-6-26c

P1696 Johann Schubert
B 1844, M 1851,Taf. VI-8-8c

P1719 Josef Türk
B 1852, Taf. VII-4-13a

P1719 Josef Türk
B 1852, Taf. VII-4-13b

P2283 Thomas Müller
(jun.?), B 1839, Taf. VI-6-44a

P2419 Wilhelm Siebmann
B 1841, Taf. VI-7-28

## Abkürzungen
## Abbreviations

Abkürzungen wurden aus Platzgründen vor allem im Punzenteil des vorliegenden Buches verwendet (S. 113-272).

*Abbreviations are used in this book to save place, particularly in the section of marks (pp. 113-272).*

Adr = Nennung in einem Wiener Adreßbuch / mention in a Viennese address book

B = Befugnisverleihung / authorization

BA = Befugnisanmeldung / authorization announcement

E = Erwähnung (zeitgenössische Quelle) / mention (contemporary source)

FB = Fabriksbefugnis (einfaches) / factory authorization (common)

Fray = siehe Ausgewählte Literatur, S. 275
see Selected Bibliography, p. 275

G = Aufnahme ins Gremium / guild entry

GA = Gewerbsansuchen / application of trade

G-P = V. G. Gottfried und Emanuel Pernold, Handels- und Gewerbe-Adressenbuch der österreichischen Monarchie, Band I, 1854, Wien o.J.

Gottfried-Pernold = siehe / see G-P

GV = Gewerbsverleihung / bestowal of trade

HG = Merkantil- und Wechselgericht, Handelsregister (-gericht) Mercantile and Commercial Court, Register of commerce
HG E = Handelsregister, „Einzelnfirmen"
HG Ges = Handelsregister, „Gesellschaftsfirmen"
gefolgt von Bandnummer / Jahreszahl
(z. B. HG Ges 8/62)
followed by volume no. / year (i. e. HG Ges 8/62)

HR = Hauptregistratur / Main Registry
HR gefolgt von Bandnummer / Jahreszahl
(z. B. HR 506/1842)
HR followed by volume no. / year (i. e. HR 506/1842)

K = Leopold Kastner, Adressenbuch für Handel, Gewerbe und Actien-Gesellschaften der Oesterreichisch-ungarischen Monarchie, 2. Jahrgang, 1869, Wien 1869

L = Liste(n) der Goldschmiedeinnung / Lists (guild of goldsmiths)

LFB = Landesfabriksbefugnis / national factory authorization

M = Meisterrecht / Master's title

MerkG = Merkantil- und Wechselgericht / Mercantile and Commercial Court

P = Emanuel Pernold, Commerzialschema über den Oester reichischen Kaiserstaat. Jahrgang 1860, Wien

pFA = protokollierte Firma / registered company

Redl = siehe Ausgewählte Literatur, S. 275
see Selected Bibliography, p. 275

St = Steuerbemessung (ab dem Jahr 1829 in der Regel mit der Gewerbsverleihung identisch; bei Angabe des Jahres 1828 kann die Gewerbsverleihung früher sein) / Basis for the assessment of tax (from 1829 generally identical with bestowal of trade; for 1828 bestowal of trade can be earlier)

StA = Steueranmeldung / application of tax

WStLA = Wiener Stadt- und Landesarchiv / Vienna Municipal and Provincial Archives

## Besitznachweis
## Ownership

### MUSEEN
### MUSEUMS

Budapest, IM = Budapest, Kunstgewerbemuseum (Iparmüvészéti Múzeum) / Budapest, Museum for Applied Arts

Budapest, NM = Budapest, Nationalmuseum (Magyar Nemzeti Múzeum, Budapest) / Budapest, National Museum

Brünn, MG = Mährische Galerie Brünn (Moravská Galerie, Brno) / Brünn, Moravian Gallery

Prag, NM = Nationalmuseum Prag (Národní Muzeum, Praha) / National Museum, Prague

Prag, MhMP = Museum der Stadt Prag (Muzeum Hlavního Města Prahy) / Museum of the City of Prague

Wien, DM = Dom- und Diözesanmuseum, Wien / Cathedral and Diocesan Museum Vienna

Wien, HM = Historisches Museum der Stadt Wien / Historical Museum of the City of Vienna

Wien, KHM = Kunsthistorisches Museum Wien, Monturdepot / the "Kunsthistorisches Museum" (= Art Museum, Vienna), Uniform Depot

### KUNSTAUKTIONSHÄUSER IN WIEN
### ART AUCTIONEERS IN VIENNA

Wien, Dorotheum = Dorotheum Wien / Vienna
gefolgt von Auktionsnummer, Lot-Nummer, z. B. 1962/159
followed by the auction number, Lot-number, i. e. 1962/159

Wien, WKA = Wiener Kunst Auktionen, Wien / Vienna
gefolgt von Auktionsnummer, Lot-Nummer, z. B. 21/323
followed by the auction number, Lot-number, i. e. 21/ 323

### KUNSTHANDEL
### ART TRADE

Wien, S. Reisch = Sonja Reisch, Wien / Vienna

### PRIVATBESITZ
### PRIVATE COLLECTIONS

In- und ausländische Sammler
Collectors in Austria and abroad

Privatbesitz (NN) = Private Collection (NN)
NN = Initialen (Besitzercode) / initials (owner's code)

# QUELLEN

Die wichtigste Grundlage für die vorliegende Publikation stellen sieben Punzentafeln des **Wiener Hauptpunzierungs- und Probieramtes** dar, auf denen meist die Namen der Punzeninhaber neben den eingeschlagenen Punzen stehen. Auf diese Tafeln wird in einem eigenen Kapitel detailliert eingegangen (s. S. 97-112).

Die verwendeten schriftlichen Quellen sind vor allem im **Wiener Stadt- und Landesarchiv (= WStLA)** zu finden. Es handelt sich vorwiegend um die Bücher und Akten der Wiener Gold- und Silberschmiede (Bestand „Innungen", Nr. 79).

Wesentliche Angaben zum Tätigkeitszeitraum finden sich in den Innungslisten, die Meister und Befugte sowie deren Witwen, Gold- und Silberschmiede, Galanteriearbeiter, Uhrgehäusemacher, Privilegiumsinhaber, manchmal auch Gürtler und Bronzearbeiter etc. beinhalten. Da die sogenannten „Befugten" erst ab 1837 in diesen Listen geführt werden, müssen die Daten zu dieser Gruppe in anderen Quellen gesucht werden (hier sei insbesondere auf die Wiener Adreßbücher in der **Wiener Stadt- und Landesbibliothek** hingewiesen).

Für den jeweiligen Tätigkeitszeitraum sind die Angaben über die Steuerleistungen sehr wertvoll. Sie sind in den Steuerbüchern des WStLA enthalten (Bestand „Steueramt"), die allerdings nicht vollständig erhalten sind. Ergänzende Angaben können den Konskriptionsbögen entnommen werden (Bestand „Konskriptionsamt").

Firmen verwendeten im Laufe ihrer Geschichte oft mehrere Punzen, die meist auch ihre Besitzverhältnisse widerspiegeln (s. Einleitung, S. 12-19). Hier sind Bücher und Akten des Merkantil- und Wechselgerichts sowie des Handelsregisters heranzuziehen. Im Punzenteil des vorliegenden Buches (S. 113-272) werden diese Quellen detailliert angegeben; ergänzende Angaben zu Biographien und Firmengeschichten können noch in Pfarrmatriken, Paßprotokollen, Bürgereidbüchern und Totenbeschauprotokollen gefunden werden (der nach seinem Verfasser sogenannte „Portheim-Katalog" gibt ebenfalls Aufschluß über relevante Sterbedaten. Die Karteikarten dieses Katalogs beinhalten viele Hinweise auf Wiener Kunsthandwerker und basieren auf den unterschiedlichsten Quellen).

Als weitere, wertvolle Quelle für Daten, die sonst nirgends aufscheinen, hat sich die sogenannte „Hauptregistratur" im WStLA erwiesen. Wiewohl über große Zeiträume nur mehr die Indizes erhalten sind und viele Akten fehlen, kann man in diesen Indizes doch manchmal wertvolle Angaben wie Gewerbsansuchen, -verleihungen, -rücklegungen sowie Verstöße gegen Gesetze (z. B. Punzierungsvorschriften) und andere Hinweise finden. Auf diese Weise war es möglich, einige Punzeninhaber zu entdecken, die sonst in keiner anderen Quelle enthalten war (z. B. Anton Weidlein, S. 129, P297, oder K. Wenisch, S. 208, P1807).

# SOURCES

The most important foundation for this publication is provided by the seven marks tablets from the **Main Assay Office in Vienna** ("Wiener Hauptpunzierungs- und Probieramt, Wien"). On these tablets the names of the owners of the marks are usually embossed next to the marks themselves. One chapter deals with these tablets in detail (see pp. 97-112).

The written sources are chiefly to be found in the **Vienna Municipal and Provincial Archives** (= WStLA). These are mostly books and files of the Viennese Gold and Silversmiths' Guild (object category: "Guilds," No. 79).

Important data referring to the time of activity are found in the guild lists which include masters and authorized craftsmen along with their widows, gold and silversmiths, smallworkers, watchcase makers, privilege holders, and sometimes "gürtler" and bronzesmiths, etc. Since the so-called "authorized craftsmen" were not taken into these lists until 1837, the dates for this group must be sought in other sources (here the Viennese address books in the **Vienna Municipal and Provincial Library** are noteworthy).

For the dates of individual periods of activity, information on taxes paid is very valuable. This is contained in the tax books of the WstLA (object category: "Tax Office"), not all of which still exist, however.

Additional information can be taken from conscription forms (object category: "Conscription Office").

In the course of their history, companies often used several marks; they also reflect the current state of ownership (see introduction, pp. 12-19). Here books and files of the Mercantile and Commercial Court and of the Commercial Register can be drawn upon. These sources are identified in detail in the marks section of this book (pp. 113-272).

Additional information on biographies and company histories can also be found in parish registries, passport records, freemen's oath books and death certificate records (the "Portheim Catalogue," named for its compiler, also gives information on relevant dates of death. The card file of this catalogue contains many details about Viennese craftsmen, based on different sources).

An additional valuable source for information that does not appear anywhere else has proved to be the so-called "Main Registry" of the WstLA. Although for longer periods of time only the indexes survive and many files are missing, valuable details can still be found sometimes, such as applications or permission for practicing or giving up a trade, and even violations of the law (e.g. marking regulations) and other information. Using these sources made it possible to discover several owners of marks who were not listed in other sources (e.g., Anton Weidlein, p. 129, P297, or K. Wenisch, p. 208, P1807).

# AUSGEWÄHLTE BIBLIOGRAPHIE
# SELECTED BIBLIOGRAPHY

Berücksichtigt wurde nur jene Fachliteratur, die sich im besonderen mit den Punzen auf Wiener Silber befaßt; eine Bibliographie des Wiener Silbers wurde nicht angestrebt. Die im vorliegenden Buch abgekürzt zitierte Literatur wird im folgenden ebenfalls wiedergegeben.

*Only the specialized literature primarily concerned with marks found on Viennese silver was taken into consideration; no attempt was made to provide a bibliography of Viennese silver. The literature quoted in abbreviated form in this book is also mentioned in the following list.*

Bericht 1839, Wien 1840 = Bericht über die zweite allgemeine österreichische Gewerbs-Producten=Ausstellung im Jahre 1839, Wien 1840

Fray = Franz B. Fray, Allgemeiner Handlungs-Gremial-Almanach für den oesterreichischen Kaiserstaat, Wien (verschiedene Jahrgänge, wie angegeben)

Gottfried-Pernold = V. G. Gottfried und Emanuel Pernold, Handels- und Gewerbe-Adressenbuch der österreichischen Monarchie, Band I, 1854, Wien o.J.

Kat. Klinkosch 1997 = Hrsg. Sonja Reisch, Einleitung: Diether Halama, Die Gold-, Silber- und Metallwaren-Fabrik J. C. Klinkosch in Wien (1797-1972), Wien o. J. (1997)

Knies 1896 = Carl Knies, Die Punzierung in Österreich, Wien 1896

Knies 1905 = Carl Knies, Wiener Goldschmiedezeichen, Wien 1905

Neuwirth 1976/77 = Waltraud Neuwirth, Lexikon Wiener Gold- und Silberschmiede und ihre Punzen 1866–1922, Wien 1976/77

Neuwirth 1988, 1989 = Waltraud Neuwirth, Wiener Silber / Viennese Silver 1780 – 1866, Klassizismus, Biedermeier, Historismus / Classicism, Biedermeier, Historicism
Band / Vol. I: Tabaksdosen / Snuff boxes, Wien/Vienna 1988
Band / Vol. II: Zuckerstreuer, Zuckerdosen, Zuckervasen, Zuckerzangen / Sugar castors, Sugar boxes, Sugar vases, Sugar tongs, Wien/Vienna 1989

Neuwirth, Weltkunst 1998 = Waltraud Neuwirth, Wiener Silber – Anmerkungen zu Namens- und Firmenpunzen, in: Weltkunst Heft 2/1998, S. 2304-2307 (zu berichtigen: S. 2304, Abb. 12-15: Feingehaltspunze 1817 statt 1807)

Neuwirth, Weltkunst 2000 = Waltraud Neuwirth, Wiener Silber-Punzen – Neue Forschungsergebnisse bei Schwertfeger-Punzen, in: Weltkunst Heft 3/2000, S. 480-481

Neuwirth 1976/77 = Waltraud Neuwirth, Lexikon Wiener Gold- und Silberschmiede und ihre Punzen 1867-1922, Wien 1976, 1977

Neuwirth 1980 = Waltraud Neuwirth, Wiener Jugendstilsilber - Original, Fälschung oder Pasticcio? Wien 1980

Neuwirth Markenlexikon 5/1996, 6/2000, 7/2001 = NEUWIRTH Markenlexikon für Kunstgewerbe
Bd. 5: Wiener Gold- und Silberschmiede Punzen 1781-1822, Wien 1996
Bd. 6: Wiener Gold- und Silberschmiede Punzen 1822-1850, Wien 2000
Bd. 7: Wiener Gold- und Silberschmiede Punzen 1850-1866, Wien 2001

Redl = Anton Redl, Handlungs Gremien und Fabricken Adressen Buch, Wien (verschiedene Jahrgänge, wie angegeben)

Reitzner 1952 = Viktor Reitzner, Edelmetalle und deren Punzen, Wien 1952

# NAMENSREGISTER

# INDEX OF NAMES

Das Namensregister erfaßt neben den Wiener Gold- und Silberschmieden, Schwertfegern etc. auch die in den Anmerkungen enthaltenen Namen (aus Biographien und Firmengeschichten). Nach den Seitenangaben folgen in Klammern die jeweiligen Punzennummern, um das Auffinden auf der Seite zu erleichtern. In der Regel stehen deutscher und englischer Text auf derselben Seite; wenn dies nicht der Fall ist, wird im Register die Seitenangabe für den englischen Text in kursiver Schrift angegeben.

In addition to the names of Viennese gold and silversmiths, hilt makers, etc., other names contained in the remarks (on biographies and company histories) are also included. Following the page number, the number of the mark is given in brackets to make it easier to locate on the page.
As a rule, German and English texts appear on the same page; when this is not the case, the page number for English is shown in the index in italics.

Ficker, Johann 177 (P1172), 199 (P1602-1604)
Fiebinger, Franz 151 (P693)
Fillier, Franz 151 (P707)
Finsterlein, Johann 177 (P1170), 199 (P1599)
Fischer, Adolf 117 (P59)
Fischer, Franz 151 (P692), 272
Fischer, Franz Samuel 228 (P2201, 2202)
Fischer, Georg 112, 164
Fischmeister s. Rozet & Fischmeister
Fischmeister, Karl 226
Flach, Ludwig 209 (P1821)
Flach, Vincenz 235 (P2311)
Fleckles & Sohn, Firma Max 217
Fleckles (Flekles), Carl (Karl) 217, 136 (P440)
Fleckles (Flekles, Flekeles), Max 148, 217 (P1964), 225
Fleischer, Franziska 151 (P697)
Fleischer, Johann 199 (P1600)
Fleischer, Josef 199 (P1601)
Fleischmann, Eduard 145 (P602)
Fleischmann, Franz 151 (P698-700)
Forgatsch, Georg 31, *32*, 83, 97, 256 (P2576-2582)
Fortner, Ludwig 108, 267 (P2709-2712)
Fournier, Abraham 117 (P55)
Frank, Lorenz 31, *32*, 72, 209 (P1822, 1823)
Franz, David 143 (P561)
Fränzl (Fränzel), Stephan 97, 106, 230 (P2220-2224)
Freisinger, Michael 268 (P2719)
Frenzel, Christian Friedrich 136 (P439), 137 (P462)
Frenzel, Heinrich Johann 170 (P1065)
Freudenschuß (Freydenschuss), Josef 31, *32*, 59, 177 (P1173)
Frey, Franz 151 (P710)
Freydenschuss, Johann 177
Freydenschuss (Josef Freydenschuss Witwe; I. Freydenschussin), Maria Anna 177 (P1174-1178)
Friderici, Carl 136 (P437, 442)
Friedl, Leopold 209 (P1826-1828)
Frisch (Fritsch), Alois 104, 117 (P60)
Friseck, Franz 151 (P694-696)
Fritsch, Franz 151 (P691)
Fritschner, Engelbert 145 (P603)
Fritzl, Franz 151 (P708)
Fritzl, Ludwig 209 (P1824)
Frohriep, Johann (H.) Karl 206 (P1762)
Fuchs, Anton 31, *32*, 83, 97, 250 (P2508, 2509)
Fuchs, Ferdinand 151 (P709)
Fuchs, Victor 233
Fuchs Witwe, Anton 250 (P2510)
Funk, Josef 177 (P1171)
Funke & Böhr, Firma 115
Funke, Karl Ferdinand 115
Füssl s. Bolzani & Füssl
Füssl, Georg 131
Füssl, Rudolf 131
Fux, Josef 177 (P1181)
Fux, Leopold 209 (P1825)

Gabel, Johann 178 (P1184)
Gabesam, Josef 178 (P1185)
Gal, Josef 164 (P942)
Gärtner, Peter 224 (P2120)
Gasterstädt, Heinrich 170 (P1069)
Gaul, Carl 136 (P446)
Gedlitzka (Jedlitzka), Josef 199 (P1605, 1609), 200 (P1634)
Gelder, Berthold 31, *32*, 67, 81, 132 (P339-346)
Gelder, Ludwig 132, 209 (P1830)
Gemeiner, Carl 136 (P447)
Gendle, Franz Josef 152 (P721)
Gendle, Wilhelm 239 (P2376)
Gerbalek, Franz 152 (P717, 720)
Gerber, Anton 118 (P65)
Gerhard, Rudolf 226 (P2159)
Gerich, Johann Josef 178 (P1186)
Gerl, Franz 152 (P712, 713), 253 (P2549)
Gfrerer, Vincenz 235 (P2312)
Ghiglione, Friedrich 152 (P722)
Ghillioni, Anton 118 (P66, 67)
Gießwein, Karl 206 (P1768-1770)
Gillarduzzi, Franz 152 (P718)
Gindle, Friedrich 152 (P716, 719)
Gindle, Ignaz 178 (P1188-1191)
Gindorff, Franz 152 (P714, 715)
Gioth, Carl 136 (P444, 445)
Glantka, Anton 118 (P64)
Glanz, Josef 171, 199 (P1610)
Glassner, Anton 118 (P68, 69)
Glogseisen, Franz 98
Gmeiner, Josef 199 (P1606)
Godina & Nemeczek, Firma 136, 167 (P1014)
Godina, Antonia 136
Godina, Carl 136 (P443)
Godina, Ferdinand 136, 167
Godina, Firma F. 167
Godina's Söhne, Firma F. 167
Goldschmidt, Firma S. & W. 228
Goldschmidt, Michael 217
Goldschmidt, Samuel 108, 228 (P2203, 2204)
Goldschmidt, Wilhelm 228
Goldschmidt Söhne, Firma M. (Michael) 110, 217 (P1965, 1966)
Goldschmidt & Söhne, Firma Michael 217
Gollasch, Karl 206 (P1767)
Golsch, Friedrich 152 (P711)
Gossmann, Ludwig 209 (P1832)
Gottsleben, Eduard 146 (P605, 606)
Greber, Wilhelm 168 (P1024)
Grebner, Firma W. 239
Grebner, Wilhelm 239 (P2378)
Gregor, Josef 258 (P2608, 2609)
Gregorius, Heinrich 170 (P1068)
Greidl (Kreidl), Felix 100, 152 (P723-726)
Greidl, Magdalena 152
Grill, Georg (Johann) 168 (P1025)
Grohmann, Eduard 146 (P604)
Gross, Barbara 168
Gross, Ignaz 178 (P1192)
Gross, Josef 168 (P1027), 199 (P1608)

Gross, Josef Carl 111, 168 (P1026), 199 (P1607)
Grosser, Josef 178 (P1187)
Grünwald, Ludwig 209 (P1831, 1833)
Gudehuss, Heinrich 170 (P1067)
Gutmann, Johann 20, 22, 24, 28, 31, *32*, 35, 50, 51, 54, 101, 178 (P1193-1205), 258 (P2603)
Gutmann, Johann (Josef?) Vinzenz 195 (P1523, 1524)
Gutmann, Wenzel 239 (P2377)
Gutmann Witwe, Johann 258 (P2604-2607)

Haarstrick, Wilhelm 239 (P2380)
Haas, Caspar 31, *32*, 80, 103, 137 (P449), 252 (P2525-2531)
Haass, Anton 118 (P83)
Hablin, Moritz 170 (P1052), 218 (P1968)
Hackel, Johann Georg 166 (P980)
Haeckl, Ferdinand 201
Haeckl, Theresia 201
Hajek, Eduard 146 (P612)
Hajek, Franz 201
Hajek, Klara 201
Hajek, Wenzel 239 (P2379)
Halick, Lorenz 210 (P1842)
Haller, Anton 118 (P71)
Haller, Ignaz 181 (P1245, 1246), 259 (P2620)
Hamel, Franz 170 (P1066)
Hamilton, Franz 152 (P729, 733)
Hand, Hermann 170 (P1073)
Hanel, E. 235
Hann, Johann Georg 22, 26, 27, 31, *32*, 37, 38, 40, 41, 44, 58, 97, 98, 165 (P958-979)
Hantsch, Franz 152 (P730)
Harathauer, Josef 182 (P1262)
Harnisch, Mathias 218 (P1976)
Harrich, Johann 200 (P1622, 1626)
Hartel, Josef 180 (P1231)
Hartmann, Franz (Friedrich) 31, *32*, 34, 108, 153 (P738-740), 170 (P1064)
Hasenbauer, Christoph 137 (P450, 451, 458)
Hasenbauer, Matthäus 218 (P1974, 1975)
Hauber, Franz Anton 152 (P732)
Hauber, Johann 180 (P1232), 200 (P1617)
Haubruge, Johann 180 (P1226)
Hauf, Franz 253 (P2550)
Haukold, Hermann (Alexander?) 170 (P1070)
Haunold, Georg 166 (P981)
Hauptmann & Cie., Firma A. D. 116
Hauptmann & Sohn, Firma D. 116, 143
Hauptmann, Anton 143
Hauptmann, Anton Dominik 116 (P51)
Hauptmann, Carl 137 (P454-457)
Hauptmann, Dominikus 31, *32*, 50, 116, 143 (P562, 563), 176 (P1158-1160)
Hauptmann, Firma A. D. 116
Hauptmann, Gottfried 164 (P956)
Hauptmann, Josef 97
Hauptmann, Johann Caspar 175 (P1136, 1137)
Hauptmann, Johann Peter 98, 224 (P2121)

Nus, Kajetan 206 (P1776)
Nussbeck, Leopold 211 (P1868, 1869)
Nußböck, Johann Georg 99, 167 (P1010-1013), 256 (P2584)

Oberhauser, Anton 31, *32*, 77, 125 (P204-206), 117
Oberhauser, Anton Ferdinand 117 (P63), 125
Oberhauser, Katharina 117, 125
Oberhauser, Matthias 117, 125, 220 (P2035-2040)
Obrecht, Franz 156 (P811)
Oetinger, Ludwig 125
Ohligs & Haus(s)mann, Firma B. W. 223 (P2107)
Ohligs & Söhne, Firma B. W. 223
Ohligs - Haus(s)mann, Firma B. W. 182
Ohligs - Hausmann, W. B. 112
Ohligs, Anna, geb. Hausmann 223
Ohligs, Bernhard 223
Ohligs, Bernhard Wilhelm 182, 223
Ollinek, Matthias 220 (P2034)
Ordner, Heinrich 171 (P1089)
Ortner, Carl 139 (P493)
Ortner, Johann 202 (P1672)
Ortner, Johann 202 (P1673)
Osterer, Johann 202 (P1674)
Ott, Josef 190 (P1401)
Öttinger s. Alexander & Öttinger

Pachtmann, Heinrich 172 (P1095, 1096)
Packeny, Carl 102, 139 (P494-500)
Packeny, Josef 190 (P1406)
Packeny, Rosa 139
Paltscho, Karl 207 (P1780)
Panek, Franz 156 (P824, 825)
Papisch, Josef 190 (P1402-1405)
Paradeiser, Eduard 147 (P622)
Pastisch, Franz 156 (P821)
Patak, Ferdinand 156 (P822)
Patnot (Patnoter) Daniel Jakob 105, 143 (P564-566)
Patzinger, Josef Vinzenz 202 (P1677)
Paul, Felix 156 (P820, 823)
Pawliczek, Franz 156 (P817)
Pech, Franz 156 (P816)
Peindinger, Josef 190 (P1417)
Peinkofer, Martin 221 (P2043, 2044, 2046)
Peinkofer, Sebastian 229 (P2212)
Pekaschy, Leopold 211 (P1870)
Pelikan, Anton 125 (P210)
Pelikan, Franz 97, 224 (P2118)
Pelischek, Anton 125 (P213)
Peters, Adolf 125 (P211)
Petrasches, Johann 190 (P1420)
Petronin, Johann 202 (P1679)
Petrowitsch, Markus 221 (P2042, 2045)
Petrowitz, Johann 202 (P1680)
Pfalzer, Lorenz 211 (P1871, 1872)
Pfann, Anton 125 (P208, 209)
Pfann, Josef 202 (P1676, 1682)
Pfeffer, Heinrich 172 (P1094)
Pfuhl, Otto 224 (P2119)
Philipp, Johann 202 (P1678)

Pichelmayr (Pichelmayer) s. Sternegger & Pichelmayer
Pichelmayr, Georg 229
Pickel (Pickl), Johann 224 (P2128)
Pieter, Franz 156 (P812, 815)
Pietsch, Eduard 147 (P623)
Pioté (Pioti), Emanuel 104, 120, 147 (P624), 207, 224 (P2130)
Pioté, Emanuel und Heinrich Köchert 147 (P625)
Pioté & Köchert, Firma 104, 120, 147, 207, 224
Pistori, Georg 167 (P1016)
Pitner (Pittner), Anton 126 (P216, 217), 224 (P2111)
Pittner's Nachfolger, Firma Anton 126
Pittner, Wilhelm 225 (P2146)
Planding, Johann 190 (P1409-1411)
Pokorny, Josef 257 (P2591)
Polandt, Josef 190 (P1412, 1413)
Pollak s. Rutzky & Pollak
Pollak, Firma H. 172
Pollak, Heinrich 172 (P1092, 1093)
Pöller, Wilhelm 240 (P2406-2408)
Pollmann, Josef 190 (P1423)
Polnisch, Samuel 229 (P2211)
Pondel, Friedrich 156 (P813)
Ponti, Eleonore 227
Ponti (Witwe Eleonore), Santi 227 (P2177)
Ponti, Santi 177
Poppe, Ignaz 190 (P1414, 1422)
Pospischil, Wenzel 240 (P2409, 2410)
Praschek, Franz 156 (P818, 819)
Prehn, Franz 167 (P1017)
Presina, Josef 190 (P1408)
Pretsch, Johann 31, *32*, 82, 190 (P1418, 1419)
Prinz, Abraham 125 (P214, 215)
Probstein, Jakob Moses 190 (P1416)
Prohaska, Andreas 125 (P212)
Prückner, Ignaz 190 (P1407), 225 (P2134)
Pruschka, Johann 190 (P1421), 202 (P1681)
Przyemsky, Friedrich 156 (P814)
Pundschuh, Johann 190 (P1415)
Puppenschlag, David 144 (P574)
Puth, Georg 167 (P1015)

Quitteiner, Anton Josef 103, 119 (P88-90)
Quitteiner, Georg 167 (P1018)
Quitteiner, Josef 265 (P2685, 2686)

Raab, Carl 139 (P503, 504, 508, 509)
Rabatsch, Richard 225 (P2151)
Radda, Johann 202 (P1683, 1684)
Radeiner, Franz 157 (P828)
Radici, Anton 126 (P236)
Radici, Giovanni Battista 167 (P1022, 1023)
Raimund, Josef 191 (P1431), 202 (P1685), 272
Ramsberger, Anton 126 (P225)
Ramsch, Wilhelm 240 (P2411)
Ranninger, Benedikt Nikolaus 31, *32*, 75, 78, 97, 104, 106, *132*, 133 (P360-387), 134 (P393-398), 242 (P2447)

Ranninger, Wulf (Wolf) Heinrich *132*, 133, 242 (P2447)
Rasek, Anton 225 (P2152)
Ratzersdorfer & Sohn, Firma H. 248, 256
Ratzersdorfer, Firma H. 256
Ratzersdorfer, Hermann 104, 110, 248 (P2491-2495), 256 (P2587)
Ratzersdorfer, Julius 248, 256
Reber, Georg 167 (P1020)
Rechinger, Anna 126
Rechinger, Anton 126 (P237-240)
Regscheck, Thomas 234 (P2288-2292)
Rehl, Joseph 112
Reichelt, Friedrich 157 (P834)
Reichhalter, Anton 126 (P218)
Reihl, Eduard 147 (P626, 627), 216 (P1962)
Reihl, I. 192 (P1441, 1442)
Reineck, August 126 (P223)
Reiner, Josef 104, 106, 107, 191 (P1426-1429), 203 (P1687, 1689-1691), 226 (P2153-2158)
Reiner's Erben, Firma Josef 191, 203 (P1688), 226
Reinhard, Lorenz 26, 212 (P1878-1883)
Reinhart, Anton 126 (P224)
Reissner, Franz 157 (P832)
Renner, Andreas 126 (P226, 232-234)
Renner, August 126 (P219)
Renner, Johann 191 (P1436)
Resch, Johann 191 (P1430)
Rettger, Anton 126 (P220)
Retzer, Johann Carl 175 (P1139-1141)
Reuter, Carl 139 (P506)
Reuter, Christoph 139 (P507)
Reuter, Josefine 139
Reymann, Franz 157 (P833)
Richter s. Theuer & Sohn Nachfolger A. Richter
Richter, Adalbert 180, 233, 245
Richter, Bernhard 134 (P392)
Ricker, J. M. 191
Riedl, Josef Wilhelm 197 (P1563)
Riedlechner, Alois 126 (P230)
Riedlechner, Lorenz 212 (P1875)
Riessner, Franz 157 (P826, 827)
Robitsek, Carl 134 (P391)
Roel, Josef 112
Rohn, Gottlieb 167 (P1019, 1021), 272
Rohrwasser, Eduard 253 (P2546)
Rolletzek, Leopold 212 (P1873, 1874)
Roschi, Stephan 229
Roschin, Catharina 229
Roschin (Witwe von Stephan Roschi), S. 229 (P2213)
Rosenberg s. Niemetz & Rosenberg
Rosenberg, Firma S. 229
Rosenberg, Salomon 189, 229 (P2214, 2215)
Rossi, Anton 31, *32*, 61, 126 (P221, 222, 229), 226 (P2166)
Roth, Anton 126 (P228)
Roth, Ludwig 212 (P1876, 1877)
Rothe, Ernst 253 (P2547)
Rothe, Friedrich 157 (P830)

*JOHANN GEORG HANN, Deckelterrine mit Untersatz, Gesamthöhe: 42 cm, Gewicht: 7,8 kg*
*Punzierung: Wiener Punze von 1792, Namenspunze GH (Neuwirth P958-P976)*

# Sonja Reisch

## Kunst und Antiquitäten

1010 Wien, Stallburggasse 4, Tel. & Fax: 0043-1-535 52 15

1010 Wien, Bräunerstraße 10, Tel. & Fax: 0043-1-533 05 12

e-mail: reisch.antiques@aon.at

WIENER GOLD- UND
SILBERSCHMIEDE
UND IHRE PUNZEN
1867–1922

WALTRAUD
NEUWIRTH

LEXIKON
A–K

WALTRAUD
NEUWIRTH

LEXIKON
L–Z

**SELBSTVERLAG
DR. WALTRAUD NEUWIRTH**

Weinzingergasse 10 / Haus 18
A-1190 Wien

Tel.: 0043 - 1 - 320 73 23
Fax: 0043 - 1 - 320 02 25
e-mail:
waltraud.neuwirth@eunet.at

Waltraud Neuwirth
LEXIKON WIENER GOLD- UND
SILBERSCHMIEDE UND IHRE PUNZEN
1867-1922
2 Bände, 737 Seiten, 43 Farbabb., 2599
Punzen, 441 Strichzeichnungen
ISBN 3-900282-00-5
(Leinen, 1976/77)

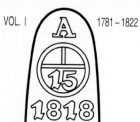

Waltraud Neuwirth

WIENER GOLD - UND SILBERSCHMIEDE
PUNZEN 1781 – 1866 MARKS
VIENNESE GOLD AND SILVERSMITHS

VOL. I 1781 – 1822

NEUWIRTH MARKENLEXIKON 5

Waltraud Neuwirth

WIENER GOLD - UND SILBERSCHMIEDE
PUNZEN 1781 – 1866 MARKS
VIENNESE GOLD AND SILVERSMITHS

VOL. II 1822 – 1850

NEUWIRTH MARKENLEXIKON 6

Waltraud Neuwirth

WIENER GOLD - UND SILBERSCHMIEDE
PUNZEN 1781 – 1866 MARKS
VIENNESE GOLD AND SILVERSMITHS

VOL. III 1850 – 1866

NEUWIRTH MARKENLEXIKON 7

Waltraud Neuwirth
NEUWIRTH MARKENLEXIKON
Nr. 5, 6, 7 (deutsch-englisch)
Wiener Gold- und Silberschmiede
Punzen 1781-1866 Marks
Viennese Gold and Silversmiths
Bd. I: 1781-1822, 561 Punzen
(1996), ISBN 3-900282-29-3
Bd. II: 1822-1850: 803 Punzen
(2000), ISBN 3-900282-30-7
Bd. III: 1850-1866, 352 Punzen
(2001), ISBN 3-900282-51-X

Waltraud Neuwirth
WIENER SILBER 1780-1866
Band I: Tabaksdosen
352 Seiten, 12 Farbabb.
638 Schwarzweißabbildungen
ISBN 3-900282-31-5 (Ln., 1988)

Waltraud Neuwirth
WIENER SILBER 1780-1866
Band II: Zuckerstreuer, Zuckerdosen, Zuckervasen, Zuckerzangen
592 Seiten, 9 Farbabbildungen
991 Schwarzweißabbildungen
ISB 3-900282-32-3 (Ln., 1989)

WIENER SILBER 1780-1866

VIENNESE SILVER VOL. I

WALTRAUD NEUWIRTH

WIENER SILBER 1780-1866

VIENNESE SILVER VOL. II

WALTRAUD NEUWIRTH